DICTIONARY OF 501 SPANISH VERBS

FULLY CONJUGATED IN ALL THE TENSES

Alphabetically arranged

BY

Christopher Kendris

B.S., M.S.L.S., Columbia University
M.A., Ph.D., Northwestern University
Diplôme, Faculté des Lettres, Sorbonne

Department of Foreign Languages
The Albany Academy
Albany, New York

BARRON'S EDUCATIONAL SERIES,
Woodbury, N. Y.

All inquiries should be addressed to:
Barron's Educational Series, Inc.
113 Crossways Park Drive
Woodbury, New York 11797

Library of Congress Catalog Card No. 78-162826

International Standard Book No. 0-8120-0421-3

PRINTED IN THE UNITED STATES OF AMERICA

20

To my wife *Yolanda*
and my two sons, *Alex* and *Ted*

CONTENTS

FOREWORD

YOU WILL FIND THIS DICTIONARY OF SPANISH VERBS very useful if you are a student in school or college or if you plan to travel to a Spanish-speaking country.

Verbs have always been a headache for many students no matter what method the teacher uses. Verb conjugations are usually found in the back pages of Spanish books and, as you know, Spanish grammar books ordinarily give just a few verbs fully conjugated.

This everyday dictionary of 501 Spanish verbs fully conjugated in all the tenses has been compiled to help make your work easier and at the same time to help you learn Spanish verbs systematically. It is a useful dictionary which can always be at your fingertips because it provides a quick and easy way to find the full conjugation of hundreds of Spanish verbs. You can use this dictionary as a method of self-instruction because on one single page you will find the verb forms of all the tenses you need to know. Examine them carefully. The subject pronouns have been omitted in order to emphasize the verb forms. The first three verb forms before the semicolon are the first, second, and third persons of the singular. The three verb forms after the semicolon are the plural forms of the verbs.

At the end of this foreword, there is a section called *A Summary of Meanings and Uses of Spanish Verb Tenses and Moods as Related to English Verb Tenses and Moods*. Read it in order to get an idea of what verbs are all about. Following that section, there is a list of *Verb Tenses and Moods in Spanish with English Equivalents*. If you study those pages, as well as the *Sample English Verb Conjugation*, you should get a better idea of how to use verbs in Spanish and English. Following this, there is a table showing the formation of regular Spanish verbs. I have included it for those who want to learn how to form the different tenses of regular Spanish verbs.

At the end of this book you will find two indexes and a list. First, the *English-Spanish Verb Index* lists English verbs whose equivalents in Spanish are conjugated fully in this dictionary. If you do not know the Spanish equivalent of the English verb you have in mind, look it up in this index. Second, the *Index of Spanish Verb Forms Identified by Infinitive* lists Spanish verb forms which are difficult for many students to identify. Verb forms whose first three letters are the same as the infinitive have not been included in this index because they can easily be identified by referring to the alphabetical listing of the 501 Spanish verbs in this book. I have included this index to help you identify odd-looking verb forms which you find in your readings. For instance, if you come across the verb form **sea**, and you need to know what its infinitive is, look it up in this index and you will find that its infinitive is *ser*. Finally, the *List of Spanish Verbs Conjugated Like Model Verbs Among the 501* contains over 850 additional Spanish verbs. The number given after each verb is the page number where a model verb is shown fully conjugated among the 501. For example, if you need to use the verb **calcular** in a particular tense, look it up in this list and you will find that it refers you to page 70 where **articular** is fully conjugated as a model verb in all the tenses.

This dictionary provides students of Spanish in schools and colleges, and travelers, with needed information quickly and easily. It is useful, compact, handy, and practical. I sincerely hope that it will be of some help to you in finding, learning, and using Spanish verb tenses.

Christopher Kendris, Ph.D.

A SUMMARY OF MEANINGS AND USES OF SPANISH VERB TENSES AND MOODS AS RELATED TO ENGLISH VERB TENSES AND MOODS

A verb is where the action is! A verb is a word that expresses an action (like *go*, *eat*, *write*) or a state of being (like *think*, *believe*, *be*). Tense means time. Spanish and English verb tenses are divided into three main groups of time: past, present, and future. A verb tense shows if an action or state of being took place, is taking place, or will take place.

Spanish and English verbs are also used in four moods, or modes. (There is also the Infinitive Mood, but we are not concerned with that here.) Mood has to do with the *way* a person regards an action or a state that he expresses. For example, a person may merely make a statement or ask a question—this is the Indicative Mood, which we use most of the time in Spanish and English. A person may say that he *would do* something if something else were possible or that he *would have done* something if something else had been possible—this is the Conditional Mood. A person may use a verb *in such a way* that he indicates a wish, a fear, a regret, a joy, a request, a supposition, or something of this sort—this is the Subjunctive Mood. The Subjunctive Mood is used in Spanish much more than in English. Finally, a person may command someone to do something or demand that something be done—this is the Imperative Mood.

There are six verb tenses in English: Present, Past, Future, Present Perfect, Past Perfect, and Future Perfect. The first three are simple tenses. The other three tenses are compound and are based on the simple tenses. In Spanish, however, there are fourteen tenses, seven of which are simple and seven of which are compound. The seven compound tenses are based on the seven simple tenses. In Spanish and English a verb tense is simple if it consists of one verb form, *e.g.*, **estudio**. A verb tense is compound if it consists of two parts—the auxiliary (or helping) verb plus the past participle, *e.g.*,

he estudiado. See the list of **Verb Tenses and Moods in Spanish with English Equivalents** at the end of this summary.

In Spanish there is also another tense which is used to express an action in the present. It is called the *Progressive Present*. It is used only if an action is actually in progress at the present time; for example, **Estoy leyendo**, *I am reading (right now)*. It is formed by using the *Present Indicative of* **estar** plus the present participle of the verb. ... is used to express a ... called the *Progressi* ... ogress at a certain m ... **lo cuando mi herr** ... *me in*. The *Progressi* ... *ve* of **estar** plus the

In the ... in Spanish and the ... n parenthe-ses. Alth ... considered to be ter ... the purpose of ident ... names. The comparis ... know about the mea ... ds as related to Engli ... eir meanings and use ... It is merely a summ

THE SEVEN SIMPLE TENSES

I

Presente de Indicativo

(Present Indicative)

This tense is used most of the time in Spanish and English. It indicates:

(a) An action or a state of being at the present time.

EXAMPLES:

1. **Hablo** español. *I speak* Spanish.
   I am speaking Spanish.
   I do speak Spanish.
2. **Creo en** Dios. *I believe* in God.

(b) Habitual action.

EXAMPLE:

Voy a la biblioteca todos los días.
I go to the library every day.
I do go to the library every day.

(c) A general truth, something which is permanently true.

EXAMPLES:

1. Seis menos dos **son** cuatro.
   Six minus two *are* four.
2. El ejercicio **hace** maestro al novicio.
   Practice *makes* perfect.

(d) Vividness when talking or writing about past events.

EXAMPLE:

El asesino **se pone** pálido. **Tiene** miedo. **Sale** de la casa y corre a lo largo del río.

The murderer *turns* pale. *He is* afraid. *He goes out* of the house and *runs* along the river.

(e) A near future.

EXAMPLE:

Mi hermano **llega** mañana.
My brother *arrives* tomorrow.

(f) An action or state of being that occurred in the past and *continues up to the present*. In Spanish this is an idiomatic use of the *Present Tense* of a verb with **hace**, which is also in the *Present*.

EXAMPLE:

Hace tres horas que **miro** la televisión.
I have been watching television for three hours.

(g) The meaning of *almost* or *nearly* when used with **por poco**.
EXAMPLE:
Por poco me **matan**.
They almost *killed* me.

II

Imperfecto de Indicativo

(Imperfect Indicative)

This is a past tense. Imperfect means incomplete. The *Imperfect Tense* expresses an action or a state of being that was continuous in the past and its completion is not indicated. This tense is used, therefore, to express:

(a) An action that was going on in the past at the same time as another action.
EXAMPLE:
Mi hermano **leía** y mi padre **hablaba**.
My brother *was reading* and my father *was talking*.

(b) An action that was going on in the past when another action occurred.
EXAMPLE:
Mi hermana **cantaba** cuando yo entré.
My sister *was singing* when I came in.

(c) An action that a person did habitually in the past.
EXAMPLES:
1. Cuando **estábamos** en Nueva York, **íbamos** al cine todos los sábados.
When *we were* in New York, *we went* to the movies every Saturday.
When *we were* in New York, *we used to go* to the movies every Saturday.
2. Cuando **vivíamos** en California, **íbamos** a la playa todos los días.
When *we used to live* in California, *we would go* to the beach every day.

NOTE: In this last example, *we would go* looks like the Conditional, but it is not. It is the *Imperfect Tense* in this sentence because habitual action is expressed.

(d) A description of a mental, emotional, or physical condition in the past.
EXAMPLES:
1. (mental condition) **Quería** ir al cine.
I wanted to go to the movies.

2. (emotional condition) **Estaba** contento de verle.
I was happy to see him.

3. (physical condition) Mi madre **era** hermosa cuando **era** pequeña.
My mother *was* beautiful when she *was* young.

(e) The time of day in the past.

EXEMPLES:

1. ¿Qué hora **era**?
What time *was* it?
2. **Eran** las tres.
It was three o'clock.

(f) An action or state of being that occurred in the past and *lasted for a certain length of time* prior to another past action. In English it is usually translated as a Pluperfect tense and is formed with *had been* plus the present participle of the verb you are using. It is like the special use of the **Presente de Indicativo** explained in the above section in paragraph (f), except that the action or state of being no longer exists at present. This is an idiomatic use of the *Imperfect Tense* of a verb with **hacía**, which is also in the *Imperfect*.

EXAMPLE:

Hacía tres horas que **miraba** la televisión cuando mi hermano entró.
I had been watching television for three hours when my brother came in.

(g) An indirect quotation in the past.

EXAMPLE:

Present: Dice que **quiere** venir a mi casa.
He says *he wants* to come to my house.

Past: Dijo que **quería** venir a mi casa.
He said *he wanted* to come to my house.

III

Pretérito

(Preterit or Past Definite)

This tense expresses an action that was completed at some time in the past.

EXAMPLES:

1. Mi padre **llegó** ayer.
   My father *arrived* yesterday.
   My father *did arrive* yesterday.
2. María **fue** a la iglesia esta mañana.
   Mary *went* to church this morning.
   Mary *did go* to church this morning.
3. ¿Qué **pasó**?
   What *happened?*
   What *did happen?*
4. **Tomé** el desayuno a las siete.
   I *had* breakfast at seven o'clock.
   I *did have* breakfast at seven o'clock.
5. **Salí** de casa, **tomé** el autobús y **llegué** a la escuela a las ocho.
   I left the house, *I took* the bus and *I arrived* at school at eight o'clock.

In Spanish, some verbs that express a mental state have a different meaning when used in the *Preterit.*

EXAMPLES:

1. La **conocí** la semana pasada en el baile.
   I met her last week at the dance.
   (**Conocer**, which means *to know* or *be acquainted with*, means *met*, that is, introduced to for the first time, in the *Preterit.*)
2. **Pude** hacerlo.
   I succeeded in doing it.
   (**Poder**, which means *to be able*, means *succeeded* in the Preterit.)
3. **No pude** hacerlo.
   I failed to do it.
   (**Poder**, when used in the negative in the Preterit, means *failed* or *did not succeed.*)
4. **Quise** llamarle.
   I tried to call you.
   (**Querer**, which means *to wish* or *want*, means *tried* in the Preterit.)
5. **No quise** hacerlo.
   I refused to do it.
   (**Querer**, when used in the negative in the Preterit, means *refused.*)

6. **Supe** la verdad.
I found out the truth.
(**Saber**, which means *to know*, means *found out* in the Preterit.)

IV

Futuro

(Future)

In Spanish and English, the *Future* tense is used to express an action or a state of being that will take place at some time in the future.

EXAMPLES:

1. Lo **haré**.
I shall do it.
I will do it.
2. **Iremos** al campo la semana que viene.
We shall go to the country next week.
We will go to the country next week.

Also, in Spanish the *Future Tense* is used to indicate:

(a) Conjecture regarding the present.

EXAMPLES:

1. ¿Qué hora **será**?
I wonder what time *it is*.
2. ¿Quién **será** a la puerta?
Who *can that be* at the door?
I wonder who is at the door.

(b) Probability regarding the present.

EXAMPLES:

1. **Serán** las cinco.
It is probably five o'clock.
It must be five o'clock.
2. **Tendrá** muchos amigos.
He probably has many friends.
He must have many friends.

Finally, remember that the *Future Tense* is never used in Spanish after *si* when *si* means *if.*

V

Potencial Simple

(Conditional)

The *Conditional* is used in Spanish and in English to express:

(a) An action that you *would do* if something else were possible.

EXAMPLE:

Iría a España si tuviera dinero.

I would go to Spain if I had money.

NOTE: If you want to understand the use of *tuviera* in the above example, see below in section **VII, Imperfecto de Subjuntivo** where an explanation is given for the use of the *Imperfect Subjunctive* to express a condition contrary to fact. Also, observe the difference between the above example and the one given for the use of the **Potencial Compuesto** under section **XII** (a).

(b) A conditional desire. This is a conditional of courtesy.

EXAMPLE:

Me gustaría tomar una limonada.

I should like (or *would like*) to have a lemonade... (if you are willing to let me have it).

(c) An indirect quotation to take the place of the *Future Tense.*

EXAMPLE:

(*Present* plus *Future*)

María **dice** que **vendrá** mañana.

Mary *says* she *will come* tomorrow.

(*Preterit* plus *Conditional*)

María **dijo** que **vendría** mañana.

Mary *said* she *would come* tomorrow.

Also, the *Conditional* is used in Spanish but not in English to indicate:

(a) Conjecture regarding the past.

Example:

¿Quién **sería** a la puerta?

Who *could that have been* at the door?

I wonder who that was at the door.

(b) Probability regarding the past.

Example:

Serían las cinco cuando salieron.

It was probably five o'clock when they went out.

It must have been five o'clock when they went out.

Finally, remember that the Conditional is never used in Spanish after *si* when *si* means *if*.

VI

Presente de Subjuntivo

(Present Subjunctive)

The Subjunctive mood is used in Spanish much more than in English. In Spanish the *Present Subjunctive* is used:

(a) To express a command in the **usted** form, either in the affirmative or negative.

Examples:

1. **Siéntese** Vd. *Sit down.*
2. **No se siente** Vd. *Don't sit down.*
3. **Cierren** Vds. la puerta. *Close* the door.
4. **No cierren** Vds. la puerta. *Don't close* the door.
5. **Dígame** Vd. la verdad. *Tell me* the truth.

(b) To express a negative command in the familiar form (**tú**).

Examples:

1. **No te sientes**. *Don't sit down.*
2. **No entres**. *Don't come in.*

(c) To express a negative command in the second person plural (**vosotros**).

Examples:

1. **No os sentéis**. *Don't sit down.*
2. **No entréis**. *Don't come in.*

(d) To express a command in the first person plural, either in the affirmative or negative (**nosotros**).

EXAMPLES:

1. **Sentémonos**. *Let's sit down.*
2. **No entremos**. *Let's not go in.*

NOTE: See the introductory paragraph under section **XV, Imperativo,** where mention is made of the use of the *Subjunctive* in commands.

(e) After a verb that expresses some kind of wish, insistence, preference, suggestion, or request.

EXAMPLES:

1. *Quiero* que María lo **haga**.
   I want Mary to do it.

   NOTE: In this example, English uses the infinitive form, *to do*. In Spanish, however, a new clause is needed introduced by *que* because there is a new subject, María. The *Present Subjunctive* of *hacer* is used (**haga**) because the main verb is *Quiero*, which indicates a wish. If there were no change in subject, Spanish would use the infinitive form, as we do in English, for example, **Quiero hacerlo**. *I want to do it.*

2. *Insisto* en que María lo **haga**.
   I insist that Mary *do* it.
3. *Prefiero* que María lo **haga**.
   I prefer that Mary *do* it.
4. *Pido* que María lo **haga**.
   I ask that Mary *do* it.

   NOTE: In examples 2, 3, and 4 above, English also uses the subjunctive form of *do*. Not so in example #1, however.

(f) After a verb that expresses doubt, fear, joy, hope, sorrow, or some other emotion. Notice in the following examples, however, that the subjunctive is not used in English.

EXAMPLES:

1. *Dudo* que María lo **haga**.
   I doubt that Mary *is doing* it.
   I doubt that Mary *will do* it.

2. *No creo* que María **venga**.
I don't believe (I doubt) that Mary *is coming*.
I don't believe (I doubt) that Mary *will come*.

3. *Temo* que María **esté** enferma.
I fear that Mary *is* ill.

4. *Me alegro* de que **venga** María.
I'm glad that Mary *is coming*.
I'm glad that Mary *will come*.

5. *Espero* que María no **esté** enferma.
I hope that Mary *is* not ill.

(g) After certain impersonal expressions that show necessity, doubt, regret, importance, urgency, or possibility. Notice, however, that the subjunctive is not used in English in all of the following examples.

EXAMPLES:

1. *Es necesario que* María lo **haga**.
It is necessary for Mary to do it.
It is necessary that Mary *do* it.

2. *No es cierto que* María **venga**.
It is doubtful (not certain) that Mary *is coming*.
It is doubtful (not certain) that Mary *will come*.

3. *Es lástima que* María **no venga**.
It's too bad (a pity) that Mary *isn't coming*.

4. *Es importante que* María **venga**.
It is important for Mary to come.
It is important that Mary *come*.

5. *Es preciso que* María **venga**.
It is necessary for Mary to come.
It is necessary that Mary *come*.

6. *Es urgente que* María **venga**.
It is urgent for Mary to come.
It is urgent that Mary *come*.

(h) After certain conjunctions of time, such as, **antes (de) que, cuando, en cuanto, después (de) que, hasta que, mientras**, and the like. The subjunctive form of the verb is used when introduced by any of these time conjunctions if the time referred to is either indefinite or is expected to take place in the future.

EXAMPLES:

1. Le hablaré a María cuando **venga**.
   I shall talk to Mary when she *comes*.
2. Vámonos antes (de) que **llueva**.
   Let's go before *it rains*.
3. En cuanto la **vea** yo, le hablaré.
   As soon as *I see* her, I shall talk to her.
4. Me quedo aquí hasta que **vuelva**.
   I'm staying here until *he returns*.

NOTE: In the above examples, the subjunctive is not used in English.

(i) After certain conjunctions that express a condition, negation, purpose, such as, **a menos que, con tal que, para que, a fin de que, sin que, en caso (de) que,** and the like. Notice, however, that the subjunctive is not used in English in the following examples.
EXAMPLES:

1. Démelo con tal que **sea** bueno.
   Give it to me provided that *it is* good.
2. Me voy a menos que **venga**.
   I'm leaving unless *he comes*.

(j) After certain adverbs, such as, **acaso, quizá,** and **tal vez**.
EXAMPLE:
Acaso **venga** mañana.
Perhaps *he will come* tomorrow.
Perhaps *he is coming* tomorrow.

(k) After **aunque** if the action has not yet occurred.
EXAMPLE:
Aunque María **venga** esta noche, no me quedo.
Although Mary *may come* tonight, I'm not staying.
Although Mary *is coming* tonight, I'm not staying.

(l) In an adjectival clause if the antecedent is something or someone that is indefinite, negative, vague, or nonexistent.
EXAMPLES:

1. Busco un libro que **sea** interesante.
   I'm looking for a book that *is* interesting.

NOTE: In this example, *que* (which is the relative pronoun) refers to *un libro* (which is the antecedent). Since *un libro* is indefinite, the verb in the following clause must be in the subjunctive (**sea**). Notice, however, that the subjunctive is not used in English.

2. ¿Hay alguien aquí que **hable** francés?
Is there anyone here who *speaks* French?

NOTE: In this example, *que* (which is the relative pronoun) refers to *alguien* (which is the antecedent). Since *alguien* is indefinite and somewhat vague–we do not know who this anyone might be–the verb in the following clause must be in the subjunctive (**hable**). Notice, however, that the subjunctive is not used in English.

3. No hay nadie que **pueda** hacerlo.
There is no one who *can* do it.

NOTE: In this example, *que* (which is the relative pronoun) refers to *nadie* (which is the antecedent). Since *nadie* is nonexistent, the verb in the following clause must be in the subjunctive (**pueda**). Notice, however, that the subjunctive is not used in English.

(m) After **por más que** or **por mucho que**.

EXAMPLES:

1. **Por más que hable usted**, no quiero escuchar.
No matter how much you talk, I don't want to listen.
2. **Por mucho que se alegre**, no me importa.
No matter how glad he is, I don't care.

(n) After the expression **ojalá (que)**, which expresses a great desire. This interjection means *would to God!* or *may God grant!...* It is derived from the Arabic, **ya Allah!**

EXAMPLE:

¡**Ojalá que vengan** mañana!
Would to God that they come tomorrow!
May God grant that they come tomorrow!
How I wish that they would come tomorrow!
If only they would come tomorrow!

Finally, remember that the Present Subjunctive is never used in Spanish after *si* when *si* means *if*.

VII

Imperfecto de Subjuntivo

(Imperfect Subjunctive)

This past tense is used for the same reasons as the **Presente de Subjuntivo**—that is, after certain verbs, conjunctions, impersonal expressions, etc., which were explained and illustrated above under section **VI**. The main difference between these two tenses is the time of the action. If the verb in the main clause is in the Present, Future, or Present Perfect tense, the *Present Subjunctive* or the *Present Perfect Subjunctive* (see section **XIII**) is used in the dependent clause-provided, of course, that there is some element which requires the use of the subjunctive. However, if the verb in the main clause is in the Imperfect, Preterit, Conditional, or Pluperfect Tense, the *Imperfect Subjunctive* (this tense) is ordinarily used in the dependent clause—provided, of course, that there is some element which requires the use of the subjunctive.

EXAMPLES:

1. *Insistí* en que María lo **hiciera**.
   I insisted that Mary *do* it.
2. Se lo *explicaba* a María **para que lo comprendiera**.
   I was explaining it to Mary *so that she might understand it*.

Finally, the *Imperfect Subjunctive* is used after **como si** to express a condition contrary to fact.

EXAMPLE:

Me habla como si **fuera** niño.
He speaks to me as if *I were* a child.

NOTE: In this last example, the subjunctive is used in English also for the same reason.

THE SEVEN COMPOUND TENSES

VIII

Perfecto de Indicativo

(Present Perfect Indicative or Past Indefinite)

This past tense expresses an action that took place at no definite time. It is a compound tense because it is formed with the *Present Indicative* of **haber** (the auxiliary) plus the past participle of the verb you are using. Note the translation into English in the following examples. Then compare this tense with the **Perfecto de Subjuntivo** and the examples given in section XIII.

Examples:

1. María **ha llegado**.
   Mary *has arrived.*
2. María **no ha venido**.
   Mary *has not come.*
3. María **ha terminado** su tarea.
   Mary *has finished* her homework.

IX

Pluscuamperfecto de Indicativo

(Pluperfect or Past Perfect Indicative)

In Spanish and English this past tense is used to express an action which happened in the past *before* another past action. Since it is used in relation to another past action, the other past action is ordinarily expressed in the *Preterit.* However, it is not always necessary to have the other past action expressed, as in example #2 below. In English, this tense is formed with the Past Tense of *to have* plus the past participle of the verb you are using. In Spanish, this tense is formed with the *Imperfect Indicative* of **haber** plus the past participle of the verb you are using.

EXAMPLES:

1. Cuando llegaron, yo **había salido**.
   When they arrived, *I had gone out*.

   NOTE: *First*, I went out; *then*, they arrived. Both actions happened in the past. The action that occurred in the past *before* the other past action is in the *Pluperfect*, and in this example it is *I had gone out* (**yo había salido**).

2. Juan lo **había perdido** en la calle.
   John *had lost* it in the street.

   NOTE: In this example the *Pluperfect Indicative* is used even though no other past action is expressed. It is assumed that John *had lost* something *before* some other past action.

X

Pretérito Anterior

(Past Anterior or Preterit Perfect)

This past tense is compound because it is formed with the *Preterit* of **haber** plus the past participle of the verb you are using. It is translated into English like the *Pluperfect Indicative* (see section **IX**). It is not used much in spoken Spanish. The *Pluperfect Indicative* is ordinarily used in spoken Spanish (and sometimes even the simple *Preterit*) in place of the *Past Anterior*. This tense is used in formal writing, such as history and literature. It is used only after certain conjunctions of time, *e.g.*, **después que**, **cuando**, **apenas**, **luego que**, **en cuanto**.

EXAMPLE:

Después que **hubo hablado**, salió.
After *he had spoken*, he left.

XI

Futuro Perfecto

(Future Perfect or Future Anterior)

This compound tense is formed with the *Future* of **haber** (auxiliary) plus the past participle of the verb you are using. In Spanish and in

English this tense is used to express an action that will happen in the future *before* another future action. In English, this tense is formed by using *shall have* or *will have* plus the past participle of the verb you are using.

EXAMPLE:
María llegará mañana y **habré terminado** mi trabajo.
Mary will arrive tomorrow and I *shall have finished* my work.

NOTE: *First*, I shall finish my work, *then*, Mary will arrive. The action that will occur in the future *before* the other future action is in the **Futuro Perfecto**, and in this example it is **habré terminado**.

Also, in Spanish the *Future Perfect* is used to indicate conjecture or probability regarding past time.

EXAMPLES:
1. María **se habrá acostado**.
   Mary *has probably gone to bed.*
   Mary *must have gone to bed.*
2. José **habrá llegado**.
   Joseph *has probably arrived.*
   Joseph *must have arrived.*

XII

Potencial Compuesto
(Conditional Perfect)

This compound tense is formed with the *Conditional* of **haber** plus the past participle of the verb you are using. It is used in Spanish and English to express an action that you *would have done* if something else had been possible; that is, you would have done something *on condition* that something else had been possible. In English it is formed by using *would have* plus the past participle of the verb you are using. Observe the difference between the following example and the one given for the use of the **Potencial Simple** which was explained and illustrated in section **V** (a).

EXAMPLE:

(a) **Habría ido** a España si hubiera tenido dinero.
I would have gone to Spain if I had had money.

Also, in Spanish the *Conditional Perfect* is used to indicate conjecture or probability regarding past time.

EXAMPLE:

(b) Lo **habrían comido** antes que llegara.
They *had probably eaten* it before I arrived.

XIII

Perfecto de Subjuntivo

(Present Perfect or Past Subjunctive)

This compound tense is formed by using the *Present Subjunctive* of **haber** (auxiliary) plus the past participle of the verb you are using. If the verb in the main clause is in the Present, Future, or Present Perfect tense, the *Present Subjunctive* (see section **VI**) or this tense is used in the dependent clause—provided, of course, that there is some element which requires the use of the subjunctive. The *Present Subjunctive* is used if the action is not past. This tense is used if the action is past, as in the examples given below. Review the previous sections, **Presente de Subjuntivo** (**VI**) and **Imperfecto de Subjuntivo** (**VII**). Note the translation into English in the following examples. Then compare this tense with the **Perfecto de Indicativo** and the examples given in section **VIII**.

EXAMPLES:

1. Dudo que María **haya llegado**.
   I doubt that Mary *has arrived*.
2. Siento que María **no haya venido**.
   I'm sorry that Mary *has not come*.
3. Me alegro de que María **haya terminado** su tarea.
   I'm glad that Mary *has finished* her homework.

XIV

Pluscuamperfecto de Subjuntivo

(Pluperfect or Past Perfect Subjunctive)

This compound tense is formed by using the *Imperfect Subjunctive* of **haber** (auxiliary) plus the past participle of the verb you are using. The translation of this tense into English is like the *Pluperfect Indicative* (see section **IX**). If the verb in the main clause is in a past tense, this tense is used in the dependent clause—provided, of course, that there is some element which requires the use of the subjunctive.

EXAMPLES:

1. Sentí mucho que **no hubiera venido** María.
   I was very sorry that Mary *had not come.*
2. Me alegraba de que **hubiera venido** María.
   I was glad that Mary *had come.*
3. No creía que María **hubiera llegado**.
   I didn't believe that Mary *had arrived.*

So much for the seven simple tenses and seven compound tenses. Let us now look at the Imperative Mood.

XV

Imperativo

(Imperative or Command)

The Imperative Mood is used in Spanish and in English to express a command. It is also used to express an indirect request or wish made in the third person singular or plural. We saw earlier in section **VI, Presente de Subjuntivo,** that the subjunctive mood is used in certain instances to express commands. Review that section, paragraphs (a) to (d). Here are other points you should know about the Imperative.

(a) An indirect command or deep desire expressed in the third person singular or plural is in the subjunctive. Notice the use of *let* or *may* in the English translations.

EXAMPLES:

1. ¡Que María lo **haga**!
   Let Mary do it!
2. ¡Que Dios se lo **pague**!
   May God reward you!
3. ¡Que **vengan** pronto!
   Let them come quickly!

(b) In some indirect commands, the **que** is omitted. Here, too, the subjunctive is used.

EXAMPLE:

¡**Viva** el presidente!
Long live the president!

(c) The verb form for the affirmative singular (**tú**) is the same as the third person singular of the Present Indicative when expressing a command.

EXAMPLES:

1. ¡**Entra** pronto!
   Come in quickly!
2. ¡**Sigue** leyendo!
   Keep on reading!

(d) There are some exceptions, however, to (c) above. The following verb forms are irregular in the singular imperative, that is, in the affirmative singular **tú**.

di (decir)	**sé** (ser)
haz (hacer)	**ten** (tener)
pon (poner)	**ve** (ir)
sal (salir)	**ven** (venir)

(e) In the affirmative command, first person plural, VAMOS A plus the infinitive may be used instead of the **Present Subjunctive** (**VI**).

EXAMPLES:

1. **Vamos a** comer.
   Let's eat.

2. **Vamos a** cantar. *Let's* sing.

(f) The Imperative in the affirmative familiar plural **(vosotros)** is formed by dropping the final **r** of the infinitive and adding **d.**

EXAMPLES:

1. ¡Hablad! *Speak!*
2. ¡Comed! *Eat!*

(g) When forming the plural familiar Imperative of a reflexive verb, the final **d** must be dropped before the reflexive pronoun **os,** and both elements are joined to make one word.

EXAMPLES:

1. ¡Levantaos! *Get up!*
2. ¡Sentaos! *Sit down!*

(h) Referring to (g) above, when the final **d** is dropped in a reflexive verb ending in **-ir,** an accent must be written on the **i.**

EXAMPLES:

1. ¡Vestíos! *Get dressed!*
2. ¡Divertíos! *Have a good time!*

A Note about the Progressive Forms of Tenses

(1) In Spanish, there are also progressive forms of tenses. The two most common are the Progressive Present and the Progressive Past.

(2) The Progressive Present is formed by using **estar** in the present tense plus the present participle of your main verb; *e.g.*, **Estoy hablando** (*I am talking*), *i.e.*, *I am* (in the act of) *talking* (right now).

(3) The Progressive Past is formed by using **estar** in the imperfect indicative plus the present participle of your main verb; *e.g.*, **Estaba hablando** (*I was talking*), *i.e.*, *I was* (in the act of) *talking* (right then).

(4) The progressive forms are used only when you want to emphasize or intensify an action; if you don't want to do that, then just use the simple present or simple imperfect; *e.g.*, say **Hablo,** *not* **Estoy hablando;** or **Hablaba,** *not* **Estaba hablando.**

(5) Sometimes **ir** is used instead of **estar** to form the progressive tenses; *e.g.*, **Va hablando** (*he/she keeps right on talking*), **Iba hablando** (*he/she kept right on talking*). Note that they do not have the exact same meaning as **Está hablando** and **Estaba hablando.** See (2) and (3) above.

VERB TENSES AND MOODS IN SPANISH WITH ENGLISH EQUIVALENTS

Spanish	English
Los tiempo simples	**Simple Tenses**
Presente de Indicativo	Present Indicative
Imperfecto de Indicativo	Imperfect Indicative
Pretérito	Preterit or Past Definite
Futuro	Future
Potencial Simple	Conditional
Presente de Subjuntivo	Present Subjunctive
Imperfecto de Subjuntivo	Imperfect Subjunctive
Los tiempos compuestos	**Compound Tenses**
Perfecto de Indicativo	Present Perfect Indicative or Past Indefinite
Pluscuamperfecto de Indicativo	Pluperfect or Past Perfect Indicative
Pretérito Anterior	Past Anterior or Preterit Perfect
Futuro Perfecto	Future Perfect or Future Anterior
Potencial Compuesto	Conditional Perfect
Perfecto de Subjuntivo	Present Perfect or Past Subjunctive
Pluscuamperfecto de Subjuntivo	Pluperfect or Past Perfect Subjunctive
Imperativo	Imperative or Command

NOTE: The Future Subjunctive and the Future Perfect Subjunctive exist in Spanish, but they are not included in this book because they are rarely used. Nowadays, instead of using the Future Subjunctive, one uses the Present Subjunctive or the Present Indicative. Instead of using the Future Perfect Subjunctive, one uses the Future Perfect Indicative or the Present Perfect Subjunctive. However, if you are curious to know how to form the Future Subjunctive and the Future Perfect Subjunctive in Spanish, the following is offered:

How to Form the Future Subjunctive and the Future Perfect Subjunctive in Spanish

(1) To form the Future Subjunctive, take the third person plural of the Preterit of any Spanish verb and change the ending **-ron** to **re, res, re; remos, reis, ren.** An accent mark is needed as shown on the first person plural form to preserve the stress.

EXAMPLES:

amar	**amare, amares, amare;**
	amáremos, amareis, amaren
comer	**comiere, comieres, comiere;**
	comiéremos, comiereis, comieren
dar	**diere, dieres, diere;**
	diéremos, diereis, dieren
haber	**hubiere, hubieres, hubiere;**
	hubiéremos, hubiereis, hubieren
hablar	**hablare, hablares, hablare;**
	habláremos, hablareis, hablaren
ir *or* **ser**	**fuere, fueres, fuere;**
	fuéremos, fuereis, fueren

(2) Let's look at the forms of **amar** above to see what the English translation is of this tense:

(que) yo amare, (that) I love
(que) tú amares, (that) you love
(que) Vd. (él, ella) amare, (that) you (he, she) love
(que) nosotros (-tras) amáremos, (that) we love
(que) vosotros (-tras) amareis, (that) you love
(que) Vds. (ellos, ellas) amaren, (that) you (they) love

(3) To form the Future Perfect Subjunctive, use the Future Subjunctive form of **haber** (shown above) as your auxiliary plus the past participle of your main verb:

EXAMPLES:

(que) hubiere amado, hubieres amado, hubiere amado;
(que) hubiéremos amado, hubiereis amado, hubieren amado

English translation:
(that) I have *or* I shall have loved, (that) you have *or* will have loved, etc.

SAMPLE ENGLISH VERB CONJUGATION

INFINITIVE	eat
PRESENT PARTICIPLE	eating **PAST PARTICIPLE** eaten
Present Indicative	I eat, you eat, he (she, it) eats; we eat, you eat, they eat
or:	I do eat, you do eat, he (she, it) does eat; we do eat, you do eat, they do eat
or:	I am eating, you are eating, he (she, it) is eating; we are eating, you are eating, they are eating
Imperfect Indicative	I was eating, you were eating, he (she, it) was eating; we were eating, you were eating, they were eating
or:	I ate, you ate, he (she, it) ate; we ate, you ate, they ate
or:	I used to eat, you used to eat, he (she, it) used to eat; we used to eat, you used to eat, they used to eat
Preterit	I ate, you ate, he (she, it) ate; we ate, you ate, they ate
or:	I did eat, you did eat, he (she, it) did eat; we did eat, you did eat, they did eat
Future	I shall eat, you will eat, he (she, it) will eat; we shall eat, you will eat, they will eat
Conditional	I should eat, you would eat, he (she, it) would eat; we should eat, you would eat, they would eat
Present Subjunctive	that I may eat, that you may eat, that he (she, it) may eat; that we may eat, that you may eat, that they may eat
Imperfect or Past Subjunctive	that I might eat, that you might eat, that he (she, it) might eat; that we might eat, that you might eat, that they might eat
Present Perfect or Past Indefinite	I have eaten, you have eaten, he (she, it) has eaten; we have eaten, you have eaten, they have eaten

Pluperfect Indic. or Past Perfect	I had eaten, you had eaten, he (she, it) had eaten; we had eaten, you had eaten, they had eaten
Past Anterior or Preterit Perfect	I had eaten, you had eaten, he (she, it) had eaten; we had eaten, you had eaten, they had eaten
Future Perfect or Future Anterior	I shall have eaten, you will have eaten, he (she, it) will have eaten; we shall have eaten, you will have eaten, they will have eaten
Conditional Perfect	I should have eaten, you would have eaten, he (she, it) would have eaten; we should have eaten, you would have eaten, they would have eaten
Present Perfect or Past Subjunctive	that I may have eaten, that you may have eaten, that he (she, it) may have eaten; that we may have eaten, that you may have eaten, that they may have eaten
Pluperfect or Past Perfect Subjunctive	that I might have eaten, that you might have eaten, that he (she, it) might have eaten; that we might have eaten, that you might have eaten, that they might have eaten
Imperative or Command	—— eat, let him (her) eat; let us eat, eat, let them eat

FORMATION OF REGULAR SPANISH VERBS

I — Simple Tenses

1 — AR ending

ganar — *to win, earn, gain*

Pres. Part.	gan	ando
Past Part.	gan	ado

		SINGULAR			PLURAL		
Present	gan	o	as	a	amos	áis	an
Imperfect	gan	aba	abas	aba	ábamos	abais	aban
Preterit	gan	é	aste	ó	amos	asteis	aron
Future	ganar	é	ás	á	emos	éis	án
Conditional	ganar	ía	ías	ía	íamos	íais	ían
Pres. Subj.	gan	e	es	e	emos	éis	en
Imp. Subj.	gan	ara	aras	ara	áramos	arais	aran
		ase	ases	ase	ásemos	aseis	asen
Imperative (Command)	gan		a	e	emos	ad	en

2 — ER ending

beber — *to drink*

Pres. Part.	beb	iendo
Past Part.	beb	ido

		SINGULAR			PLURAL		
Present	beb	o	es	e	emos	éis	en
Imperfect	beb	ía	ías	ía	íamos	íais	ían
Preterit	beb	í	iste	ió	imos	isteis	ieron

Future	beber	é	ás	á	emos	éis	án
Conditional	beber	ía	ías	ía	íamos	íais	ían
Pres. Subj.	beb	a	as	a	amos	áis	an
Imp. Subj.	beb	iera	ieras	iera	iéramos	ierais	ieran
		iese	ieses	iese	iésemos	ieseis	iesen
Imperative (Command)	beb		e	a	amos	ed	an

3 — IR ending

recibir — *to receive*

Pres. Part.	recib	iendo
Past Part.	recib	ido

		SINGULAR			PLURAL		
Present	recib	o	es	e	imos	ís	en
Imperfect	recib	ía	ías	ía	íamos	íais	ían
Preterit	recib	í	iste	ió	imos	isteis	ieron
Future	recibir	é	ás	á	emos	éis	án
Conditional	recibir	ía	ías	ía	íamos	íais	ían
Pres. Subj.	recib	a	as	a	amos	áis	an
Imp. Subj.	recib	iera	ieras	iera	iéramos	ierais	ieran
		iese	ieses	iese	iésemos	ieseis	iesen
Imperative (Command)	recib		e	a	amos	id	an

II — Compound Tenses

(1) — **AR** ending: See **hablar** herein.

(2) — **ER** ending: See **aprender** herein.

(3) — **IR** ending: See **vivir** herein.

Spanish Verbs Fully Conjugated
alphabetically arranged

Subject Pronouns

The subject pronouns for all the verbs that follow have been omitted in order to emphasize the verb forms. The subject pronouns are, as you know, as follows:

SINGULAR: yo, tú, Vd. (él, ella);

PLURAL: nosotros (nosotras), vosotros (vosotras), Vds. (ellos, ellas)

to abandon, forsake, give up

Pres. Ind.	abandono, abandonas, abandona; abandonamos, abandonáis, abandonan
Imp. Ind.	abandonaba, abandonabas, abandonaba; abandonábamos, abandonabais, abandonaban
Preterit	abandoné, abandonaste, abandonó; abandonamos, abandonasteis, abandonaron
Future	abandonaré, abandonarás, abandonará; abandonaremos, abandonaréis, abandonarán
Condit.	abandonaría, abandonarías, abandonaría; abandonaríamos, abandonaríais, abandonarían
Pres. Subj.	abandone, abandones, abandone; abandonemos, abandonéis, abandonen
Imp. Subj.	abandonara, abandonaras, abandonara; abandonáramos, abandonarais, abandonaran
	abandonase, abandonases, abandonase; abandonásemos, abandonaseis, abandonasen
Pres. Perf. Ind.	he abandonado, has abandonado, ha abandonado; hemos abandonado, habéis abandonado, han abandonado
Plup. Ind.	había abandonado, habías abandonado, había abandonado; habíamos abandonado, habíais abandonado, habían abandonado
Past Ant.	hube abandonado, hubiste abandonado, hube abandonado; hubimos abandonado, hubisteis abandonado, hubieron abandonado
Fut. Perf.	habré abandonado, habrás abandonado, habrá abandonado; habremos abandonado, habréis abandonado, habrán abandonado
Cond. Perf.	habría abandonado, habrías abandonado, habría abandonado; habríamos abandonado, habríais abandonado, habrían abandonado
Pres. Perf. Subj.	haya abandonado, hayas abandonado, haya abandonado; hayamos abandonado, hayáis abandonado, hayan abandonado
Plup. Subj.	hubiera abandonado, hubieras abandonado, hubiera abandonado; hubiéramos abandonado, hubierais abandonado, hubieran abandonado
	hubiese abandonado, hubieses abandonado, hubiese abandonado; hubiésemos abandonado, hubieseis abandonado, hubiesen abandonado
Imperative	—— abandona, abandone; abandonemos, abandonad, abandonen

to knock down, overthrow, throw down

Pres. Ind.	abato, abates, abate; abatimos, abatís, abaten
Imp. Ind.	abatía, abatías, abatía; abatíamos, abatíais, abatían
Preterit	abatí, abatiste, abatió; abatimos, abatisteis, abatieron
Future	abatiré, abatirás, abatirá; abatiremos, abatiréis, abatirán
Condit.	abatiría, abatirías, abatiría; abatiríamos, abatiríais, abatirían
Pres. Subj.	abata, abatas, abata; abatamos, abatáis, abatan
Imp. Subj.	abatiera, abatieras, abatiera; abatiéramos, abatierais, abatieran abatiese, abatieses, abatiese; abatiésemos, abatieseis, abatiesen
Pres. Perf. Ind.	he abatido, has abatido, ha abatido; hemos abatido, habéis abatido, han abatido
Plup. Ind.	había abatido, habías abatido, había abatido; habíamos abatido, habíais abatido, habían abatido
Past Ant.	hube abatido, hubiste abatido, hube abatido; hubimos abatido, hubisteis abatido, hubieron abatido
Fut. Perf.	habré abatido, habrás abatido, habrá abatido; habremos abatido, habréis abatido, habrán abatido
Cond. Perf.	habría abatido, habrías abatido, habría abatido; habríamos abatido, habríais abatido, habrían abatido
Pres. Perf. Subj.	haya abatido, hayas abatido, haya abatido; hayamos abatido, hayáis abatido, hayan abatido
Plup. Subj.	hubiera abatido, hubieras abatido, hubiera abatido; hubiéramos abatido, hubierais abatido, hubieran abatido hubiese abatido, hubieses abatido, hubiese abatido; hubiésemos abatido, hubieseis abatido, hubiesen abatido
Imperative	—— abate, abata; abatamos, abatid, abatan

to abolish, repeal

Pres. Ind.	——, ——, —— abolimos, abolís, ——
Imp. Ind.	abolía, abolías, abolía; abolíamos, abolíais, abolían
Preterit	abolí, aboliste, abolió; abolimos, abolisteis, abolieron
Future	aboliré, abolirás, abolirá; aboliremos, aboliréis, abolirán
Condit.	aboliría, abolirías, aboliría; aboliríamos, aboliríais, abolirían
Pres. Subj.	——, ——, —— ——, ——, ——
Imp. Subj.	aboliera, abolieras, aboliera; aboliéramos, abolierais, abolieran aboliese, abolieses, aboliese; aboliésemos, abolieseis, aboliesen
Pres. Perf. Ind.	he abolido, has abolido, ha abolido; hemos abolido, habéis abolido, han abolido
Plup. Ind.	había abolido, habías abolido, había abolido; habíamos abolido, habíais abolido, habían abolido
Past Ant.	hube abolido, hubiste abolido, hubo abolido; hubimos abolido, hubisteis abolido, hubieron abolido
Fut. Perf.	habré abolido, habrás abolido, habrá abolido; habremos abolido, habréis abolido, habrán abolido
Cond. Perf.	habría abolido, habrías abolido, habría abolido; habríamos abolido, habríais abolido, habrían abolido
Pres. Perf. Subj.	haya abolido, hayas abolido, haya abolido; hayamos abolido, hayáis abolido, hayan abolido
Plup. Subj.	hubiera abolido, hubieras abolido, hubiera abolido; hubiéramos abolido, hubierais abolido, hubieran abolido hubiese abolido, hubieses abolido, hubiese abolido; hubiésemos abolido, hubieseis abolido, hubiesen abolido
Imperative	——, ——, ——; ——, abolid, ——

* This verb is defective. It is used only in the persons and tenses given above.

to burn, fire

Pres. Ind.	abraso, abrasas, abrasa; abrasamos, abrasáis, abrasan
Imp. Ind.	abrasaba, abrasabas, abrasaba; abrasábamos, abrasabais, abrasaban
Preterit	abrasé, abrasaste, abrasó; abrasamos, abrasasteis, abrasaron
Future	abrasaré, abrasarás, abrasará; abrasaremos, abrasaréis, abrasarán
Condit.	abrasaría, abrasarías, abrasaría; abrasaríamos, abrasaríais, abrasarían
Pres. Subj.	abrase, abrases, abrase; abrasemos, abraséis, abrasen
Imp. Subj.	abrasara, abrasaras, abrasara; abrasáramos, abrasarais, abrasaran
	abrasase, abrasases, abrasase; abrasásemos, abrasaseis, abrasasen
Pres. Perf. Ind.	he abrasado, has abrasado, ha abrasado; hemos abrasado, habéis abrasado, han abrasado
Plup. Ind.	había abrasado, habías abrasado, había abrasado; habíamos abrasado, habíais abrasado, habían abrasado
Past Ant.	hube abrasado, hubiste abrasado, hubo abrasado; hubimos abrasado, hubisteis abrasado, hubieron abrasado
Fut. Perf.	habré abrasado, habrás abrasado, habrá abrasado; habremos abrasado, habréis abrasado, habrán abrasado
Cond. Perf.	habría abrasado, habrías abrasado, habría abrasado; habríamos abrasado, habríais abrasado, habrían abrasado
Pres. Perf. Subj.	haya abrasado, hayas abrasado, haya abrasado; hayamos abrasado, hayáis abrasado, hayan abrasado
Plup. Subj.	hubiera abrasado, hubieras abrasado, hubiera abrasado; hubiéramos abrasado, hubieras abrasado, hubieran abrasado
	hubiese abrasado, hubieses abrasado, hubiese abrasado; hubiésemos abrasado, hubieseis abrasado, hubisen abrasado
Imperative	—— abrasa, abrase; abrasemos, abrasad, abrasen

to clamp, embrace, hug

Pres. Ind.	abrazo, abrazas, abraza; abrazamos, abrazáis, abrazan
Imp. Ind.	abrazaba, abrazabas, abrazaba; abrazábamos, abrazabais, abrazaban
Preterit	abracé, abrazaste, abrazó; abrazamos, abrazasteis, abrazaron
Future	abrazaré, abrazarás, abrazará; abrazaremos, abrazaréis, abrazarán
Condit.	abrazaría, abrazarías, abrazaría; abrazaríamos, abrazaríais, abrazarían
Pres. Subj.	abrace, abraces, abrace; abracemos, abracéis, abracen
Imp. Subj.	abrazara, abrazaras, abrazara; abrazáramos, abrazarais, abrazaran
	abrazase, abrazases, abrazase; abrazásemos, abrazaseis, abrazasen
Pres. Perf. Ind.	he abrazado, has abrazado, ha abrazado; hemos abrazado, habéis, abrazado, han abrazado
Plup. Ind.	había abrazado, habías abrazado, había abrazado; habíamos abrazado, habíais abrazado, habían abrazado
Past Ant.	hube abrazado, hubiste abrazado, hubo abrazado; hubimos abrazado, hubisteis abrazado, hubieron abrazado
Fut. Perf.	habré abrazado, habrás abrazado, habrá abrazado; habremos abrazado, habréis abrazado, habrán abrazado
Cond. Perf.	habría abrazado, habrías abrazado, habría abrazado; habríamos abrazado, habríais abrazado, habrían abrazado
Pres. Perf. Subj.	haya abrazado, hayas abrazado, haya abrazado; hayamos abrazado, hayáis abrazado, hayan abrazado
Plup. Subj.	hubiera abrazado, hubieras abrazado, hubiera abrazado; hubiéramos abrazado, hubierais abrazado, hubieran abrazado
	hubiese abrazado, hubieses abrazado, hubiese abrazado; hubiésemos abrazado, hubieseis abrazado, hubiesen abrazado
Imperative	—— abraza, abrace; abracemos, abrazad, abracen

to open

Pres. Ind.	abro, abres, abre; abrimos, abrís, abren
Imp. Ind.	abría, abrías, abría; abríamos, abríais, abrían
Pret. Ind.	abrí, abriste, abrió; abrimos, abristeis, abrieron
Fut. Ind.	abriré, abrirás, abrirá; abriremos, abriréis, abrirán
Condit.	abriría, abrirías, abriría; abriríamos, abriríais, abrirían
Pres. Subj.	abra, abras, abra; abramos, abráis, abran
Imp. Subj.	abriera, abrieras, abriera; abriéramos, abrierais, abrieran abriese, abrieses, abriese; abriésemos, abrieseis, abriesen
Pres. Perf.	he abierto, has abierto, ha abierto; hemos abierto, habéis abierto, han abierto
Pluperf.	había abierto, habías abierto, había abierto; habíamos abierto, habíais abierto, habían abierto
Past Ant.	hube abierto, hubiste abierto, hubo abierto; hubimos abierto, hubisteis abierto, hubieron abierto
Fut. Perf.	habré abierto, habrás abierto, habrá abierto; habremos abierto, habréis abierto, habrán abierto
Cond. Perf.	habría abierto, habrías abierto, habría abierto; habríamos abierto, habríais abierto, habrían abierto
Pres. Perf. Subj.	haya abierto, hayas abierto, haya abierto; hayamos abierto, hayáis abierto, hayan abierto
Plup. Subj.	hubiera abierto, hubieras abierto, hubiera abierto; hubiéramos abierto, hubierais abierto, hubieran abierto hubiese abierto, hubieses abierto, hubiese abierto; hubiésemos abierto, hubieseis abierto, hubiesen abierto
Imperative	—— abre, abra; abramos, abrid, abran

to absolve, acquit

Pres. Ind.	absuelvo, absuelves, absuelve; absolvemos, absolvéis, absuelven
Imp. Ind.	absolvía, absolvías, absolvía; absolvíamos, absolvíais, absolvían
Preterit	absolví, absolviste, absolvió; absolvimos, absolvisteis, absolvieron
Future	absolveré, absolverás, absolverá; absolveremos, absolveréis, absolverán
Condit.	absolvería, absolverías, absolvería; absolveríamos, absolveríais, absolverían
Pres. Subj.	absuelva, absuelvas, absuelva; absolvamos, absolváis, absuelvan
Imp. Subj.	absolviera, absolvieras, absolviera; absolviéramos, absolvierais, absolvieran
	absolviese, absolvieses, absolviese; absolviésemos, absolvieseis, absolviesen
Pres. Perf. Ind.	he absuelto, has absuelto, ha absuelto; hemos absuelto, habéis absuelto, han absuelto
Plup. Ind.	había absuelto, habías absuelto, había absuelto; habíamos absuelto, habíais absuelto, habían absuelto
Past Ant.	hube absuelto, hubiste absuelto, hubo absuelto; hubimos absuelto, hubisteis absuelto, hubieron absuelto
Fut. Perf.	habré absuelto, habrás absuelto, habrá absuelto; habremos absuelto, habréis absuelto, habrán absuelto
Cond. Perf.	habría absuelto, habrías absuelto, habría absuelto; habríamos absuelto, habríais absuelto, habrían absuelto
Pres. Perf. Subj.	haya absuelto, hayas absuelto, haya absuelto; hayamos absuelto, hayáis absuelto, hayan absuelto
Plup. Subj.	hubiera absuelto, hubieras absuelto, hubiera absuelto; hubiéramos absuelto, hubierais absuelto, hubieran absuelto
	hubiese absuelto, hubieses absuelto, hubiese absuelto; hubiésemos absuelto, hubieseis absuelto, hubiesen absuelto
Imperative	—— absuelve, absuelva; absolvamos, absolved, absuelvan

to abstain

Pres. Ind.	me abstengo, te abstienes, se abstiene; nos abstenemos, os abstenéis, se abstienen
Imp. Ind.	me abstenía, te abstenías, se abstenía; nos absteníamos, os absteníais, se abstenían
Preterit	me abstuve, te abstuviste, se abstuvo; nos abstuvimos, os abstuvisteis, se abstuvieron
Future	me abstendré, te abstendrás, se abstendrá; nos abstendremos, os abstendréis, se abstendrán
Condit.	me abstendría, te abstendrías, se abstendría; nos abstendríamos, os abstendríais, se abstendrían
Pres. Subj.	me abstenga, te abstengas, se abstenga; nos abstengamos, os abstengáis, se abstengan
Imp. Subj.	me abstuviera, te abstuvieras, se abstuviera; nos abstuviéramos, os abstuvierais, se abstuvieran me abstuviese, te abstuvieses, se abstuviese; nos abstuviésemos, os abstuvieseis, se abstuviesen
Pres. Perf. Ind.	me he abstenido, te has abstenido, se ha abstenido; nos hemos abstenido, os habéis abstenido, se han abstenido
Plup. Ind.	me había abstenido, te habías abstenido, se había abstenido; nos habíamos abstenido, os habíais abstenido, se habían abstenido
Past Ant.	me hube abstenido, te hubiste abstenido, se hubo abstenido; nos hubimos abstenido, os hubisteis abstenido, se hubieron abstenido
Fut. Perf.	me habré abstenido, te habrás abstenido, se habrá abstenido; nos habremos abstenido, os habréis abstenido, se habrán abstenido
Cond. Perf.	me habría abstenido, te habrías abstenido, se habría abstenido; nos habríamos abstenido, os habríais abstenido, se habrían abstenido
Pres. Perf. Subj.	me haya abstenido, te hayas abstenido, se haya abstenido; nos hayamos abstenido, os hayáis abstenido, se hayan abstenido
Plup. Subj.	me hubiera abstenido, te hubieras abstenido, se hubiera abstenido; nos hubiéramos abstenido, os hubierais abstenido, se hubieran abstenido me hubiese abstenido, te hubieses abstenido, se hubiese abstenido; nos hubiésemos abstenido, os hubieseis abstenido, se hubiesen abstenido
Imperative	—— abstente, absténgase; abstengámonos, absteneos, absténganse

to annoy, bore, vex

Pres. Ind.	aburro, aburres, aburre; aburrimos, aburrís, aburren
Imp. Ind.	aburría, aburrías, aburría; aburríamos, aburríais, aburrían
Preterit	aburrí, aburriste, aburrió; aburrimos, aburristeis, aburrieron
Future	aburriré, aburrirás, aburrirá; aburriremos, aburriréis, aburrirán
Condit.	aburriría, aburrirías, aburriría; aburriríamos, aburriríais, aburrirían
Pres. Subj.	aburra, aburras, aburra; aburramos, aburráis, aburran
Imp. Subj.	aburriera, aburrieras, aburriera; aburriéramos, aburrierais, aburrieran aburriese, aburrieses, aburriese; aburriésemos, aburrieseis, aburriesen
Pres. Perf. Ind.	he aburrido, has aburrido, ha aburrido; hemos aburrido, habéis aburrido, han aburrido
Plup. Ind.	había aburrido, habías aburrido, había aburrido; habíamos aburrido, habíais aburrido, habían aburrido
Past Ant.	hube aburrido, hubiste aburrido, hubo aburrido; hubimos aburrido, hubisteis aburrido, hubieron aburrido
Fut. Perf.	habré aburrido, habrás aburrido, habrá aburrido; habremos aburrido, habréis aburrido, habrán aburrido
Cond. Perf.	habría aburrido, habrías aburrido, habría aburrido; habríamos aburrido, habríais aburrido, habrían aburrido
Pres. Perf. Subj.	haya aburrido, hayas aburrido, haya aburrido; hayamos aburrido, hayáis aburrido, hayan aburrido
Plup. Subj.	hubiera aburrido, hubieras aburrido, hubiera aburrido; hubiéramos aburrido, hubierais aburrido, hubieran aburrido hubiese aburrido, hubieses aburrido, hubiese aburrido; hubiésemos aburrido, hubieseis aburrido, hubiesen aburrido
Imperative	—— aburre, aburra; aburramos, aburrid, aburran

to be bored, grow tired, grow weary

Pres. Ind.	me aburro, te aburres, se aburre; nos aburrimos, os aburrís, se aburren
Imp. Ind.	me aburría, te aburrías, se aburría; nos aburríamos, os aburríais, se aburrían
Preterit	me aburrí, te aburriste, se aburrió; nos aburrimos, os aburristeis, se aburrieron
Future	me aburriré, te aburrirás, se aburrirá; nos aburriremos, os aburriréis, se aburrirán
Condit.	me aburriría, te aburrirías, se aburriría; nos aburriríamos, os aburriríais, se aburrirían
Pres. Subj.	me aburra, te aburras, se aburra; nos aburramos, os aburráis, se aburran
Imp. Subj.	me aburriera, te aburrieras, se aburriera; nos aburriéramos, os aburrierais, se aburrieran
	me aburriese, te aburrieses, se aburriese; nos aburriésemos, os aburrieseis, se aburriesen
Pres. Perf. Ind.	me he aburrido, te has aburrido, se ha aburrido; nos hemos aburrido, os habéis aburrido, se han aburrido
Plup. Ind.	me había aburrido, te habías aburrido, se había aburrido; nos habíamos aburrido, os habíais aburrido, se habían aburrido
Past Ant.	me hube aburrido, te hubiste aburrido, se hubo aburrido; nos hubimos aburrido, os hubisteis aburrido, se hubieron aburrido
Fut. Perf.	me habré aburrido, te habrás aburrido, se habrá aburrido; nos habremos aburrido, os habréis aburrido, se habrán aburrido
Cond. Perf.	me habría aburrido, te habrías aburrido, se habría aburrido; nos habríamos aburrido, os habríais aburrido, se habrían aburrido
Pres. Perf. Subj.	me haya aburrido, te hayas aburrido, se haya aburrido; nos hayamos aburrido, os hayáis aburrido, se hayan aburrido
Plup. Subj.	me hubiera aburrido, te hubieras aburrido, se hubiera aburrido; nos hubiéramos aburrido, os hubierais aburrido, se hubieran aburrido
	me hubiese aburrido, te hubieses aburrido, se hubiese aburrido; nos hubiésemos aburrido, os hubieseis aburrido, se hubiesen aburrido
Imperative	—— abúrrete, abúrrase; aburrámonos, aburríos, abúrranse

to finish, end, complete

Pres. Ind.	acabo, acabas, acaba; acabamos, acabáis, acaban
Imp. Ind.	acababa, acababas, acababa; acabábamos, acababais, acababan
Pret. Ind.	acabé, acabaste, acabó; acabamos, acabasteis, acabaron
Fut. Ind.	acabaré, acabarás, acabará; acabaremos, acabaréis, acabarán
Condit.	acabaría, acabarías, acabaría; acabaríamos, acabaríais, acabarían
Pres. Subj.	acabe, acabes, acabe; acabemos, acabéis, acaben
Imp. Subj.	acabara, acabaras, acabara; acabáramos, acabarais, acabaran acabase, acabases, acabase; acabásemos, acabaseis, acabasen
Pres. Perf.	he acabado, has acabado, ha acabado; hemos acabado, habéis acabado, han acabado
Pluperf.	había acabado, habías acabado, había acabado; habíamos acabado, habíais acabado, habían acabado
Past Ant.	hube acabado, hubiste acabado, hubo acabado; hubimos acabado, hubisteis acabado, hubieron acabado
Fut. Perf.	habré acabado, habrás acabado, habrá acabado; habremos acabado, habréis acabado, habrán acabado
Cond. Perf.	habría acabado, habrías acabado, habría acabado; habríamos acabado, habríais acabado, habrían acabado
Pres. Perf. Subj.	haya acabado, hayas acabado, haya acabado; hayamos acabado, hayáis acabado, hayan acabado
Plup. Subj.	hubiera acabado, hubieras acabado, hubiera acabado; hubiéramos acabado hubierais acabado, hubieran acabado hubiese acabado, hubieses acabado, hubiese acabado; hubiésemos acabado, hubieseis acabado, hubiesen acabado
Imperative	—— acaba, acabe; acabemos, acabad, acaben

to accelerate

Pres. Ind.	acelero, aceleras, acelera; aceleramos, aceleráis, aceleran
Imp. Ind.	aceleraba, acelerabas, aceleraba; acelerábamos, acelerabais, aceleraban
Preterit	aceleré, aceleraste, aceleró; aceleramos, acelerasteis, aceleraron
Future	aceleraré, acelerarás, acelerará; aceleraremos, aceleraréis, acelerarán
Condit.	aceleraría, acelerarías, aceleraría; aceleraríamos, aceleraríais, acelerarían
Pres. Subj.	acelere, aceleres, acelere; aceleremos, aceleréis, aceleren
Imp. Subj.	acelerara, aceleraras, acelerara; aceleráramos, acelerarais, aceleraran acelerase, acelerases, acelerase; acelerásemos, aceleraseis, acelerasen
Pres. Perf. Ind.	he acelerado, has acelerado, ha acelerado; hemos acelerado, habéis acelerado, han acelerado
Plup. Ind.	había acelerado, habías acelerado, había acelerado; habíamos acelerado, habíais acelerado, habían acelerado
Past Ant.	hube acelerado, hubiste acelerado, hubo acelerado; hubimos acelerado, hubisteis acelerado, hubieron acelerado
Fut. Perf.	habré acelerado, habrás acelerado, habrá acelerado; habremos acelerado, habréis acelerado, habrán acelerado
Cond. Perf.	habría acelerado, habrías acelerado, habría acelerado; habríamos acelerado, habríais acelerado, habrían acelerado
Pres. Perf. Subj.	haya acelerado, hayas acelerado, haya acelerado; hayamos acelerado, hayáis acelerado, hayan acelerado
Plup. Subj.	hubiera acelerado, hubieras acelerado, hubiera acelerado; hubiéramos acelerado, hubierais acelerado, hubieran acelerado hubiese acelerado, hubieses acelerado, hubiese acelerado; hubiésemos acelerado, hubieseis acelerado, hubiesen acelerado
Imperative	—— acelera, acelere; aceleremos, acelerad, aceleren

to accept

Pres. Ind.	acepto, aceptas, acepta; aceptamos, aceptáis, aceptan
Imp. Ind.	aceptaba, aceptabas, aceptaba; aceptábamos, aceptabais, aceptaban
Preterit	acepté, aceptaste, aceptó; aceptamos, aceptasteis, aceptaron
Future	aceptaré, aceptarás, aceptará; aceptaremos, aceptaréis, aceptarán
Condit.	aceptaría, aceptarías, aceptaría; aceptaríamos, aceptaríais, aceptarían
Pres. Subj.	acepte, aceptes, acepte; aceptemos, aceptéis, acepten
Imp. Subj.	aceptara, aceptaras, aceptara; aceptáramos, aceptarais, aceptaran
	aceptase, aceptases, aceptase; aceptásemos, aceptaseis, aceptasen
Pres. Perf. Ind.	he aceptado, has aceptado, ha aceptado; hemos aceptado, habéis aceptado, han aceptado
Plup. Ind.	había aceptado, habías aceptado, había aceptado; habíamos aceptado, habíais aceptado, habían aceptado
Past Ant.	hube aceptado, hubiste aceptado, hubo aceptado; hubimos aceptado, hubisteis aceptado, hubieron aceptado
Fut. Perf.	habré aceptado, habrás aceptado, habrá aceptado; habremos aceptado, habréis aceptado, habrán aceptado
Cond. Perf.	habría aceptado, habrías aceptado, habría aceptado; habríamos aceptado, habríais aceptado, habrían aceptado
Pres. Perf. Subj.	haya aceptado, hayas aceptado, haya aceptado; hayamos aceptado, hayáis aceptado, hayan aceptado
Plup. Subj.	hubiera aceptado, hubieras aceptado, hubiera aceptado; hubiéramos aceptado, hubierais aceptado, hubieran aceptado
	hubiese aceptado, hubieses aceptado, hubiese aceptado; hubiésemos aceptado, hubieseis aceptado, hubiesen aceptado
Imperative	—— acepta, acepte; aceptemos, aceptad, acepten

to bring near, place near

Pres. Ind.	acerco, acercas, acerca; acercamos, acercáis, acercan
Imp. Ind.	acercaba, acercabas, acercaba; acercábamos, acercabais, acercaban
Preterit	acerqué, acercaste, acercó; acercamos, acercasteis, acercaron
Future	acercaré, acercarás, acercará; acercaremos, acercaréis, acercarán
Condit.	acercaría, acercarías, acercaría; acercaríamos, acercaríais, acercarían
Pres. Subj.	acerque, acerques, acerque; acerquemos, acerquéis, acerquen
Imp. Subj.	acercara, acercaras, acercara; acercáramos, acercarais, acercaran acercase, acercases, acercase; acercásemos, acercaseis, acercasen
Pres. Perf. Ind.	he acercado, has acercado, ha acercado; hemos acercado, habéis acercado, han acercado
Plup. Ind.	había acercado, habías acercado, había acercado; habíamos acercado, habíais acercado, habían acercado
Past Ant.	hube acercado, hubiste acercado, hubo acercado; hubimos acercado, hubisteis acercado, hubieron acercado
Fut. Perf.	habré acercado, habrás acercado, habrá acercado; habremos acercado, habréis acercado, habrán acercado
Cond. Perf.	habría acercado, habrías acercado, habría acercado; habríamos acercado, habríais acercado, habrían acercado
Pres. Perf. Subj.	haya acercado, hayas acercado, haya acercado; hayamos acercado, hayáis acercado, hayan acercado
Plup. Subj.	hubiera acercado, hubieras acercado, hubiera acercado; hubiéramos acercado, hubierais acercado, hubieran acercado hubiese acercado, hubieses acercado, hubiese acercado; hubiésemos acercado, hubieseis acercado, hubiesen acercado
Imperative	—— acerca, acerque; acerquemos, acercad, acerquen

to approach, draw near

Pres. Ind.	me acerco, te acercas, se acerca; nos acercamos, os acercáis, se acercan
Imp. Ind.	me acercaba, te acercabas, se acercaba; nos acercábamos, os acercabais, se acercaban
Pret. Ind.	me acerqué, te acercaste, se acercó; nos acercamos, os acercasteis, se acercaron
Fut. Ind.	me acercaré, te acercarás, se acercará; nos acercaremos, os acercaréis, se acercarán
Condit.	me acercaría, te acercarías, se acercaría; nos acercaríamos, os acercaríais, se acercarían
Pres. Subj.	me acerque, te acerques, se acerque; nos acerquemos, os acerquéis, se acerquen
Imp. Subj.	me acercara, te acercaras, se acercara; nos acercáramos, os acercarais, se acercaran
	me acercase, te acercases, se acercase; nos acercásemos, os acercaseis, se acercasen
Pres. Perf.	me he acercado, te has acercado, se ha acercado; nos hemos acercado, os habéis acercado, se han acercado
Pluperf.	me había acercado, te habías acercado, se había acercado; nos habíamos acercado, os habíais acercado, se habían acercado
Past Ant.	me hube acercado, te hubiste acercado, se hubo acercado; nos hubimos acercado, os hubisteis acercado, se hubieron acercado
Fut. Perf.	me habré acercado, te habrás acercado, se habrá acercado; nos habremos acercado, os habréis acercado, se habrán acercado
Cond. Perf.	me habría acercado, te habrías acercado, se habría acercado; nos habríamos acercado, os habríais acercado, se habrían acercado
Pres. Perf. Subj.	me haya acercado, te hayas acercado, se haya acercado; nos hayamos acercado, os hayáis acercado, se hayan acercado
Plup. Subj.	me hubiera acercado, te hubieras acercado, se hubiera acercado; nos hubiéramos acercado, os hubierais acercado, se hubieran acercado
	me hubiese acercado, te hubieses acercado, se hubiese acercado; nos hubiésemos acercado, os hubieseis acercado, se hubiesen acercado
Imperative	—— acércate, acérquese; acerquémonos, acercaos, acérquense

to hit the mark, hit upon, do (something) right, succeed in

Pres. Ind.	acierto, aciertas, acierta; acertamos, acertáis, aciertan
Imp. Ind.	acertaba, acertabas, acertaba; acertábamos, acertabais, acertaban
Preterit	acerté, acertaste, acertó; acertamos, acertasteis, acertaron
Future	acertaré, acertarás, acertará; acertaremos, acertaréis, acertarán
Condit.	acertaría, acertarías, acertaría; acertaríamos, acertaríais, acertarían
Pres. Subj.	acierte, aciertes, acierte; acertemos, acertéis, acierten
Imp. Subj.	acertara, acertaras, acertara; acertáramos, acertarais, acertaran
	acertase, acertases, acertase; acertásemos, acertaseis, acertasen
Pres. Perf. Ind.	he acertado, has acertado, ha acertado; hemos acertado, habéis acertado, han acertado
Plup. Ind.	había acertado, habías acertado, había acertado; habíamos acertado, habíais acertado, habían acertado
Past Ant.	hube acertado, hubiste acertado, hubo acertado; hubimos acertado, hubisteis acertado, hubieron acertado
Fut. Perf.	habré acertado, habrás acertado, habrá acertado; habremos acertado, habréis acertado, habrán acertado
Cond. Perf.	habría acertado, habrías acertado, habría acertado; habríamos acertado, habríais acertado, habrían acertado
Pres. Perf. Subj.	haya acertado, hayas acertado, haya acertado; hayamos acertado, hayáis acertado, hayan acertado
Plup. Subj.	hubiera acertado, hubieras acertado, hubiera acertado; hubiéramos acertado, hubierais acertado, hubieran acertado
	hubiese acertado, hubieses acertado, hubiese acertado; hubiésemos acertado, hubieseis acertado, hubiesen acertado
Imperative	—— acierta, acierte; acertemos, acertad, acierten

to acclaim, applaud, shout

Pres. Ind.	aclamo, aclamas, aclama; aclamamos, aclamáis, aclaman
Imp. Ind.	aclamaba, aclamabas, aclamaba; aclamábamos, aclamabais, aclamaban
Preterit	aclamé, aclamaste, aclamó; aclamamos, aclamasteis, aclamaron
Future	aclamaré, aclamarás, aclamará; aclamaremos, aclamaréis, aclamarán
Condit.	aclamaría, aclamarías, aclamaría; aclamaríamos, aclamaríais, aclamarían
Pres. Subj.	aclame, aclames, aclame; aclamemos, aclaméis, aclamen
Imp. Subj.	aclamara, aclamaras, aclamara; aclamáramos, aclamarais, aclamaran
	aclamase, aclamases, aclamase; aclamásemos, aclamaseis, aclamasen
Pres. Perf. Ind.	he aclamado, has aclamado, ha aclamado; hemos aclamado, habéis aclamado, han aclamado
Plup. Ind.	había aclamado, habías aclamado, había aclamado; habíamos aclamado, habíais aclamado, habían aclamado
Past Ant.	hube aclamado, hubiste aclamado, hubo aclamado; hubimos aclamado, hubisteis aclamado, hubieron aclamado
Fut. Perf.	habré aclamado, habrás aclamado, habrá aclamado; habremos aclamado, habréis aclamado, habrán aclamado
Cond. Perf.	habría aclamado, habrías aclamado, habría aclamado; habríamos aclamado, habríais aclamado, habrían aclamado
Pres. Perf. Subj.	haya aclamado, hayas aclamado, haya aclamado; hayamos aclamado, hayáis aclamado, hayan aclamado
Plup. Subj.	hubiera aclamado, hubieras aclamado, hubiera aclamado; hubiéramos aclamado, hubierais aclamado, hubieran aclamado
	hubiese aclamado, hubieses aclamado, hubiese aclamado; hubiésemos aclamado, hubieseis aclamado, hubiesen aclamado
Imperative	—— aclama, aclame; aclamemos, aclamad, aclamen

to explain, clarify, make clear, rinse

Pres. Ind.	aclaro, aclaras, aclara; aclaramos, aclaráis, aclaran
Imp. Ind.	aclaraba, aclarabas, aclaraba; aclarábamos, aclarabais, aclaraban
Preterit	aclaré, aclaraste, aclaró; aclaramos, aclarasteis, aclararon
Future	aclararé, aclararás, aclarará; aclararemos, aclararéis, aclararán
Condit.	aclararía, aclararías, aclararía; aclararíamos, aclararíais, aclararían
Pres. Subj.	aclare, aclares, aclare; aclaremos, aclaréis, aclaren
Imp. Subj.	aclarara, aclararas, aclarara; aclaráramos, aclararais, aclararan
	aclarase, aclarases, aclarase; aclarásemos, aclaraseis, aclarasen
Pres. Perf. Ind.	he aclarado, has aclarado, ha aclarado; hemos aclarado, habéis aclarado, han aclarado
Plup. Ind.	había aclarado, habías aclarado, había aclarado; habíamos aclarado, habíais aclarado, habían aclarado
Past Ant.	hube aclarado, hubiste aclarado, hubo aclarado; hubimos aclarado, hubisteis aclarado, hubieron aclarado
Fut. Perf.	habré aclarado, habrás aclarado, habrá aclarado; habremos aclarado, habréis aclarado, habrán aclarado
Cond. Perf.	habría aclarado, habrías aclarado, habría aclarado; habríamos aclarado, habríais aclarado, habrían aclarado
Pres. Perf. Subj.	haya aclarado, hayas aclarado, haya aclarado; hayamos aclarado, hayáis aclarado, hayan aclarado
Plup. Subj.	hubiera aclarado, hubieras aclarado, hubiera aclarado; hubiéramos aclarado, hubierais aclarado, hubieran aclarado
	hubiese aclarado, hubieses aclarado, hubiese aclarado; hubiésemos aclarado, hubieseis aclarado, hubiesen aclarado
Imperative	—— aclara, aclare; aclaremos, aclarad, aclaren

to accompany, escort, go with

Pres. Ind.	acompaño, acompañas, acompaña; acompañamos, acompañáis, acompañan
Imp. Ind.	acompañaba, acompañabas, acompañaba; acompañábamos, acompañabais, acompañaban
Preterit	acompañé, acompañaste, acompañó; acompañamos, acompañasteis, acompañaron
Future	acompañaré, acompañarás, acompañará; acompañaremos, acompañaréis, acompañarán
Condit.	acompañaría, acompañarías, acompañaría; acompañaríamos, acompañaríais, acompañarían
Pres. Subj.	acompañe, acompañes, acompañe; acompañemos, acompañéis, acompañen
Imp. Subj.	acompañara, acompañaras, acompañara; acompañáramos, acompañarais, acompañaran
	acompañase, acompañases, acompañase; acompañásemos, acompañaseis, acompañasen
Pres. Perf. Ind.	he acompañado, has acompañado, ha acompañado; hemos acompañado, habéis acompañado, han acompañado
Plup. Ind.	había acompañado, habías acompañado, había acompañado; habíamos acompañado, habíais acompañado, habían acompañado
Past Ant.	hube acompañado, hubiste acompañado, hubo acompañado; hubimos acompañado, hubisteis acompañado, hubieron acompañado
Fut. Perf.	habré acompañado, habrás acompañado, habrá acompañado; habremos acompañado, habréis acompañado, habrán acompañado
Cond. Perf.	habría acompañado, habrías acompañado, habría acompañado; habríamos acompañado, habríais acompañado, habrían acompañado
Pres. Perf. Subj.	haya acompañado, hayas acompañado, haya acompañado; hayamos acompañado, hayáis acompañado, hayan acompañado
Plup. Subj.	hubiera acompañado, hubieras acompañado, hubiera acompañado; hubiéramos acompañado, hubierais acompañado, hubieran acompañado
	hubiese acompañado, hubieses acompañado, hubiese acompañado; hubiésemos acompañado, hubieseis acompañado, hubiesen acompañado
Imperative	—— acompaña, acompañe; acompañemos, acompañad, acompañen

to advise, counsel

Pres. Ind.	aconsejo, aconsejas, aconseja; aconsejamos, aconsejáis, aconsejan
Imp. Ind.	aconsejaba, aconsejabas, aconsejaba; aconsejábamos, aconsejabais, aconsejaban
Preterit	aconsejé, aconsejaste, aconsejó; aconsejamos, aconsejasteis, aconsejaron
Future	aconsejaré, aconsejarás, aconsejará; aconsejaremos, aconsejaréis, aconsejarán
Condit.	aconsejaría, aconsejarías, aconsejaría; aconsejaríamos, aconsejaríais, aconsejarían
Pres. Subj.	aconseje, aconsejes, aconseje; aconsejemos, aconsejéis, aconsejen
Imp. Subj.	aconsejara, aconsejaras, aconsejara; aconsejáramos, aconsejarais, aconsejaran
	aconsejase, aconsejases, aconsajase; aconsejásemos, aconsejaseis, aconsejasen
Pres. Perf. Ind.	he aconsejado, has aconsejado, ha aconsejado; hemos aconsejado, habéis aconsejado, han aconsejado
Plup. Ind.	había aconsejado, habías aconsejado, había aconsejado; habíamos aconsejado, habíais aconsejado, habían aconsejado
Past Ant.	hube aconsejado, hubiste aconsejado, hubo aconsejado; hubimos aconsejado, hubisteis aconsejado, hubieron aconsejado
Fut. Perf.	habré aconsejado, habrás aconsejado, habrá aconsejado; habremos aconsejado, habréis aconsejado, habrán aconsejado
Cond. Perf.	habría aconsejado, habrías aconsejado, habría aconsejado; habríamos aconsejado, habríais aconsejado, habrían aconsejado
Pres. Perf. Subj.	haya aconsejado, hayas aconsejado, haya aconsejado; hayamos aconsejado, hayáis aconsejado, hayan aconsejado
Plup. Subj.	hubiera aconsejado, hubieras aconsejado, hubiera aconsejado; hubiéramos aconsejado, hubierais aconsejado, hubieran aconsejado
	hubiese aconsejado, hubieses aconsejado, hubiese aconsejado; hubiésemos aconsejado, hubieseis aconsejado, hubiesen aconsejado
Imperative	—— aconseja, aconseje; aconsejemos, aconsejad, aconsejen

to agree (upon)

Pres. Ind.	acuerdo, acuerdas, acuerda; acordamos, acordáis, acuerdan
Imp. Ind.	acordaba, acordabas, acordaba; acordábamos, acordabais, acordaban
Preterit	acordé, acordaste, acordó; acordamos, acordasteis, acordaron
Future	acordaré, acordarás, acordará; acordaremos, acordaréis, acordarán
Condit.	acordaría, acordarías, acordaría; acordaríamos, acordaríais, acordarían
Pres. Subj.	acuerde, acuerdes, acuerde; acordemos, acordéis, acuerden
Imp. Subj.	acordara, acordaras, acordara; acordáramos, acordarais, acordaran
	acordase, acordases, acordase; acordásemos, acordaseis, acordasen
Pres. Perf. Ind.	he acordado, has acordado, ha acordado; hemos acordado, habéis acordado, han acordado
Plup. Ind.	había acordado, habías acordado, había acordado; habíamos acordado, habíais acordado, habían acordado
Past Ant.	hube acordado, hubiste acordado, hubo acordado; hubimos acordado, hubisteis acordado, hubieron acordado
Fut. Perf.	habré acordado, habrás acordado, habrá acordado; habremos acordado, habréis acordado, habrán acordado
Cond. Perf.	habría acordado, habrías acordado, habría acordado; habríamos acordado, habríais acordado, habrían acordado
Pres. Perf. Subj.	haya acordado, hayas acordado, haya acordado; hayamos acordado, hayáis acordado, hayan acordado
Plup. Subj.	hubiera acordado, hubieras acordado, hubiera acordado; hubiéramos acordado, hubierais acordado, hubieran acordado
	hubiese acordado, hubieses acordado, hubiese acordado; hubiésemos acordado, hubieseis acordado, hubiesen acordado
Imperative	—— acuerda, acuerde; acordemos, acordad, acuerden

to remember

Pres. Ind.	me acuerdo, te acuerdas, se acuerda; nos acordamos, os acordáis, se acuerdan
Imp. Ind.	me acordaba, te acordabas, se acordaba; nos acordábamos, os acordabais, se acordaban
Pret. Ind.	me acordé, te acordaste, se acordó; nos acordamos, os acordasteis, se acordaron
Fut. Ind.	me acordaré, te acordarás, se acordará; nos acordaremos, os acordaréis, se acordarán
Condit.	me acordaría, te acordarías, se acordaría; nos acordaríamos, os acordaríais, se acordarían
Pres. Subj.	me acuerde, te acuerdes, se acuerde; nos acordemos, os acordéis, se acuerden
Imp. Subj.	me acordara, te acordaras, se acordara; nos acordáramos, os acordarais, se acordaran
	me acordase, te acordases, se acordase; nos acordásemos, os acordaseis, se acordasen
Pres. Perf.	me he acordado, te has acordado, se ha acordado; nos hemos acordado, os habéis acordado, se han acordado
Pluperf.	me había acordado, te habías acordado, se había acordado; nos habíamos acordado, os habíais acordado, se habían acordado
Past Ant.	me hube acordado, te hubiste acordado, se hubo acordado; nos hubimos acordado, os hubisteis acordado, se hubieron acordado
Fut. Perf.	me habré acordado, te habrás acordado, se habrá acordado; nos habremos acordado, os habréis acordado, se habrán acordado
Cond. Perf.	me habría acordado, te habrías acordado, se habría acordado; nos habríamos acordado, os habríais acordado, se habrían acordado
Pres. Perf. Subj.	me haya acordado, te hayas acordado, se haya acordado; nos hayamos acordado, os hayáis acordado, se hayan acordado
Plup. Subj.	me hubiera acordado, te hubieras acordado, se hubiera acordado; nos hubiéramos acordado, os hubierais acordado, se hubieran acordado
	me hubiese acordado, te hubieses acordado, se hubiese acordado; nos hubiésemos acordado, os hubieseis acordado, se hubiesen acordado
Imperative	—— acuérdate, acuérdese; acordémonos, acordaos, acuérdense

to go to bed, lie down

Pres. Ind. me acuesto, te acuestas, se acuesta;
nos acostamos, os acostáis, se acuestan

Imp. Ind. me acostaba, te acostabas, se acostaba;
nos acostábamos, os acostabais, se acostaban

Pret. Ind. me acosté, te acostaste, se acostó;
nos acostamos, os acostasteis, se acostaron

Fut. Ind. me acostaré, te acostarás, se acostará;
nos acostaremos, os acostaréis, se acostarán

Condit. me acostaría, te acostarías, se acostaría;
nos acostaríamos, os acostaríais, se acostarían

Pres. Subj. me acueste, te acuestes, se acueste;
nos acostemos, os acostéis, se acuesten

Imp. Subj. me acostara, te acostaras, se acostara;
nos acostáramos, os acostarais, se acostaran

me acostase, te acostases, se acostase;
nos acostásemos, os acostaseis, se acostasen

Pres. Perf. me he acostado, te has acostado, se ha acostado;
nos hemos acostado, os habéis acostado, se han acostado

Pluperf. me había acostado, te habías acostado, se había acostado;
nos habíamos acostado, os habíais acostado, se habían acostado

Past Ant. me hube acostado, te hubiste acostado, se hubo acostado;
nos hubimos acostado, os hubisteis acostado, se hubieron acostado

Fut. Perf. me habré acostado, te habrás acostado, se habrá acostado;
nos habremos acostado, os habréis acostado, se habrán acostado

Cond. Perf. me habría acostado, te habrías acostado, se habría acostado;
nos habríamos acostado, os habríais acostado, se habrían acostado

Pres. Perf. Subj. me haya acostado, te hayas acostado, se haya acostado;
nos hayamos acostado, os hayáis acostado, se hayan acostado

Plup. Subj. me hubiera acostado, te hubieras acostado, se hubiera acostado;
nos hubiéramos acostado, os hubierais acostado, se hubieran acostado

me hubiese acostado, te hubieses acostado, se hubiese acostado;
nos hubiésemos acostado, os hubieseis acostado, se hubiesen acostado

Imperative —— acuéstate, acuéstese;
acostémonos, acostaos, acuéstense

to be accustomed, be in the habit of

Pres. Ind.	acostumbro, acostumbras, acostumbra; acostumbramos, acostumbráis, acostumbran
Imp. Ind.	acostumbraba, acostumbrabas, acostumbraba; acostumbrábamos, acostumbrabais, acostumbraban
Preterit	acostumbré, acostumbraste, acostumbró; acostumbramos, acostumbrasteis, acostumbraron
Future	acostumbraré, acostumbrarás, acostumbrará; acostumbraremos, acostumbraréis, acostumbrarán
Condit.	acostumbraría, acostumbrarías, acostumbraría; acostumbraríamos, acostumbraríais, acostumbrarían.
Pres. Subj.	acostumbre, acostumbres, acostumbre; acostumbremos, acostumbréis, acostumbren
Imp. Subj.	acostumbrara, acostumbraras, acostumbrara; acostumbráramos, acostumbrarais, acostumbraran
	acostumbrase, acostumbrases, acostumbrase; acostumbrásemos, acostumbraseis, acostumbrasen
Pres. Perf. Ind.	he acostumbrado, has acostumbrado, ha acostumbrado; hemos acostumbrado, habéis acostumbrado, han acostumbrado
Plup. Ind.	había acostumbrado, habías acostumbrado, había acostumbrado; habíamos acostumbrado, habíais acostumbrado, habían acostumbrado
Past Ant.	hube acostumbrado, hubiste acostumbrado, hubo acostumbrado; hubimos acostumbrado, hubisteis acostumbrado, hubieron acostumbrado
Fut. Perf.	habré acostumbrado, habrás acostumbrado, habrá acostumbrado; habremos acostumbrado, habréis acostumbrado, habrán acostumbrado
Cond. Perf.	habría acostumbrado, habrías acostumbrado, habría acostumbrado; habríamos acostumbrado, habríais acostumbrado, habrían acostumbrado
Pres. Perf. Subj.	haya acostumbrado, hayas acostumbrado, haya acostumbrado; hayamos acostumbrado, hayáis acostumbrado, hayan acostumbrado
Plup. Subj.	hubiera acostumbrado, hubieras acostumbrado, hubiera acostumbrado; hubiéramos acostumbrado, hubierais acostumbrado, hubieran acostumbrado
	hubiese acostumbrado, hubieses acostumbrado, hubiese acostumbrado; hubiésemos acostumbrado, hubieseis acostumbrado, hubiesen acostumbrado
Imperative	—— acostumbra, acostumbre; acostumbremos, acostumbrad, acostumbren

to knife, cut, slash, cut open

Pres. Ind.	acuchillo, acuchillas, acuchilla; acuchillamos, acuchilláis, acuchillan
Imp. Ind.	acuchillaba, acuchillabas, acuchillaba; acuchillábamos, acuchillabais, acuchillaban
Preterit	acuchillé, acuchillaste, acuchilló; acuchillamos, acuchillasteis, acuchillaron
Future	acuchillaré, acuchillarás, acuchillará; acuchillaremos, acuchillaréis, acuchillarán
Condit.	acuchillaría, acuchillarías, acuchillaría; acuchillaríamos, acuchillaríais, acuchillarían
Pres. Subj.	acuchille, acuchilles, acuchille; acuchillemos, acuchilléis, acuchillen
Imp. Subj.	acuchillara, acuchillaras, acuchillara; acuchilláramos, acuchillarais, acuchillaran
	acuchillase, acuchillases, acuchillase; acuchillásemos, acuchillaseis, acuchillasen
Pres. Perf. Ind.	he acuchillado, has acuchillado, ha acuchillado; hemos acuchillado, habéis acuchillado, han acuchillado
Plup. Ind.	había acuchillado, habías acuchillado, había acuchillado; habíamos acuchillado, habíais acuchillado, habían acuchillado
Past Ant.	hube acuchillado, hubiste acuchillado, hubo acuchillado; hubimos acuchillado, hubisteis acuchillado, hubieron acuchillado
Fut. Perf.	habré acuchillado, habrás acuchillado, habrá acuchillado; habremos acuchillado, habréis acuchillado, habrán acuchillado
Cond. Perf.	habría acuchillado, habrías acuchillado, habría acuchillado; habríamos acuchillado, habríais acuchillado, habrían acuchillado
Pres. Perf. Subj.	haya acuchillado, hayas acuchillado, haya acuchillado; hayamos acuchillado, hayáis acuchillado, hayan acuchillado
Plup. Subj.	hubiera acuchillado, hubieras acuchillado, hubiera acuchillado; hubiéramos acuchillado, hubierais acuchillado, hubieran acuchillado
	hubiese acuchillado, hubieses acuchillado, hubiese acuchillado; hubiésemos acuchillado, hubieseis acuchillado, hubiesen acuchillado
Imperative	—— acuchilla, acuchille; acuchillemos, acuchillad, acuchillen

to attend, be present frequently, respond (to a call), come to the rescue

Pres. Ind.	acudo, acudes, acude; acudimos, acudís, acuden
Imp. Ind.	acudía, acudías, acudía; acudíamos, acudíais, acudían
Preterit	acudí, acudiste, acudió; acudimos, acudisteis, acudieron
Future	acudiré, acudirás, acudirá; acudiremos, acudiréis, acudirán
Condit.	acudiría, acudirías, acudiría; acudiríamos, acudiríais, acudirían
Pres. Subj.	acuda, acudas, acuda; acudamos, acudáis, acudan
Imp. Subj.	acudiera, acudieras, acudiera; acudiéramos, acudierais, acudieran
	acudiese, acudieses, acudiese; acudiésemos, acudieseis, acudiesen
Pres. Perf. Ind.	he acudido, has acudido, ha acudido; hemos acudido, habéis acudido, han acudido
Plup. Ind.	había acudido, habías acudido, había acudido; habíamos acudido, habíais acudido, habían acudido
Past Ant.	hube acudido, hubiste acudido, hubo acudido; hubimos acudido, hubisteis acudido, hubieron acudido
Fut. Perf.	habré acudido, habrás acudido, habrá acudido; habremos acudido, habréis acudido, habrán acudido
Cond. Perf.	habría acudido, habrías acudido, habría acudido; habríamos acudido, habríais acudido, habrían acudido
Pres. Perf. Subj.	haya acudido, hayas acudido, haya acudido; hayamos acudido, hayáis acudido, hayan acudido
Plup. Subj.	hubiera acudido, hubieras acudido, hubiera acudido; hubiéramos acudido, hubierais acudido, hubieran acudido
	hubiese acudido, hubieses acudido, hubiese acudido; hubiésemos acudido, hubieseis acudido, hubiesen acudido
Imperative	—— acude, acuda; acudamos, acudid, acudan

to accuse

Pres. Ind.	acuso, acusas, acusa; acusamos, acusáis, acusan
Imp. Ind.	acusaba, acusabas, acusaba; acusábamos, acusabais, acusaban
Preterit	acusé, acusaste, acusó; acusamos, acusasteis, acusaron
Future	acusaré, acusarás, acusará; acusaremos, acusaréis, acusarán
Condit.	acusaría, acusarías, acusaría; acusaríamos, acusaríais, acusarían
Pres. Subj.	acuse, acuses, acuse; acusemos, acuséis, acusen
Imp. Subj.	acusara, acusaras, acusara; acusáramos, acusarais, acusaran
	acusase, acusases, acusase; acusásemos, acusaseis, acusasen
Pres. Perf. Ind.	he acusado, has acusado, ha acusado; hemos acusado, habéis acusado, han acusado
Plup. Ind.	había acusado, habías acusado, había acusado; habíamos acusado, habíais acusado, habían acusado
Past Ant.	hube acusado, hubiste acusado, hubo acusado; hubimos acusado, hubisteis acusado, hubieron acusado
Fut. Perf.	habré acusado, habrás acusado, habrá acusado; habremos acusado, habréis acusado, habrán acusado
Cond. Perf.	habría acusado, habrías acusado, habría acusado; habríamos acusado, habríais acusado, habrían acusado
Pres. Perf. Subj.	haya acusado, hayas acusado, haya acusado; hayamos acusado, hayáis acusado, hayan acusado
Plup. Subj.	hubiera acusado, hubieras acusado, hubiera acusado; hubiéramos acusado, hubierais acusado, hubieran acusado
	hubiese acusado, hubieses acusado, hubiese acusado; hubiésemos acusado, hubieseis acusado, hubiesen acusado
Imperative	—— acusa, acuse; acusemos, acusad, acusen

to advance, keep on, progress, go ahead

Pres. Ind.	adelanto, adelantas, adelanta; adelantamos, adelantáis, adelantan
Imp. Ind.	adelantaba, adelantabas, adelantaba; adelantábamos, adelantabais, adelantaban
Preterit	adelanté, adelantaste, adelantó; adelantamos, adelantasteis, adelantaron
Future	adelantaré, adelantarás, adelantará; adelantaremos, adelantaréis, adelantarán
Condit.	adelantaría, adelantarías, adelantaría; adelantaríamos, adelantaríais, adelantarían
Pres. Subj.	adelante, adelantes, adelante; adelantemos, adelantéis, adelanten
Imp. Subj.	adelantara, adelantaras, adelantara; adelantáramos, adelantarais, adelantaran
	adelantase, adelantases, adelantase; adelantasemos, adelantaseis, adelantasen
Pres. Perf. Ind.	he adelantado, has adelantado, ha adelantado; hemos adelantado, habéis adelantado, han adelantado
Plup. Ind.	había adelantado, habías adelantado, había adelantado; habíamos adelantado, habíais adelantado, habían adelantado
Past Ant.	hube adelantado, hubiste adelantado, hubo adelantado; hubimos adelantado, hubisteis adelantado, hubieron adelantado
Fut. Perf.	habré adelantado, habrás adelantado, habrá adelantado; habremos adelantado, habréis adelantado, habrán adelantado
Cond. Perf.	habría adelantado, habrías adelantado, habría adelantado; habríamos adelantado, habríais adelantado, habrían adelantado
Pres. Perf. Subj.	haya adelantado, hayas adelantado, haya adelantado; hayamos adelantado, hayáis adelantado, hayan adelantado
Plup. Subj.	hubiera adelantado, hubieras adelantado, hubiera adelantado; hubiéramos adelantado, hubierais adelantado, hubieran adelantado
	hubiese adelantado, hubieses adelantado, hubiese adelantado; hubiésemos adelantado, hubieseis adelantado, hubiesen adelantado
Imperative	—— adelanta, adelante; adelantemos, adelantad, adelanten

to divine, foretell, guess

Pres. Ind.	adivino, adivinas, adivina; adivinamos, adivináis, adivinan
Imp. Ind.	adivinaba, adivinabas, adivinaba; adivinábamos, adivinabais, adivinaban
Preterit	adiviné, adivinaste, adivinó; adivinamos, adivinasteis, adivinaron
Future	adivinaré, adivinarás, adivinará; adivinaremos, adivinaréis, adivinarán
Condit.	adivinaría, adivinarías, adivinaría; adivinaríamos, adivinaríais, adivinarían
Pres. Subj.	adivine, adivines, adivine; adivinemos, adivinéis, adivinen
Imp. Subj.	adivinara, adivinaras, adivinara; adivináramos, adivinarais, adivinaran
	adivinase, adivinases, adivinase; adivinásemos, adivinaseis, adivinasen
Pres. Perf. Ind.	he adivinado, has adivinado, ha adivinado; hemos adivinado, habéis adivinado, han adivinado
Plup. Ind.	había adivinado, habías adivinado, había adivinado; habíamos adivinado, habíais adivinado, habían adivinado
Past Ant.	hube adivinado, hubiste adivinado, hubo adivinado; hubimos adivinado, hubisteis adivinado, hubieron adivinado
Fut. Perf.	habré adivinado, habrás adivinado, habrá adivinado; habremos adivinado, habréis adivinado, habrán adivinado
Cond. Perf.	habría adivinado, habrías adivinado, habría adivinado; habríamos adivinado, habríais adivinado, habrían adivinado
Pres. Perf. Subj.	haya adivinado, hayas adivinado, haya adivinado; hayamos adivinado, hayáis adivinado, hayan adivinado
Plup. Subj.	hubiera adivinado, hubieras adivinado, hubiera adivinado; hubiéramos adivinado, hubierais adivinado, hubieran adivinado
	hubiese adivinado, hubieses adivinado, hubiese adivinado; hubiésemos adivinado, hubieseis adivinado, hubiesen adivinado
Imperative	—— adivina, adivine; adivinemos, adivinad, adivinen

to admire

Pres. Ind.	admiro, admiras, admira; admiramos, admiráis, admiran
Imp. Ind.	admiraba, admirabas, admiraba; admirábamos, admirabais, admiraban
Preterit	admiré, admiraste, admiró; admiramos, admirasteis, admiraron
Future	admiraré, admirarás, admirará; admiraremos, admiraréis, admirarán
Condit.	admiraría, admirarías, admiraría; admiraríamos, admiraríais, admirarían
Pres. Subj.	admire, admires, admire; admiremos, admiréis, admiren
Imp. Subj.	admirara, admiraras, admirara; admiráramos, admirarais, admiraran
	admirase, admirases, admirase; admirásemos, admiraseis, admirasen
Pres. Perf. Ind.	he admirado, has admirado, ha admirado; hemos admirado, habéis admirado, han admirado
Plup. Ind.	había admirado, habías admirado, había admirado; habíamos admirado, habíais admirado, habían admirado
Past Ant.	hube admirado, hubiste admirado, hubo admirado; hubimos admirado, hubisteis admirado, hubieron admirado
Fut. Perf.	habré admirado, habrás admirado, habrá admirado; habremos admirado, habréis admirado, habrán admirado
Cond. Perf.	habría admirado, habrías admirado, habría admirado; habríamos admirado, habríais admirado, habrían admirado
Pres. Perf. Subj.	haya admirado, hayas admirado, haya admirado; hayamos admirado, hayáis admirado, hayan admirado
Plup. Subj.	hubiera admirado, hubieras admirado, hubiera admirado; hubiéramos admirado, hubierais admirado, hubieran admirado
	hubiese admirado, hubieses admirado, hubiese admirado; hubiésemos admirado, hubieseis admirado, hubiesen admirado
Imperative	—— admira, admire; admiremos, admirad, admiren

to admit, grant, permit

Pres. Ind.	admito, admites, admite; admitimos, admitís, admiten
Imp. Ind.	admitía, admitías, admitía; admitíamos, admitíais, admitían
Preterit	admití, admitiste, admitió; admitimos, admitisteis, admitieron
Future	admitiré, admitirás, admitirá; admitiremos, admitiréis, admitirán
Condit.	admitiría, admitirías, admitiría; admitiríamos, admitiríais, admitirían
Pres. Subj.	admita, admitas, admita; admitamos, admitáis, admitan
Imp. Subj.	admitiera, admitieras, admitiera; admitiéramos, admitierais, admitieran
	admitiese, admitieses, admitiese; admitiésemos, admitieseis, admitiesen
Pres. Perf. Ind.	he admitido, has admitido, ha admitido; hemos admitido, habéis admitido, han admitido
Plup. Ind.	había admitido, habías admitido, había admitido; habíamos admitido, habíais admitido, habían admitido
Past Ant.	hube admitido, hubiste admitido, hubo admitido; hubimos admitido, hubisteis admitido, hubieron admitido
Fut. Perf.	habré admitido, habrás admitido, habrá admitido; habremos admitido, habréis admitido, habrán admitido
Cond. Perf.	habría admitido, habrías admitido, habría admitido; habríamos admitido, habríais admitido, habrían admitido
Pres. Perf. Subj.	haya admitido, hayas admitido, haya admitido; hayamos admitido, hayáis admitido, hayan admitido
Plup. Subj.	hubiera admitido, hubieras admitido, hubiera admitido; hubiéramos admitido, hubierais admitido, hubieran admitido
	hubiese admitido, hubieses admitido, hubiese admitido; hubiésemos admitido, hubieseis admitido, hubiesen admitido
Imperative	—— admite, admita; admitamos, admitid, admitan

to adopt

Pres. Ind.	adopto, adoptas, adopta; adoptamos, adoptáis, adoptan
Imp. Ind.	adoptaba, adoptabas, adoptaba; adoptábamos, adoptabais, adoptaban
Preterit	adopté, adoptaste, adoptó; adoptamos, adoptasteis, adoptaron
Future	adoptaré, adoptarás, adoptará; adoptaremos, adoptaréis, adoptarán
Condit.	adoptaría, adoptarías, adoptaría; adoptaríamos, adoptaríais, adoptarían
Pres. Subj.	adopte, adoptes, adopte; adoptemos, adoptéis, adopten
Imp. Subj.	adoptara, adoptaras, adoptara; adoptáramos, adoptarais, adoptaran
	adoptase, adoptases, adoptase; adoptásemos, adoptaseis, adoptasen
Pres. Perf. Ind.	he adoptado, has adoptado, ha adoptado; hemos adoptado, habéis adoptado, han adoptado
Plup. Ind.	había adoptado, habías adoptado, había adoptado; habíamos adoptado, habíais adoptado, habían adoptado
Past Ant.	hube adoptado, hubiste adoptado, hubo adoptado; hubimos adoptado, hubisteis adoptado, hubieron adoptado
Fut. Perf.	habré adoptado, habrás adoptado, habrá adoptado; habremos adoptado, habréis adoptado, habrán adoptado
Cond. Perf.	habría adoptado, habrías adoptado, habría adoptado; habríamos adoptado, habríais adoptado, habrían adoptado
Pres. Perf. Subj.	haya adoptado, hayas adoptado, haya adoptado; hayamos adoptado, hayáis adoptado, hayan adoptado
Plup. Subj.	hubiera adoptado, hubieras adoptado, hubiera adoptado; hubiéramos adoptado, hubierais adoptado, hubieran adoptado
	hubiese adoptado, hubieses adoptado, hubiese adoptado; hubiésemos adoptado, hubieseis adoptado, hubiesen adoptado
Imperative	—— adopta, adopte; adoptemos, adoptad, adopten

to adore, worship

Pres. Ind.	adoro, adoras, adora; adoramos, adoráis, adoran
Imp. Ind.	adoraba, adorabas, adoraba; adorábamos, adorabais, adoraban
Preterit	adoré, adoraste, adoró; adoramos, adorasteis, adoraron
Future	adoraré, adorarás, adorará; adoraremos, adoraréis, adorarán
Condit.	adoraría, adorarías, adoraría; adoraríamos, adoraríais, adorarían
Pres. Subj.	adore, adores, adore; adoremos, adoréis, adoren
Imp. Subj.	adorara, adoraras, adorara; adoráramos, adorarais, adoraran
	adorase, adorases, adorase; adorásemos, adoraseis, adorasen
Pres. Perf. Ind.	he adorado, has adorado, ha adorado; hemos adorado, habéis adorado, han adorado
Plup. Ind.	había adorado, habías adorado, había adorado; habíamos adorado, habíais adorado, habían adorado
Past Ant.	hube adorado, hubiste adorado, hubo adorado; hubimos adorado, hubisteis adorado, hubieron adorado
Fut. Perf.	habré adorado, habrás adorado, habrá adorado; habremos adorado, habréis adorado, habrán adorado
Cond. Perf.	habría adorado, habrías adorado, habría adorado; habríamos adorado, habríais adorado, habrían adorado
Pres. Perf. Subj.	haya adorado, hayas adorado, haya adorado; hayamos adorado, hayáis adorado, hayan adorado
Plup. Subj.	hubiera adorado, hubieras adorado, hubiera adorado; hubiéramos adorado, hubierais adorado, hubieran adorado
	hubiese adorado, hubieses adorado, hubiese adorado; hubiésemos adorado, hubieseis adorado, hubiesen adorado
Imperative	—— adora, adore; adoremos, adorad, adoren

to acquire, get, obtain

Pres. Ind.	adquiero, adquieres, adquiere; adquirimos, adquirís, adquieren
Imp. Ind.	adquiría, adquirías, adquiría; adquiríamos, adquiríais, adquirían
Preterit	adquirí, adquiriste, adquirió; adquirimos, adquiristeis, adquirieron
Future	adquiriré, adquirirás, adquirirá; adquiriremos, adquiriréis, adquirirán
Condit.	adquiriría, adquirirías, adquiriría; adquiriríamos, adquiriríais, adquirirían
Pres. Subj.	adquiera, adquieras, adquiera; adquiramos, adquiráis, adquieran
Imp. Subj.	adquiriera, adquirieras, adquiriera; adquiriéramos, adquirierais, adquirieran
	adquiriese, adquirieses,adquiriese; adquiriésemos, adquirieseis, adquiriesen
Pres. Perf. Ind.	he adquirido, has adquirido, ha adquirido; hemos adquirido, habéis adquirido, han adquirido
Plup. Ind.	había adquirido, habías adquirido, había adquirido; habíamos adquirido, habíais adquirido, habían adquirido
Past Ant.	hube adquirido, hubiste adquirido, hubo adquirido; hubimos adquirido, hubisteis adquirido, hubieron adquirido
Fut. Perf.	habré adquirido, habrás adquirido, habrá adquirido; habremos adquirido, habréis adquirido, habrán adquirido
Cond. Perf.	habría adquirido, habrías adquirido, habría adquirido; habríamos adquirido, habríais adquirido, habrían adquirido
Pres. Perf. Subj.	haya adquirido, hayas adquirido, haya adquirido; hayamos adquirido, hayáis adquirido, hayan adquirido
Plup. Subj.	hubiera adquirido, hubieras adquirido, hubiera adquirido; hubiéramos adquirido, hubierais adquirido, hubieran adquirido
	hubiese adquirido, hubieses adquirido, hubiese adquirido; hubiésemos adquirido, hubieseis adquirido, hubiesen adquirido
Imperative	—— adquiere, adquiera; adquiramos, adquirid, adquieran

to advise, give notice, give warning, take notice of, warn

Pres. Ind.	advierto, adviertes, advierte; advertimos, advertís, advierten
Imp. Ind.	advertía, advertías, advertía; advertíamos, advertíais, advertían
Preterit	advertí, advertiste, advirtió; advertimos, advertisteis, advirtieron
Future	advertiré, advertirás, advertirá; advertiremos, advertiréis, advertirán
Condit.	advertiría, advertirías, advertiría; advertiríamos, advertiríais, advertirían
Pres. Subj.	advierta, adviertas, advierta; advirtamos, advirtáis, adviertan
Imp. Subj.	advirtiera, advirtieras, advirtiera; advirtiéramos, advirtierais, advirtieran advirtiese, advirtieses, advirtiese; advirtiésemos, advirtieseis, advirtiesen
Pres. Perf. Ind.	he advertido, has advertido, ha advertido; hemos advertido, habéis advertido, han advertido
Plup. Ind.	había advertido, habías advertido, había advertido; habíamos advertido, habíais advertido, habían advertido
Past Ant.	hube advertido, hubiste advertido, hubo advertido; hubimos advertido, hubisteis advertido, hubieron advertido
Fut. Perf.	habré advertido, habrás advertido, habrá advertido; habremos advertido, habréis advertido, habrán advertido
Cond. Perf.	habría advertido, habrías advertido, habría advertido; habríamos advertido, habríais advertido, habrían advertido
Pres. Perf. Subj.	haya advertido, hayas advertido, haya advertido; hayamos advertido, hayáis advertido, hayan advertido
Plup. Subj.	hubiera advertido, hubieras advertido, hubiera advertido; hubiéramos advertido, hubierais advertido, hubieran advertido hubiese advertido, hubieses advertido, hubiese advertido; hubiésemos advertido, hubieseis advertido, hubiesen advertido
Imperative	—— advierte, advierta; advirtamos, advertid, adviertan

to shave oneself

Pres. Ind.	me afeito, te afeitas, se afeita; nos afeitamos, os afeitáis, se afeitan
Imp. Ind.	me afeitaba, te afeitabas, se afeitaba; nos afeitábamos, os afeitabais, se afeitaban
Preterit	me afeité, te afeitaste, se afeitó; nos afeitamos, os afeitasteis, se afeitaron
Future	me afeitaré, te afeitarás, se afeitará; nos afeitaremos, os afeitaréis, se afeitarán
Condit.	me afeitaría, te afeitarías, se afeitaría; nos afeitaríamos, os afeitaríais, se afeitarían
Pres. Subj.	me afeite, te afeites, se afeite; nos afeitemos, os afeitéis, se afeiten
Imp. Subj.	me afeitara, te afeitaras, se afeitara; nos afeitáramos, os afeitarais, se afeitaran
	me afeitase, te afeitases, se afeitase; nos afeitásemos, os afeitaseis, se afeitasen
Pres. Perf. Ind.	me he afeitado, te has afeitado, se ha afeitado; nos hemos afeitado, os habéis afeitado, se han afeitado
Plup. Ind.	me había afeitado, te habías afeitado, se había afeitado; nos habíamos afeitado, os habíais afeitado, se habían afeitado
Past Ant.	me hube afeitado, te hubiste afeitado, se hubo afeitado; nos hubimos afeitado, os hubisteis afeitado, se hubieron afeitado
Fut. Perf.	me habré afeitado, te habrás afeitado, se habrá afeitado; nos habremos afeitado, os habréis afeitado, se habrán afeitado
Cond. Perf.	me habría afeitado, te habrías afeitado, se habría afeitado; nos habríamos afeitado, os habríais afeitado, se habrían afeitado
Pres. Perf. Subj.	me haya afeitado, te hayas afeitado, se haya afeitado; nos hayamos afeitado, os hayáis afeitado, se hayan afeitado
Plup. Subj.	me hubiera afeitado, te hubieras afeitado, se hubiera afeitado; nos hubiéramos afeitado, os hubierais afeitado, se hubieran afeitado
	me hubiese afeitado, te hubieses afeitado, se hubiese afeitado; nos hubiésemos afeitado, os hubieseis afeitado, se hubiesen afeitado
Imperative	—— aféitate, aféitese; afeitémonos, afeitaos, aféitense

to come upon, grasp, obtain, seize, clutch

Pres. Ind.	agarro, agarras, agarra; agarramos, agarráis, agarran
Imp. Ind.	agarraba, agarrabas, agarraba; agarrábamos, agarrabais, agarraban
Preterit	agarré, agarraste, agarró; agarramos, agarrasteis, agarraron
Future	agarraré, agarrarás, agarrará; agarraremos, agarraréis, agarrarán
Condit.	agarraría, agarrarías, agarraría; agarraríamos, agarraríais, agarrarían
Pres. Subj.	agarre, agarres, agarre; agarremos, agarréis, agarren
Imp. Subj.	agarrara, agarraras, agarrara; agarráramos, agarrarais, agarraran
	agarrase, agarrases, agarrase; agarrásemos, agarraseis, agarrasen
Pres. Perf. Ind.	he agarrado, has agarrado, ha agarrado; hemos agarrado, habéis agarrado, han agarrado
Plup. Ind.	había agarrado, habías agarrado, había agarrado; habíamos agarrado, habíais agarrado, habían agarrado
Past Ant.	hube agarrado, hubiste agarrado, hubo agarrado; hubimos agarrado, hubisteis agarrado, hubieron agarrado
Fut. Perf.	habré agarrado, habrás agarrado, habrá agarrado; habremos agarrado, habréis agarrado, habrán agarrado
Cond. Perf.	habría agarrado, habrías agarrado, habría agarrado; habríamos agarrado, habríais agarrado, habrían agarrado
Pres. Perf. Subj.	haya agarrado, hayas agarrado, haya agarrado; hayamos agarrado, hayáis agarrado, hayan agarrado
Plup. Subj.	hubiera agarrado, hubieras agarrado, hubiera agarrado; hubiéramos agarrado, hubierais agarrado, hubieran agarrado
	hubiese agarrado, hubieses agarrado, hubiese agarrado; hubiésemos agarrado, hubieseis agarrado, hubiesen agarrado
Imperative	—— agarra, agarre; agarremos, agarrad, agarren

to agitate, wave, shake up, stir

Pres. Ind.	agito, agitas, agita; agitamos, agitáis, agitan
Imp. Ind.	agitaba, agitabas, agitaba; agitábamos, agitabais, agitaban
Preterit	agité, agitaste, agitó; agitamos, agitasteis, agitaron
Future	agitaré, agitarás, agitará; agitaremos, agitaréis, agitarán
Condit.	agitaría, agitarías, agitaría; agitaríamos, agitaríais, agitarían
Pres. Subj.	agite, agites, agite; agitemos, agitéis, agiten
Imp. Subj.	agitara, agitaras, agitara; agitáramos, agitarais, agitaran
	agitase, agitases, agitase; agitásemos, agitaseis, agitasen
Pres. Perf. Ind.	he agitado, has agitado, ha agitado; hemos agitado, habéis agitado, han agitado
Plup. Ind.	había agitado, habías agitado, había agitado; habíamos agitado, habíais agitado, habían agitado
Past Ant.	hube agitado, hubiste agitado, hubo agitado; hubimos agitado, hubisteis agitado, hubieron agitado
Fut. Perf.	habré agitado, habrás agitado, habrá agitado; habremos agitado, habréis agitado, habrán agitado
Cond. Perf.	habría agitado, habrías agitado, habría agitado; habríamos agitado, habríais agitado, habrían agitado
Pres. Perf. Subj.	haya agitado, hayas agitado, haya agitado; hayamos agitado, hayáis agitado, hayan agitado
Plup. Subj.	hubiera agitado, hubieras agitado, hubiera agitado; hubiéramos agitado, hubierais agitado, hubieran agitado
	hubiese agitado, hubieses agitado, hubiese agitado; hubiésemos agitado, hubieseis agitado, hubiesen agitado
Imperative	—— agita, agite; agitemos, agitad, agiten

to exhaust, use up

Pres. Ind.	agoto, agotas, agota; agotamos, agotáis, agotan
Imp. Ind.	agotaba, agotabas, agotaba; agotábamos, agotabais, agotaban
Preterit	agoté, agotaste, agotó; agotamos, agotasteis, agotaron
Future	agotaré, agotarás, agotará; agotaremos, agotaréis, agotarán
Condit.	agotaría, agotarías, agotaría; agotaríamos, agotaríais, agotarían
Pres. Subj.	agote, agotes, agote; agotemos, agotéis, agoten
Imp. Subj.	agotara, agotaras, agotara; agotáramos, agotarais, agotaran
	agotase, agotases, agotase; agotásemos, agotaseis, agotasen
Pres. Perf. Ind.	he agotado, has agotado, ha agotado; hemos agotado, habéis agotado, han agotado
Plup. Ind.	había agotado, habías agotado, había agotado; habíamos agotado, habíais agotado, habían agotado
Past Ant.	hube agotado, hubiste agotado, hubo agotado; hubimos agotado, hubisteis agotado, hubieron agotado
Fut. Perf.	habré agotado, habrás agotado, habrá agotado; habremos agotado, habréis agotado, habrán agotado
Cond. Perf.	habría agotado, habrías agotado, habría agotado; habríamos agotado, habríais agotado, habrían agotado
Pres. Perf. Subj.	haya agotado, hayas agotado, haya agotado; hayamos agotado, hayáis agotado, hayan agotado
Plup. Subj.	hubiera agotado, hubieras agotado, hubiera agotado; hubiéramos agotado, hubierais agotado, hubieran agotado
	hubiese agotado, hubieses agotado, hubiese agotado; hubiésemos agotado, hubieseis agotado, hubiesen agotado
Imperative	—— agota, agote; agotemos, agotad, agoten

to please, be pleasing

Pres. Ind.	agrado, agradas, agrada; agradamos, agradáis, agradan
Imp. Ind.	agradaba, agradabas, agradaba; agradábamos, agradabais, agradaban
Preterit	agradé, agradaste, agradó; agradamos, agradasteis, agradaron
Future	agradaré, agradarás, agradará; agradaremos, agradaréis, agradarán
Condit.	agradaría, agradarías, agradaría; agradaríamos, agradaríais, agradarían
Pres. Subj.	agrade, agrades, agrade; agrademos, agradéis, agraden
Imp. Subj.	agradara, agradaras, agradara; agradáramos, agradarais, agradaran
	agradase, agradases, agradase; agradásemos, agradaseis, agradasen
Pres. Perf. Ind.	he agradado, has agradado, ha agradado; hemos agradado, habéis agradado, han agradado
Plup. Ind.	había agradado, habías agradado, había agradado; habíamos agradado, habíais agradado, habían agradado
Past Ant.	hube agradado, hubiste agradado, hubo agradado; hubimos agradado, hubisteis agradado, hubieron agradado
Fut. Perf.	habré agradado, habrás agradado, habrá agradado; habremos agradado, habréis agradado, habrán agradado
Cond. Perf.	habría agradado, habrías agradado, habría agradado; habríamos agradado, habríais agradado, habrían agradado
Pres. Perf. Subj.	haya agradado, hayas agradado, haya agradado; hayamos agradado, hayáis agradado, hayan agradado
Plup. Subj.	hubiera agradado, hubieras agradado, hubiera agradado; hubiéramos agradado, hubierais agradado, hubieran agradado
	hubiese agradado, hubieses agradado, hubiese agradado; hubiésemos agradado, hubieseis agradado, hubiesen agradado
Imperative	—— agrada, agrade; agrademos, agradad, agraden

to thank, be thankful for

Pres. Ind.	agradezco, agradeces, agradece; agradecemos, agradecéis, agradecen
Imp. Ind.	agradecía, agradecías, agradecía; agradecíamos, agradecíais, agradecían
Pret. Ind.	agradecí, agradeciste, agradeció; agradecimos, agradecisteis, agradecieron
Fut. Ind.	agradeceré, agradecerás, agradecerá; agradeceremos, agradeceréis, agradecerán
Condit.	agradecería, agradecerías, agradecería; agradeceríamos, agradeceríais, agradecerían
Pres. Subj.	agradezca, agradezcas, agradezca; agradezcamos, agradezcáis, agradezcan
Imp. Subj.	agradeciera, agradecieras, agradeciera; agradeciéramos, agradecierais, agradecieran
	agradeciese, agradecieses, agradeciese; agradeciésemos, agradecieseis, agradeciesen
Pres. Perf.	he agradecido, has agradecido, ha agradecido; hemos agradecido, habéis agradecido, han agradecido
Pluperf.	había agradecido, habías agradecido, había agradecido; habíamos agradecido, habíais agradecido, habían agradecido
Past Ant.	hube agradecido, hubiste agradecido, hubo agradecido; hubimos agradecido, hubisteis agradecido, hubieron agradecido
Fut. Perf.	habré agradecido, habrás agradecido, habrá agradecido; habremos agradecido, habréis agradecido, habrán agradecido
Cond. Perf.	habría agradecido, habrías agradecido, habría agradecido; habríamos agradecido, habríais agradecido, habrían agradecido
Pres. Perf. Subj.	haya agradecido, hayas agradecido, haya agradecido; hayamos agradecido, hayáis agradecido, hayan agradecido
Plup. Subj.	hubiera agradecido, hubieras agradecido, hubiera agradecido; hubiéramos agradecido, hubierais agradecido, hubieran agradecido
	hubiese agradecido, hubieses agradecido, hubiese agradecido; hubiésemos agradecido, hubieseis agradecido, hubiesen agradecido
Imperative	—— agradece, agradezca; agradezcamos, agradeced, agradezcan

to enlarge, grow larger, increase

Pres. Ind.	agrando, agrandas, agranda; agrandamos, agrandáis, agrandan
Imp. Ind.	agrandaba, agrandabas, agrandaba; agrandábamos, agrandabais, agrandaban
Preterit	agrandé, agrandaste, agrandó; agrandamos, agrandasteis, agrandaron
Future	agrandaré, agrandarás, agrandará; agrandaremos, agrandaréis, agrandarán
Condit.	agrandaría, agrandarías, agrandaría; agrandaríamos, agrandaríais, agrandarían
Pres. Subj.	agrande, agrandes, agrande; agrandemos, agrandéis, agranden
Imp. Subj.	agrandara, agrandaras, agrandara; agrandáramos, agrandarais, agrandaran
	agrandase, agrandases, agrandase; agrandásemos, agrandaseis, agrandasen
Pres. Perf. Ind.	he agrandado, has agrandado, ha agrandado; hemos agrandado, habéis agrandado, han agrandado
Plup. Ind.	había agrandado, habías agrandado, había agrandado; habíamos agrandado, habíais agrandado, habían agrandado
Past Ant.	hube agrandado, hubiste agrandado, hubo agrandado; hubimos agrandado, hubisteis agrandado, hubieron agrandado
Fut. Perf.	habré agrandado, habrás agrandado, habrá agrandado; habremos agrandado, habréis agrandado, habrán agrandado
Cond. Perf.	habría agrandado, habrías agrandado, habría agrandado; habríamos agrandado, habríais agrandado, habrían agrandado
Pres. Perf. Subj.	haya agrandado, hayas agrandado, haya agrandado; hayamos agrandado, hayáis agrandado, hayan agrandado
Plup. Subj.	hubiera agrandado, hubieras agrandado, hubiera agrandado; hubiéramos agrandado, hubierais agrandado, hubieran agrandado
	hubiese agrandado, hubieses agrandado, hubiese agrandado; hubiésemos agrandado, hubieseis agrandado, hubiesen agrandado
Imperative	—— agranda, agrande; agrandemos, agrandad, agranden

to aggravate, make worse

Pres. Ind.	agravo, agravas, agrava; agravamos, agraváis, agravan
Imp. Ind.	agravaba, agravabas, agravaba; agravábamos, agravabais, agravaban
Preterit	agravé, agravaste, agravó; agravamos, agravasteis, agravaron
Future	agravaré, agravarás, agravará; agravaremos, agravaréis, agravarán
Condit.	agravaría, agravarías, agravaría; agravaríamos, agravaríais, agravarían
Pres. Subj.	agrave, agraves, agrave; agravemos, agravéis, agraven
Imp. Subj.	agravara, agravaras, agravara; agraváramos, agravarais, agravaran
	agravase, agravases, agravase; agravásemos, agravaseis, agravasen
Pres. Perf. Ind.	he agravado, has agravado, ha agravado; hemos agravado, habéis agravado, han agravado
Plup. Ind.	había agravado, habías agravado, había agravado; habíamos agravado, habíais agravado, habían agravado
Past Ant.	hube agravado, hubiste agravado, hubo agravado; hubimos agravado, hubisteis agravado, hubieron agravado
Fut. Perf.	habré agravado, habrás agravado, habrá agravado; habremos agravado, habréis agravado, habrán agravado
Cond. Perf.	habría agravado, habrías agravado, habría agravado; habríamos agravado, habríais agravado, habrían agravado
Pres. Perf. Subj.	haya agravado, hayas agravado, haya agravado; hayamos agravado, hayáis agravado, hayan agravado
Plup. Subj.	hubiera agravado, hubieras agravado, hubiera agravado; hubiéramos agravado, hubierais agravado, hubieran agravado
	hubiese agravado, hubieses agravado, hubiese agravado; hubiésemos agravado, hubieseis agravado, hubiesen agravado
Imperative	—— agrava, agrave; agravemos, agravad, agraven

to add, collect, gather

Pres. Ind.	agrego, agregas, agrega; agregamos, agregáis, agregan
Imp. Ind.	agregaba, agregabas, agregaba; agregábamos, agregabais, agregaban
Preterit	agregué, agregaste, agregó; agregamos, agregasteis, agregaron
Future	agregaré, agregarás, agregará; agregaremos, agregaréis, agregarán
Condit.	agregaría, agregarías, agregaría; agregaríamos, agregaríais, agregarían
Pres. Subj.	agregue, agregues, agregue; agreguemos, agreguéis, agreguen
Imp. Subj.	agregara, agregaras, agregara; agregáramos, agregarais, agregaran agregase, agregases, agregase; agregásemos, agregaseis, agregasen
Pres. Perf. Ind.	he agregado, has agregado, ha agregado; hemos agregado, habéis agregado, han agregado
Plup. Ind.	había agregado, habías agregado, había agregado; habíamos agregado, habíais agregado, habían agregado
Past Ant.	hube agregado, hubiste agregado, hubo agregado; hubimos agregado, hubisteis agregado, hubieron agregado
Fut. Perf.	habré agregado, habrás agregado, habrá agregado; habremos agregado, habréis agregado, habrán agregado
Cond. Perf.	habría agregado, habrías agregado, habría agregado; habríamos agregado, habríais agregado, habrían agregado
Pres. Perf. Subj.	haya agregado, hayas agregado, haya agregado; hayamos agregado, hayáis agregado, hayan agregado
Plup. Subj.	hubiera agregado, hubieras agregado, hubiera agregado; hubiéramos agregado, hubierais agregado, hubieran agregado hubiese agregado, hubieses agregado, hubiese agregado; hubiésemos agregado, hubieseis agregado, hubiesen agregado
Imperative	—— agrega, agregue; agreguemos, agregad, agreguen

to group

Pres. Ind.	agrupo, agrupas, agrupa; agrupamos, agrupáis, agrupan
Imp. Ind.	agrupaba, agrupabas, agrupaba; agrupábamos, agrupabais, agrupaban
Preterit	agrupé, agrupaste, agrupó; agrupamos, agrupasteis, agruparon
Future	agruparé, agruparás, agrupará; agruparemos, agruparéis, agruparán
Condit.	agruparía, agruparías, agruparía; agruparíamos, agruparíais, agruparían
Pres. Subj.	agrupe, agrupes, agrupe; agrupemos, agrupéis, agrupen
Imp. Subj.	agrupara, agruparas, agrupara; agrupáramos, agruparais, agruparan
	agrupase, agrupases, agrupase; agrupásemos, agrupaseis, agrupasen
Pres. Perf. Ind.	he agrupado, has agrupado, ha agrupado; hemos agrupado, habéis agrupado, han agrupado
Plup. Ind.	había agrupado, habías agrupado, había agrupado; habíamos agrupado, habíais agrupado, habían agrupado
Past Ant.	hube agrupado, hubiste agrupado, hubo agrupado; hubimos agrupado, hubisteis agrupado, hubieron agrupado
Fut. Perf.	habré agrupado, habrás agrupado, habrá agrupado; habremos agrupado, habréis agrupado, habrán agrupado
Cond. Perf.	habría agrupado, habrías agrupado, habría agrupado; habríamos agrupado, habríais agrupado, habrían agrupado
Pres. Perf. Subj.	haya agrupado, hayas agrupado, haya agrupado; hayamos agrupado, hayáis agrupado, hayan agrupado
Plup. Subj.	hubiera agrupado, hubieras agrupado, hubiera agrupado; hubiéramos agrupado, hubierais agrupado, hubieran agrupado
	hubiese agrupado, hubieses agrupado, hubiese agrupado; hubiésemos agrupado, hubieseis agrupado, hubiesen agrupado
Imperative	—— agrupa, agrupe; agrupemos, agrupad, agrupen

to expect, wait for

Pres. Ind.	aguardo, aguardas, aguarda; aguardamos, aguardáis, aguardan
Imp. Ind.	aguardaba, aguardabas, aguardaba; aguardábamos, aguardabais, aguardaban
Preterit	aguardé, aguardaste, aguardó; aguardamos, aguardasteis, aguardaron
Future	aguardaré, aguardarás, aguardará; aguardaremos, aguardaréis, aguardarán
Condit.	aguardaría, aguardarías, aguardaría; aguardaríamos, aguardaríais, aguardarían
Pres. Subj.	aguarde, aguardes, aguarde; aguardemos, aguardéis, aguarden
Imp. Subj.	aguardara, aguardaras, aguardara; aguardáramos, aguardarais, aguardaran
	aguardase, aguardases, aguardase; aguardásemos, aguardaseis, aguardasen
Pres. Perf. Ind.	he aguardado, has aguardado, ha aguardado; hemos aguardado, habéis aguardado, han aguardado
Plup. Ind.	había aguardado, habías aguardado, había aguardado; habíamos aguardado, habíais aguardado, habían aguardado
Past Ant.	hube aguardado, hubiste aguardado, hubo aguardado; hubimos aguardado, hubisteis aguardado, hubieron aguardado
Fut. Perf.	habré aguardado, habrás aguardado, habrá aguardado; habremos aguardado, habréis aguardado, habrán aguardado
Cond. Perf.	habría aguardado, habrías aguardado, habría aguardado; habríamos aguardado, habríais aguardado, habrían aguardado
Pres. Perf. Subj.	haya aguardado, hayas aguardado, haya aguardado; hayamos aguardado, hayáis aguardado, hayan aguardado
Plup. Subj.	hubiera aguardado, hubieras aguardado, hubiera aguardado; hubiéramos aguardado, hubierais aguardado, hubieran aguardado
	hubiese aguardado, hubieses aguardado, hubiese aguardado; hubiésemos aguardado, hubieseis aguardado, hubiesen aguardado
Imperative	—— aguarda, aguarde; aguardemos, aguardad, aguarden

to economize, save

Pres. Ind. ahorro, ahorras, ahorra;
ahorramos, ahorráis, ahorran

Imp. Ind. ahorraba, ahorrabas, ahorraba;
ahorrábamos, ahorrabais, ahorraban

Preterit ahorré, ahorraste, ahorró;
ahorramos, ahorrasteis, ahorraron

Future ahorraré, ahorrarás, ahorrará;
ahorraremos, ahorraréis, ahorrarán

Condit. ahorraría, ahorrarías, ahorraría;
ahorraríamos, ahorraríais, ahorrarían

Pres. Subj. ahorre, ahorres, ahorre;
ahorremos, ahorréis, ahorren

Imp. Subj. ahorrara, ahorraras, ahorrara;
ahorráramos, ahorrarais, ahorraran

ahorrase, ahorrases, ahorrase;
ahorrásemos, ahorraseis, ahorrasen

Pres. Perf. Ind. he aborrado, has ahorrado, ha ahorrado;
hemos ahorrado, habéis ahorrado, han ahorrado

Plup. Ind. había ahorrado, habías ahorrado, había ahorrado;
habíamos ahorrado, habíais ahorrado, habían ahorrado

Past Ant. hube ahorrado, hubiste ahorrado, hubo ahorrado;
hubimos ahorrado, hubisteis ahorrado, hubieron ahorrado

Fut. Perf. habré ahorrado, habrás ahorrado, habrá ahorrado;
habremos ahorrado, habréis ahorrado, habrán ahorrado

Cond. Perf. habría ahorrado, habrías ahorrado, habría ahorrado;
habríamos ahorrado, habríais ahorrado, habrían ahorrado

Pres. Perf. Subj. haya ahorrado, hayas ahorrado, haya ahorrado;
hayamos ahorrado, hayáis ahorrado, hayan ahorrado

Plup. Subj. hubiera ahorrado, hubieras ahorrado, hubiera ahorrado;
hubiéramos ahorrado, hubierais ahorrado, hubieran ahorrado

hubiese ahorrado, hubieses ahorrado, hubiese ahorrado;
hubiésemos ahorrado, hubieseis ahorrado, hubiesen ahorrado

Imperative —— ahorra, ahorre;
ahorremos, ahorrad, ahorren

to reach, overtake

Pres. Ind.	alcanzo, alcanzas, alcanza; alcanzamos, alcanzáis, alcanzan
Imp. Ind.	alcanzaba, alcanzabas, alcanzaba; alcanzábamos, alcanzabais, alcanzaban
Pret. Ind.	alcancé, alcanzaste, alcanzó; alcanzamos, alcanzasteis, alcanzaron
Fut. Ind.	alcanzaré, alcanzarás, alcanzará; alcanzaremos, alcanzaréis, alcanzarán
Condit.	alcanzaría, alcanzarías, alcanzaría; alcanzaríamos, alcanzaríais, alcanzarían
Pres. Subj.	alcance, alcances, alcance; alcancemos, alcancéis, alcancen
Imp. Subj.	alcanzara, alcanzaras, alcanzara; alcanzáramos, alcanzarais, alcanzaran alcanzase, alcanzases, alcanzase; alcanzásemos, alcanzaseis, alcanzasen
Pres. Perf.	he alcanzado, has alcanzado, ha alcanzado; hemos alcanzado, habéis alcanzado, han alcanzado
Pluperf.	había alcanzado, habías alcanzado, había alcanzado; habíamos alcanzado, habíais alcanzado, habían alcanzado
Past Ant.	hube alcanzado, hubiste alcanzado, hubo alcanzado; hubimos alcanzado, hubisteis alcanzado, hubieron alcanzado
Fut. Perf.	habré alcanzado, habrás alcanzado, habrá alcanzado; habremos alcanzado, habréis alcanzado, habrán alcanzado
Cond. Perf.	habría alcanzado, habrías alcanzado, habría alcanzado; habríamos alcanzado, habríais alcanzado, habrían alcanzado
Pres. Perf. Subj.	haya alcanzado, hayas alcanzado, haya alcanzado; hayamos alcanzado, hayáis alcanzado, hayan alcanzado
Plup. Subj.	hubiera alcanzado, hubieras alcanzado, hubiera alcanzado; hubiéramos alcanzado, hubierais alcanzado, hubieran alcanzado hubiese alcanzado, hubieses alcanzado, hubiese alcanzado; hubiésemos alcanzado, hubieseis alcanzado, hubiesen alcanzado
Imperative	—— alcanza, alcance; alcancemos, alcanzad, alcancen

to be glad, rejoice

Pres. Ind.	me alegro, te alegras, se alegra; nos alegramos, os alegráis, se alegran
Imp. Ind.	me alegraba, te alegrabas, se alegraba; nos alegrábamos, os alegrabais, se alegraban
Pret. Ind.	me alegré, te alegraste, se alegró; nos alegramos, os alegrasteis, se alegraron
Fut. Ind.	me alegraré, te alegrarás, se alegrará; nos alegraremos, os alegraréis, se alegrarán
Condit.	me alegraría, te alegrarías, se alegraría; nos alegraríamos, os alegraríais, se alegrarían
Pres. Subj.	me alegre, te alegres, se alegre; nos alegremos, os alegréis, se alegren
Imp. Subj.	me alegrara, te alegraras, se alegrara; nos alegráramos, os alegrarais, se alegraran
	me alegrase, te alegrases, se alegrase; nos alegrásemos, os alegraseis, se alegrasen
Pres. Perf.	me he alegrado, te has alegrado, se ha alegrado; nos hemos alegrado, os habéis alegrado, se han alegrado
Pluperf.	me había alegrado, te habías alegrado, se había alegrado; nos habíamos alegrado, os habíais alegrado, se habían alegrado
Past Ant.	me hube alegrado, te hubiste alegrado, se hubo alegrado; nos hubimos alegrado, os hubisteis alegrado, se hubieron alegrado
Fut. Perf.	me habré alegrado, te habrás alegrado, se habrá alegrado; nos habremos alegrado, os habréis alegrado, se habrán alegrado
Cond. Perf.	me habría alegrado, te habrías alegrado, se habría alegrado; nos habríamos alegrado, os habríais alegrado, se habrían alegrado
Pres. Perf. Subj.	me haya alegrado, te hayas alegrado, se haya alegrado; nos hayamos alegrado, os hayáis alegrado, se hayan alegrado
Plup. Subj.	me hubiera alegrado, te hubieras alegrado, se hubiera alegrado; nos hubiéramos alegrado, os hubierais alegrado, se hubieran alegrado
	me hubiese alegrado, te hubieses alegrado, se hubiese alegrado; nos hubiésemos alegrado, os hubieseis alegrado, se hubiesen alegrado
Imperative	—— alégrate, alégrese; alegrémonos, alegraos, alégrense

to lunch, have lunch

Pres. Ind.	almuerzo, almuerzas, almuerza; almorzamos, almorzáis, almuerzan
Imp. Ind.	almorzaba, almorzabas, almorzaba; almorzábamos, almorzabais, almorzaban
Pret. Ind.	almorcé, almorzaste, almorzó; almorzamos, almorzasteis, almorzaron
Fut. Ind.	almorzaré, almorzarás, almorzará; almorzaremos, almorzaréis, almorzarán
Condit.	almorzaría, almorzarías, almorzaría; almorzaríamos, almorzaríais, almorzarían
Pres. Subj.	almuerce, almuerces, almuerce; almorcemos, almorcéis, almuercen
Imp. Subj.	almorzara, almorzaras, almorzara; almorzáramos, almorzarais, almorzaran
	almorzase, almorzases, almorzase; almorzásemos, almorzaseis, almorzasen
Pres. Perf.	he almorzado, has almorzado, ha almorzado; hemos almorzado, habéis almorzado, han almorzado
Pluperf.	había almorzado, habías almorzado, había almorzado; habíamos almorzado, habíais almorzado, habían almorzado
Past Ant.	hube almorzado, hubiste almorzado, hubo almorzado; hubimos almorzado, hubisteis almorzado, hubieron almorzado
Fut. Perf.	habré almorzado, habrás almorzado, habrá almorzado; habremos almorzado, habréis almorzado, habrán almorzado
Cond. Perf.	habría almorzado, habrías almorzado, habría almorzado; habríamos almorzado, habríais almorzado, habrían almorzado
Pres. Perf. Subj.	haya almorzado, hayas almorzado, haya almorzado; hayamos almorzado, hayáis almorzado, hayan almorzado
Plup. Subj.	hubiera almorzado, hubieras almorzado, hubiera almorzado; hubiéramos almorzado, hubierais almorzado, hubieran almorzado
	hubiese almorzado, hubieses almorzado, hubiese almorzado; hubiésemos almorzado, hubieseis almorzado, hubiesen almorzado
Imperative	—— almuerza, almuerce; almorcemos, almorzad, almuercen

to illuminate, light, enlighten

Pres. Ind.	alumbro, alumbras, alumbra; alumbramos, alumbráis, alumbran
Imp. Ind.	alumbraba, alumbrabas, alumbraba; alumbrábamos, alumbrabais, alumbraban
Preterit	alumbré, alumbraste, alumbró; alumbramos, alumbrasteis, alumbraron
Future	alumbraré, alumbrarás, alumbrará; alumbraremos, alumbraréis, alumbrarán
Condit.	alumbraría, alumbrarías, alumbraría; alumbraríamos, alumbraríais, alumbrarían
Pres. Subj.	alumbre, alumbres, alumbre; alumbremos, alumbréis, alumbren
Imp. Subj.	alumbrara, alumbraras, alumbrara; alumbráramos, alumbrarais, alumbraran
	alumbrase, alumbrases, alumbrase; alumbrásemos, alumbraseis, alumbrasen
Pres. Perf. Ind.	he alumbrado, has alumbrado, ha alumbrado; hemos alumbrado, habéis alumbrado, han alumbrado
Plup. Ind.	había alumbrado, habías alumbrado, había alumbrado; habíamos alumbrado, habíais alumbrado, habían alumbrado
Past Ant.	hube alumbrado, hubiste alumbrado, hubo alumbrado; hubimos alumbrado, hubisteis alumbrado, hubieron alumbrado
Fut. Perf.	habré alumbrado, habrás alumbrado, habrá alumbrado; habremos alumbrado, habréis alumbrado, habrán alumbrado
Cond. Perf.	habría alumbrado, habrías alumbrado, habría alumbrado; habríamos alumbrado, habríais alumbrado, habrían alumbrado
Pres. Perf. Subj.	haya alumbrado, hayas alumbrado, haya alumbrado; hayamos alumbrado, hayáis alumbrado, hayan alumbrado
Plup. Subj.	hubiera alumbrado, hubieras alumbrado, hubiera alumbrado; hubiéramos alumbrado, hubierais alumbrado, hubieran alumbrado
	hubiese alumbrado, hubieses alumbrado, hubiese alumbrado; hubiésemos alumbrado, hubieseis alumbrado, hubiesen alumbrado
Imperative	—— alumbra, alumbre; alumbremos, alumbrad, alumbren

to be (get) high, get tipsy, become lively (from liquor)

Pres. Ind.	me alumbro, te alumbras, se alumbra; nos alumbramos, os alumbráis, se alumbran
Imp. Ind.	me alumbraba, te alumbrabas, se alumbraba; nos alumbrábamos, os alumbrabais, se alumbraban
Preterit	me alumbré, te alumbraste, se alumbró; nos alumbramos, os alumbrasteis, se alumbraron
Future	me alumbraré, te alumbrarás, se alumbrará; nos alumbraremos, os alumbraréis, se alumbrarán
Condit.	me alumbraría, te alumbrarías, se alumbraría; nos alumbraríamos, os alumbraríais, se alumbrarían
Pres. Subj.	me alumbre, te alumbres, se alumbre; nos alumbremos, os alumbréis, se alumbren
Imp. Subj.	me alumbrara, te alumbraras, se alumbrara; nos alumbráramos, os alumbrarais, se alumbraran
	me alumbrase, te alumbrases, se alumbrase; nos alumbrásemos, os alumbraseis, se alumbrasen
Pres. Perf. Ind.	me he alumbrado, te has alumbrado, se ha alumbrado; nos hemos alumbrado, os habéis alumbrado, se han alumbrado
Plup. Ind.	me había alumbrado, te habías alumbrado, se había alumbrado; nos habíamos alumbrado, os habíais alumbrado, se habían alumbrado
Past Ant.	me hube alumbrado, te hubiste alumbrado, se hubo alumbrado; nos hubimos alumbrado, os hubisteis alumbrado, se hubieron alumbrado
Fut. Perf.	me habré alumbrado, te habrás alumbrado, se habrá alumbrado; nos habremos alumbrado, os habréis alumbrado, se habrán alumbrado
Cond. Perf.	me habría alumbrado, te habrías alumbrado, se habría alumbrado; nos habríamos alumbrado, os habríais alumbrado, se habrían alumbrado
Pres. Perf. Subj.	me haya alumbrado, te hayas alumbrado, se haya alumbrado; nos hayamos alumbrado, os hayáis alumbrado, se hayan alumbrado
Plup. Subj.	me hubiera alumbrado, te hubieras alumbrado, se hubiera alumbrado; nos hubiéramos alumbrado, os hubierais alumbrado, se hubieran alumbrado
	me hubiese alumbrado, te hubieses alumbrado, se hubiese alumbrado; nos hubiésemos alumbrado, os hubieseis alumbrado, se hubiesen alumbrado
Imperative	—— alúmbrate, alúmbrese; alumbrémonos, alumbraos, alúmbrense

to heave, lift, pick up, raise (prices)

Pres. Ind.	alzo, alzas, alza; alzamos, alzáis, alzan
Imp. Ind.	alzaba, alzabas, alzaba; alzábamos, alzabais, alzaban
Preterit	alcé, alzaste, alzó; alzamos, alzasteis, alzaron
Future	alzaré, alzarás, alzará; alzaremos, alzaréis, alzarán
Condit.	alzaría, alzarías, alzaría; alzaríamos, alzaríais, alzarían
Pres. Subj.	alce, alces, alce; alcemos, alcéis, alcen
Imp. Subj.	alzara, alzaras, alzara; alzáramos, alzarais, alzaran
	alzase, alzases, alzase; alzásemos, alzaseis, alzasen
Pres. Perf. Ind.	he alzado, has alzado, ha alzado; hemos alzado, habéis alzado, han alzado
Plup. Ind.	había alzado, habías alzado, había alzado; habíamos alzado, habíais alzado, habían alzado
Past Ant.	hube alzado, hubiste alzado, hubo alzado; hubimos alzado, hubisteis alzado, hubieron alzado
Fut. Perf.	habré alzado, habrás alzado, habrá alzado; habremos alzado, habréis alzado, habrán alzado
Cond. Perf.	habría alzado, habrías alzado, habría alzado; habríamos alzado, habríais alzado, habrían alzado
Pres. Perf. Subj.	haya alzado, hayas alzado, haya alzado; hayamos alzado, hayáis alzado, hayan alzado
Plup. Subj.	hubiera alzado, hubieras alzado, hubiera alzado; hubiéramos alzado, hubierais alzado, hubieran alzado
	hubiese alzado, hubieses alzado, hubiese alzado; hubiésemos alzado, hubieseis alzado, hubiesen alzado
Imperative	—— alza, alce; alcemos, alzad, alcen

to love

Pres. Ind.	amo, amas, ama; amamos, amáis, aman
Imp. Ind.	amaba, amabas, amaba; amábamos, amabais, amaban
Preterit	amé, amaste, amó; amamos, amasteis, amaron
Future	amaré, amarás, amará; amaremos, amaréis, amarán
Condit.	amaría, amarías, amaría; amaríamos, amaríais, amarían
Pres. Subj.	ame, ames, ame; amemos, améis, amen
Imp. Subj.	amara, amaras, amara; amáramos, amarais, amaran
	amase, amases, amase; amásemos, amaseis, amasen
Pres. Perf. Ind.	he amado, has amado, ha amado; hemos amado, habéis amado, han amado
Plup. Ind.	había amado, habías amado, había amado; habíamos amado, habíais amado, habían amado
Past Ant.	hube amado, hubiste amado, hubo amado; hubimos amado, hubisteis amado, hubieron amado
Fut. Perf.	habré amado, habrás amado, habrá amado; habremos amado, habréis amado, habrán amado
Cond. Perf.	habría amado, habrías amado, habría amado; habríamos amado, habríais amado, habrían amado
Pres. Perf. Subj.	haya amado, hayas amado, haya amado; hayamos amado, hayáis amado, hayan amado
Plup. Subj.	hubiera amado, hubieras amado, hubiera amado; hubiéramos amado, hubierais amado, hubieran amado
	hubiese amado, hubieses amado, hubiese amado; hubiésemos amado, hubieseis amado, hubiesen amado
Imperative	—— ama, ame; amemos, amad, amen

to walk

Pres. Ind.	ando, andas, anda; andamos, andáis, andan
Imp. Ind.	andaba, andabas, andaba; andábamos, andabais, andaban
Pret. Ind.	anduve, anduviste, anduvo; anduvimos, anduvisteis, anduvieron
Fut. Ind.	andaré, andarás, andará; andaremos, andaréis, andarán
Condit.	andaría, andarías, andaría; andaríamos, andaríais, andarían
Pres. Subj.	ande, andes, ande; andemos, andéis, anden
Imp. Subj.	anduviera, anduvieras, anduviera; anduviéramos, anduvierais, anduvieran anduviese, anduvieses, anduviese; anduviésemos, anduvieseis, anduviesen
Pres. Perf.	he andado, has andado, ha andado; hemos andado, habéis andado, han andado
Pluperf.	había andado, habías andado, había andado; habíamos andado, habíais andado, habían andado
Past Ant.	hube andado, hubiste andado, hubo andado; hubimos andado, hubisteis andado, hubieron andado
Fut. Perf.	habré andado, habrás andado, habrá andado; habremos andado, habréis andado, habrán andado
Cond. Perf.	habría andado, habrías andado, habría andado; habríamos andado, habríais andado, habrían andado
Pres. Perf. Subj.	haya andado, hayas andado, haya andado; hayamos andado, hayáis andado, hayan andado
Plup. Subj.	hubiera andado, hubieras andado, hubiera andado; hubiéramos andado, hubierais andado, hubieran andado hubiese andado, hubieses andado, hubiese andado; hubiésemos andado, hubieseis andado, hubiesen andado
Imperative	—— anda, ande; andemos, andad, anden

to annul, make void

Pres. Ind.	anulo, anulas, anula; anulamos, anuláis, anulan
Imp. Ind.	anulaba, anulabas, anulaba; anulábamos, anulabais, anulaban
Preterit	anulé, anulaste, anuló; anulamos, anulasteis, anularon
Future	anularé, anularás, anulará; anularemos, anularéis, anularán
Condit.	anularía, anularías, anularía; anularíamos, anularíais, anularían
Pres. Subj.	anule, anules, anule; anulemos, anuléis, anulen
Imp. Subj.	anulara, anularas, anulara; anuláramos, anularais, anularan
	anulase, anulases, anulase; anulásemos, anulaseis, anulasen
Pres. Perf. Ind.	he anulado, has anulado, ha anulado; hemos anulado, habéis anulado, han anulado
Plup. Ind.	había anulado, habías anulado, había anulado; habíamos anulado, habíais anulado, habían anulado
Past Ant.	hube anulado, hubiste anulado, hubo anulado; hubimos anulado, hubisteis anulado, hubieron anulado
Fut. Perf.	habré anulado, habrás anulado, habrá anulado; habremos anulado, habréis anulado, habrán anulado
Cond. Perf.	habría anulado, habrías anulado, habría anulado; habríamos anulado, habríais anulado, habrían anulado
Pres. Perf. Subj.	haya anulado, hayas anulado, haya anulado; hayamos anulado, hayáis anulado, hayan anulado
Plup. Subj.	hubiera anulado, hubieras anulado, hubiera anulado; hubiéramos anulado, hubierais anulado, hubieran anulado
	hubiese anulado, hubieses anulado, hubiese anulado; hubiésemos anulado, hubieseis anulado, hubiesen anulado
Imperative	—— anula, anule; anulemos, anulad, anulen

to announce, foretell, proclaim

Pres. Ind.	anuncio, anuncias, anuncia; anunciamos, anunciáis, anuncian
Imp. Ind.	anunciaba, anunciabas, anunciaba; anunciábamos, anunciabais, anunciaban
Preterit	anuncié, anunciaste, anunció; anunciamos, anunciasteis, anunciaron
Future	anunciaré, anunciarás, anunciará; anunciaremos, anunciaréis, anunciarán
Condit.	anunciaría, anunciarías, anunciaría; anunciaríamos, anunciaríais, anunciarían
Pres. Subj.	anuncie, anuncies, anuncie; anunciemos, anunciéis, anuncien
Imp. Subj.	anunciara, anunciaras, anunciara; anunciáramos, anunciarais, anunciaran
	anunciase, anunciases, anunciase; anunciásemos, anunciaseis, anunciasen
Pres. Perf. Ind.	he anunciado, has anunciado, ha anunciado; hemos anunciado, habéis anunciado, han anunciado
Plup. Ind.	había anunciado, habías anunciado, había anunciado; habíamos anunciado, habíais anunciado, habían anunciado
Past Ant.	hube anunciado, hubiste anunciado, hubo anunciado; hubimos anunciado, hubisteis anunciado, hubieron anunciado
Fut. Perf.	habré anunciado, habrás anunciado, habrá anunciado; habremos anunciado, habréis anunciado, habrán anunciado
Cond. Perf.	habría anunciado, habrías anunciado, habría anunciado; habríamos anunciado, habríais anunciado, habrían anunciado
Pres. Perf. Subj.	haya anunciado, hayas anunciado, haya anunciado; hayamos anunciado, hayáis anunciado, hayan anunciado
Plup. Subj.	hubiera anunciado, hubieras anunciado, hubiera anunciado; hubiéramos anunciado, hubierais anunciado, hubieran anunciado
	hubiese anunciado, hubieses anunciado, hubiese anunciado; hubiésemos anunciado, hubieseis anunciado, hubiesen anunciado
Imperative	—— anuncia, anuncie; anunciemos, anunciad, anuncien

to add

Pres. Ind.	añado, añades, añade; añadimos, añadís, añaden
Imp. Ind.	añadía, añadías, añadía; añadíamos, añadíais, añadían
Pret. Ind.	añadí, añadiste, añadió; añadimos, añadisteis, añadieron
Fut. Ind.	añadiré, añadirás, añadirá; añadiremos, añadiréis, añadirán
Condit.	añadiría, añadirías, añadiría; añadiríamos, añadiríais, añadirían
Pres. Subj.	añada, añadas, añada; añadamos, añadáis, añadan
Imp. Subj.	añadiera, añadieras, añadiera; añadiéramos, añadierais, añadieran
	añadiese, añadieses, añadiese; añadiésemos, añadieseis, añadiesen
Pres. Perf.	he añadido, has añadido, ha añadido; hemos añadido, habéis añadido, han añadido
Pluperf.	había añadido, habías añadido, había añadido; habíamos añadido, habíais añadido, habían añadido
Past Ant.	hube añadido, hubiste añadido, hubo añadido; hubimos añadido, hubisteis añadido, hubieron añadido
Fut. Perf.	habré añadido, habrás añadido, habrá añadido; habremos añadido, habréis añadido, habrán añadido
Cond. Perf.	habría añadido, habrías añadido, habría añadido; habríamos añadido, habríais añadido, habrían añadido
Pres. Perf. Subj.	haya añadido, hayas añadido, haya añadido; hayamos añadido, hayáis añadido, hayan añadido
Plup. Subj.	hubiera añadido, hubieras añadido, hubiera añadido; hubiéramos añadido, hubierais añadido, hubieran añadido
	hubiese añadido, hubieses añadido, hubiese añadido; hubiésemos añadido, hubieseis añadido, hubiesen añadido
Imperative	—— añade, añada; añadamos, añadid, añadan

to appear, show up

Pres. Ind.	aparezco, apareces, aparece; aparecemos, aparecéis, aparecen
Imp. Ind.	aparecía, aparecías, aparecía; aparecíamos, aparecíais, aparecían
Pret. Ind.	aparecí, apareciste, apareció; aparecimos, aparecisteis, aparecieron
Fut. Ind.	apareceré, aparecerás, aparecerá; apareceremos, apareceréis, aparecerán
Condit.	aparecería, aparecerías, aparecería; apareceríamos, apareceríais, aparecerían
Pres. Subj.	aparezca, aparezcas, aparezca; aparezcamos, aparezcáis, aparezcan
Imp. Subj.	apareciera, aparecieras, apareciera; apareciéramos, aparecierais, aparecieran
	apareciese, aparecieses, apareciese; apareciésemos, aparecieseis, apareciesen
Pres. Perf.	he aparecido, has aparecido, ha aparecido; hemos aparecido, habéis aparecido, han aparecido
Pluperf.	había aparecido, habías aparecido, había aparecido; habíamos aparecido, habíais aparecido, habían aparecido
Past Ant.	hube aparecido, hubiste aparecido, hubo aparecido; hubimos aparecido, hubisteis aparecido, hubieron aparecido
Fut. Perf.	habré aparecido, habrás aparecido, habrá aparecido; habremos aparecido, habréis aparecido, habrán aparecido
Cond. Perf.	habría aparecido, habrías aparecido, habría aparecido; habríamos aparecido, habríais aparecido, habrían aparecido
Pres. Perf. Subj.	haya aparecido, hayas aparecido, haya aparecido; hayamos aparecido, hayáis aparecido, hayan aparecido
Plup. Subj.	hubiera aparecido, hubieras aparecido, hubiera aparecido; hubiéramos aparecido, hubierais aparecido, hubieran aparecido
	hubiese aparecido, hubieses aparecido, hubiese aparecido; hubiésemos aparecido, hubieseis aparecido, hubiesen aparecido
Imperative	—— aparece, aparezca; aparezcamos, apareced, aparezcan

to applaud

Pres. Ind.	aplaudo, aplaudes, aplaude; aplaudimos, aplaudís, aplauden
Imp. Ind.	aplaudía, aplaudías, aplaudía; aplaudíamos, aplaudíais, apludían
Preterit	aplaudí, aplaudiste, aplaudió; aplaudimos, aplaudisteis, aplaudieron
Future	aplaudiré, aplaudirás, aplaudirá; aplaudiremos, aplaudiréis, aplaudirán
Condit.	aplaudiría, aplaudirías, aplaudiría; aplaudiríamos, aplaudiríais, aplaudirían
Pres. Subj.	aplauda, aplaudas, aplauda; aplaudamos, aplaudáis, aplaudan
Imp. Subj.	aplaudiera, aplaudieras, aplaudiera; aplaudiéramos, aplaudierais, aplaudieran aplaudiese, aplaudieses, aplaudiese; aplaudiésemos, aplaudieseis, aplaudiesen
Pres. Perf. Ind.	he aplaudido, has aplaudido, ha aplaudido; hemos aplaudido, habéis aplaudido, han aplaudido
Plup. Ind.	había aplaudido, habías aplaudido, había aplaudido; habíamos aplaudido, habíais aplaudido, habían aplaudido
Past Ant.	hube aplaudido, hubiste aplaudido, hubo aplaudido; hubimos aplaudido, hubisteis aplaudido, hubieron aplaudido
Fut. Perf.	habré aplaudido, habrás aplaudido, habrá aplaudido; habremos aplaudido, habréis aplaudido, habrán aplaudido
Cond. Perf.	habría aplaudido, habrías aplaudido, habría aplaudido; habríamos aplaudido, habríais aplaudido, habrían aplaudido
Pres. Perf. Subj.	haya aplaudido, hayas aplaudido, haya aplaudido; hayamos aplaudido, hayáis aplaudido, hayan aplaudido
Plup. Subj.	hubiera aplaudido, hubieras aplaudido, hubiera aplaudido; hubiéramos aplaudido, hubierais aplaudido, hubieran aplaudido hubiese aplaudido, hubieses aplaudido, hubiese aplaudido; hubiésemos aplaudido, hubieseis aplaudido, hubiesen aplaudido
Imperative	—— aplaude, aplauda; aplaudamos, aplaudid, aplaudan

to take power, take possession

Pres. Ind. me apodero, te apoderas, se apodera;
nos apoderamos, os apoderáis, se apoderan

Imp. Ind. me apoderaba, te apoderabas, se apoderaba;
nos apoderábamos, os apoderabais, se apoderaban

Pret. Ind. me apoderé, te apoderaste, se apoderó;
nos apoderamos, os apoderasteis, se apoderaron

Fut. Ind. me apoderaré, te apoderarás, se apoderará;
nos apoderaremos, os apoderaréis, se apoderarán

Condit. me apoderaría, te apoderarías, se apoderaría;
nos apoderaríamos, os apoderaríais, se apoderarían

Pres. Subj. me apodere, te apoderes, se apodere;
nos apoderemos, os apoderéis, se apoderen

Imp. Subj. me apoderara, te apoderaras, se apoderara;
nos apoderáramos, os apoderarais, se apoderaran

me apoderase, te apoderases, se apoderase;
nos apoderásemos, os apoderaseis, se apoderasen

Pres. Perf. me he apoderado, te has apoderado, se ha apoderado;
nos hemos apoderado, os habéis apoderado, se han apoderado

Pluperf. me había apoderado, te habías apoderado, se había apoderado;
nos habíamos apoderado, os habíais apoderado, se habían apoderado

Past Ant. me hube apoderado, te hubiste apoderado, se hubo apoderado;
nos hubimos apoderado, os hubisteis apoderado, se hubieron apoderado

Fut. Perf. me habré apoderado, te habrás apoderado, se habrá apoderado;
nos habremos apoderado, os habréis apoderado, se habrán apoderado

Cond. Perf. me habría apoderado, te habrías apoderado, se habría apoderado;
nos habríamos apoderado, os habríais apoderado, se habrían apoderado

Pres. Perf. Subj. me haya apoderado, te hayas apoderado, se haya apoderado;
nos hayamos apoderado, os hayáis apoderado, se hayan apoderado

Plup. Subj. me hubiera apoderado, te hubieras apoderado, se hubiera apoderado;
nos hubiéramos apoderado, os hubierais apoderado, se hubieran apoderado

me hubiese apoderado, te hubieses apoderado, se hubiese apoderado;
nos hubiésemos apoderado, os hubieseis apoderado, se hubiesen apoderado

Imperative —— apodérate, apodérese;
apoderémonos, apoderaos, apodérense

to appreciate

Pres. Ind.	aprecio, aprecias, aprecia; apreciamos, apreciáis, aprecian
Imp. Ind.	apreciaba, apreciabas, apreciaba; apreciábamos, apreciabais, apreciaban
Preterit	aprecié, apreciaste, apreció; apreciamos, apreciasteis, apreciaron
Future	apreciaré, apreciarás, apreciará; apreciaremos, apreciaréis, apreciarán
Condit.	apreciaría, apreciarías, apreciaría; apreciaríamos, apreciaríais, apreciarían
Pres. Subj.	aprecie, aprecies, aprecie; apreciemos, apreciéis, aprecien
Imp. Subj.	apreciara, apreciaras, apreciara; apreciáramos, apreciarais, apreciaran
	apreciase, apreciases, apreciase; apreciásemos, apreciaseis, apreciasen
Pres. Perf. Ind.	he apreciado, has apreciado, ha apreciado; hemos apreciado, habéis apreciado, han apreciado
Plup. Ind.	había apreciado, habías apreciado, había apreciado; habíamos apreciado, habíais apreciado, habían apreciado
Past Ant.	hube apreciado, hubiste apreciado, hubo apreciado; hubimos apreciado, hubisteis apreciado, hubieron apreciado
Fut. Perf.	habré apreciado, habrás apreciado, habrá apreciado; habremos apreciado, habréis apreciado, habrán apreciado
Cond. Perf.	habría apreciado, habrías apreciado, habría apreciado; habríamos apreciado, habríais apreciado, habrían apreciado
Pres. Perf. Subj.	haya apreciado, hayas apreciado, haya apreciado; hayamos apreciado, hayáis apreciado, hayan apreciado
Plup. Subj.	hubiera apreciado, hubieras apreciado, hubiera apreciado; hubiéramos apreciado, hubierais apreciado, hubieran apreciado
	hubiese apreciado, hubieses apreciado, hubiese apreciado; hubiésemos apreciado, hubieseis apreciado, hubiesen apreciado
Imperative	—— aprecia, aprecie; apreciemos, apreciad, aprecien

to learn

Pres. Ind.	aprendo, aprendes, aprende; aprendemos, aprendéis, aprenden
Imp. Ind.	aprendía, aprendías, aprendía; aprendíamos, aprendíais, aprendían
Pret. Ind.	aprendí, aprendiste, aprendió; aprendimos, aprendisteis, aprendieron
Fut. Ind.	aprenderé, aprenderás, aprenderá; aprenderemos, aprenderéis, aprenderán
Condit.	aprendería, aprenderías, aprendería; aprenderíamos, aprenderíais, aprenderían
Pres. Subj.	aprenda, aprendas, aprenda; aprendamos, aprendáis, aprendan
Imp. Subj.	aprendiera, aprendieras, aprendiera; aprendiéramos, aprendierais, aprendieran aprendiese, aprendieses, aprendiese; aprendiésemos, aprendieseis, aprendiesen
Pres. Perf.	he aprendido, has aprendido, ha aprendido; hemos aprendido, habéis aprendido, han aprendido
Pluperf.	había aprendido, habías aprendido, había aprendido; habíamos aprendido, habíais aprendido, habían aprendido
Past Ant.	hube aprendido, hubiste aprendido, hubo aprendido; hubimos aprendido, hubisteis aprendido, hubieron aprendido
Fut. Perf.	habré aprendido, habrás aprendido, habrá aprendido; habremos aprendido, habréis aprendido, habrán aprendido
Cond. Perf.	habría aprendido, habrías aprendido, habría aprendido; habríamos aprendido, habríais aprendido, habrían aprendido
Pres. Perf. Subj.	haya aprendido, hayas aprendido, haya aprendido; hayamos aprendido, hayáis aprendido, hayan aprendido
Plup. Subj.	hubiera aprendido, hubieras aprendido, hubiera aprendido; hubiéramos aprendido, hubierais aprendido, hubieran aprendido hubiese aprendido, hubieses aprendido, hubiese aprendido; hubiésemos aprendido, hubieseis aprendido, hubiesen aprendido
Imperative	—— aprende, aprenda; aprendamos, aprended, aprendan

to hasten, hurry, rush

Pres. Ind.	me apresuro, te apresuras, se apresura; nos apresuramos, os apresuráis, se apresuran
Imp. Ind.	me apresuraba, te apresurabas, se apresuraba; nos apresurábamos, os apresurabais, se apresuraban
Preterit	me apresuré, te apresuraste, se apresuró; nos apresuramos, os apresurasteis, se apresuraron
Future	me apresuraré, te apresurarás, se apresurará; nos apresuraremos, os apresuraréis, se apresurarán
Condit.	me apresuraría, te apresurarías, se apresuraría; nos apresuraríamos, os apresuraríais, se apresurarían
Pres. Subj.	me apresure, te apresures, se apresure; nos apresuremos, os apresuréis, se apresuren
Imp. Subj.	me apresurara, te apresuraras, se apresurara; nos apresuráramos, os apresurarais, se apresuraran
	me apresurase, te apresurases, se apresurase; nos apresurásemos, os apresuraseis, se apresurasen
Pres. Perf. Ind.	me he apresurado, te has apresurado, se ha apresurado; nos hemos apresurado, os habéis apresurado, se han apresurado
Plup. Ind.	me había apresurado, te habías apresurado, se había apresurado; nos habíamos apresurado, os habíais apresurado, se habían apresurado
Past Ant.	me hube apresurado, te hubiste apresurado, se hubo apresurado; nos hubimos apresurado, os hubisteis apresurado, se hubieron apresurado
Fut. Perf.	me habré apresurado, te habrás apresurado, se habrá apresurado; nos habremos apresurado, os habréis apresurado, se habrán apresurado
Cond. Perf.	me habría apresurado, te habrías apresurado, se habría apresurado; nos habríamos apresurado, os habríais apresurado, se habrían apresurado
Pres. Perf. Subj.	me haya apresurado, te hayas apresurado, se haya apresurado; nos hayamos apresurado, os hayáis apresurado, se hayan apresurado
Plup. Subj.	me hubiera apresurado, te hubieras apresurado, se hubiera apresurado; nos hubiéramos apresurado, os hubierais apresurado, se hubieran apresurado
	me hubiese apresurado, te hubieses apresurado, se hubiese apresurado; nos hubiésemos apresurado, os hubieseis apresurado, se hubiesen apresurado
Imperative	—— apresúrate, apresúrese; apresurémonos, apresuraos, apresúrense

to take advantage, avail oneself

Pres. Ind.	me aprovecho, te aprovechas, se aprovecha; nos aprovechamos, os aprovecháis, se aprovechan
Imp. Ind.	me aprovechaba, te aprovechabas, se aprovechaba; nos aprovechábamos, os aprovechabais, se aprovechaban
Pret. Ind.	me aproveché, te aprovechaste, se aprovechó; nos aprovechamos, os aprovechasteis, se aprovecharon
Fut. Ind.	me aprovecharé, te aprovecharás, se aprovechará; nos aprovecharemos, os aprovecharéis, se aprovecharán
Condit.	me aprovecharía, te aprovecharías, se aprovecharía; nos aprovecharíamos, os aprovecharíais, se aprovecharían
Pres. Subj.	me aproveche, te aproveches, se aproveche; nos aprovechemos, os aprovechéis, se aprovechen
Imp. Subj.	me aprovechara, te aprovecharas, se aprovechara; nos aprovecháramos, os aprovecharais, se aprovecharan
	me aprovechase, te aprovechases, se aprovechase; nos aprovechásemos, os aprovechaseis, se aprovechasen
Pres. Perf.	me he aprovechado, te has aprovechado, se ha aprovechado; nos hemos aprovechado, os habéis aprovechado, se han aprovechado
Pluperf.	me había aprovechado, te habías aprovechado, se había aprovechado; nos habíamos aprovechado, os habíais aprovechado, se habían aprovechado
Past Ant.	me hube aprovechado, te hubiste aprovechado, se hubo aprovechado; nos hubimos aprovechado, os hubisteis aprovechado, se hubieron aprovechado
Fut. Perf.	me habré aprovechado, te habrás aprovechado, se habrá aprovechado; nos habremos aprovechado, os habréis aprovechado, se habrán aprovechado
Cond. Perf.	me habría aprovechado, te habrías aprovechado, se habría aprovechado; nos habríamos aprovechado, os habríais aprovechado, se habrían aprovechado
Pres. Perf. Subj.	me haya aprovechado, te hayas aprovechado, se haya aprovechado; nos hayamos aprovechado, os hayáis aprovechado, se hayan aprovechado
Plup. Subj.	me hubiera aprovechado, te hubieras aprovechado, se hubiera aprovechado; nos hubiéramos aprovechado, os hubierais aprovechado, se hubieran aprovechado
	me hubiese aprovechado, te hubieses aprovechado, se hubiese aprovechado; nos hubiésemos aprovechado, os hubieseis aprovechado, se hubiesen aprovechado
Imperative	—— aprovéchate, aprovéchese; aprovechémonos, aprovechaos, aprovéchense

to fret, grieve, worry

Pres. Ind.	me apuro, te apuras, se apura; nos apuramos, os apuráis, se apuran
Imp. Ind.	me apuraba, te apurabas, se apuraba; nos apurábamos, os apurabais, se apuraban
Preterit	me apuré, te apuraste, se apuró; nos apuramos, os apurasteis, se apuraron
Future	me apuraré, te apurarás, se apurará; nos apuraremos, os apuraréis, se apurarán
Condit.	me apuraría, te apurarías, se apuraría; nos apuraríamos, os apuraríais, se apurarían
Pres. Subj.	me apure, te apures, se apure; nos apuremos, os apuréis, se apuren
Imp. Subj.	me apurara, te apuraras, se apurara; nos apuráramos, os apurarais, se apuraran
	me apurase, te apurases, se apurase; nos apurásemos, os apuraseis, se apurasen
Pres. Perf. Ind.	me he apurado, te has apurado, se ha apurado; nos hemos apurado, os habéis apurado, se han apurado
Plup. Ind.	me había apurado, te habías apurado, se había apurado; nos habíamos apurado, os habíais apurado, se habían apurado
Past Ant.	me hube apurado, te hubiste apurado, se hubo apurado; nos hubimos apurado, os hubisteis apurado, se hubieron apurado
Fut. Perf.	me habré apurado, te habrás apurado, se habrá apurado; nos habremos apurado, os habréis apurado, se habrán apurado
Cond. Perf.	me habría apurado, te habrías apurado, se habría apurado; nos habríamos apurado, os habríais apurado, se habrían apurado
Pres. Perf. Subj.	me haya apurado, te hayas apurado, se haya apurado; nos hayamos apurado, os hayáis apurado, se hayan apurado
Plup. Subj.	me hubiera apurado, te hubieras apurado, se hubiera apurado; nos hubiéramos apurado, os hubierais apurado, se hubieran apurado
	me hubiese apurado, te hubieses apurado, se hubiese apurado; nos hubiésemos apurado, os hubieseis apurado, se hubiesen apurado
Imperative	—— apúrate, apúrese; apurémonos, apuraos, apúrense

to arrange adjust, regulate, settle

Pres. Ind.	arreglo, arreglas, arregla; arreglamos, arregláis, arreglan
Imp. Ind.	arreglaba, arreglabas, arreglaba; arreglábamos, arreglabais, arreglaban
Preterit	arreglé, arreglaste, arregló; arreglamos, arreglasteis, arreglaron
Future	arreglaré, arreglarás, arreglará; arreglaremos, arreglaréis, arreglarán
Condit.	arreglaría, arreglarías, arreglaría; arreglaríamos, arreglaríais, arreglarían
Pres. Subj.	arregle, arregles, arregle; arreglemos, arregléis, arreglen
Imp. Subj.	arreglara, arreglaras, arreglara; arregláramos, arreglarais, arreglaran arreglase, arreglases, arreglase; arreglásemos, arreglaseis, arreglasen
Pres. Perf. Ind.	he arreglado, has arreglado, ha arreglado; hemos arreglado, habéis arreglado, han arreglado
Plup. Ind.	había arreglado, habías arreglado, había arreglado; habíamos arreglado, habíais arreglado, habían arreglado
Past Ant.	hube arreglado, hubiste arreglado, hubo arreglado; hubimos arreglado, hubisteis arreglado, hubieron arreglado
Fut. Perf.	habré arreglado, habrás arreglado, habrá arreglado; habremos arreglado, habréis arreglado, habrán arreglado
Cond. Perf.	habría arreglado, habrías arreglado, habría arreglado; habríamos arreglado, habríais arreglado, habrían arreglado
Pres. Perf. Subj.	haya arreglado, hayas arreglado, haya arreglado; hayamos arreglado, hayáis arreglado, hayan arreglado
Plup. Subj.	hubiera arreglado, hubieras arreglado, hubiera arreglado; hubiéramos arreglado, hubierais arreglado, hubieran arreglado hubiese arreglado, hubieses arreglado, hubiese arreglado; hubiésemos arreglado, hubieseis arreglado, hubiesen arreglado
Imperative	—— arregla, arregle; arreglemos, arreglad, arreglen

to come to an agreement, compromise, conform, settle

Pres. Ind.	me arreglo, te arreglas, se arregla; nos arreglamos, os arregláis, se arreglan
Imp. Ind.	me arreglaba, te arreglabas, se arreglaba; nos arreglábamos, os arreglabais, se arreglaban
Preterit	me arreglé, te arreglaste, se arregló; nos arreglamos, os arreglasteis, se arreglaron
Future	me arreglaré, te arreglarás, se arreglará; nos arreglaremos, os arreglaréis, se arreglarán
Condit.	me arreglaría, te arreglarías, se arreglaría; nos arreglaríamos, os arreglaríais, se arreglarían
Pres. Subj.	me arregle, te arregles, se arregle; nos arreglemos, os arregléis, se arreglen
Imp. Subj.	me arreglara, te arreglaras, se arreglara; nos arregláramos, os arreglarais, se arreglaran me arreglase, te arreglases, se arreglase; nos arreglásemos, os arreglaseis, se arreglasen
Pres. Perf. Ind.	me he arreglado, te has arreglado, se ha arreglado; nos hemos arreglado, os habéis arreglado, se han arreglado
Plup. Ind.	me había arreglado, te habías arreglado, se había arreglado; nos habíamos arreglado, os habíais arreglado, se habían arreglado
Past Ant.	me hube arreglado, te hubiste arreglado, se hubo arreglado; nos hubimos arreglado, os hubisteis arreglado, se hubieron arreglado
Fut. Perf.	me habré arreglado, te habrás arreglado, se habrá arreglado; nos habremos arreglado, os habréis arreglado, se habrán arreglado
Cond. Perf.	me habría arreglado, te habrías arreglado, se habría arreglado; nos habríamos arreglado, os habríais arreglado, se habrían arreglado
Pres. Perf. Subj.	me haya arreglado, te hayas arreglado, se haya arreglado; nos hayamos arreglado, os hayáis arreglado, se hayan arreglado
Plup. Subj.	me hubiera arreglado, te hubieras arreglado, se hubiera arreglado; nos hubiéramos arreglado, os hubierais arreglado, se hubieran arreglado me hubiese arreglado, te hubieses arreglado, se hubiese arreglado; nos hubiésemos arreglado, os hubieseis arreglado, se hubiesen arreglado
Imperative	—— arréglate, arréglese; arreglémonos, arreglaos, arréglense

to fling, hurl, throw

Pres. Ind.	arrojo, arrojas, arroja; arrojamos, arrojáis, arrojan
Imp. Ind.	arrojaba, arrojabas, arrojaba; arrojábamos, arrojabais, arrojaban
Preterit	arrojé, arrojaste, arrojó; arrojamos, arrojasteis, arrojaron
Future	arrojaré, arrojarás, arrojará; arrojaremos, arrojaréis, arrojarán
Condit.	arrojaría, arrojarías, arrojaría; arrojaríamos, arrojaríais, arrojarían
Pres. Subj.	arroje, arrojes, arroje; arrojemos, arrojéis, arrojen
Imp. Subj.	arrojara, arrojaras, arrojara; arrojáramos, arrojarais, arrojaran
	arrojase, arrojases, arrojase; arrojásemos, arrojaseis, arrojasen
Pres. Perf. Ind.	he arrojado, has arrojado, ha arrojado; hemos arrojado, habéis arrojado, han arrojado
Plup. Ind.	había arrojado, habías arrojado, había arrojado; habíamos arrojado, habíais arrojado, habían arrojado
Past Ant.	hube arrojado, hubiste arrojado, hubo arrojado; hubimos arrojado, hubisteis arrojado, hubieron arrojado
Fut. Perf.	habré arrojado, habrás arrojado, habrá arrojado; habremos arrojado, habréis arrojado, habrán arrojado
Cond. Perf.	habría arrojado, habrías arrojado, habría arrojado; habríamos arrojado, habríais arrojado, habrían arrojado
Pres. Perf. Subj.	haya arrojado, hayas arrojado, haya arrojado; hayamos arrojado, hayáis arrojado, hayan arrojado
Plup. Subj.	hubiera arrojado, hubieras arrojado, hubiera arrojado; hubiéramos arrojado, hubierais arrojado, hubieran arrojado
	hubiese arrojado, hubieses arrojado, hubiese arrojado; hubiésemos arrojado, hubieseis arrojado, hubiesen arrojado
Imperative	—— arroja, arroje; arrojemos, arrojad, arrojen

to articulate

Pres. Ind.	articulo, articulas, articula; articulamos, articuláis, articulan
Imp. Ind.	articulaba, articulabas, articulaba; articulábamos, articulabais, articulaban
Preterit	articulé, articulaste, articuló; articulamos, articulasteis, articularon
Future	articularé, articularás, articulará; articularemos, articularéis, articularán
Condit.	articularía, articularías, articularía; articularíamos, articularíais, articularían
Pres. Subj.	articule, articules, articule; articulemos, articuléis, articulen
Imp. Subj.	articulara, articularas, articulara; articuláramos, articularais, articularan
	articulase, articulases, articulase; articulásemos, articulaseis, articulasen
Pres. Perf. Ind.	he articulado, has articulado, ha articulado; hemos articulado, habéis articulado, han articulado
Plup. Ind.	había articulado, habías articulado, había articulado; habíamos articulado, habíais articulado, habían articulado
Past Ant.	hube articulado, hubiste articulado, hubo articulado; hubimos articulado, hubisteis articulado, hubieron articulado
Fut. Perf.	habré articulado, habrás articulado, habrá articulado; habremos articulado, habréis articulado, habrán articulado
Cond. Perf.	habría articulado, habrías articulado, habría articulado; habríamos articulado, habríais articulado, habrían articulado
Pres. Perf. Subj.	haya articulado, hayas articulado, haya articulado; hayamos articulado, hayáis articulado, hayan articulado
Plup. Subj.	hubiera articulado, hubieras articulado, hubiera articulado; hubiéramos articulado, hubierais articulado, hubieran articulado
	hubiese articulado, hubieses articulado, hubiese articulado; hubiésemos articulado, hubieseis articulado, hubiesen articulado
Imperative	—— articula, articule; articulemos, articulad, articulen

to assail, assault

Pres. Ind.	asalto, asaltas, asalta; asaltamos, asaltáis, asaltan
Imp. Ind.	asaltaba, asaltabas, asaltaba; asaltábamos, asaltabais, asaltaban
Preterit	asalté, asaltaste, asaltó; asaltamos, asaltasteis, asaltaron
Future	asaltaré, asaltarás, asaltará; asaltaremos, asaltaréis, asaltarán
Condit.	asaltaría, asaltarías, asaltaría; asaltaríamos, asaltaríais, asaltarían
Pres. Subj.	asalte, asaltes, asalte; asaltemos, asaltéis, asalten
Imp. Subj.	asaltara, asaltaras, asaltara; asaltáramos, asaltarais, asaltaran
	asaltase, asaltases, asaltase; asaltásemos, asaltaseis, asaltasen
Pres. Perf. Ind.	he asaltado, has asaltado, ha asaltado; hemos asaltado, habéis asaltado, han asaltado
Plup. Ind.	había asaltado, habías asaltado, había asaltado; habíamos asaltado, habiais asaltado, habían asaltado
Past Ant.	hube asaltado, hubiste asaltado, hubo asaltado; hubimos asaltado, hubisteis asaltado, hubieron asaltado
Fut. Perf.	habré asaltado, habrás asaltado, habrá asaltado; habremos asaltado, habréis asaltado, habrán asaltado
Cond. Perf.	habría asaltado, habrías asaltado, habría asaltado; habríamos asaltado, habríais asaltado, habrían asaltado
Pres. Perf. Subj.	haya asaltado, hayas asaltado, haya asaltado; hayamos asaltado, hayáis asaltado, hayan asaltado
Plup. Subj.	hubiera asaltado, hubieras asaltado, hubiera asaltado; hubiéramos asaltado, hubierais asaltado, hubieran asaltado
	hubiese asaltado, hubieses asaltado, hubiese asaltado; hubiésemos asaltado, hubieseis asaltado, hubiesen asaltado
Imperative	—— asalta, asalte; asaltemos, asaltad, asalten

to assure, affirm, assert, insure

Pres. Ind.	aseguro, aseguras, asegura; aseguramos, aseguráis, aseguran
Imp. Ind.	aseguraba, asegurabas, aseguraba; asegurábamos, asegurabais, aseguraban
Preterit	aseguré, aseguraste, aseguró; aseguramos, asegurasteis, aseguraron
Future	aseguraré, asegurarás, asegurará; aseguraremos, aseguraréis, asegurarán
Condit.	aseguraría, asegurarías, aseguraría; aseguraríamos, aseguraríais, asegurarían
Pres. Subj.	asegure, asegures, asegure; aseguremos, aseguréis, aseguren
Imp. Subj.	asegurara, aseguraras, asegurara; aseguráramos, asegurarais, aseguraran
	asegurase, asegurases, asegurase; asegurásemos, aseguraseis, asegurasen
Pres. Perf. Ind.	he asegurado, has asegurado, ha asegurado; hemos asegurado, habéis asegurado, han asegurado
Plup. Ind.	había asegurado, habías asegurado, había asegurado; habíamos asegurado, habíais asegurado, habían asegurado
Past Ant.	hube asegurado, hubiste asegurado, hubo asegurado; hubimos asegurado, hubisteis asegurado, hubieron asegurado
Fut. Perf.	habré asegurado, habrás asegurado, habrá asegurado; habremos asegurado, habréis asegurado, habrán asegurado
Cond. Perf.	habría asegurado, habrías asegurado, habría asegurado; habríamos asegurado, habríais asegurado, habrían asegurado
Pres. Perf. Subj.	haya asegurado, hayas asegurado, haya asegurado; hayamos asegurado, hayáis asegurado, hayan asegurado
Plup. Subj.	hubiera asegurado, hubieras asegurado, hubiera asegurado; hubiéramos asegurado, hubierais asegurado, hubieran asegurado
	hubiese asegurado, hubieses asegurado, hubiese asegurado; hubiésemos asegurado, hubieseis asegurado, hubiesen asegurado
Imperative	—— asegura, asegure; aseguremos, asegurad, aseguren

to seize, grasp

Pres. Ind.	asgo, ases, ase; asimos, asís, asen
Imp. Ind.	asía, asías, asía; asíamos, asíais, asían
Pret. Ind.	así, asiste, asió; asimos, asisteis, asieron
Fut. Ind.	asiré, asirás, asirá; asiremos, asiréis, asirán
Condit.	asiría, asirías, asiría; asiríamos, asiríais, asirían
Pres. Subj.	asga, asgas, asga; asgamos, asgáis, asgan
Imp. Subj.	asiera, asieras, asiera; asiéramos, asierais, asieran
	asiese, asieses, asiese; asiésemos, asieseis, asiesen
Pres. Perf.	he asido, has asido, ha asido; hemos asido, habéis asido, han asido
Pluperf.	había asido, habías asido, había asido; habíamos asido, habíais asido, habían asido
Past Ant.	hube asido, hubiste asido, hubo asido; hubimos asido, hubisteis asido, hubieron asido
Fut. Perf.	habré asido, habrás asido, habrá asido; habremos asido, habréis asido, habrán asido
Cond. Perf.	habría asido, habrías asido, habría asido; habríamos asido, habríais asido, habrían asido
Pres. Perf. Subj.	haya asido, hayas asido, haya asido; hayamos asido, hayáis asido, hayan asido
Plup. Subj.	hubiera asido, hubieras asido, hubiera asido; hubiéramos asido, hubierais asido, hubieran asido
	hubiese asido, hubieses asido, hubiese asido; hubiésemos asido, hubieseis asido, hubiesen asido
Imperative	—— ase, asga; asgamos, asid, asgan

to attend

Pres. Ind.	asisto, asistes, asiste; asistimos, asistís, asisten
Imp. Ind.	asistía, asistías, asistía; asistíamos, asistíais, asistían
Pret. Ind.	asistí, asististe, asistió; asistimos, asististeis, asistieron
Fut. Ind.	asistiré, asistirás, asistirá; asistiremos, asistiréis, asistirán
Condit.	asistiría, asistirías, asistiría; asistiríamos, asistiríais, asistirían
Pres. Subj.	asista, asistas, asista; asistamos, asistáis, asistan
Imp. Subj.	asistiera, asistieras, asistiera; asistiéramos, asistierais, asistieran asistiese, asistieses, asistiese; asistiésemos, asistieseis, asistiesen
Pres. Perf.	he asistido, has asistido, ha asistido; hemos asistido, habéis asistido, han asistido
Pluperf.	había asistido, habías asistido, había asistido; habíamos asistido, habíais asistido, habían asistido
Past Ant.	hube asistido, hubiste asistido, hubo asistido; hubimos asistido, hubisteis asistido, hubieron asistido
Fut. Perf.	habré asistido, habrás asistido, habrá asistido; habremos asistido, habréis asistido, habrán asistido
Cond. Perf.	habría asistido, habrías asistido, habría asistido; habríamos asistido, habríais asistido, habrían asistido
Pres. Perf. Subj.	haya asistido, hayas asistido, haya asistido; hayamos asistido, hayáis asistido, hayan asistido
Plup. Subj.	hubiera asistido, hubieras asistido, hubiera asistido; hubiéramos asistido, hubierais asistido, hubieran asistido hubiese asistido, hubieses asistido, hubiese asistido; hubiésemos asistido, hubieseis asistido, hubiesen asistido
Imperative	—— asiste, asista; asistamos, asistid, asistan

to amaze, astonish, frighten

Pres. Ind.	asombro, asombras, asombra; asombramos, asombráis, asombran
Imp. Ind.	asombraba, asombrabas, asombraba; asombrábamos, asombrabais, asombraban
Preterit	asombré, asombraste, asombró; asombramos, asombrasteis, asombraron
Future	asombraré, asombrarás, asombrará; asombraremos, asombraréis, asombrarán
Condit.	asombraría, asombrarías, asombraría; asombraríamos, asombraríais, asombrarían
Pres. Subj.	asombre, asombres, asombre; asombremos, asombréis, asombren
Imp. Subj.	asombrara, asombraras, asombrara; asombráramos, asombrarais, asombraran
	asombrase, asombrases, asombrase; asombrásemos, asombraseis, asombrasen
Pres. Perf. Ind.	he asombrado, has asombrado, ha asombrado; hemos asombrado, habéis asombrado, han asombrado
Plup. Ind.	había asombrado, habías asombrado, había asombrado; habíamos asombrado, habíais asombrado, habían asombrado
Past Ant.	hube asombrado, hubiste asombrado, hubo asombrado; hubimos asombrado, hubisteis asombrado, hubieron asombrado
Fut. Perf.	habré asombrado, habrás asombrado, habrá asombrado; habremos asombrado, habréis asombrado, habrán asombrado
Cond. Perf.	habría asombrado, habrías asombrado, habría asombrado; habríamos asombrado, habríais asombrado, habrían asombrado
Pres. Perf. Subj.	haya asombrado, hayas asombrado, haya asombrado; hayamos asombrado, hayáis asombrado, hayan asombrado
Plup. Subj.	hubiera asombrado, hubieras asombrado, hubiera asombrado; hubiéramos asombrado, hubierais asombrado, hubieran asombrado
	hubiese asombrado, hubieses asombrado, hubiese asombrado; hubiésemos asombrado, hubieseis asombrado, hubiesen asombrado
Imperative	—— asombra, asombre; asombremos, asombrad, asombren

to frighten, scare

Pres. Ind.	asusto, asustas, asusta; asustamos, asustáis, asustan
Imp. Ind.	asustaba, asustabas, asustaba; asustábamos, asustabais, asustaban
Preterit	asusté, asustaste, asustó; asustamos, asustasteis, asustaron
Future	asustaré, asustarás, asustará; asustaremos, asustaréis, asustarán
Condit.	asustaría, asustarías, asustaría; asustaríamos, asustaríais, asustarían
Pres. Subj.	asuste, asustes, asuste; asustemos, asustéis, asusten
Imp. Subj.	asustara, asustaras, asustara; asustáramos, asustarais, asustaran
	asustase, asustase, asustase; asustásemos, asustaseis, asustasen
Pres. Perf. Ind.	he asustado, has asustado, ha asustado; hemos asustado, habéis asustado, han asustado
Plup. Ind.	había asustado, habías asustado, había asustado; habíamos asustado, habíais asustado, habían asustado
Past Ant.	hube asustado, hubiste asustado, hubo asustado; hubimos asustado, hubisteis asustado, hubieron asustado
Fut. Perf.	habré asustado, habrás asustado, habrá asustado; habremos asustado, habréis asustado, habrán asustado
Cond. Perf.	habría asustado, habrías asustado, habría asustado; habríamos asustado, habríais asustado, habrían asustado
Pres. Perf. Subj.	haya asustado, hayas asustado, haya asustado; hayamos asustado, hayáis asustado, hayan asustado
Plup. Subj.	hubiera asustado, hubieras asustado, hubiera asustado; hubiéramos asustado, hubierais asustado, hubieran asustado
	hubiese asustado, hubieses asustado, hubiese asustado; hubiésemos asustado, hubieseis asustado, hubiesen asustado
Imperative	—— asusta, asuste; asustemos, asustad, asusten

to be frightened, scared

Pres. Ind.	me asusto, te asustas, se asusta; nos asustamos, os asustáis, se asustan
Imp. Ind.	me asustaba, te asustabas, se asustaba; nos asustábamos, os asustabais, se asustaban
Preterit	me asusté, te asustaste, se asustó; nos asustamos, os asustasteis, se asustaron
Future	me asustaré, te asustarás, se asustará; nos asustaremos, os asustaréis, se asustarán
Condit.	me asustaría, te asustarías, se asustaría; nos asustaríamos, os asustaríais, se asustarían
Pres. Subj.	me asuste, te asustes, se asuste; nos asustemos, os asustéis, se asusten
Imp. Subj.	me asustara, te asustaras, se asustara; nos asustáramos, os asustarais, se asustaran me asustase, te asustases, se asustase; nos asustásemos, os asustaseis, se asustasen
Pres. Perf. Ind.	me he asustado, te has asustado, se ha asustado; nos hemos asustado, os habéis asustado, se han asustado
Plup. Ind.	me había asustado, te habías asustado, se había asustado; nos habíamos asustado, os habíais asustado, se habían asustado
Past Ant.	me hube asustado, te hubiste asustado, se hubo asustado; nos hubimos asustado, os hubisteis asustado, se hubieron asustado
Fut. Perf.	me habré asustado, te habrás asustado, se habra asustado; nos habremos asustado, os habréis asustado, se habrán asustado
Cond. Perf.	me habría asustado, te habrías asustado, se habría asustado; nos habríamos asustado, os habríais asustado, se habrían asustado
Pres. Perf. Subj.	me haya asustado, te hayas asustado, se haya asustado; nos hayamos asustado, os hayáis asustado, se hayan asustado
Plup. Subj.	me hubiera asustado, te hubieras asustado, se hubiera asustado; nos hubiéramos asustado, os hubierais asustado, se hubieran asustado me hubiese asustado, te hubieses asustado, se hubiese asustado; nos hubiésemos asustado, os hubieseis asustado, se hubiesen asustado
Imperative	—— asústate, asústese; asustémonos, asustaos, asústense

to attack

Pres. Ind.	ataco, atacas, ataca; atacamos, atacáis, atacan
Imp. Ind.	atacaba, atacabas, atacaba; atacábamos, atacabais, atacaban
Pret. Ind.	ataqué, atacaste, atacó; atacamos, atacasteis, atacaron
Fut. Ind.	atacaré, atacarás, atacará; atacaremos, atacaréis, atacarán
Condit.	atacaría, atacarías, atacaría; atacaríamos, atacaríais, atacarían
Pres. Subj.	ataque, ataques, ataque; ataquemos, ataquéis, ataquen
Imp. Subj.	atacara, atacaras, atacara; atacáramos, atacarais, atacaran atacase, atacases, atacase; atacásemos, atacaseis, atacasen
Pres. Perf.	he atacado, has atacado, ha atacado; hemos atacado, habéis atacado, han atacado
Pluperf.	había atacado, habías atacado, había atacado; habíamos atacado, habíais atacado, habían atacado
Past Ant.	hube atacado, hubiste atacado, hubo atacado; hubimos atacado, hubisteis atacado, hubieron atacado
Fut. Perf.	habré atacado, habrás atacado, habrá atacado; habremos atacado, habréis atacado, habrán atacado
Cond. Perf.	habría atacado, habrías atacado, habría atacado; habríamos atacado, habríais atacado, habrían atacado
Pres. Perf. Subj.	haya atacado, hayas atacado, haya atacado; hayamos atacado, hayáis atacado, hayan atacado
Plup. Subj.	hubiera atacado, hubieras atacado, hubiera atacado; hubiéramos atacado, hubierais atacado, hubieran atacado hubiese atacado, hubieses atacado, hubiese atacado; hubiésemos atacado, hubieseis atacado, hubiesen atacado
Imperative	—— ataca, ataque; ataquemos, atacad, ataquen

to bind, tie

Pres. Ind.	ato, atas, ata; atamos, atáis, atan
Imp. Ind.	ataba, atabas, ataba; atábamos, atabais, ataban
Preterit	até, ataste, ató; atamos, atasteis, ataron
Future	ataré, atarás, atará; ataremos, ataréis, atarán
Condit.	ataría, atarías, ataría; ataríamos, ataríais, atarían
Pres. Subj.	ate, ates, ate; atemos, atéis, aten
Imp. Subj.	atara, ataras, atara; atáramos, atarais, ataran
	atase, atases, atase; atásemos, ataseis, atasen
Pres. Perf. Ind.	he atado, has atado, ha atado; hemos atado, habéis atado, han atado
Plup. Ind.	había atado, habías atado, había atado; habíamos atado, habíais atado, habían atado
Past Ant.	hube atado, hubiste atado, hubo atado; hubimos atado, hubisteis atado, hubieron atado
Fut. Perf.	habré atado, habrás atado, habrá atado; habremos atado, habréis atado, habrán atado
Cond. Perf.	habría atado, habrías atado, habría atado; habríamos atado, habríais atado, habrían atado
Pres. Perf. Subj.	haya atado, hayas atado, haya atado; hayamos atado, hayáis atado, hayan atado
Plup. Subj.	hubiera atado, hubieras atado, hubiera atado; hubiéramos atado, hubierais atado, hubieran atado
	hubiese atado, hubieses atado, hubiese atado; hubiésemos atado, hubieseis atado, hubiesen atado
Imperative	—— ata, ate; atemos, atad, aten

to rely on, depend on

Pres. Ind. me atengo, te atienes, se atiene;
nos atenemos, os atenéis, se atienen

Imp. Ind. me atenía, te atenías, se atenía;
nos ateníamos, os ateníais, se atenían

Pret. Ind. me atuve, te atuviste, se atuvo;
nos atuvimos, os atuvisteis, se atuvieron

Fut. Ind. me atendré, te atendrás, se atendrá;
nos atendremos, os atendréis, se atendrán

Condit. me atendría, te atendrías, se atendría;
nos atendríamos, os atendríais, se atendrían

Pres. Subj. me atenga, te atengas, se atenga;
nos atengamos, os atengáis, se atengan

Imp. Subj. me atuviera, te atuvieras, se atuviera;
nos atuviéramos, os atuvierais, se atuvieran

me atuviese, te atuvieses, se atuviese;
nos atuviésemos, os atuvieseis, se atuviesen

Pres. Perf. me he atenido, te has atenido, se ha atenido;
nos hemos atenido, os habéis atenido, se han atenido

Pluperf. me había atenido, te habías atenido, se había atenido;
nos habíamos atenido, os habíais atenido, se habían atenido

Past Ant. me hube atenido, te hubiste atenido, se hubo atenido;
nos hubimos atenido, os hubisteis atenido, se hubieron atenido

Fut. Perf. me habré atenido, te habrás atenido, se habrá atenido;
nos habremos atenido, os habréis atenido, se habrán atenido

Cond. Perf. me habría atenido, te habrías atenido, se habría atenido;
nos habríamos atenido, os habríais atenido, se habrían atenido

Pres. Perf. Subj. me haya atenido, te hayas atenido, se haya atenido;
nos hayamous atenido, os hayáis atenido, se hayan atenido

Plup. Subj. me hubiera atenido, te hubieras atenido, se hubiera atenido;
nos hubiéramos atenido, os hubierais atenido, se hubieran atenido

me hubiese atenido, te hubieses atenido, se hubiese atenido;
nos hubiésemos atenido, os hubieseis atenido, se hubiesen atenido

Imperative —— atente, aténgase;
atengámonos, ateneos, aténganse

to attract, allure, charm

Pres. Ind.	atraigo, atraes, atrae; atraemos, atraéis, atraen
Imp. Ind.	atraía, atraías, atraía; atraíamos, atraíais, atraían
Pret. Ind.	atraje, atrajiste, atrajo; atrajimos, atrajisteis, atrajeron
Fut. Ind.	atraeré, atraerás, atraerá; atraeremos, atraeréis, atraerán
Condit.	atraería, atraerías, atraería; atraeríamos, atraeríais, atraerían
Pres. Subj.	atraiga, atraigas, atraiga; atraigamos, atraigáis, atraigan
Imp. Subj.	atrajera, atrajeras, atrajera; atrajéramos, atrajerais, atrajeran
	atrajese, atrajeses, atrajese; atrajésemos, atrajeseis, atrajesen
Pres. Perf.	he atraído, has atraído, ha atraído; hemos atraído, habéis atraído, han atraído
Plupert.	había atraído, habías atraído, había atraído; habíamos atraído, habíais atraído, habían atraído
Past Ant.	hube atraído, hubiste atraído, hubo atraído; hubimos atraído, hubisteis atraído, hubieron atraído
Fut. Perf.	habré atraído, habrás atraído, habrá atraído; habremos atraído, habréis atraído, habrán atraído
Cond. Perf.	habría atraído, habrías atraído, habría atraído; habríamos atraído, habríais atraído, habrían atraído
Pres. Perf. Subj.	haya atraído, hayas atraído, haya atraído; hayamos atraído, hayáis atraído, hayan atraído
Plup. Subj.	hubiera atraído, hubieras atraído, hubiera atraído; hubiéramos atraído, hubierais atraído, hubieran atraído
	hubiese atraído, hubieses atraído, hubiese atraído; hubiésemos atraído, hubieseis atraído, hubiesen atraído
Imperative	—— atrae, atraiga; atraigamos, atraed, atraigan

to cross, to go through, run through

Pres. Ind.	atravieso, atraviesas, atraviesa; atravesamos, atravesáis, atraviesan
Imp. Ind.	atravesaba, atravesabas, atravesaba; atravesábamos, atravesabais, atravesaban
Pret. Ind.	atravesé, atravesaste, atravesó; atravesamos, atravesasteis, atravesaron
Fut. Ind.	atravesaré, atravesarás, atravesará; atravesaremos, atravesaréis, atravesarán
Condit.	atravesaría, atravesarías, atravesaría; atravesaríamos, atravesaríais, atravesarían
Pres. Subj.	atraviese, atravieses, atraviese; atravesemos, atraveséis, atraviesen
Imp. Subj.	atravesara, atravesaras, atravesara; atravesáramos, atravesarais, atravesaran
	atravesase, atravesases, atravesase; atravesásemos, atravesaseis, atravesasen
Pres. Perf.	he atravesado, has atravesado, ha atravesado; hemos atravesado, habéis atravesado, han atravesado
Pluperf.	había atravesado, habías atravesado, había atravesado; habíamos atravesado, habíais atravesado, habían atravesado
Past Ant.	hube atravesado, hubiste atravesado, hubo atravesado; hubimos atravesado, hubisteis atravesado, hubieron atravesado
Fut. Perf.	habré atravesado, habrás atravesado, habrá atravesado; habremos atravesado, habréis atravesado, habrán atravesado
Cond. Perf.	habría atravesado, habrías atravesado, habría atravesado; habríamos atravesado, habríais atravesado, habrían atravesado
Pres. Perf. Subj.	haya atravesado, hayas atravesado, haya atravesado; hayamos atravesado, hayáis atravesado, hayan atravesado
Plup. Subj.	hubiera atravesado, hubieras atravesado, hubiera atravesado; hubiéramos atravesado, hubierais atravesado, hubieran atravesado
	hubiese atravesado, hubieses atravesado, hubiese atravesado; hubiésemos atravesado, hubieseis atravesado, hubiesen atravesado
Imperative	—— atraviesa, atraviese; atravesemos, atravesad, atraviesen

to dare

Pres. Ind.	me atrevo, te atreves, se atreve; nos atrevemos, os atrevéis, se atreven
Imp. Ind.	me atrevía, te atrevías, se atrevía; nos atrevíamos, os atrevíais, se atrevían
Pret. Ind.	me atreví, te atreviste, se atrevió; nos atrevimos, os atrevisteis, se atrevieron
Fut. Ind.	me atreveré, te atreverás, se atreverá; nos atreveremos, os atreveréis, se atreverán
Condit.	me atrevería, te atreverías, se atrevería; nos atreveríamos, os atreveríais, se atreverían
Pres. Subj.	me atreva, te atrevas, se atreva; nos atrevamos, os atreváis, se atrevan
Imp. Subj.	me atreviera, te atrevieras, se atreviera; nos atreviéramos, os atrevierais, se atrevieran me atreviese, te atrevieses, se atreviese; nos atreviésemos, os atrevieseis, se atreviesen
Pres. Perf.	me he atrevido, te has atrevido, se ha atrevido; nos hemos atrevido, os habéis atrevido, se han atrevido
Pluperf.	me había atrevido, te habías atrevido, se había atrevido; nos habíamos atrevido, os habíais atrevido, se habían atrevido
Past Ant.	me hube atrevido, te hubiste atrevido, se hubo atrevido; nos hubimos atrevido, os hubisteis atrevido, se hubieron atrevido
Fut. Perf.	me habré atrevido, te habrás atrevido, se habrá atrevido; nos habremos atrevido, os habréis atrevido, se habrán atrevido
Cond. Perf.	me habría atrevido, te habrías atrevido, se habría atrevido; nos habríamos atrevido, os habríais atrevido, se habrían atrevido
Pres. Perf. Subj.	me haya atrevido, te hayas atrevido, se haya atrevido; nos hayamos atrevido, os hayáis atrevido, se hayan atrevido
Plup. Subj.	me hubiera atrevido, te hubieras atrevido, se hubiera atrevido; nos hubiéramos atrevido, os hubierais atrevido, se hubieran atrevido me hubiese atrevido, te hubieses atrevido, se hubiese atrevido; nos hubiésemos atrevido, os hubieseis atrevido, se hubiesen atrevido
Imperative	—— atrévete, atrévase; atrevámonos, atreveos, atrévanse

to advance

Pres. Ind.	avanzo, avanzas, avanza; avanzamos, avanzáis, avanzan
Imp. Ind.	avanzaba, avanzabas, avanzaba; avanzábamos, avanzabais, avanzaban
Preterit	avancé, avanzaste, avanzó; avanzamos, avanzasteis, avanzaron
Future	avanzaré, avanzarás, avanzará; avanzaremos, avanzaréis, avanzarán
Condit.	avanzaría, avanzarías, avanzaría; avanzaríamos, avanzaríais, avanzarían
Pres. Subj.	avance, avances, avance; avancemos, avancéis, avancen
Imp. Subj.	avanzara, avanzaras, avanzara; avanzáramos, avanzarais, avanzaran
	avanzase, avanzases, avanzase; avanzásemos, avanzaseis, avanzasen
Pres. Perf. Ind.	he avanzado, has avanzado, ha avanzado; hemos avanzado, habéis avanzado, han avanzado
Plup. Ind.	había avanzado, habías avanzado, había avanzado; habíamos avanzado, habíais avanzado, habían avanzado
Past Ant.	hube avanzado, hubiste avanzado, hubo avanzado; hubimos avanzado, hubisteis avanzado, hubieron avanzado
Fut. Perf.	habré avanzado, habrás avanzado, habrá avanzado; habremos avanzado, habréis avanzado, habrán avanzado
Cond. Perf.	habría avanzado, habrías avanzado, habría avanzado; habríamos avanzado, habríais avanzado, habrían avanzado
Pres. Perf. Subj.	haya avanzado, hayas avanzado, haya avanzado; hayamos avanzado, hayáis avanzado, hayan avanzado
Plup. Subj.	hubiera avanzado, hubieras avanzado, hubiera avanzado; hubiéramos avanzado, hubierais avanzado, hubieran avanzado
	hubiese avanzado, hubieses avanzado, hubiese avanzado; hubiésemos avanzado, hubieseis avanzado, hubiesen avanzado
Imperative	—— avanza, avance; avancemos, avanzad, avancen

to find out, inquire, investigate

Pres. Ind.	averiguo, averiguas, averigua; averiguamos, averiguáis, averiguan
Imp. Ind.	averiguaba, averiguabas, averiguaba; averiguábamos, averiguabais, averiguaban
Pret. Ind.	averigüé, averiguaste, averiguó; averiguamos, averiguasteis, averiguaron
Fut. Ind.	averiguaré, averiguarás, averiguará; averiguaremos, averiguaréis, averiguarán
Condit.	averiguaría, averiguarías, averiguaría; averiguaríamos, averiguaríais, averiguarían
Pres. Subj.	averigüe, averigües, averigüe; averigüemos, averigüéis, averigüen
Imp. Subj.	averiguara, averiguaras, averiguara; averiguáramos, averiguarais, averiguaran
	averiguase, averiguases, averiguase; averiguásemos, averiguaseis, averiguasen
Pres. Perf.	he averiguado, has averiguado, ha averiguado; hemos averiguado, habéis averiguado, han averiguado
Pluperf.	había averiguado, habías averiguado, había averiguado; habíamos averiguado, habíais averiguado, habían averiguado
Past Ant.	hube averiguado, hubiste averiguado, hubo averiguado; hubimos averiguado, hubisteis averiguado, hubieron averiguado
Fut. Perf.	habré averiguado, habrás averiguado, habrá averiguado; habremos averiguado, habréis averiguado, habrán averiguado
Cond. Perf.	habría averiguado, habrías averiguado, habría averiguado; habríamos averiguado, habríais averiguado, habrían averiguado
Pres. Perf. Subj.	haya averiguado, hayas averiguado, haya averiguado; hayamos averiguado, hayáis averiguado, hayan averiguado
Plup. Subj.	hubiera averiguado, hubieras averiguado, hubiera averiguado; hubiéramos averiguado, hubierais averiguado, hubieran averiguado
	hubiese averiguado, hubieses averiguado, hubiese averiguado; hubiésemos averiguado, hubieseis averiguado, hubiesen averiguado
Imperative	—— averigua, averigüe; averigüemos, averiguad, averigüen

to help, aid, assist

Pres. Ind.	ayudo, ayudas, ayuda; ayudamos, ayudáis, ayudan
Imp. Ind.	ayudaba, ayudabas, ayudaba; ayudábamos, ayudabais, ayudaban
Pret. Ind.	ayudé, ayudaste, ayudó; ayudamos, ayudasteis, ayudaron
Fut. Ind.	ayudaré, ayudarás, ayudará; ayudaremos, ayudaréis, ayudarán
Condit.	ayudaría, ayudarías, ayudaría; ayudaríamos, ayudaríais, ayudarían
Pres. Subj.	ayude, ayudes, ayude; ayudemos, ayudéis, ayuden
Imp. Subj.	ayudara, ayudaras, ayudara; ayudáramos, ayudarais, ayudaran
	ayudase, ayudases, ayudase; ayudásemos, ayudaseis, ayudasen
Pres. Perf.	he ayudado, has ayudado, ha ayudado; hemos ayudado, habéis ayudado, han ayudado
Pluperf.	había ayudado, habías ayudado, había ayudado; habíamos ayudado, habíais ayudado, habían ayudado
Past Ant.	hube ayudado, hubiste ayudado, hubo ayudado; hubimos ayudado, hubisteis ayudado, hubieron ayudado
Fut. Perf.	habré ayudado, habrás ayudado, habrá ayudado; habremos ayudado, habréis ayudado, habrán ayudado
Cond. Perf.	habría ayudado, habrías ayudado, habría ayudado; habríamos ayudado, habríais ayudado, habrían ayudado
Pres. Perf. Subj.	haya ayudado, hayas ayudado, haya ayudado; hayamos ayudado, hayáis ayudado, hayan ayudado
Plup. Subj.	hubiera ayudado, hubieras ayudado, hubiera ayudado; hubiéramos ayudado, hubierais ayudado, hubieran ayudado
	hubiese ayudado, hubieses ayudado, hubiese ayudado; hubiésemos ayudado, hubieseis ayudado, hubiesen ayudado
Imperative	—— ayuda, ayude; ayudemos, ayudad, ayuden

to dance

Pres. Ind.	bailo, bailas, baila; bailamos, bailáis, bailan
Imp. Ind.	bailaba, bailabas, bailaba; bailábamos, bailabais, bailaban
Preterit	bailé, bailaste, bailó; bailamos, bailasteis, bailaron
Future	bailaré, bailarás, bailará; bailaremos, bailaréis, bailarán
Condit.	bailaría, bailarías, bailaría; bailaríamos, bailaríais, bailarían
Pres. Subj.	baile, bailes, baile; bailemos, bailéis, bailen
Imp. Subj.	bailara, bailaras, bailara; bailáramos, bailarais, bailaran
	bailase, bailases, bailase; bailásemos, bailaseis, bailasen
Pres. Perf. Ind.	he bailado, has bailado, ha bailado; hemos bailado, habéis bailado, han bailado
Plup. Ind.	había bailado, habías bailado, había bailado; habíamos bailado, habíais bailado, habían bailado
Past Ant.	hube bailado, hubiste bailado, hubo bailado; hubimos bailado, hubisteis bailado, hubieron bailado
Fut. Perf.	habré bailado, habrás bailado, habrá bailado; habremos bailado, habréis bailado, habrán bailado
Cond. Perf.	habría bailado, habrías bailado, habría bailado; habríamos bailado, habríais bailado, habrían bailado
Pres. Perf. Subj.	haya bailado, hayas bailado, haya bailado; hayamos bailado, hayáis bailado, hayan bailado
Plup. Subj.	hubiera bailado, hubieras bailado, hubiera bailado; hubiéramos bailado, hubierais bailado, hubieran bailado
	hubiese bailado, hubieses bailado, hubiese bailado; hubiésemos bailado, hubieseis bailado, hubiesen bailado
Imperative	—— baila, baile; bailemos, bailad, bailen

to come down, go down, descend

Pres. Ind.	bajo, bajas, baja; bajamos, bajáis, bajan
Imp. Ind.	bajaba, bajabas, bajaba; bajábamos, bajabais, bajaban
Preterit	bajé, bajaste, bajó; bajamos, bajasteis, bajaron
Future	bajaré, bajarás, bajará; bajaremos, bajaréis, bajarán
Condit.	bajaría, bajarías, bajaría; bajaríamos, bajaríais, bajarían
Pres. Subj.	baje, bajes, baje; bajemos, bajéis, bajen
Imp. Subj.	bajara, bajaras, bajara; bajáramos, bajarais, bajaran
	bajase, bajases, bajase; bajásemos, bajaseis, bajasen
Pres. Perf. Ind.	he bajado, has bajado, ha bajado; hemos bajado, habéis bajado, han bajado
Plup. Ind.	había bajado, habías bajado, había bajado; habíamos bajado, habíais bajado, habían bajado
Past Ant.	hube bajado, hubiste bajado, hubo bajado; hubimos bajado, hubisteis bajado, hubieron bajado
Fut. Perf.	habré bajado, habrás bajado, habrá bajado; habremos bajado, habréis bajado, habrán bajado
Cond. Perf.	habría bajado, habrías bajado, habría bajado; habríamos bajado, habríais bajado, habrían bajado
Pres. Perf. Subj.	haya bajado, hayas bajado, haya bajado; hayamos bajado, hayáis bajado, hayan bajado
Plup. Subj.	hubiera bajado, hubieras bajado, hubiera bajado; hubiéramos bajado, hubierais bajado, hubieran bajado
	hubiese bajado, hubieses bajado, hubiese bajado; hubiésemos bajado, hubieseis bajado, hubiesen bajado
Imperative	—— baja, baje; bajemos, bajad, bajen

to stammer, hesitate (in speech)

Pres. Ind.	balbuceo, balbuceas, balbucea; balbuceamos, balbuceáis, balbucean
Imp. Ind.	balbuceaba, balbuceabas, balbuceaba; balbuceábamos, balbuceabais, balbuceaban
Preterit	balbuceé, balbuceaste, balbuceó; balbuceamos, balbuceasteis, balbucearon
Future	balbucearé, balbucearás, balbuceará; balbucearemos, balbucearéis, balbucearán
Condit.	balbucearía, balbucearías, balbucearía; balbucearíamos, balbucearíais, balbucearían
Pres. Subj.	balbucee, balbucees, balbucee; balbuceemos, balbuceéis, balbuceen
Imp. Subj.	balbuceara, balbucearas, balbuceara; balbuceáramos, balbucearais, balbucearan
	balbucease, balbuceases, balbucease; balbuceásemos, balbuceaseis, balbuceasen
Pres. Perf. Ind.	he balbuceado, has balbuceado, ha balbuceado; hemos balbuceado, habéis balbuceado, han balbuceado
Plup. Ind.	había balbuceado, habías balbuceado, había balbuceado; habíamos balbuceado, habíais balbuceado, habían balbuceado
Past Ant.	hube balbuceado, hubiste balbuceado, hubo balbuceado; hubimos balbuceado, hubisteis balbuceado, hubieron balbuceado
Fut. Perf.	habré balbuceado, habrás balbuceado, habrá balbuceado; habremos balbuceado, habréis balbuceado, habrán balbuceado
Cond. Perf.	habría balbuceado, habrías balbuceado, habría balbuceado; habríamos balbuceado, habríais balbuceado, habrían balbuceado
Pres. Perf. Subj.	haya balbuceado, hayas balbuceado, haya balbuceado; hayamos balbuceado, hayáis balbuceado, hayan balbuceado
Plup. Subj.	hubiera balbuceado, hubieras balbuceado, hubiera balbuceado; hubiéramos balbuceado, hubierais balbuceado, hubieran balbuceado
	hubiese balbuceado, hubieses balbuceado, hubiese balbuceado; hubiésemos balbuceado, hubieseis balbuceado, hubiesen balbuceado
Imperative	—— balbucea, balbucee; balbuceemos, balbucead, balbuceen

to bathe, take a bath

Pres. Ind.	me baño, te bañas, se baña; nos bañamos, os bañáis, se bañan
Imp. Ind.	me bañaba, te bañabas, se bañaba; nos bañábamos, os bañabais, se bañaban
Pret. Ind.	me bañé, te bañaste, se bañó; nos bañamos, os bañasteis, se bañaron
Fut. Ind.	me bañaré, te bañarás, se bañará; nos bañaremos, os bañaréis, se bañarán
Condit.	me bañaría, te bañarías, se bañaría; nos bañaríamos, os bañaríais, se bañarían
Pres. Subj.	me bañe, te bañes, se bañe; nos bañemos, os bañéis, se bañen
Imp. Subj.	me bañara, te bañaras, se bañara; nos bañáramos, os bañarais, se bañaran
	me bañase, te bañases, se bañase; nos bañásemos, os bañaseis, se bañasen
Pres. Perf.	me he bañado, te has bañado, se ha bañado; nos hemos bañado, os habéis bañado, se han bañado
Pluperf.	me había bañado, te habías bañado, se había bañado; nos habíamos bañado, os habíais bañado, se habían bañado
Past Ant.	me hube bañado, te hubiste bañado, se hubo bañado; nos hubimos bañado, os hubisteis bañado, se hubieron bañado
Fut. Perf.	me habré bañado, te habrás bañado, se habrá bañado; nos habremos bañado, os habréis bañado, se habrán bañado
Cond. Perf.	me habría bañado, te habrías bañado, se habría bañado; nos habríamos bañado, os habríais bañado, se habrían bañado
Pres. Perf. Subj.	me haya bañado, te hayas bañado, se haya bañado; nos hayamos bañado, os hayáis bañado, se hayan bañado
Plup. Subj.	me hubiera bañado, te hubieras bañado, se hubiera bañado; nos hubiéramos bañado, os hubierais bañado, se hubieran bañado
	me hubiese bañado, te hubieses bañado, se hubiese bañado; nos hubiésemos bañado, os hubieseis bañado, se hubiesen bañado
Imperative	—— báñate, báñese; bañémonos, bañaos, báñense

to be enough, be sufficient, suffice

Pres. Ind.	basta; bastan
Imp. Ind.	bastaba; bastaban
Preterit	bastó; bastaron
Future	bastará; bastarán
Condit.	bastaría; bastarían
Pres. Subj.	baste; basten
Imp. Subj.	bastara; bastaran
	bastase; bastasen
Pres. Perf. Ind.	ha bastado; han bastado
Plup. Ind.	había bastado; habían bastado
Past Ant.	hubo bastado; hubieron bastado
Fut. Perf.	habrá bastado; habrán bastado
Cond. Perf.	habría bastado; habrían bastado
Pres. Perf. Subj.	haya bastado; hayan bastado;
Plup. Subj.	hubiera bastado; hubieran bastado
	hubiese bastado; hubiesen bastado
Imperative	que baste; que basten

to battle, fight, struggle

Pres. Ind.	batallo, batallas, batalla; batallamos, batalláis, batallan
Imp. Ind.	batallaba, batallabas, batallaba; batallábamos, batallabais, batallaban
Preterit	batallé, batallaste, batalló; batallamos, batallasteis, batallaron
Future	batallaré, batallarás, batallará; batallaremos, batallaréis, batallarán
Condit.	batallaría, batallarías, batallaría; batallaríamos, batallaríais, batallarían
Pres. Subj.	batalle, batalles, batalle; batallemos, batalléis, batallen
Imp. Subj.	batallara, batallaras, batallara; batalláramos, batallarais, batallaran
	batallase, batallases, batallase; batallásemos, batallaseis, batallasen
Pres. Perf. Ind.	he batallado, has batallado, ha batallado; hemos batallado, habéis batallado, han batallado
Plup. Ind.	había batallado, habías batallado, había batallado; habíamos batallado, habíais batallado, habían batallado
Past Ant.	hube batallado, hubiste batallado, hubo batallado; hubimos batallado, hubisteis batallado, hubieron batallado
Fut. Perf.	habré batallado, habrás batallado, habrá batallado; habremos batallado, habréis batallado, habrán batallado
Cond. Perf.	habría batallado, habrías batallado, habría batallado; habríamos batallado, habríais batallado, habrían batallado
Pres. Perf. Subj.	haya batallado, hayas batallado, haya batallado; hayamos batallado, hayáis batallado, hayan batallado
Plup. Subj.	hubiera batallado, hubieras batallado, hubiera batallado; hubiéramos batallado, hubierais batallado, hubieran batallado
	hubiese batallado, hubieses batallado, hubiese batallado; hubiésemos batallado, hubieseis batallado, hubiesen batallado
Imperative	—— batalla, batalle; batallemos, batallad, batallen

to baptize, christen

Pres. Ind.	bautizo, bautizas, bautiza; bautizamos, bautizáis, bautizan
Imp. Ind.	bautizaba, bautizabas, bautizaba; bautizábamos, bautizabais, bautizaban
Preterit	bauticé, bautizaste, bautizó; bautizamos, bautizasteis, bautizaron
Future	bautizaré, bautizarás, bautizará; bautizaremos, bautizaréis, bautizarán
Condit.	bautizaría, bautizarías, bautizaría; bautizaríamos, bautizaríais, bautizarían
Pres. Subj.	bautice, bautices, bautice; bauticemos, bauticéis, bauticen
Imp. Subj.	bautizara, bautizaras, bautizara; bautizáramos, bautizarais, bautizaran
	bautizase, bautizases, bautizase; bautizásemos, bautizaseis, bautizasen
Pres. Perf. Ind.	he bautizado, has bautizado, ha bautizado; hemos bautizado, habéis bautizado, han bautizado
Plup. Ind.	había bautizado, habías bautizado, había bautizado; habíamos bautizado, habíais bautizado, habían bautizado
Past Ant.	hube bautizado, hubiste bautizado, hubo bautizado; hubimos bautizado, hubisteis bautizado, hubieron bautizado
Fut. Perf.	habré bautizado, habrás bautizado, habrá bautizado; habremos bautizado, habréis bautizado, habrán bautizado
Cond. Perf.	habría bautizado, habrías bautizado, habría bautizado; habríamos bautizado, habríais bautizado, habrían bautizado
Pres. Perf. Subj.	haya bautizado, hayas bautizado, haya bautizado; hayamos bautizado, hayáis bautizado, hayan bautizado
Plup. Subj.	hubiera bautizado, hubieras bautizado, hubiera bautizado; hubiéramos bautizado, hubierais bautizado, hubieran bautizado
	hubiese bautizado, hubieses bautizado, hubiese bautizado; hubiésemos bautizado, hubieseis bautizado, hubiesen bautizado
Imperative	—— bautiza, bautice; bauticemos, bautizad, bauticen

to drink

Pres. Ind.	bebo, bebes, bebe; bebemos, bebéis, beben
Imp. Ind.	bebía, bebías, bebía; bebíamos, bebíais, bebían
Preterit	bebí, bebiste, bebió; bebimos, bebisteis, bebieron
Future	beberé, beberás, beberá; beberemos, beberéis, beberán
Condit.	bebería, beberías, bebería; beberíamos, beberíais, beberían
Pres. Subj.	beba, bebas, beba; bebamos, bebáis, beban
Imp. Subj.	bebiera, bebieras, bebiera; bebiéramos, bebierais, bebieran
	bebiese, bebieses, bebiese; bebiésemos, bebieseis, bebiesen
Pres. Perf. Ind.	he bebido, has bebido, ha bebido; hemos bebido, habéis bebido, han bebido
Plup. Ind.	había bebido, habías bebido, había bebido; habíamos bebido, habíais bebido, habían bebido
Past Ant.	hube bebido, hubiste bebido, hubo bebido; hubimos bebido, hubisteis bebido, hubieron bebido
Fut. Perf.	habré bebido, habrás bebido, habrá bebido; habremos bebido, habréis bebido, habrán bebido
Cond. Perf.	habría bebido, habrías bebido, habría bebido; habríamos bebido, habríais bebido, habrían bebido
Pres. Perf. Subj.	haya bebido, hayas bebido, haya bebido; hayamos bebido, hayáis bebido, hayan bebido
Plup. Subj.	hubiera bebido, hubieras bebido, hubiera bebido; hubiéramos bebido, hubierais bebido, hubieran bebido
	hubiese bebido, hubieses bebido, hubiese bebido; hubiésemos bebido, hubieseis bebido, hubiesen bebido
Imperative	—— bebe, beba; bebamos, bebed, beban

to bless, consecrate

Pres. Ind.	bendigo, bendices, bendice; bendecimos, bendecís, bendicen
Imp. Ind.	bendecía, bendecías, bendecía; bendecíamos, bendecíais, bendecían
Pret. Ind.	bendije, bendijiste, bendijo; bendijimos, bendijisteis, bendijeron
Fut. Ind.	bendeciré, bendecirás, bendecirá; bendeciremos, bendeciréis, bendecirán
Condit.	bendeciría, bendecirías, bendeciría; bendeciríamos, bendeciríais, bendecirían
Pres. Subj.	bendiga, bendigas, bendiga; bendigamos, bendigáis, bendigan
Imp. Subj.	bendijera, bendijeras, bendijera; bendijéramos, bendijerais, bendijeran bendijese, bendijeses, bendijese; bendijésemos, bendijeseis, bendijesen
Pres. Perf.	he bendecido, has bendecido, ha bendecido; hemos bendecido, habéis bendecido, han bendecido
Pluperf.	había bendecido, habías bendecido, había bendecido; habíamos bendecido, habíais bendecido, habían bendecido
Past Ant.	hube bendecido, hubiste bendecido, hubo bendecido; hubimos bendecido, hubisteis bendecido, hubieron bendecido
Fut. Perf.	habré bendecido, habrás bendecido, habrá bendecido; habremos bendecido, habréis bendecido, habrán bendecido
Cond. Perf.	habría bendecido, habrías bendecido, habría bendecido; habríamos bendecido, habríais bendecido, habrían bendecido
Pres. Perf. Subj.	haya bendecido, hayas bendecido, haya bendecido; hayamos bendecido, hayáis bendecido, hayan bendecido
Plup. Subj.	hubiera bendecido, hubieras bendecido, hubiera bendecido; hubiéramos bendecido, hubierais bendecido, hubieran bendecido hubiese bendecido, hubieses bendecido, hubiese bendecido; hubiésemos bendecido, hubieseis bendecido, hubiesen bendecido
Imperative	—— bendice, bendiga; bendigamos, bendecid, bendigan

to erase, cross out

Pres. Ind.	borro, borras, borra; borramos, borráis, borran
Imp. Ind.	borraba, borrabas, borraba; borrábamos, borrabais, borraban
Preterit	borré, borraste, borró; borramos, borrasteis, borraron
Future	borraré, borrarás, borrará; borraremos, borraréis, borrarán
Condit.	borraría, borrarías, borraría; borraríamos, borraríais, borrarían
Pres. Subj.	borre, borres, borre; borremos, borréis, borren
Imp. Subj.	borrara, borraras, borrara; borráramos, borrarais, borraran
	borrase, borrases, borrase; borrásemos, borraseis, borrasen
Pres. Perf. Ind.	he borrado, has borrado, ha borrado; hemos borrado, habéis borrado, han borrado
Plup. Ind.	había borrado, habías borrado, había borrado; habíamos borrado, habíais borrado, habían borrado
Past Ant.	hube borrado, hubiste borrado, hubo borrado; hubimos borrado, hubisteis borrado, hubieron borrado
Fut. Perf.	habré borrado, habrás borrado, habrá borrado; habremos borrado, habréis borrado, habrán borrado
Cond. Perf.	habría borrado, habrías borrado, habría borrado; habríamos borrado, habríais borrado, habrían borrado
Pres. Perf. Subj.	haya borrado, hayas borrado, haya borrado; hayamos borrado, hayáis borrado, hayan borrado
Plup. Subj.	hubiera borrado, hubieras borrado, hubiera borrado; hubiéramos borrado, hubierais borrado, hubieran borrado
	hubiese borrado, hubieses borrado, hubiese borrado; hubiésemos borrado, hubieseis borrado, hubiesen borrado
Imperative	—— borra, borre; borremos, borrad, borren

to yawn, gape

Pres. Ind.	bostezo, bostezas, bosteza; bostezamos, bostezáis, bostezan
Imp. Ind.	bostezaba, bostezabas, bostezaba; bostezábamos, bostezabais, bostezaban
Preterit	bostecé, bostezaste, bostezó; bostezamos, bostezasteis, bostezaron
Future	bostezaré, bostezarás, bostezará; bostezaremos, bostezaréis, bostezarán
Condit.	bostezaría, bostezarías, bostezaría; bostezaríamos, bostezaríais, bostezarían
Pres. Subj.	bostece, bosteces, bostece; bostecemos, bostecéis, bostecen
Imp. Subj.	bostezara, bostezaras, bostezara; bostezáramos, bostezarais, bostezaran
	bostezase, bostezases, bostezase; bostezásemos, bostezaseis, bostezasen
Pres. Perf. Ind.	he bostezado, has bostezado, ha bostezado; hemos bostezado, habéis bostezado, han bostezado
Plup. Ind.	había bostezado, habías bostezado, había bostezado; habíamos bostezado, habíais bostezado, habían bostezado
Past Ant.	hube bostezado, hubiste bostezado, hubo bostezado; hubimos bostezado, hubisteis bostezado, hubieron bostezado
Fut. Perf.	habré bostezado, habrás bostezado, habrá bostezado; habremos bostezado, habréis bostezado, habrán bostezado
Cond. Perf.	habría bostezado, habrías bostezado, habría bostezado; habríamos bostezado, habríais bostezado, habrían bostezado
Pres. Perf. Subj.	haya bostezado, hayas bostezado, haya bostezado; hayamos bostezado, hayáis bostezado, hayan bostezado
Plup. Subj.	hubiera bostezado, hubieras bostezado, hubiera bostezado; hubiéramos bostezado, hubierais bostezado, hubieran bostezado
	hubiese bostezado, hubieses bostezado, hubiese bostezado; hubiésemos bostezado, hubieseis bostezado, hubiesen bostezado
Imperative	—— bosteza, bostece; bostecemos, bostezad, bostecen

to glitter, shine, sparkle

Pres. Ind.	brilla; brillan
Imp. Ind.	brillaba; brillaban
Preterit	brilló; brillaron
Future	brillará; brillarán
Condit.	brillaría; brillarían
Pres. Subj.	brille; brillen
Imp. Subj.	brillara; brillaran
	brillase; brillasen
Pres. Perf. Ind.	ha brillado; han brillado
Plup. Ind.	había brillado; habían brillado
Past Ant.	hubo brillado; hubieron brillado
Fut. Perf.	habrá brillado; habrán brillado
Cond. Perf.	habría brillado; habrían brillado
Pres. Perf. Subj.	haya brillado; hayan brillado
Plup. Subj.	hubiera brillado; hubieran brillado
	hubiese brillado; hubiesen brillado
Imperative	que brille; que brillen

to boil

Pres. Ind.	bullo, bulles, bulle; bullimos, bullís, bullen
Imp. Ind.	bullía, bullías, bullía; bullíamos, bullíais, bullían
Pret. Ind.	bullí, bulliste, bulló; bullimos, bullisteis, bulleron
Fut. Ind.	bulliré, bullirás, bullirá; bulliremos, bulliréis, bullirán
Condit.	bulliría, bullirías, bulliría; bulliríamos, bulliríais, bullirían
Pres. Subj.	bulla, bullas, bulla; bullamos, bulláis, bullan
Imp. Subj.	bullera, bulleras, bullera; bulléramos, bullerais, bulleran
	bullese, bulleses, bullese; bullésemos, bulleseis, bullesen
Pres. Perf.	he bullido, has bullido, ha bullido; hemos bullido, habéis bullido, han bullido
Pluperf.	había bullido, habías bullido, había bullido; habíamos bullido, habíais bullido, habían bullido
Past Ant.	hube bullido, hubiste bullido, hubo bullido; hubimos bullido, hubisteis bullido, hubieron bullido
Fut. Perf.	habré bullido, habrás bullido, habrá bullido; habremos bullido, habréis bullido, habrán bullido
Cond. Perf.	habría bullido, habrías bullido, habría bullido; habríamos bullido, habríais bullido, habrían bullido
Pres. Perf. Subj.	haya bullido, hayas bullido, haya bullido; hayamos bullido, hayáis bullido, hayan bullido
Plup. Subj.	hubiera bullido, hubieras bullido, hubiera bullido; hubiéramos bullido, hubierais bullido, hubieran bullido
	hubiese bullido, hubieses bullido, hubiese bullido; hubiésemos bullido, hubieseis bullido, hubiesen bullido
Imperative	—— bulle, bulla; bullamos, bullid, bullan

to make fun of, poke fun at, ridicule

Pres. Ind.	me burlo, te burlas, se burla; nos burlamos, os burláis, se burlan
Imp. Ind.	me burlaba, te burlabas, se burlaba; nos burlábamos, os burlabais, se burlaban
Pret. Ind.	me burlé, te burlaste, se burló; nos burlamos, os burlasteis, se burlaron
Fut. Ind.	me burlaré, te burlarás, se burlará; nos burlaremos, os burlaréis, se burlarán
Condit.	me burlaría, te burlarías, se burlaría; nos burlaríamos, os burlaríais, se burlarían
Pres. Subj.	me burle, te burles, se burle; nos burlemos, os burléis, se burlen
Imp. Subj.	me burlara, te burlaras, se burlara; nos burláramos, os burlarais, se burlaran
	me burlase, te burlases, se burlase; nos burlásemos, os burlaseis, se burlasen
Pres. Perf.	me he burlado, te has burlado, se ha burlado; nos hemos burlado, os habéis burlado, se han burlado
Pluperf.	me había burlado, te habías burlado, se había burlado; nos habíamos burlado, os habíais burlado, se habían burlado
Past Ant.	me hube burlado, te hubiste burlado, se hubo burlado; nos hubimos burlado, os hubisteis burlado, se hubieron burlado
Fut. Perf.	me habré burlado, te habrás burlado, se habrá burlado; nos habremos burlado, os habréis burlado, se habrán burlado
Cond. Perf.	me habría burlado, te habrías burlado, se habría burlado; nos habríamos burlado, os habríais burlado, se habrían burlado
Pres. Perf. Subj.	me haya burlado, te hayas burlado, se haya burlado; nos hayamos burlado, os hayáis burlado, se hayan burlado
Plup. Subj.	me hubiera burlado, te hubieras burlado, se hubiera burlado; nos hubiéramos burlado, os hubierais burlado, se hubieran burlado
	me hubiese burlado, te hubieses burlado, se hubiese burlado; nos hubiésemos burlado, os hubieseis burlado, se hubiesen burlado
Imperative	—— búrlate, búrlese; burlémonos, burlaos, búrlense

to look for, seek

Pres. Ind.	busco, buscas, busca; buscamos, buscáis, buscan
Imp. Ind.	buscaba, buscabas, buscaba; buscábamos, buscabais, buscaban
Pret. Ind.	busqué, buscaste, buscó; buscamos, buscasteis, buscaron
Fut. Ind.	buscaré, buscarás, buscará; buscaremos, buscaréis, buscarán
Condit.	buscaría, buscarías, buscaría; buscaríamos, buscaríais, buscarían
Pres. Subj.	busque, busques, busque; busquemos, busquéis, busquen
Imp. Subj.	buscara, buscaras, buscara; buscáramos, buscarais, buscaran
	buscase, buscases, buscase; buscásemos, buscaseis, buscasen
Pres. Perf.	he buscado, has buscado, ha buscado; hemos buscado, habéis buscado, han buscado
Pluperf.	había buscado, habías buscado, había buscado; habíamos buscado, habíais buscado, habían buscado
Past Ant.	hube buscado, hubiste buscado, hubo buscado; hubimos buscado, hubisteis buscado, hubieron buscado
Fut. Perf.	habré buscado, habrás buscado, habrá buscado; habremos buscado, habréis buscado, habrán buscado
Cond. Perf.	habría buscado, habrías buscado, habría buscado; habríamos buscado, habríais buscado, habrían buscado
Pres. Perf. Subj.	haya buscado, hayas buscado, haya buscado; hayamos buscado, hayáis buscado, hayan buscado
Plup. Subj.	hubiera buscado, hubieras buscado, hubiera buscado; hubiéramos buscado, hubierais buscado, hubieran buscado
	hubiese buscado, hubieses buscado, hubiese buscado; hubiésemos buscado, hubieseis buscado, hubiesen buscado
Imperative	—— busca, busque; busquemos, buscad, busquen

to be contained, fit into

Pres. Ind.	quepo, cabes, cabe; cabemos, cabéis, caben
Imp. Ind.	cabía, cabías, cabía; cabíamos, cabíais, cabían
Pret. Ind.	cupe, cupiste, cupo; cupimos, cupisteis, cupieron
Fut. Ind.	cabré, cabrás, cabrá; cabremos, cabréis, cabrán
Condit.	cabría, cabrías, cabría; cabríamos, cabríais, cabrían
Pres. Subj.	quepa, quepas, quepa; quepamos, quepáis, quepan
Imp. Subj.	cupiera, cupieras, cupiera; cupiéramos, cupierais, cupieran
	cupiese, cupieses, cupiese; cupiésemos, cupieseis, cupiesen
Pres. Perf.	he cabido, has cabido, ha cabido; hemos cabido, habéis cabido, han cabido
Pluperf.	había cabido, habías cabido, había cabido; habíamos cabido, habíais cabido, habían cabido
Past Ant.	hube cabido, hubiste cabido, hubo cabido; hubimos cabido, hubisteis cabido, hubieron cabido
Fut. Perf.	habré cabido, habrás cabido, habrá cabido; habremos cabido, habréis cabido, habrán cabido
Cond. Perf.	habría cabido, habrías cabido, habría cabido; habríamos cabido, habríais cabido, habrían cabido
Pres. Perf. Subj.	haya cabido, hayas cabido, haya cabido; hayamos cabido, hayáis cabido, hayan cabido
Plup. Subj.	hubiera cabido, hubieras cabido, hubiera cabido; hubiéramos cabido, hubierais cabido, hubieran cabido
	hubiese cabido, hubieses cabido, hubiese cabido; hubiésemos cabido, hubieseis cabido, hubiesen cabido
Imperative	—— cabe, quepa; quepamos, cabed, quepan

to fall

Pres. Ind.	caigo, caes, cae; caemos, caéis, caen
Imp. Ind.	caía, caías, caía; caíamos, caíais, caían
Pret. Ind.	caí, caíste, cayó; caímos, caísteis, cayeron
Fut. Ind.	caeré, caerás, caerá; caeremos, caeréis, caerán
Condit.	caería, caerías, caería; caeríamos, caeríais, caerían
Pres. Subj.	caiga, caigas, caiga; caigamos, caigáis, caigan
Imp. Subj.	cayera, cayeras, cayera; cayéramos, cayerais, cayeran cayese, cayeses, cayese; cayésemos, cayeseis, cayesen
Pres. Perf.	he caído, has caído, ha caído; hemos caído, habéis caído, han caído
Pluperf.	había caído, habías caído, había caído; habíamos caído, habíais caído, habían caído
Past Ant.	hube caído, hubiste caído, hubo caído; hubimos caído, hubisteis caído, hubieron caído
Fut. Perf.	habré caído, habrás caído, habrá caído; habremos caído, habréis caído, habrán caído
Cond. Perf.	habría caído, habrías caído, habría caído; habríamos caído, habríais caído, habrían caído
Pres. Perf. Subj.	haya caído, hayas caído, haya caído; hayamos caído, hayáis caído, hayan caído
Plup. Subj.	hubiera caído, hubieras caído, hubiera caído; hubiéramos caído, hubierais caído, hubieran caído hubiese caído, hubieses caído, hubiese caído; hubiésemos caído, hubieseis caído, hubiesen caído
Imperative	—— cae, caiga; caigamos, caed, caigan

to heat, warm (up)

Pres. Ind.	caliento, calientas, calienta; calentamos, calentáis, calientan
Imp. Ind.	calentaba, calentabas, calentaba; calentábamos, calentabais, calentaban
Preterit	calenté, calentaste, calentó; calentamos, calentasteis, calentaron
Future	calentaré, calentarás, calentará; calentaremos, calentaréis, calentarán
Condit.	calentaría, calentarías, calentaría; calentaríamos, calentaríais, calentarían
Pres. Subj.	caliente, calientes, caliente; calentemos, calentéis, calienten
Imp. Subj.	calentara, calentaras, calentara; calentáramos, calentarais, calentaran
	calentase, calentases, calentase; calentásemos, calentaseis, calentasen
Pres. Perf. Ind.	he calentado, has calentado, ha calentado; hemos calentado, habéis calentado, han calentado
Plup. Ind.	había calentado, habías calentado, había calentado; habíamos calentado, habíais calentado, habían calentado
Past Ant.	hube calentado, hubiste calentado, hubo calentado; hubimos calentado, hubisteis calentado, hubieron calentado
Fut. Perf.	habré calentado, habrás calentado, habrá calentado; habremos calentado, habréis calentado, habrán calentado
Cond. Perf.	habría calentado, habrías calentado, habría calentado; habríamos calentado, habríais calentado, habrían calentado
Pres. Perf. Subj.	haya calentado, hayas calentado, haya calentado; hayamos calentado, hayáis calentado, hayan calentado
Plup. Subj.	hubiera calentado, hubieras calentado, hubiera calentado; hubiéramos calentado, hubierais calentado, hubieran calentado
	hubiese calentado, hubieses calentado, hubiese calentado; hubiésemos calentado, hubieseis calentado, hubiesen calentado
Imperative	—— calienta, caliente; calentemos, calentad, calienten

to become (get) excited, angry

Pres. Ind.	me caliento, te calientas, se calienta; nos calentamos, os calentáis, se calientan
Imp. Ind.	me calentaba, te calentabas, se calentaba; nos calentábamos, os calentabais, se calentaban
Preterit	me calenté, te calentaste, se calentó; nos calentamos, os calentasteis, se calentaron
Future	me calentaré, te calentarás, se calentará; nos calentaremos, os calentaréis, se calentarán
Condit.	me calentaría, te calentarías, se calentaría; nos calentaríamos, os calentaríais, se calentarían
Pres. Subj.	me caliente, te calientes, se caliente; nos calentemos, os calentéis, se calienten
Imp. Subj.	me calentara, te calentaras, se calentara; nos calentáramos, os calentarais, se calentaran
	me calentase, te calentases, se calentase; nos calentásemos, os calentaseis, se calentasen
Pres. Perf. Ind.	me he calentado, te has calentado, se ha calentado; nos hemos calentado, os habéis calentado, se han calentado
Plup. Ind.	me había calentado, te habías calentado, se había calentado; nos habíamos calentado, os habíais calentado, se habían calentado
Past Ant.	me hube calentado, te hubiste calentado, se hubo calentado; nos hubimos calentado, os hubisteis calentado, se hubieron calentado
Fut. Perf.	me habré calentado, te habrás calentado, se habrá calentado; nos habremos calentado, os habréis calentado, se habrán calentado
Cond. Perf.	me habría calentado, te habrías calentado, se habría calentado; nos habríamos calentado, os habríais calentado, se habrían calentado
Pres. Perf. Subj.	me haya calentado, te hayas calentado, se haya calentado; nos hayamos calentado, os hayáis calentado, se hayan calentado
Plup. Subj.	me hubiera calentado, te hubieras calentado, se hubiera calentado; nos hubiéramos calentado, os hubierais calentado, se hubieran calentado
	me hubiese calentado, te hubieses calentado, se hubiese calentado; nos hubiésemos calentado, os hubieseis calentado, se hubiesen calentado
Imperative	—— caliéntate, caliéntese; calentémonos, calentaos, caliéntense

to shoe, wear (shoes), put on (shoes)

Pres. Ind.	calzo, calzas, calza; calzamos, calzáis, calzan
Imp. Ind.	calzaba, calzabas, calzaba; calzábamos, calzabais, calzaban
Preterit	calcé, calzaste, calzó; calzamos, calzasteis, calzaron
Future	calzaré, calzarás, calzará; calzaremos, calzaréis, calzarán
Condit.	calzaría, calzarías, calzaría; calzaríamos, calzaríais, calzarían
Pres. Subj.	calce, calces, calce; calcemos, calcéis, calcen
Imp. Subj.	calzara, calzaras, calzara; calzáramos, calzarais, calzaran
	calzase, calzases, calzase; calzásemos, calzaseis, calzasen
Pres. Perf. Ind.	he calzado, has calzado, ha calzado; hemos calzado, habéis calzado, han calzado
Plup. Ind.	había calzado, habías calzado, había calzado; habíamos calzado, habíais calzado, habían calzado
Past Ant.	hube calzado, hubiste calzado, hubo calzado; hubimos calzado, hubisteis calzado, hubieron calzado
Fut. Perf.	habré calzado, habrás calzado, habrá calzado; habremos calzado, habréis calzado, habrán calzado
Cond. Perf.	habría calzado, habrías calzado, habría calzado; habríamos calzado, habríais calzado, habrían calzado
Pres. Perf. Subj.	haya calzado, hayas calzado, haya calzado; hayamos calzado, hayáis calzado, hayan calzado
Plup. Subj.	hubiera calzado, hubieras calzado, hubiera calzado; hubiéramos calzado, hubierais calzado, hubieran calzado
	hubiese calzado, hubieses calzado, hubiese calzado; hubiésemos calzado, hubieseis calzado, hubiesen calzado
Imperative	—— calza, calce; calcemos, calzad, calcen

to be silent, keep quiet

Pres. Ind.	me callo, te callas, se calla; nos callamos, os calláis, se callan
Imp. Ind.	me callaba, te callabas, se callaba; nos callábamos, os callabais, se callaban
Pret. Ind.	me callé, te callaste, se calló; nos callamos, os callasteis, se callaron
Fut. Ind.	me callaré, te callarás, se callará; nos callaremos, os callaréis, se callarán
Condit.	me callaría, te callarías, se callaría; nos callaríamos, os callaríais, se callarían
Pres. Subj.	me calle, te calles, se calle; nos callemos, os calléis, se callen
Imp. Subj.	me callara, te callaras, se callara; nos calláramos, os callarais, se callaran
	me callase, te callases, se callase; nos callásemos, os callaseis, se callasen
Pres. Perf.	me he callado, te has callado, se ha callado; nos hemos callado, os habéis callado, se han callado
Pluperf.	me había callado, te habias callado, se había callado; nos habíamos callado, os habíais callado, se habían callado
Past Ant.	me hube callado, te hubiste callado, se hubo callado; nos hubimos callado, os hubisteis callado, se hubieron callado
Fut. Perf.	me habré callado, te habrás callado, se habrá callado; nos habremos callado, os habréis callado, se habrán callado
Cond. Perf.	me habría callado, te habrías callado, se habría callado; nos habríamos callado, os habríais callado, se habrían callado
Pres. Perf. Subj.	me haya callado, te hayas callado, se haya callado; nos hayamos callado, os hayáis callado, se hayan callado
Plup. Subj.	me hubiera callado, te hubieras callado, se hubiera callado; nos hubiéramos callado, os hubierais callado, se hubieran callado
	me hubiese callado, te hubieses callado, se hubiese callado; nos hubiésemos callado, os hubieseis callado, se hubiesen callado
Imperative	—— cállate, cállese; callémonos, callaos, cállense

to change

Pres. Ind.	cambio, cambias, cambia; cambiamos, cambiáis, cambian
Imp. Ind.	cambiaba, cambiabas, cambiaba; cambiábamos, cambiabais, cambiaban
Pret. Ind.	cambié, cambiaste, cambió; cambiamos, cambiasteis, cambiaron
Fut. Ind.	cambiaré, cambiarás, cambiará; cambiaremos, cambiaréis, cambiarán
Condit.	cambiaría, cambiarías, cambiaría; cambiaríamos, cambiaríais, cambiarían
Pres. Subj.	cambie, cambies, cambie; cambiemos, cambiéis, cambien
Imp. Subj.	cambiara, cambiaras, cambiara; cambiáramos, cambiarais, cambiaran cambiase, cambiases, cambiase; cambiásemos, cambiaseis, cambiasen
Pres. Perf.	he cambiado, has cambiado, ha cambiado; hemos cambiado, habéis cambiado, han cambiado
Pluperf.	había cambiado, habías cambiado, había cambiado; habíamos cambiado, habíais cambiado, habían cambiado
Past Ant.	hube cambiado, hubiste cambiado, hubo cambiado; hubimos cambiado, hubisteis cambiado, hubieron cambiado
Fut. Perf.	habré cambiado, habrás cambiado, habrá cambiado; habremos cambiado, habréis cambiado, habrán cambiado
Cond. Perf.	habría cambiado, habrías cambiado, habría cambiado; habríamos cambiado, habríais cambiado, habrían cambiado
Pres. Perf. Subj.	haya cambiado, hayas cambiado, haya cambiado; hayamos cambiado, hayáis cambiado, hayan cambiado
Plup. Subj.	hubiera cambiado, hubieras cambiado, hubiera cambiado; hubiéramos cambiado, hubierais cambiado, hubieran cambiado hubiese cambiado, hubieses cambiado, hubiese cambiado; hubiésemos cambiado, hubieseis cambiado, hubiesen cambiado
Imperative	—— cambia, cambie; cambiemos, cambiad, cambien

to walk, move along

Pres. Ind.	camino, caminas, camina; caminamos, camináis, caminan
Imp. Ind.	caminaba, caminabas, caminaba; caminábamos, caminabais, caminaban
Preterit	caminé, caminaste, caminó; caminamos, caminasteis, caminaron
Future	caminaré, caminarás, caminará; caminaremos, caminaréis, caminarán
Condit.	caminaría, caminarías, caminaría; caminaríamos, caminaríais, caminarían
Pres. Subj.	camine, camines, camine; caminemos, caminéis, caminen
Imp. Subj.	caminara, caminaras, caminara; camináramos, caminarais, caminaran caminase, caminases, caminase; caminásemos, caminaseis, caminasen
Pres. Perf. Ind.	he caminado, has caminado, ha caminado; hemos caminado, habéis caminado, han caminado
Plup. Ind.	había caminado, habías caminado, había caminado; habíamos caminado, habíais caminado, habían caminado
Past Ant.	hube caminado, hubiste caminado, hubo caminado; hubimos caminado, hubisteis caminado, hubieron caminado
Fut. Perf.	habré caminado, habrás caminado, habrá caminado; habremos caminado, habréis caminado, habrán caminado
Cond. Perf.	habría caminado, habrías caminado, habría caminado; habríamos caminado, habríais caminado, habrían caminado
Pres. Perf. Subj.	haya caminado, hayas caminado, haya caminado; hayamos caminado, hayáis caminado, hayan caminado
Plup. Subj.	hubiera caminado, hubieras caminado, hubiera caminado; hubiéramos caminado, hubierais caminado, hubieran caminado hubiese caminado, hubieses caminado, hubiese caminado; hubiésemos caminado, hubieseis caminado, hubiesen caminado
Imperative	—— camina, camine; caminemos, caminad, caminen

to fatigue, tire, weary

Pres. Ind.	canso, cansas, cansa; cansamos, cansáis, cansan
Imp. Ind.	cansaba, cansabas, cansaba; cansábamos, cansabais, cansaban
Preterit	cansé, cansaste, cansó; cansamos, cansasteis, cansaron
Future	cansaré, cansarás, cansará; cansaremos, cansaréis, cansarán
Condit.	cansaría, cansarías, cansaría; cansaríamos, cansaríais, cansarían
Pres. Subj.	canse, canses, canse; cansemos, canséis, cansen
Imp. Subj.	cansara, cansaras, cansara; cansáramos, cansarais, cansaran
	cansase, cansases, cansase; cansásemos, cansaseis, cansasen
Pres. Perf. Ind.	he cansado, has cansado, ha cansado; hemos cansado, habéis cansado, han cansado
Plup. Ind.	había cansado, habías cansado, había cansado; habíamos cansado, habíais cansado, habían cansado
Past Ant.	hube cansado, hubiste cansado, hubo cansado; hubimos cansado, hubisteis cansado, hubieron cansado
Fut. Perf.	habré cansado, habrás cansado, habrá cansado; habremos cansado, habréis cansado, habrán cansado
Cond. Perf.	habría cansado, habrías cansado, habría cansado; habríamos cansado, habríais cansado, habrían cansado
Pres. Perf. Subj.	haya cansado, hayas cansado, haya cansado; hayamos cansado, hayáis cansado, hayan cansado
Plup. Subj.	hubiera cansado, hubieras cansado, hubiera cansado; hubiéramos cansado, hubierais cansado, hubieran cansado
	hubiese cansado, hubieses cansado, hubiese cansado; hubiésemos cansado, hubieseis cansado, hubiesen cansado
Imperative	—— cansa, canse; cansemos, cansad, cansen

to become tired, become weary, get tired, get weary

Pres. Ind.	me canso, te cansas, se cansa; nos cansamos, os cansáis, se cansan
Imp. Ind.	me cansaba, te cansabas, se cansaba; nos cansábamos, os cansabais, se cansaban
Preterit	me cansé, te cansaste, se cansó; nos cansamos, os cansasteis, se cansaron
Future	me cansaré, te cansarás, se cansará; nos cansaremos, os cansaréis, se cansarán
Condit.	me cansaría, te cansarías, se cansaría; nos cansaríamos, os cansaríais, se cansarían
Pres. Subj.	me canse, te canses, se canse; nos cansemos, os canséis, se cansen
Imp. Subj.	me cansara, te cansaras, se cansara; nos cansáramos, os cansarais, se cansaran me cansase, te cansases, se cansase; nos cansásemos, os cansaseis, se cansasen
Pres. Perf. Ind.	me he cansado, te has cansado, se ha cansado; nos hemos cansado, os habéis cansado, se han cansado
Plup. Ind.	me había cansado, te habías cansado, se había cansado; nos habíamos cansado, os habíais cansado, se habían cansado
Past Ant.	me hube cansado, te hubiste cansado, se hubo cansado; nos hubimos cansado, os hubisteis cansado, se hubieron cansado
Fut. Perf.	me habré cansado, te habrás cansado, se habrá cansado; nos habremos cansado, os habréis cansado, se habrán cansado
Cond. Perf.	me habría cansado, te habrías cansado, se habría cansado; nos habríamos cansado, os habríais cansado, se habrían cansado
Pres. Perf. Subj.	me haya cansado, te hayas cansado, se haya cansado; nos hayamos cansado, os hayáis cansado, se hayan cansado
Plup. Subj.	me hubiera cansado, te hubieras cansado, se hubiera cansado; nos hubiéramos cansado, os hubierais cansado, se hubieran cansado me hubiese cansado, te hubieses cansado, se hubiese cansado; nos hubiésemos cansado, os hubieseis cansado, se hubiesen cansado
Imperative	—— cánsate, cánsese; cansémonos, cansaos, cánsense

to sing

Pres. Ind.	canto, cantas, canta; cantamos, cantáis, cantan
Imp. Ind.	cantaba, cantabas, cantaba; cantábamos, cantabais, cantaban
Preterit	canté, cantaste, cantó; cantamos, cantasteis, cantaron
Future	cantaré, cantarás, cantará; cantaremos, cantaréis, cantarán
Condit.	cantaría, cantarías, cantaría; cantaríamos, cantaríais, cantarían
Pres. Subj.	cante, cantes, cante; cantemos, cantéis, canten
Imp. Subj.	cantara, cantaras, cantara; cantáramos, cantarais, cantaran
	cantase, cantases, cantase; cantásemos, cantaseis, cantasen
Pres. Perf. Ind.	he cantado, has cantado, ha cantado; hemos cantado, habéis cantado, han cantado
Plup. Ind.	había cantado, habías cantado, había cantado; habíamos cantado, habíais cantado, habían cantado
Past Ant.	hube cantado, hubiste cantado, hubo cantado; hubimos cantado, hubisteis cantado, hubieron cantado
Fut. Perf.	habré cantado, habrás cantado, habrá cantado; habremos cantado, habréis cantado, habrán cantado
Cond. Perf.	habría cantado, habrías cantado, habría cantado; habríamos cantado, habríais cantado, habrían cantado
Pres. Perf. Subj.	haya cantado, hayas cantado, haya cantado; hayamos cantado, hayáis cantado, hayan cantado
Plup. Subj.	hubiera cantado, hubieras cantado, hubiera cantado; hubiéramos cantado, hubierais cantado, hubieran cantado
	hubiese cantado, hubieses cantado, hubiese cantado; hubiésemos cantado, hubieseis cantado, hubiesen cantado
Imperative	—— canta, cante; cantemos, cantad, canten

Pres. Ind.	caracterizo, caracterizas, caracteriza; caracterizamos, caracterizáis, caracterizan	*to characterize*
Imp. Ind.	caracterizaba, caracterizabas, caracterizaba; caracterizábamos, caracterizabais, caracterizaban	
Preterit	caractericé, caracterizaste, caracterizó; caracterizamos, caracterizasteis, caracterizaron	
Future	caracterizaré, caracterizarás, caracterizará; caracterizaremos, caracterizaréis, caracterizarán	
Condit.	caracterizaría, caracterizarías, caracterizaría; caracterizaríamos, caracterizaríais, caracterizarían	
Pres. Subj.	caracterice, caracterices, caracterice; caractericemos, caracterizéis, caractericen	
Imp. Subj.	caracterizara, caracterizaras, caracterizara; caracterizáramos, caracterizarais, caracterizaran caracterizase, caracterizases, caracterizase; caracterizásemos, caracterizaseis, caracterizasen	
Pres. Perf. Ind.	he caracterizado, has caracterizado, ha caracterizado; hemos caracterizado, habéis caracterizado, han caracterizado	
Plup. Ind.	había caracterizado, habías caracterizado, había caracterizado; habíamos caracterizado, habíais caracterizado, habían caracterizado	
Past Ant.	hube caracterizado, hubiste caracterizado, hubo caracterizado; hubimos caracterizado, hubisteis caracterizado, hubieron caracterizado	
Fut. Perf.	habré caracterizado, habrás caracterizado, habrá caracterizado; habremos caracterizado, habréis caracterizado, habrán caracterizado	
Cond. Perf.	habría caracterizado, habrías caracterizado, habría caracterizado; habríamos caracterizado, habríais caracterizado, habrían caracterizado	
Pres. Perf. Subj.	haya caracterizado, hayas caracterizado, haya caracterizado; hayamos caracterizado, hayáis caracterizado, hayan caracterizado	
Plup. Subj.	hubiera caracterizado, hubieras caracterizado, hubiera caracterizado; hubiéramos caracterizado, hubierais caracterizado, hubieran caracterizado hubiese caracterizado, hubieses caracterizado, hubiese caracterizado; hubiésemos caracterizado, hubieseis caracterizado, hubiesen caracterizado	
Imperative	—— caracteriza, caracterice; caractericemos, caracterizad, caractericen	

to load, burden

Pres. Ind.	cargo, cargas, carga; cargamos, cargáis, cargan
Imp. Ind.	cargaba, cargabas, cargaba; cargábamos, cargabais, cargaban
Pret. Ind.	cargué, cargaste, cargó; cargamos, cargasteis, cargaron
Fut. Ind.	cargaré, cargarás, cargará; cargaremos, cargaréis, cargarán
Condit.	cargaría, cargarías, cargaría; cargaríamos, cargaríais, cargarían
Pres. Subj.	cargue, cargues, cargue; carguemos, carguéis, carguen
Imp. Subj.	cargara, cargaras, cargara; cargáramos, cargarais, cargaran
	cargase, cargases, cargase; cargásemos, cargaseis, cargasen
Pres. Perf.	he cargado, has cargado, ha cargado; hemos cargado, habéis cargado, han cargado
Pluperf.	había cargado, habías cargado, había cargado; habíamos cargado, habíais cargado, habían cargado
Past Ant.	hube cargado, hubiste cargado, hubo cargado; hubimos cargado, hubisteis cargado, hubieron cargado
Fut. Perf.	habré cargado, habrás cargado, habrá cargado; habremos cargado, habréis cargado, habrán cargado
Cond. Perf.	habría cargado, habrías cargado, habría cargado; habríamos cargado, habríais cargado, habrían cargado
Pres. Perf. Subj.	haya cargado, hayas cargado, haya cargado; hayamos cargado, hayáis cargado, hayan cargado
Plup. Subj.	hubiera cargado, hubieras cargado, hubiera cargado; hubiéramos cargado, hubierais cargado, hubieran cargado
	hubiese cargado, hubieses cargado, hubiese cargado; hubiésemos cargado, hubieseis cargado, hubiesen cargado
Imperative	—— carga, cargue; carguemos, cargad, carguen

to get married, to marry

Pres. Ind.	me caso, te casas, se casa; nos casamos, os casáis, se casan
Imp. Ind.	me casaba, te casabas, se casaba; nos casábamos, os casabais, se casaban
Pret. Ind.	me casé, te casaste, se casó; nos casamos, os casasteis, se casaron
Fut. Ind.	me casaré, te casarás, se casará; nos casaremos, os casaréis, se casarán
Condit.	me casaría, te casarías, se casaría; nos casaríamos, os casaríais, se casarían
Pres. Subj.	me case, te cases, se case; nos casemos, os caséis, se casen
Imp. Subj.	me casara, te casaras, se casara; nos casáramos, os casarais, se casaran
	me casase, te casases, se casase; nos casásemos, os casaseis, se casasen
Pres. Perf.	me he casado, te has casado, se ha casado; nos hemos casado, os habéis casado, se han casado
Pluperf.	me había casado, te habías casado, se había casado; nos habíamos casado, os habíais casado, se habían casado
Past Ant.	me hube casado, te hubiste casado, se hubo casado; nos hubimos casado, os hubisteis casado, se hubieron casado
Fut. Perf.	me habré casado, te habrás casado, se habrá casado; nos habremos casado, os habréis casado, se habrán casado
Cond. Perf.	me habría casado, te habrías casado, se habría casado; nos habríamos casado, os habríais casado, se habrían casado
Pres. Perf. Subj.	me haya casado, te hayas casado, se haya casado; nos hayamos casado, os hayáis casado, se hayan casado
Plup. Subj.	me hubiera casado, te hubieras casado, se hubiera casado; nos hubiéramos casado, os hubierais casado, se hubieran casado
	me hubiese casado, te hubieses casado, se hubiese casado; nos hubiésemos casado, os hubieseis casado, se hubiesen casado
Imperative	—— cásate, cásese; casémonos, casaos, cásense

to celebrate

Pres. Ind.	celebro, celebras, celebra; celebramos, celebráis, celebran
Imp. Ind.	celebraba, celebrabas, celebraba; celebrábamos, celebrabais, celebraban
Preterit	celebré, celebraste, celebró; celebramos, celebrasteis, celebraron
Future	celebraré, celebrarás, celebrará; celebraremos, celebraréis, celebrarán
Condit.	celebraría, celebrarías, celebraría; celebraríamos, celebraríais, celebrarían
Pres. Subj.	celebre, celebres, celebre; celebremos, celebréis, celebren
Imp. Subj.	celebrara, celebraras, celebrara; celebráramos, celebrarais, celebraran
	celebrase, celebrases, celebrase; celebrásemos, celebraseis, celebrasen
Pres. Perf. Ind.	he celebrado, has celebrado, ha celebrado; hemos celebrado, habéis celebrado, han celebrado
Plup. Ind.	había celebrado, habías celebrado, había celebrado; habíamos celebrado, habíais celebrado, habían celebrado
Past Ant.	hube celebrado, hubiste celebrado, hubo celebrado; hubimos celebrado, hubisteis celebrado, hubieron celebrado
Fut. Perf.	habré celebrado, habrás celebrado, habrá celebrado; habremos celebrado, habréis celebrado, habrán celebrado
Cond. Perf.	habría celebrado, habrías celebrado, habría celebrado; habríamos celebrado, habríais celebrado, habrían celebrado
Pres. Perf. Subj.	haya celebrado, hayas celebrado, haya celebrado; hayamos celebrado, hayáis celebrado, hayan celebrado
Plup. Subj.	hubiera celebrado, hubieras celebrado, hubiera celebrado; hubiéramos celebrado, hubierais celebrado, hubieran celebrado
	hubiese celebrado, hubieses celebrado, hubiese celebrado; hubiésemos celebrado, hubieseis celebrado, hubiesen celebrado
Imperative	—— celebra, celebre; celebremos, celebrad, celebren

to have supper, eat supper

Pres. Ind.	ceno, cenas, cena; cenamos, cenáis, cenan
Imp. Ind.	cenaba, cenabas, cenaba; cenábamos, cenabais, cenaban
Preterit	cené, cenaste, cenó; cenamos, cenasteis, cenaron
Future	cenaré, cenarás, cenará; cenaremos, cenaréis, cenarán
Condit.	cenaría, cenarías, cenaría; cenaríamos, cenaríais, cenarían
Pres. Subj.	cene, cenes, cene; cenemos, cenéis, cenen
Imp. Subj.	cenara, cenaras, cenara; cenáramos, cenarais, cenaran
	cenase, cenases, cenase; cenásemos, cenaseis, cenasen
Pres. Perf. Ind.	he cenado, has cenado, ha cenado; hemos cenado, habéis cenado, han cenado
Plup. Ind.	había cenado, habías cenado, había cenado; habíamos cenado, habíais cenado, habían cenado
Past Ant.	hube cenado, hubiste cenado, hubo cenado; hubimos cenado, hubisteis cenado, hubieron cenado
Fut. Perf.	habré cenado, habrás cenado, habrá cenado; habremos cenado, habréis cenado, habrán cenado
Cond. Perf.	habría cenado, habrías cenado, habría cenado; habríamos cenado, habríais cenado, habrían cenado
Pres. Perf. Subj.	haya cenado, hayas cenado, haya cenado; hayamos cenado, hayáis cenado, hayan cenado
Plup. Subj.	hubiera cenado, hubieras cenado, hubiera cenado; hubiéramos cenado, hubierais cenado, hubieran cenado
	hubiese cenado, hubieses cenado, hubiese cenado; hubiésemos cenado, hubieseis cenado, hubiesen cenado
Imperative	—— cena, cene; cenemos, cenad, cenen

to brush

Pres. Ind.	cepillo, cepillas, cepilla; cepillamos, cepilláis, cepillan
Imp. Ind.	cepillaba, cepillabas, cepillaba; cepillábamos, cepillabais, cepillaban
Preterit	cepillé, cepillaste, cepilló; cepillamos, cepillasteis, cepillaron
Future	cepillaré, cepillarás, cepillará; cepillaremos, cepillaréis, cepillarán
Condit.	cepillaría, cepillarías, cepillaría; cepillaríamos, cepillaríais, cepillarían
Pres. Subj.	cepille, cepilles, cepille; cepillemos, cepilléis, cepillen
Imp. Subj.	cepillara, cepillaras, cepillara; cepilláramos, cepillarais, cepillaran
	cepillase, cepillases, cepillase; cepillásemos, cepillaseis, cepillasen
Pres. Perf. Ind.	he cepillado, has cepillado, ha cepillado; hemos cepillado, habéis cepillado, han cepillado
Plup. Ind.	había cepillado, habías cepillado, había cepillado; habíamos cepillado, habíais cepillado, habían cepillado
Past Ant.	hube cepillado, hubiste cepillado, hubo cepillado; hubimos cepillado, hubisteis cepillado, hubieron cepillado
Fut. Perf.	habré cepillado, habrás cepillado, habrá cepillado; habremos cepillado, habréis cepillado, habrán cepillado
Cond. Perf.	habría cepillado, habrías cepillado, habría cepillado; habríamos cepillado, habríais cepillado, habrían cepillado
Pres. Perf. Subj.	haya cepillado, hayas cepillado, haya cepillado; hayamos cepillado, hayáis cepillado, hayan cepillado
Plup. Subj.	hubiera cepillado, hubieras cepillado, hubiera cepillado; hubiéramos cepillado, hubierais cepillado, hubieran cepillado
	hubiese cepillado, hubieses cepillado, hubiese cepillado; hubiésemos cepillado, hubieseis cepillado, hubiesen cepillado
Imperative	—— cepilla, cepille; cepillemos, cepillad, cepillen

to close

Pres. Ind.	cierro, cierras, cierra; cerramos, cerráis, cierran
Imp. Ind.	cerraba, cerrabas, cerraba; cerrábamos, cerrabais, cerraban
Pret. Ind.	cerré, cerraste, cerró; cerramos, cerrasteis, cerraron
Fut. Ind.	cerraré, cerrarás, cerrará; cerraremos, cerraréis, cerrarán
Condit.	cerraría, cerrarías, cerraría; cerraríamos, cerraríais, cerrarían
Pres. Subj.	cierre, cierres, cierre; cerremos, cerréis, cierren
Imp. Subj.	cerrara, cerraras, cerrara; cerráramos, cerrarais, cerraran
	cerrase, cerrases, cerrase; cerrásemos, cerraseis, cerrasen
Pres. Perf.	he cerrado, has cerrado, ha cerrado; hemos cerrado, habéis cerrado, han cerrado
Pluperf.	había cerrado, habías cerrado, había cerrado; habíamos cerrado, habíais cerrado, habían cerrado
Past Ant.	hube cerrado, hubiste cerrado, hubo cerrado; hubimos cerrado, hubisteis cerrado, hubieron cerrado
Fut. Perf.	habré cerrado, habrás cerrado, habrá cerrado; habremos cerrado, habréis cerrado, habrán cerrado
Cond. Perf.	habría cerrado, habrías cerrado, habría cerrado; habríamos cerrado, habríais cerrado, habrían cerrado
Pres. Perf. Subj.	haya cerrado, hayas cerrado, haya cerrado; hayamos cerrado, hayáis cerrado, hayan cerrado
Plup. Subj.	hubiera cerrado, hubieras cerrado, hubiera cerrado; hubiéramos cerrado, hubierais cerrado, hubieran cerrado
	hubiese cerrado, hubieses cerrado, hubiese cerrado; hubiésemos cerrado, hubieseis cerrado, hubiesen cerrado
Imperative	—— cierra, cierre; cerremos, cerrad, cierren

to certify, register (a letter), attest

Pres. Ind.	certifico, certificas, certifica; certificamos, certificáis, certifican
Imp. Ind.	certificaba, certificabas, certificaba; certificábamos, certificabais, certificaban
Preterit	certifiqué, certificaste, certificó; certificamos, certificasteis, certificaron
Future	certificaré, certificarás, certificará; certificaremos, certificaréis, certificarán
Condit.	certificaría, certificarías, certificaría; certificaríamos, certificaríais, certificarían
Pres. Subj.	certifique, certifiques, certifique; certifiquemos, certifiquéis, certifiquen
Imp. Subj.	certificara, certificaras, certificara; certificáramos, certificarais, certificaran
	certificase, certificases, certificase; certificásemos, certificaseis, certificasen
Pres. Perf. Ind.	he certificado, has certificado, ha certificado; hemos certificado, habéis certificado, han certificado
Plup. Ind.	había certificado, habías certificado, había certificado; habíamos certificado, habíais certificado, habían certificado
Past Ant.	hube certificado, hubiste certificado, hubo certificado; hubimos certificado, hubisteis certificado, hubieron certificado
Fut. Perf.	habré certificado, habrás certificado, habrá certificado; habremos certificado, habréis certificado, habrán certificado
Cond. Perf.	habría certificado, habrías certificado, habría certificado; habríamos certificado, habríais certificado, habrían certificado
Pres. Perf. Subj.	haya certificado, hayas certificado, haya certificado; hayamos certificado, hayáis certificado, hayan certificado
Plup. Subj.	hubiera certificado, hubieras certificado, hubiera certificado; hubiéramos certificado, hubierais certificado, hubieran certificado
	hubiese certificado, hubieses certificado, hubiese certificado; hubiésemos certificado, hubieseis certificado, hubiesen certificado
Imperative	—— certifica, certifique; certifiquemos, certificad, certifiquen

to cook, bake, boil

Pres. Ind.	cuezo, cueces, cuece; cocemos, cocéis, cuecen
Imp. Ind.	cocía, cocías, cocía; cocíamos, cocíais, cocían
Preterit	cocí, cociste, coció; cocimos, cocisteis, cocieron
Future	coceré, cocerás, cocerá; coceremos, coceréis, cocerán
Condit.	cocería, cocerías, cocería; coceríamos, coceríais, cocerían
Pres. Subj.	cueza, cuezas, cueza; cozamos, cozáis, cuezan
Imp. Subj.	cociera, cocieras, cociera; cociéramos, cocierais, cocieran
	cociese, cocieses, cociese; cociésemos, cocieseis, cociesen
Pres. Perf. Ind.	he cocido, has cocido, ha cocido; hemos cocido, habéis cocido, han cocido;
Plup. Ind.	había cocido, habías cocido, había cocido; habíamos cocido, habíais cocido, habían cocido
Past Ant.	hube cocido, hubiste cocido, hubo cocido; hubimos cocido, hubisteis cocido, hubieron cocido
Fut. Perf.	habré cocido, habrás cocido, habrá cocido; habremos codio, habréis cocido, habrán cocido
Cond. Perf.	habría cocido, habrías cocido, habría cocido; habríamos cocido, habríais cocido, habrían cocido
Pres. Perf. Subj.	haya cocido, hayas cocido, haya cocido; hayamos cocido, hayáis cocido, hayan cocido
Plup. Subj.	hubiera cocido, hubieras cocido, hubiera cocido; hubiéramos cocido, hubierais cocido, hubieran cocido
	hubiese cocido, hubieses cocido, hubiese cocido; hubiésemos cocido, hubieseis cocido, hubiesen cocido
Imperative	—— cuece, cueza; cozamos, coced, cuezan

to seize, take, grasp, grab, catch

Pres. Ind.	cojo, coges, coge; cogemos, cogéis, cogen
Imp. Ind.	cogía, cogías, cogía; cogíamos, cogíais, cogían
Pret. Ind.	cogí, cogiste, cogió; cogimos, cogisteis, cogieron
Fut. Ind.	cogeré, cogerás, cogerá; cogeremos, cogeréis, cogerán
Condit.	cogería, cogerías, cogería; cogeríamos, cogeríais, cogerían
Pres. Subj.	coja, cojas, coja; cojamos, cojáis, cojan
Imp. Subj.	cogiera, cogieras, cogiera; cogiéramos, cogierais, cogieran
	cogiese, cogieses, cogiese; cogiésemos, cogieseis, cogiesen
Pres. Perf.	he cogido, has cogido, ha cogido; hemos cogido, habéis cogido, han cogido
Pluperf.	había cogido, habías cogido, había cogido; habíamos cogido, habíais cogido, habían cogido
Past Ant.	hube cogido, hubiste cogido, hubo cogido; hubimos cogido, hubisteis cogido, hubieron cogido
Fut. Perf.	habré cogido, habrás cogido, habrá cogido; habremos cogido, habréis cogido, habrán cogido
Cond. Perf.	habría cogido, habrías cogido, habría cogido; habríamos cogido, habríais cogido, habrían cogido
Pres. Perf. Subj.	haya cogido, hayas cogido, haya cogido; hayamos cogido, hayáis cogido, hayan cogido
Plup. Subj.	hubiera cogido, hubieras cogido, hubiera cogido; hubiéramos cogido, hubierais cogido, hubieran cogido
	hubiese cogido, hubieses cogido, hubiese cogido; hubiésemos cogido, hubieseis cogido, hubiesen cogido
Imperative	—— coge, coja; cojamos, coged, cojan

to collect

Pres. Ind.	colijo, coliges, colige; colegimos, colegís, coligen
Imp. Ind.	colegía, colegías, colegía; colegíamos, colegíais, colegían
Pret. Ind.	colegí, colegiste, coligió; colegimos, colegisteis, coligieron
Fut. Ind.	colegiré, colegirás, colegirá; colegiremos, colegiréis, colegirán
Condit.	colegiría, colegirías, colegiría; colegiríamos, colegiríais, colegirían
Pres. Subj.	colija, colijas, colija; colijamos, colijáis, colijan
Imp. Subj.	coligiera, coligieras, coligiera; coligiéramos, coligierais, coligieran
	coligiese, coligieses, coligiese; coligiésemos, coligieseis, coligiesen
Pres. Perf.	he colegido, has colegido, ha colegido; hemos colegido, habéis colegido, han colegido
Pluperf.	había colegido, habías colegido, había colegido; habíamos colegido, habíais colegido, habían colegido
Past Ant.	hube colegido, hubiste colegido, hubo colegido; hubimos colegido, hubisteis colegido, hubieron colegido
Fut. Perf.	habré colegido, habrás colegido, habrá colegido; habremos colegido, habréis colegido, habrán colegido
Cond. Perf.	habría colegido, habrías colegido, habría colegido; habríamos colegido, habríais colegido, habrían colegido
Pres. Perf. Subj.	haya colegido, hayas colegido, haya colegido; hayamos colegido, hayáis colegido, hayan colegido
Plup. Subj.	hubiera colegido, hubieras colegido, hubiera colegido; hubiéramos colegido, hubierais colegido, hubieran colegido
	hubiese colegido, hubieses colegido, hubiese colegido; hubiésemos colegido, hubieseis colegido, hubiesen colegido
Imperative	—— colige, colija; colijamos, colegid, colijan

to hang (up)

Pres. Ind.	cuelgo, cuelgas, cuelga; colgamos, colgáis, cuelgan
Imp. Ind.	colgaba, colgabas, colgaba; colgábamos, colgabais, colgaban
Pret. Ind.	colgué, colgaste, colgó; colgamos, colgasteis, colgaron
Fut. Ind.	colgaré, colgarás, colgará; colgaremos, colgaréis, colgarán
Condit.	colgaría, colgarías, colgaría; colgaríamos, colgaríais, colgarían
Pres. Subj.	cuelgue, cuelgues, cuelgue; colguemos, colguéis, cuelguen
Imp. Subj.	colgara, colgaras, colgara; colgáramos, colgarais, colgaran
	colgase, colgases, colgase; colgásemos, colgaseis, colgasen
Pres. Perf.	he colgado, has colgado, ha colgado; hemos colgado, habéis colgado, han colgado
Pluperf.	había colgado, habías colgado, había colgado; habíamos colgado, habíais colgado, habían colgado
Past Ant.	hube colgado, hubiste colgado, hubo colgado; hubimos colgado, hubisteis colgado, hubieron colgado
Fut. Perf.	habré colgado, habrás colgado, habrá colgado; habremos colgado, habréis colgado, habrán colgado
Cond. Perf.	habría colgado, habrías colgado, habría colgado; habríamos colgado, habríais colgado, habrían colgado
Pres. Perf. Subj.	haya colgado, hayas colgado, haya colgado; hayamos colgado, hayáis colgado, hayan colgado
Plup. Subj.	hubiera colgado, hubieras colgado, hubiera colgado; hubiéramos colgado, hubierais colgado, hubieran colgado
	hubiese colgado, hubieses colgado, hubiese colgado; hubiésemos colgado, hubieseis colgado, hubiesen colgado
Imperative	—— cuelga, cuelgue; colguemos, colgad, cuelguen

to put, place

Pres. Ind.	coloco, colocas, coloca; colocamos, colocáis, colocan
Imp. Ind.	colocaba, colocabas, colocaba; colocábamos, colocabais, colocaban
Pret. Ind.	coloqué, colocaste, colocó; colocamos, colocasteis, colocaron
Fut. Ind.	colocaré, colocarás, colocará; colocaremos, colocaréis, colocarán
Condit.	colocaría, colocarías, colocaría; colocaríamos, colocaríais, colocarían
Pres. Subj.	coloque, coloques, coloque; coloquemos, coloquéis, coloquen
Imp. Subj.	colocara, colocaras, colocara; colocáramos, colocarais, colocaran
	colocase, colocases, colocase; colocásemos, colocaseis, colocasen
Pres. Perf.	he colocado, has colocado, ha colocado; hemos colocado, habéis colocado, han colocado
Pluperf.	había colocado, habías colocado, había colocado; habíamos colocado, habíais colocado, habían colocado
Past Ant.	hube colocado, hubiste colocado, hubo colocado; hubimos colocado, hubisteis colocado, hubieron colocado
Fut. Perf.	habré colocado, habrás colocado, habrá colocado; habremos colocado, habréis colocado, habrán colocado
Cond. Perf.	habría colocado, habrías colocado, habría colocado; habríamos colocado, habríais colocado, habrían colocado
Pres. Perf. Subj.	haya colocado, hayas colocado, haya colocado; hayamos colocado, hayáis colocado, hayan colocado
Plup. Subj.	hubiera colocado, hubieras colocado, hubiera colocado; hubiéramos colocado, hubierais colocado, hubieran colocado
	hubiese colocado, hubieses colocado, hubiese colocado; hubiésemos colocado, hubieseis colocado, hubiesen colocado
Imperative	—— coloca, coloque; coloquemos, colocad, coloquen

to begin, start, commence

Pres. Ind.	comienzo, comienzas, comienza; comenzamos, comenzáis, comienzan
Imp. Ind.	comenzaba, comenzabas, comenzaba; comenzábamos, comenzabais, comenzaban
Pret. Ind.	comencé, comenzaste, comenzó; comenzamos, comenzasteis, comenzaron
Fut. Ind.	comenzaré, comenzarás, comenzará; comenzaremos, comenzaréis, comenzarán
Condit.	comenzaría, comenzarías, comenzaría; comenzaríamos, comenzaríais, comenzarían
Pres. Subj.	comience, comiences, comience; comencemos, comencéis, comiencen
Imp. Subj.	comenzara, comenzaras, comenzara; comenzáramos, comenzarais, comenzaran
	comenzase, comenzases, comenzase; comenzásemos, comenzaseis, comenzasen
Pres. Perf.	he comenzado, has comenzado, ha comenzado; hemos comenzado, habéis comenzado, han comenzado
Pluperf.	había comenzado, habías comenzado, había comenzado; habíamos comenzado, habíais comenzado, habían comenzado
Past Ant.	hube comenzado, hubiste comenzado, hubo comenzado; hubimos comenzado, hubisteis comenzado, hubieron comenzado
Fut. Perf.	habré comenzado, habrás comenzado, habrá comenzado; habremos comenzado, habréis comenzado, habrán comenzado
Cond. Perf.	habría comenzado, habrías comenzado, habría comenzado; habríamos comenzado, habríais comenzado, habrían comenzado
Pres. Perf. Subj.	haya comenzado, hayas comenzado, haya comenzado; hayamos comenzado, hayáis comenzado, hayan comenzado
Plup. Subj.	hubiera comenzado, hubieras comenzado, hubiera comenzado; hubiéramos comenzado, hubierais comenzado, hubieran comenzado
	hubiese comenzado, hubieses comenzado, hubiese comenzado; hubiésemos comenzado, hubieseis comenzado, hubiesen comenzado
Imperative	—— comienza, comience; comencemos, comenzad, comiencen

to eat

Pres. Ind.	como, comes, come; comemos, coméis, comen
Imp. Ind.	comía, comías, comía; comíamos, comíais, comían
Pret. Ind.	comí, comiste, comió; comimos, comisteis, comieron
Fut. Ind.	comeré, comerás, comerá; comeremos, comeréis, comerán
Condit.	comería, comerías, comería; comeríamos, comeríais, comerían
Pres. Subj.	coma, comas, coma; comamos, comáis, coman
Imp. Subj.	comiera, comieras, comiera; comiéramos, comierais, comieran comiese, comieses, comiese; comiésemos, comieseis, comiesen
Pres. Perf.	he comido, has comido, ha comido; hemos comido, habéis comido, han comido
Pluperf.	había comido, habías comido, había comido; habíamos comido, habíais comido, habían comido
Past Ant.	hube comido, hubiste comido, hubo comido; hubimos comido, hubisteis comido, hubieron comido
Fut. Perf.	habré comido, habrás comido, habrá comido; habremos comido, habréis comido, habrán comido
Cond. Perf.	habría comido, habrías comido, habría comido; habríamos comido, habríais comido, habrían comido
Pres. Perf. Subj.	haya comido, hayas comido, haya comido; hayamos comido, hayáis comido, hayan comido
Plup. Subj.	hubiera comido, hubieras comido, hubiera comido; hubiéramos comido, hubierais comido, hubieran comido hubiese comido, hubieses comido, hubiese comido; hubiésemos comido, hubieseis comido, hubiesen comido
Imperative	—— come, coma; comamos, comed, coman

to complete

Pres. Ind.	completo, completas, completa; completamos, completáis, completan
Imp. Ind.	completaba, completabas, completaba; completábamos, completabais, completaban
Preterit	completé, completaste, completó; completamos, completasteis, completaron
Future	completaré, completarás, completará; completaremos, completaréis, completarán
Condit.	completaría, completarías, completaría; completaríamos, completaríais, completarían
Pres. Subj.	complete, completes, complete; completemos, completéis, completen
Imp. Subj.	completara, completaras, completara; completáramos, completarais, completaran
	completase, completases, completase; completásemos, completaseis, completasen
Pres. Perf. Ind.	he completado, has completado, ha completado; hemos completado, habéis completado, han completado
Plup. Ind.	había completado, habías completado, había completado; habíamos completado, habíais completado, habían completado
Past Ant.	hube completado, hubiste completado, hubo completado; hubimos completado, hubisteis completado, hubieron completado
Fut. Perf.	habré completado, habrás completado, habrá completado; habremos completado, habréis completado, habrán completado
Cond. Perf.	habría completado, habrías completado, habría completado; habríamos completado, habríais completado, habrían completado
Pres. Perf. Subj.	haya completado, hayas completado, haya completado; hayamos completado, hayáis completado, hayan completado
Plup. Subj.	hubiera completado, hubieras completado, hubiera completado; hubiéramos completado, hubierais completado, hubieran completado
	hubiese completado, hubieses completado, hubiese completado; hubiésemos completado, hubieseis completado, hubiesen completado
Imperative	—— completa, complete; completemos, completad, completen

to compose

Pres. Ind.	compongo, compones, compone; componemos, componéis, componen
Imp. Ind.	componía, componías, componía; componíamos, componíais, componían
Pret. Ind.	compuse, compusiste, compuso; compusimos, compusisteis, compusieron
Fut. Ind.	compondré, compondrás, compondrá; compondremos, compondréis, compondrán
Condit.	compondría, compondrías, compondría; compondríamos, compondríais, compondrían
Pres. Subj.	componga, compongas, componga; compongamos, compongáis, compongan
Imp. Subj.	compusiera, compusieras, compusiera; compusiéramos, compusierais, compusieran compusiese, compusieses, compusiese; compusiésemos, compusieseis, compusiesen
Pres. Perf.	he compuesto, has compuesto, ha compuesto; hemos compuesto, habéis compuesto, han compuesto
Pluperf.	había compuesto, habías compuesto, había compuesto; habíamos compuesto, habíais compuesto, habían compuesto
Past Ant.	hube compuesto, hubiste compuesto, hubo compuesto; hubimos compuesto, hubisteis compuesto, hubieron compuesto
Fut. Perf.	habré compuesto, habrás compuesto, habrá compuesto; habremos compuesto, habréis compuesto, habrán compuesto
Cond. Perf.	habría compuesto, habrías compuesto, habría compuesto; habríamos compuesto, habríais compuesto, habrían compuesto
Pres. Perf. Subj.	haya compuesto, hayas compuesto, haya compuesto; hayamos compuesto, hayáis compuesto, hayan compuesto
Plup. Subj.	hubiera compuesto, hubieras compuesto, hubiera compuesto; hubiéramos compuesto, hubierais compuesto, hubieran compuesto hubiese compuesto, hubieses compuesto, hubiese compuesto; hubiésemos compuesto, hubieseis compuesto, hubiesen compuesto
Imperative	—— compón, componga; compongamos, componed, compongan

to buy, to purchase

Pres. Ind.	compro, compras, compra; compramos, compráis, compran
Imp. Ind.	compraba, comprabas, compraba; comprábamos, comprabais, compraban
Pret. Ind.	compré, compraste, compró; compramos, comprasteis, compraron
Fut. Ind.	compraré, comprarás, comprará; compraremos, compraréis, comprarán
Condit.	compraría, comprarías, compraría; compraríamos, compraríais, comprarían
Pres. Subj.	compre, compres, compre; compremos, compréis, compren
Imp. Subj.	comprara, compraras, comprara; compráramos, comprarais, compraran
	comprase, comprases, comprase; comprásemos, compraseis, comprasen
Pres. Perf.	he comprado, has comprado, ha comprado; hemos comprado, habéis comprado, han comprado
Pluperf.	había comprado, habías comprado, había comprado; habíamos comprado, habíais comprado, habían comprado
Past Ant.	hube comprado, hubiste comprado, hubo comprado; hubimos comprado, hubisteis comprado, hubieron comprado
Fut. Perf.	habré comprado, habrás comprado, habrá comprado; habremos comprado, habréis comprado, habrán comprado
Cond. Perf.	habría comprado, habrías comprado, habría comprado; habríamos comprado, habríais comprado, habrían comprado
Pres. Perf. Subj.	haya comprado, hayas comprado, haya comprado; hayamos comprado, hayáis comprado, hayan comprado
Plup. Subj.	hubiera comprado, hubieras comprado, hubiera comprado; hubiéramos comprado, hubierais comprado, hubieran comprado
	hubiese comprado, hubieses comprado, hubiese comprado; hubiésemos comprado, hubieseis comprado, hubiesen comprado
Imperative	—— compra, compre; compremos, comprad, compren

to understand

Pres. Ind.	comprendo, comprendes, comprende; comprendemos, comprendéis, comprenden
Imp. Ind.	comprendía, comprendías, comprendía; comprendíamos, comprendíais, comprendían
Pret. Ind.	comprendí, comprendiste, comprendió; comprendimos, comprendisteis, comprendieron
Fut. Ind.	comprenderé, comprenderás, comprenderá; comprenderemos, comprenderéis, comprenderán
Condit.	comprendería, comprenderías, comprendería; comprenderíamos, comprenderíais, comprenderían
Pres. Subj.	comprenda, comprendas, comprenda; comprendamos, comprendáis, comprendan
Imp. Subj.	comprendiera, comprendieras, comprendiera; comprendiéramos, comprendierais, comprendieran
	comprendiese, comprendieses, comprendiese; comprendiésemos, comprendieseis, comprendiesen
Pres. Perf.	he comprendido, has comprendido, ha comprendido; hemos comprendido, habéis comprendido, han comprendido
Pluperf.	había comprendido, habías comprendido, había comprendido; habíamos comprendido, habíais comprendido, habían comprendido
Past Ant.	hube comprendido, hubiste comprendido, hubo comprendido; hubimos comprendido, hubisteis comprendido, hubieron comprendido
Fut. Perf.	habré comprendido, habrás comprendido, habrá comprendido; habremos comprendido, habréis comprendido, habrán comprendido
Cond. Perf.	habría comprendido, habrías comprendido, habría comprendido; habríamos comprendido, habríais comprendido, habrían comprendido
Pres. Perf. Subj.	haya comprendido, hayas comprendido, haya comprendido; hayamos comprendido, hayáis comprendido, hayan comprendido
Plup. Subj.	hubiera comprendido, hubieras comprendido, hubiera comprendido; hubiéramos comprendido, hubierais comprendido, hubieran comprendido
	hubiese comprendido, hubieses comprendido, hubiese comprendido; hubiésemos comprendido, hubieseis comprendido, hubiesen comprendido
Imperative	—— comprende, comprenda; comprendamos, comprended, comprendan

PRES. PART. *conduciendo* PAST PART. *conducido* **conducir**

to lead, conduct, drive

Pres. Ind. conduzco, conduces, conduce;
conducimos, conducís, conducen

Imp. Ind. conducía, conducías, conducía;
conducíamos, conducíais, conducían

Pret. Ind. conduje, condujiste, condujo;
condujimos, condujisteis, condujeron

Fut. Ind. conduciré, conducirás, conducirá;
conduciremos, conduciréis, conducirán

Condit. conduciría, conducirías, conduciría;
conduciríamos, conduciríais, conducirían

Pres. Subj. conduzca, conduzcas, conduzca;
conduzcamos, conduzcáis, conduzcan

Imp. Subj. condujera, condujeras, condujera;
condujéramos, condujerais, condujeran

condujese, condujeses, condujese;
condujésemos, condujeseis, condujesen

Pres. Perf. he conducido, has conducido, ha conducido;
hemos conducido, habéis conducido, han conducido

Pluperf. había conducido, habías conducido, había conducido;
habíamos conducido, habíais conducido, habían conducido

Past Ant. hube conducido, hubiste conducido, hubo conducido;
hubimos conducido, hubisteis conducido, hubieron conducido

Fut. Perf. habré conducido, habrás conducido, habrá conducido;
habremos conducido, habréis conducido, habrán conducido

Cond. Perf. habría conducido, habrías conducido, habría conducido;
habríamos conducido, habríais conducido, habrían conducido

Pres. Perf. Subj. haya conducido, hayas conducido, haya conducido;
hayamos conducido, hayáis conducido, hayan conducido

Plup. Subj. hubiera conducido, hubieras conducido, hubiera conducido;
hubiéramos conducido, hubierais conducido, hubieran conducido

hubiese conducido, hubieses conducido, hubiese conducido;
hubiésemos conducido, hubieseis conducido, hubiesen conducido

Imperative —— conduce, conduzca;
conduzcamos, conducid, conduzcan

to confess

Pres. Ind.	confieso, confiesas, confiesa; confesamos, confesáis, confiesan
Imp. Ind.	confesaba, confesabas, confesaba; confesábamos, confesabais, confesaban
Pret. Ind.	confesé, confesaste, confesó; confesamos, confesasteis, confesaron
Fut. Ind.	confesaré, confesarás, confesará; confesaremos, confesaréis, confesarán
Condit.	confesaría, confesarías, confesaría; confesaríamos, confesaríais, confesarían
Pres. Subj.	confiese, confieses, confiese; confesemos, confeséis, confiesen
Imp. Subj.	confesara, confesaras, confesara; confesáramos, confesarais, confesaran confesase, confesases, confesase; confesásemos, confesaseis, confesasen
Pres. Perf.	he confesado, has confesado, ha confesado; hemos confesado, habéis confesado, han confesado
Pluperf.	había confesado, habías confesado, había confesado; habíamos confesado, habíais confesado, habían confesado
Past Ant.	hube confesado, hubiste confesado, hubo confesado; hubimos confesado, hubisteis confesado, hubieron confesado
Fut. Perf.	habré confesado, habrás confesado, habrá confesado; habremos confesado, habréis confesado, habrán confesado
Cond. Perf.	habría confesado, habrías confesado, habría confesado; habríamos confesado, habríais confesado, habrían confesado
Pres. Perf. Subj.	haya confesado, hayas confesado, haya confesado; hayamos confesado, hayáis confesado, hayan confesado
Plup. Subj.	hubiera confesado, hubieras confesado, hubiera confesado; hubiéramos confesado, hubierais confesado, hubieran confesado hubiese confesado, hubieses confesado, hubiese confesado; hubiésemos confesado, hubieseis confesado, hubiesen confesado
Imperative	—— confiesa, confiese; confesemos, confesad, confiesen

to confirm, verify

Pres. Ind.	confirmo, confirmas, confirma; confirmamos, confirmáis, confirman
Imp. Ind.	confirmaba, confirmabas, confirmaba; confirmábamos, confirmabais, confirmaban
Preterit	confirmé, confirmaste, confirmó; confirmamos, confirmasteis, confirmaron
Future	confirmaré, confirmarás, confirmará; confirmaremos, confirmaréis, confirmarán
Condit.	confirmaría, confirmarías, confirmaría; confirmaríamos, confirmaríais, confirmarían
Pres. Subj.	confirme, confirmes, confirme; confirmemos, confirméis, confirmen
Imp. Subj.	confirmara, confirmaras, confirmara; confirmáramos, confirmarais, confirmaran
	confirmase, confirmases, confirmase; confirmásemos, confirmaseis, confirmasen
Pres. Perf. Ind.	he confirmado, has confirmado, ha confirmado; hemos confirmado, habéis confirmado, han confirmado
Plup. Ind.	había confirmado, habías confirmado, había confirmado; habíamos confirmado, habíais confirmado, habían confirmado
Past Ant.	hube confirmado, hubiste confirmado, hubo confirmado; hubimos confirmado, hubisteis confirmado, hubieron confirmado
Fut. Perf.	habré confirmado, habrás confirmado, habrá confirmado; habremos confirmado, habréis confirmado, habrán confirmado
Cond. Perf.	habría confirmado, habrías confirmado, habría confirmado; habríamos confirmado, habríais confirmado, habrían confirmado
Pres. Perf. Subj.	haya confirmado, hayas confirmado, haya confirmado; hayamos confirmado, hayáis confirmado, hayan confirmado
Plup. Subj.	hubiera confirmado, hubieras confirmado, hubiera confirmado; hubiéramos confirmado, hubierais confirmado, hubieran confirmado
	hubiese confirmado, hubieses confirmado, hubiese confirmado; hubiésemos confirmado, hubieseis confirmado, hubiesen confirmado
Imperative	—— confirma, confirme; confirmemos, confirmad, confirmen

to know, be acquainted with

Pres. Ind.	conozco, conoces, conoce; conocemos, conocéis, conocen
Imp. Ind.	conocía, conocías, conocía; conocíamos, conocíais, conocían
Pret. Ind.	conocí, conociste, conoció; conocimos, conocisteis, conocieron
Fut. Ind.	conoceré, conocerás, conocerá; conoceremos, conoceréis, conocerán
Condit.	conocería, conocerías, conocería; conoceríamos, conoceríais, conocerían
Pres. Subj.	conozca, conozcas, conozca; conozcamos, conozcáis, conozcan
Imp. Subj.	conociera, conocieras, conociera; conociéramos, conocierais, conocieran
	conociese, conocieses, conociese; conociésemos, conocieseis, conociesen
Pres. Perf.	he conocido, has conocido, ha conocido; hemos conocido, habéis conocido, han conocido
Pluperf.	había conocido, habías conocido, había conocido; habíamos conocido, habíais conocido, habían conocido
Past Ant.	hube conocido, hubiste conocido, hubo conocido; hubimos conocido, hubisteis conocido, hubieron conocido
Fut. Perf.	habré conocido, habrás conocido, habrá conocido; habremos conocido, habréis conocido, habrán conocido
Cond. Perf.	habría conocido, habrías conocido, habría conocido; habríamos conocido, habríais conocido, habrían conocido
Pres. Perf. Subj.	haya conocido, hayas conocido, haya conocido; hayamos conocido, hayáis conocido, hayan conocido
Plup. Subj.	hubiera conocido, hubieras conocido, hubiera conocido; hubiéramos conocido, hubierais conocido, hubieran conocido
	hubiese conocido, hubieses conocido, hubiese conocido; hubiésemos conocido, hubieseis conocido, hubiesen conocido
Imperative	—— conoce, conozca; conozcamos, conoced, conozcan

to attain, get, obtain

Pres. Ind.	consigo, consigues, consigue; conseguimos, conseguís, consiguen
Imp. Ind.	conseguía, conseguías, conseguía; conseguíamos, conseguíais, conseguían
Pret. Ind.	conseguí, conseguiste, consiguió; conseguimos, conseguisteis, consiguieron
Fut. Ind.	conseguiré, conseguirás, conseguirá; conseguiremos, conseguiréis, conseguirán
Condit.	conseguiría, conseguirías, conseguiría; conseguiríamos, conseguiríais, conseguirían
Pres. Subj.	consiga, consigas, consiga; consigamos, consigáis, consigan
Imp. Subj.	consiguiera, consiguieras, consiguiera; consiguiéramos, consiguierais, consiguieran
	consiguiese, consiguieses, consiguiese; consiguiésemos, consiguieseis, consiguiesen
Pres. Perf.	he conseguido, has conseguido, ha conseguido; hemos conseguido, habéis conseguido, han conseguido
Pluperf.	había conseguido, habías conseguido, había conseguido; habíamos conseguido, habíais conseguido, habían conseguido
Past Ant.	hube conseguido, hubiste conseguido, hubo conseguido; hubimos conseguido, hubisteis conseguido, hubieron conseguido
Fut. Perf.	habré conseguido, habrás conseguido, habrá conseguido; habremos conseguido, habréis conseguido, habrán conseguido
Cond. Perf.	habría conseguido, habrías conseguido, habría conseguido; habríamos conseguido, habríais conseguido, habrían conseguido
Pres. Perf. Subj.	haya conseguido, hayas conseguido, haya conseguido; hayamos conseguido, hayáis conseguido, hayan conseguido
Plup. Subj.	hubiera conseguido, hubieras conseguido, hubiera conseguido; hubiéramos conseguido, hubierais conseguido, hubieran conseguido
	hubiese conseguido, hubieses conseguido, hubiese conseguido; hubiésemos conseguido, hubieseis conseguido, hubiesen conseguido
Imperative	—— consigue, consiga; consigamos, conseguid, consigan

to consider, examine, think over

Pres. Ind.	considero, consideras, considera; consideramos, consideráis, consideran
Imp. Ind.	consideraba, considerabas, consideraba; considerábamos, considerabais, consideraban
Preterit	consideré, consideraste, consideró; consideramos, considerasteis, consideraron
Future	consideraré, considerarás, considerará; consideraremos, consideraréis, considerarán
Condit.	consideraría, considerarías, consideraría; consideraríamos, consideraríais, considerarían
Pres. Subj.	considere, consideres, considere; consideremos, consideréis, consideren
Imp. Subj.	considerara, consideraras, considerara; consideráramos, considerarais, consideraran
	considerase, considerases, considerase; considerásemos, consideraseis, considerasen
Pres. Perf. Ind.	he considerado, has considerado, ha considerado; hemos considerado, habéis considerado, han considerado
Plup. Ind.	había considerado, habías considerado, había considerado; habíamos considerado, habíais considerado, habían considerado
Past Ant.	hube considerado, hubiste considerado, hubo considerado; hubimos considerado, hubisteis considerado, hubieron considerado
Fut. Perf.	habré considerado, habrás considerado, habrá considerado; habremos considerado, habréis considerado, habrán considerado
Cond. Perf.	habría considerado, habrías considerado, habría considerado; habríamos considerado, habríais considerado, habrían considerado
Pres. Perf. Subj.	haya considerado, hayas considerado, haya considerado; hayamos considerado, hayáis considerado, hayan considerado
Plup. Subj.	hubiera considerado, hubieras considerado, hubiera considerado; hubiéramos considerado, hubierais considerado, hubieran considerado
	hubiese considerado, hubieses considerado, hubiese considerado; hubiésemos considerado, hubieseis considerado, hubiesen considerado
Imperative	—— considera, considere; consideremos, considerad, consideren

to constitute, to make up

Pres. Ind.	constituyo, constituyes, constituye; constituimos, constituís, constituyen
Imp. Ind.	constituía, constituías, constituía; constituíamos, constituíais, constituían
Pret. Ind.	constituí, constituiste, constituyó; constituimos, constituisteis, constituyeron
Fut. Ind.	constituiré, constituirás, constituirá; constituiremos, constituiréis, constituirán
Condit.	constituiría, constituirías, constituiría; constituiríamos, constituiríais, constituirían
Pres. Subj.	constituya, constituyas, constituya; constituyamos, constituyáis, constituyan
Imp. Subj.	constituyera, constituyeras, constituyera; constituyéramos, constituyerais, constituyeran
	constituyese, constituyeses, constituyese; constituyésemos, constituyeseis, constituyesen
Pres. Perf.	he constituido, has constituido, ha constituido; hemos constituido, habéis constituido, han constituido
Pluperf.	había constituido, habías constituido, había constituido; habíamos constituido, habíais constituido, habían constituido
Past Ant.	hube constituido, hubiste constituido, hubo constituido; hubimos constituido, hubisteis constituido, hubieron constituido
Fut. Perf.	habré constituido, habrás constituido, habrá constituido; habremos constituido, habréis constituido, habrán constituido
Cond. Perf.	habría constituido, habrías constituido, habría constituido; habríamos constituido, habríais constituido, habrían constituido
Pres. Perf. Subj.	haya constituido, hayas constituido, haya constituido; hayamos constituido, hayáis constituido, hayan constituido
Plup. Subj.	hubiera constituido, hubieras constituido, hubiera constituido; hubiéramos constituido, hubierais constituido, hubieran constituido
	hubiese constituido, hubieses constituido, hubiese constituido; hubiésemos constituido, hubieseis constituido, hubiesen constituido
Imperative	—— constituye, constituya; constituyamos, constituid, constituyan

to construct, build

Pres. Ind.	construyo, construyes, construye; construimos, construís, construyen
Imp. Ind.	construía, construías, construía; construíamos, construíais, construían
Pret. Ind.	construí, construiste, construyó; construimos, construisteis, construyeron
Fut. Ind.	construiré, construirás, construirá; construiremos, construiréis, construirán
Condit.	construiría, construirías, construiría; construiríamos, construiríais, construirían
Pres. Subj.	construya, construyas, construya; construyamos, construyáis, construyan
Imp. Subj.	construyera, construyeras, construyera; construyéramos, construyerais, construyeran
	construyese, construyeses, construyese; construyésemos, construyeseis, construyesen
Pres. Perf.	he construido, has construido, ha construido; hemos construido, habéis construido, han construido
Pluperf.	había construido, habías construido, había construido; habíamos construido, habíais construido, habían construido
Past Ant.	hube construido, hubiste construido, hubo construido; hubimos construido, hubisteis construido, hubieron construido
Fut. Perf.	habré construido, habrás construido, habrá construido; habremos construido, habréis construido, habrán construido
Cond. Perf.	habría construido, habrías construido, habría construido; habríamos construido, habríais construido, habrían construido
Pres. Perf. Subj.	haya construido, hayas construido, haya construido; hayamos construido, hayáis construido, hayan construido
Plup. Subj.	hubiera construido, hubieras construido, hubiera construido; hubiéramos construido, hubierais construido, hubieran construido
	hubiese construido, hubieses construido, hubiese construido; hubiésemos construido, hubieseis construido, hubiesen construido
Imperative	—— construye, construya; construyamos, construid, construyan

to count, relate, tell

Pres. Ind.	cuento, cuentas, cuenta; contamos, contáis, cuentan
Imp. Ind.	contaba, contabas, contaba; contábamos, contabais, contaban
Pret. Ind.	conté, contaste, contó; contamos, contasteis, contaron
Fut. Ind.	contaré, contarás, contará; contaremos, contaréis, contarán
Condit.	contaría, contarías, contaría; contaríamos, contaríais, contarían
Pres. Subj.	cuente, cuentes, cuente; contemos, contéis, cuenten
Imp. Subj.	contara, contaras, contara; contáramos, contarais, contaran contase, contases, contase; contásemos, contaseis, contasen
Pres. Perf.	he contado, has contado, ha contado; hemos contado, habéis contado, han contado
Pluperf.	había contado, habías contado, había contado; habíamos contado, habíais contado, habían contado
Past Ant.	hube contado, hubiste contado, hubo contado; hubimos contado, hubisteis contado, hubieron contado
Fut. Perf.	habré contado, habrás contado, habrá contado; habremos contado, habréis contado, habrán contado
Cond. Perf.	habría contado, habrías contado, habría contado; habríamos contado, habríais contado, habrían contado
Pres. Perf. Subj.	haya contado, hayas contado, haya contado; hayamos contado, hayáis contado, hayan contado
Plup. Subj.	hubiera contado, hubieras contado, hubiera contado; hubiéramos contado, hubierais contado, hubieran contado hubiese contado, hubieses contado, hubiese contado; hubiésemos contado, hubieseis contado, hubiesen contado
Imperative	—— cuenta, cuente; contemos, contad, cuenten

to contain, hold

Pres. Ind.	contengo, contienes, contiene; contenemos, contenéis, contienen
Imp. Ind.	contenía, contenías, contenía; conteníamos, conteníais, contenían
Pret. Ind.	contuve, contuviste, contuvo; contuvimos, contuvisteis, contuvieron
Fut. Ind.	contendré, contendrás, contendrá; contendremos, contendréis, contendrán
Condit.	contendría, contendrías, contendría; contendríamos, contendríais, contendrían
Pres. Subj.	contenga, contengas, contenga; contengamos, contengáis, contengan
Imp. Subj.	contuviera, contuvieras, contuviera; contuviéramos, contuvierais, contuvieran contuviese, contuvieses, contuviese; contuviésemos, contuvieseis, contuviesen
Pres. Perf.	he contenido, has contenido, ha contenido; hemos contenido, habéis contenido, han contenido
Pluperf.	había contenido, habías contenido, había contenido; habíamos contenido, habíais contenido, habían contenido
Past Ant.	hube contenido, hubiste contenido, hubo contenido; hubimos contenido, hubisteis contenido, hubieron contenido
Fut. Perf.	habré contenido, habrás contenido, habrá contenido; habremos contenido, habréis contenido, habrán contenido
Cond. Perf.	habría contenido, habrías contenido, habría contenido; habríamos contenido, habríais contenido, habrían contenido
Pres. Perf. Subj.	haya contenido, hayas contenido, haya contenido; hayamos contenido, hayáis contenido, hayan contenido
Plup. Subj.	hubiera contenido, hubieras contenido, hubiera contenido; hubiéramos contenido, hubierais contenido, hubieran contenido hubiese contenido, hubieses contenido, hubiese contenido; hubiésemos contenido, hubieseis contenido, hubiesen contenido
Imperative	—— contén, contenga; contengamos, contened, contengan

to answer, reply

Pres. Ind.	contesto, contestas, contesta; contestamos, contestáis, contestan
Imp. Ind.	contestaba, contestabas, contestaba; contestábamos, contestabais, contestaban
Preterit	contesté, contestaste, contestó; contestamos, contestasteis, contestaron
Future	contestaré, contestarás, contestará; contestaremos, contestaréis, contestarán
Condit.	contestaría, contestarías, contestaría; contestaríamos, contestaríais, contestarían
Pres. Subj.	conteste, contestes, conteste; contestemos, contestéis, contesten
Imp. Subj.	contestara, contestaras, contestara; contestáramos, contestarais, contestaran
	contestase, contestases, contestase; contestásemos, contestaseis, contestasen
Pres. Perf. Ind.	he contestado, has contestado, ha contestado; hemos contestado, habéis contestado, han contestado
Plup. Ind.	había contestado, habías contestado, había contestado; habíamos contestado, habíais contestado, habían contestado
Past Ant.	hube contestado, hubiste contestado, hubo contestado; hubimos contestado, hubisteis contestado, hubieron contestado
Fut. Perf.	habré contestado, habrás contestado, habrá contestado; habremos contestado, habréis contestado, habrán contestado
Cond. Perf.	habría contestado, habrías contestado, habría contestado; habríamos contestado, habríais contestado, habrían contestado
Pres. Perf. Subj.	haya contestado, hayas contestado, haya contestado; hayamos contestado, hayáis contestado, hayan contestado
Plup. Subj.	hubiera contestado, hubieras contestado, hubiera contestado; hubiéramos contestado, hubierais contestado, hubieran contestado
	hubiese contestado, hubieses contestado, hubiese contestado; hubiésemos contestado, hubieseis contestado, hubiesen contestado
Imperative	—— contesta, conteste; contestemos, contestad, contesten

to continue

Pres. Ind.	continúo, continúas, continúa; continuamos, continuáis, continúan
Imp. Ind.	continuaba, continuabas, continuaba; continuábamos, continuabais, continuaban
Pret. Ind.	continué, continuaste, continuó; continuamos, continuasteis, continuaron
Fut. Ind.	continuaré, continuarás, continuará; continuaremos, continuaréis, continuarán
Condit.	continuaría, continuarías, continuaría; continuaríamos, continuaríais, continuarían
Pres. Subj.	continúe, continúes, continúe; continuemos, continuéis, continúen
Imp. Subj.	continuara, continuaras, continuara; continuáramos, continuarais, continuaran
	continuase, continuases, continuase; continuásemos, continuaseis, continuasen
Pres. Perf.	he continuado, has continuado, ha continuado; hemos continuado, habéis continuado, han continuado
Pluperf.	había continuado, habías continuado, había continuado; habíamos continuado, habíais continuado, habían continuado
Past Ant.	hube continuado, hubiste continuado, hubo continuado; hubimos continuado, hubisteis continuado, hubieron continuado
Fut. Perf.	habré continuado, habrás continuado, habrá continuado; habremos continuado, habréis continuado, habrán continuado
Cond. Perf.	habría continuado, habrías continuado, habría continuado; habríamos continuado, habríais continuado, habrían continuado
Pres. Perf. Subj.	haya continuado, hayas continuado, haya continuado; hayamos continuado, hayáis continuado, hayan continuado
Plup. Subj.	hubiera continuado, hubieras continuado, hubiera continuado; hubiéramos continuado, hubierais continuado, hubieran continuado
	hubiese continuado, hubieses continuado, hubiese continuado; hubiésemos continuado, hubieseis continuado, hubiesen continuado
Imperative	——— continúa, continúe; continuemos, continuad, continúen

to contradict

Pres. Ind.	contradigo, contradices, contradice; contradecimos, contradecís, contradicen
Imp. Ind.	contradecía, contradecías, contradecía; contradecíamos, contradecíais, contradecían
Pret. Ind.	contradije, contradijiste, contradijo; contradijimos, contradijisteis, contradijeron
Fut. Ind.	contradiré, contradirás, contradirá; contradiremos, contradiréis, contradirán
Condit.	contradiría, contradirías, contradiría; contradiríamos, contradiríais, contradirían
Pres. Subj.	contradiga, contradigas, contradiga; contradigamos, contradigáis, contradigan
Imp. Subj.	contradijera, contradijeras, contradijera; contradijéramos, contradijerais, contradijeran
	contradijese, contradijeses, contradijese; contradijésemos, contradijeseis, contradijesen
Pres. Perf.	he contradicho, has contradicho, ha contradicho; hemos contradicho, habéis contradicho, han contradicho
Pluperf.	había contradicho, habías contradicho, había contradicho; habíamos contradicho, habíais contradicho, habían contradicho
Past Ant.	hube contradicho, hubiste contradicho, hubo contradicho; hubimos contradicho, hubisteis contradicho, hubieron contradicho
Fut. Perf.	habré contradicho, habrás contradicho, habrá contradicho; habremos contradicho, habréis contradicho, habrán contradicho
Cond. Perf.	habría contradicho, habrías contradicho, habría contradicho; habríamos contradicho, habríais contradicho, habrían contradicho
Pres. Perf. Subj.	haya contradicho, hayas contradicho, haya contradicho; hayamos contradicho, hayáis contradicho, hayan contradicho
Plup. Subj.	hubiera contradicho, hubieras contradicho, hubiera contradicho; hubiéramos contradicho, hubierais contradicho, hubieran contradicho
	hubiese contradicho, hubieses contradicho, hubiese contradicho; hubiésemos contradicho, hubieseis contradicho, hubiesen contradicho
Imperative	—— contradí, contradiga; contradigamos, contradecid, contradigan

to contribute

Pres. Ind.	contribuyo, contribuyes, contribuye; contribuimos, contribuís, contribuyen
Imp. Ind.	contribuía, contribuías, contribuía; contribuíamos, contribuíais, contribuían
Pret. Ind.	contribuí, contribuiste, contribuyó; contribuimos, contribuisteis, contribuyeron
Fut. Ind.	contribuiré, contribuirás, contribuirá; contribuiremos, contribuiréis, contribuirán
Condit.	contribuiría, contribuirías, contribuiría; contribuiríamos, contribuiríais, contribuirían
Pres. Subj.	contribuya, contribuyas, contribuya; contribuyamos, contribuyáis, contribuyan
Imp. Subj.	contribuyera, contribuyeras, contribuyera; contribuyéramos, contribuyerais, contribuyeran
	contribuyese, contribuyeses, contribuyese; contribuyésemos, contribuyeseis, contribuyesen
Pres. Perf.	he contribuido, has contribuido, ha contribuido; hemos contribuido, habéis contribuido, han contribuido
Pluperf.	había contribuido, habías contribuido, había contribuido; habíamos contribuido, habíais contribuido, habían contribuido
Past Ant.	hube contribuido, hubiste contribuido, hubo contribuido; hubimos contribuido, hubisteis contribuido, hubieron contribuido
Fut. Perf.	habré contribuido, habrás contribuido, habrá contribuido; habremos contribuido, habréis contribuido, habrán contribuido
Cond. Perf.	habría contribuido, habrías contribuido, habría contribuido; habríamos contribuido, habríais contribuido, habrían contribuido
Pres. Perf. Subj.	haya contribuido, hayas contribuido, haya contribuido; hayamos contribuido, hayáis contribuido, hayan contribuido
Plup. Subj.	hubiera contribuido, hubieras contribuido, hubiera contribuido; hubiéramos contribuido, hubierais contribuido, hubieran contribuido
	hubiese contribuido, hubieses contribuido, hubiese contribuido; hubiésemos contribuido, hubieseis contribuido, hubiesen contribuido
Imperative	—— contribuye, contribuya; contribuyamos, contribuid, contribuyan

to convince

Pres. Ind.	convenzo, convences, convence; convencemos, convencéis, convencen
Imp. Ind.	convencía, convencías, convencía; convencíamos, convencíais, convencían
Pret. Ind.	convencí, convenciste, convenció; convencimos, convencisteis, convencieron
Fut. Ind.	convenceré, convencerás, convencerá; convenceremos, convenceréis, convencerán
Condit.	convencería, convencerías, convencería; convenceríamos, convenceríais, convencerían
Pres. Subj.	convenza, convenzas, convenza; convenzamos, convenzáis, convenzan
Imp. Subj.	convenciera, convencieras, convenciera; convenciéramos, convencierais, convencieran
	convenciese, convencieses, convenciese; convenciésemos, convencieseis, convenciesen
Pres. Perf.	he convencido, has convencido, ha convencido; hemos convencido, habéis convencido, han convencido
Pluperf.	había convencido, habías convencido, había convencido; habíamos convencido, habíais convencido, habían convencido
Past Ant.	hube convencido, hubiste convencido, hubo convencido; hubimos convencido, hubisteis convencido, hubieron convencido
Fut. Perf.	habré convencido, habrás convencido, habrá convencido; habremos convencido, habréis convencido, habrán convencido
Cond. Perf.	habría convencido, habrías convencido, habría convencido; habríamos convencido, habríais convencido, habrían convencido
Pres. Perf. Subj.	haya convencido, hayas convencido, haya convencido; hayamos convencido, hayáis convencido, hayan convencido
Plup. Subj.	hubiera convencido, hubieras convencido, hubiera convencido; hubiéramos convencido, hubierais convencido, hubieran convencido
	hubiese convencido, hubieses convencido, hubiese convencido; hubiésemos convencido, hubieseis convencido, hubiesen convencido
Imperative	—— convence, convenza; convenzamos, convenced, convenzan

to agree

Pres. Ind.	convengo, convienes, conviene; convenimos, convenís, convienen
Imp. Ind.	convenía, convenías, convenía; conveníamos, conveníais, convenían
Preterit	convine, conviniste, convino; convinimos, convinisteis, convinieron
Future	convendré, convendrás, convendrá; convendremos, convendréis, convendrán
Condit.	convendría, convendrías, convendría; convendríamos, convendríais, convendrían
Pres. Subj.	convenga, convengas, convenga; convengamos, convengáis, convengan
Imp. Subj.	conviniera, convinieras, conviniera; conviniéramos, convinierais, convinieran conviniese, convinieses, conviniese; conviniésemos, convinieseis, conviniesen
Pres. Perf. Ind.	he convenido, has convenido, ha convenido; hemos convenido, habéis convenido, han convenido
Plup. Ind.	había convenido, habías convenido, había convenido; habíamos convenido, habíais convenido, habían convenido
Past Ant.	hube convenido, hubiste convenido, hubo convenido; hubimos convenido, hubisteis convenido, hubieron convenido
Fut. Perf.	habré convenido, habrás convenido, habrá convenido; habremos convenido, habréis convenido, habrán convenido
Cond. Perf.	habría convenido, habrías convenido, habría convenido; habríamos convenido, habríais convenido, habrían convenido
Pres. Perf. Subj.	haya convenido, hayas convenido, haya convenido; hayamos convenido, hayáis convenido, hayan convenido
Plup. Subj.	hubiera convenido, hubieras convenido, hubiera convenido; hubiéramos convenido, hubierais convenido, hubieran convenido hubiese convenido, hubieses convenido, hubiese convenido; hubiésemos convenido, hubieseis convenido, hubiesen convenido
Imperative	—— conven, convenga; convengamos, convenid, convengan

to convert

Pres. Ind.	convierto, conviertes, convierte; convertimos, convertís, convierten
Imp. Ind.	convertía, convertías, convertía; convertíamos, convertíais, convertían
Preterit	convertí, convertiste, convirtió; convertimos, convertisteis, convirtieron
Future	convertiré, convertirás, convertirá; convertiremos, convertiréis, convertirán
Condit.	convertiría, convertirías, convertiría; convertiríamos, convertiríais, convertirían
Pres. Subj.	convierta, conviertas, convierta; convirtamos, convirtáis, conviertan
Imp. Subj.	convirtiera, convirtieras, convirtiera; convirtiéramos, convirtierais, convirtieran
	convirtiese, convirtieses, convirtiese; convirtiésemos, convirtieseis, convirtiesen
Pres. Perf. Ind.	he convertido, has convertido, ha convertido; hemos convertido, habéis convertido, han convertido
Plup. Ind.	había convertido, habías convertido, había convertido; habíamos convertido, habíais convertido, habían convertido
Past Ant.	hube convertido, hubiste convertido, hubo convertido; hubimos convertido, hubisteis convertido, hubieron convertido
Fut. Perf.	habré convertido, habrás convertido, habrá convertido; habremos convertido, habréis convertido, habrán convertido
Cond. Perf.	habría convertido, habrías convertido, habría convertido; habríamos convertido, habríais convertido, habrían convertido
Pres. Perf. Subj.	haya convertido, hayas convertido, haya convertido; hayamos convertido, hayáis convertido, hayan convertido
Plup. Subj.	hubiera convertido, hubieras convertido, hubiera convertido; hubiéramos convertido, hubierais convertido, hubieran convertido
	hubiese convertido, hubieses convertido, hubiese convertido; hubiésemos convertido, hubieseis convertido, hubiesen convertido
Imperative	—— convierte, convierta; convirtamos, convertid, conviertan

to call together, convene, convoke, summon

Pres. Ind.	convoco, convocas, convoca; convocamos, convocáis, convocan
Imp. Ind.	convocaba, convocabas, convocaba; convocábamos, convocabais, convocaban
Preterit	convoqué, convocaste, convocó; convocamos, convocasteis, convocaron
Future	convocaré, convocarás, convocará; convocaremos, convocaréis, convocarán
Condit.	convocaría, convocarías, convocaría; convocaríamos, convocaríais, convocarían
Pres. Subj.	convoque, convoques, convoque; convoquemos, convoquéis, convoquen
Imp. Subj.	convocara, convocaras, convocara; convocáramos, convocarais, convocaran
	convocase, convocases, convocase; convocásemos, convocaseis, convocasen
Pres. Perf. Ind.	he convocado, has convocado, ha convocado; hemos convocado, habéis convocado, han convocado
Plup. Ind.	había convocado, habías convocado, había convocado; habíamos convocado, habíais convocado, habían convocado
Past Ant.	hube convocado, hubiste convocado, hubo convocado; hubimos convocado, hubisteis convocado, hubieron convocado
Fut. Perf.	habré convocado, habrás convocado, habrá convocado; habremos convocado, habréis convocado, habrán convocado
Cond. Perf.	habría convocado, habrías convocado, habría convocado; habríamos convocado, habríais convocado, habrían convocado
Pres. Perf. Subj.	haya convocado, hayas convocado, haya convocado; hayamos convocado, hayáis convocado, hayan convocado
Plup. Subj.	hubiera convocado, hubieras convocado, hubiera convocado; hubiéramos convocado, hubierais convocado, hubieran convocado
	hubiese convocado, hubieses convocado, hubiese convocado; hubiésemos convocado, hubieseis convocado, hubiesen convocado
Imperative	—— convoca, convoque; convoquemos, convocad, convoquen

to copy

Pres. Ind.	copio, copias, copia; copiamos, copiáis, copian
Imp. Ind.	copiaba, copiabas, copiaba; copiábamos, copiabais, copiaban
Preterit	copié, copiaste, copió; copiamos, copiasteis, copiaron
Future	copiaré, copiarás, copiará; copiaremos, copiaréis, copiarán
Condit.	copiaría, copiarías, copiaría; copiaríamos, copiaríais, copiarían
Pres. Subj.	copie, copies, copie; copiemos, copiéis, copien
Imp. Subj.	copiara, copiaras, copiara; copiáramos, copiarais, copiaran
	copiase, copiases, copiase; copiásemos, copiaseis, copiasen
Pres. Perf. Ind.	he copiado, has copiado, ha copiado; hemos copiado, habéis copiado, han copiado
Plup. Ind.	había copiado, habías copiado, había copiado; habíamos copiado, habíais copiado, habían copiado
Past Ant.	hube copiado, hubiste copiado, hubo copiado; hubimos copiado, hubisteis copiado, hubieron copiado
Fut. Perf.	habré copiado, habrás copiado, habrá copiado; habremos copiado, habréis copiado, habrán copiado
Cond. Perf.	habría copiado, habrías copiado, habría copiado; habríamos copiado, habríais copiado, habrían copiado
Pres. Perf. Subj.	haya copiado, hayas copiado, haya copiado; hayamos copiado, hayáis copiado, hayan copiado
Plup. Subj.	hubiera copiado, hubieras copiado, hubiera copiado; hubiéramos copiado, hubierais copiado, hubieran copiado
	hubiese copiado, hubieses copiado, hubiese copiado; hubiésemos copiado, hubieseis copiado, hubiesen copiado
Imperative	—— copia, copie; copiemos, copiad, copien

to correct

Pres. Ind.	corrijo, corriges, corrige; corregimos, corregís, corrigen
Imp. Ind.	corregía, corregías, corregía; corregíamos, corregíais, corregían
Pret. Ind.	corregí, corregiste, corrigió; corregimos, corregisteis, corrigieron
Fut. Ind.	corregiré, corregirás, corregirá; corregiremos, corregiréis, corregirán
Condit.	corregiría, corregirías, corregiría; corregiríamos, corregiríais, corregirían
Pres. Subj.	corrija, corrijas, corrija; corrijamos, corrijáis, corrijan
Imp. Subj.	corrigiera, corrigieras, corrigiera; corrigiéramos, corrigierais, corrigieran corrigiese, corrigieses, corrigiese; corrigiésemos, corrigieseis, corrigiesen
Pres. Perf.	he corregido, has corregido, ha corregido; hemos corregido, habéis corregido, han corregido
Pluperf.	había corregido, habías corregido, había corregido; habíamos corregido, habíais corregido, habían corregido
Past Ant.	hube corregido, hubiste corregido, hubo corregido; hubimos corregido, hubisteis corregido, hubieron corregido
Fut. Perf.	habré corregido, habrás corregido, habrá corregido; habremos corregido, habréis corregido, habrán corregido
Cond. Perf.	habría corregido, habrías corregido, habría corregido; habríamos corregido, habríais corregido, habrían corregido
Pres. Perf. Subj.	haya corregido, hayas corregido, haya corregido; hayamos corregido, hayáis corregido, hayan corregido
Plup. Subj.	hubiera corregido, hubieras corregido, hubiera corregido; hubiéramos corregido, hubierais corregido, hubieran corregido hubiese corregido, hubieses corregido, hubiese corregido; hubiésemos corregido, hubieseis corregido, hubiesen corregido
Imperative	—— corrige, corrija; corrijamos, corregid, corrijan

to race, run, flow

Pres. Ind.	corro, corres, corre; corremos, corréis, corren
Imp. Ind.	corría, corrías, corría; corríamos, corríais, corrían
Preterit	corrí, corriste, corrió; corrimos, corristeis, corrieron
Future	correré, correrás, correrá; correremos, correréis, correrán
Condit.	correría, correrías, correría; correríamos, correríais, correrían
Pres. Subj.	corra, corras, corra; corramos, corráis, corran
Imp. Subj.	corriera, corrieras, corriera; corriéramos, corrierais, corrieran
	corriese, corrieses, corriese; corriésemos, corrieseis, corriesen
Pres. Perf. Ind.	he corrido, has corrido, ha corrido; hemos corrido, habéis corrido, han corrido
Plup. Ind.	había corrido, habías corrido, había corrido; habíamos corrido, habíais corrido, habían corrido
Past Ant.	hube corrido, hubiste corrido, hubo corrido; hubimos corrido, hubisteis corrido, hubieron corrido
Fut. Perf.	habré corrido, habrás corrido, habrá corrido; habremos corrido, habréis corrido, habrán corrido
Cond. Perf.	habría corrido, habrías corrido, habría corrido; habríamos corrido, habríais corrido, habrían corrido
Pres. Perf. Subj.	haya corrido, hayas corrido, haya corrido; hayamos corrido, hayáis corrido, hayan corrido
Plup. Subj.	hubiera corrido, hubieras corrido, hubiera corrido; hubiéramos corrido, hubierais corrido, hubieran corrido
	hubiese corrido, hubieses corrido, hubiese corrido; hubiésemos corrido, hubieseis corrido, hubiesen corrido
Imperative	—— corre, corra; corramos, corred, corran

to cost

Pres. Ind.	cuesta; cuestan
Imp. Ind.	costaba; costaban
Pret. Ind.	costó; costaron
Fut. Ind.	costará; costarán
Condit.	costaría; costarían
Pres. Subj.	cueste; cuesten
Imp. Subj.	costara; costaran
	costase; costasen
Pres. Perf.	ha costado; han costado
Pluperf.	había costado; habían costado
Past Ant.	hubo costado; hubieron costado
Fut. Perf.	habrá costado; habrán costado
Cond. Perf.	habría costado; habrían costado
Pres. Perf. Subj.	haya costado; hayan costado
Plup. Subj.	hubiera costado; hubieran costado
	hubiese costado; hubiesen costado
Imperative	que cueste; que cuesten

to grow

Pres. Ind.	crezco, creces, crece; crecemos, crecéis, crecen
Imp. Ind.	crecía, crecías, crecía; crecíamos, crecíais, crecían
Pret. Ind.	crecí, creciste, creció; crecimos, crecisteis, crecieron
Fut. Ind.	creceré, crecerás, crecerá; creceremos, creceréis, crecerán
Condit.	crecería, crecerías, crecería; creceríamos, creceríais, crecerían
Pres. Subj.	crezca, crezcas, crezca; crezcamos, crezcáis, crezcan
Imp. Subj.	creciera, crecieras, creciera; creciéramos, crecierais, crecieran
	creciese, crecieses, creciese; creciésemos, crecieseis, creciesen
Pres. Perf.	he crecido, has crecido, ha crecido; hemos crecido, habéis crecido, han crecido
Pluperf.	había crecido, habías crecido, había crecido; habíamos crecido, habíais crecido, habían crecido
Past Ant.	hube crecido, hubiste crecido, hubo crecido; hubimos crecido, hubisteis crecido, hubieron crecido
Fut. Perf.	habré crecido, habrás crecido, habrá crecido; habremos crecido, habréis crecido, habrán crecido
Cond. Perf.	habría crecido, habrías crecido, habría crecido; habríamos crecido, habríais crecido, habrían crecido
Pres. Perf. Subj.	haya crecido, hayas crecido, haya crecido; hayamos crecido, hayáis crecido, hayan crecido
Plup. Subj.	hubiera crecido, hubieras crecido, hubiera crecido; hubiéramos crecido, hubierais crecido, hubieran crecido
	hubiese crecido, hubieses crecido, hubiese crecido; hubiésemos crecido, hubieseis crecido, hubiesen crecido
Imperative	—— crece, crezca; crezcamos, creced, crezcan

to believe

Pres. Ind.	creo, crees, cree; creemos, creéis, creen
Imp. Ind.	creía, creías, creía; creíamos, creíais, creían
Pret. Ind.	creí, creíste, creyó; creímos, creísteis, creyeron
Fut. Ind.	creeré, creerás, creerá; creeremos, creeréis, creerán
Condit.	creería, creerías, creería; creeríamos, creeríais, creerían
Pres. Subj.	crea, creas, crea; creamos, creáis, crean
Imp. Subj.	creyera, creyeras, creyera; creyéramos, creyerais, creyeran
	creyese, creyeses, creyese; creyésemos, creyeseis, creyesen
Pres. Perf.	he creído, has creído, ha creído; hemos creído, habéis creído, han creído
Pluperf.	había creído, habías creído, había creído; habíamos creído, habíais creído, habían creído
Past Ant.	hube creído, hubiste creído, hubo creído; hubimos creído, hubisteis creído, hubieron creído
Fut. Perf.	habré creído, habrás creído, habrá creído; habremos creído, habréis creído, habrán creído
Cond. Perf.	habría creído, habrías creído, habría creído; habríamos creído, habríais creído, habrían creído
Pres. Perf. Subj.	haya creído, hayas creído, haya creído; hayamos creído, hayáis creído, hayan creído
Plup. Subj.	hubiera creído, hubieras creído, hubiera creído; hubiéramos creído, hubierais creído, hubieran creído
	hubiese creído, hubieses creído, hubiese creído; hubiésemos creído, hubieseis creído, hubiesen creído
Imperative	—— cree, crea; creamos, creed, crean

to breed, raise, bring up (rear)

Pres. Ind.	crío, crías, cría; criamos, criáis, crían
Imp. Ind.	criaba, criabas, criaba; criábamos, criabais, criaban
Preterit	crié, criaste, crió; criamos, criasteis, criaron
Future	criaré, criarás, criará; criaremos, criaréis, criarán
Condit.	criaría, criarías, criaría; criaríamos, criaríais, criarían
Pres. Subj.	críe, críes, críe; criemos, criéis, críen
Imp. Subj.	criara, criaras, criara; criáramos, criarais, criaran
	criase, criases, criase; criásemos, criaseis, criasen
Pres. Perf. Ind.	he criado, has criado, ha criado; hemos criado, habéis criado, han criado
Plup. Ind.	había criado, habías criado, había criado; habíamos criado, habíais criado, habían criado
Past Ant.	hube criado, hubiste criado, hubo criado; hubimos criado, hubisteis criado, hubieron criado
Fut. Perf.	habré criado, habrás criado, habrá criado; habremos criado, habréis criado, habrán criado
Cond. Perf.	habría criado, habrías criado, habría criado; habríamos criado, habríais criado, habrían criado
Pres. Perf. Subj.	haya criado, hayas criado, haya criado; hayamos criado, hayáis criado, hayan criado
Plup. Subj.	hubiera criado, hubieras criado, hubiera criado; hubiéramos criado, hubierais criado, hubieran criado
	hubiese criado, hubieses criado, hubiese criado; hubiésemos criado, hubieseis criado, hubiesen criado
Imperative	—— cría, críe; criemos, criad, críen

to cross

Pres. Ind.	cruzo, cruzas, cruza; cruzamos, cruzáis, cruzan
Imp. Ind.	cruzaba, cruzabas, cruzaba; cruzábamos, cruzabais, cruzaban
Pret. Ind.	crucé, cruzaste, cruzó; cruzamos, cruzasteis, cruzaron
Fut. Ind.	cruzaré, cruzarás, cruzará; cruzaremos, cruzaréis, cruzarán
Condit.	cruzaría, cruzarías, cruzaría; cruzaríamos, cruzaríais, cruzarían
Pres. Subj.	cruce, cruces, cruce; crucemos, crucéis, crucen
Imp. Subj.	cruzara, cruzaras, cruzara; cruzáramos, cruzarais, cruzaran
	cruzase, cruzases, cruzase; cruzásemos, cruzaseis, cruzasen
Pres. Perf.	he cruzado, has cruzado, ha cruzado; hemos cruzado, habéis cruzado, han cruzado
Pluperf.	había cruzado, habías cruzado, había cruzado; habíamos cruzado, habíais cruzado, habían cruzado
Past Ant.	hube cruzado, hubiste cruzado, hubo cruzado; hubimos cruzado, hubisteis cruzado, hubieron cruzado
Fut. Perf.	habré cruzado, habrás cruzado, habrá cruzado; habremos cruzado, habréis cruzado, habrán cruzado
Cond. Perf.	habría cruzado, habrías cruzado, habría cruzado; habríamos cruzado, habríais cruzado, habrían cruzado
Pres. Perf. Subj.	haya cruzado, hayas cruzado, haya cruzado; hayamos cruzado, hayáis cruzado, hayan cruzado
Plup. Subj.	hubiera cruzado, hubieras cruzado, hubiera cruzado; hubiéramos cruzado, hubierais cruzado, hubieran cruzado
	hubiese cruzado, hubieses cruzado, hubiese cruzado; hubiésemos cruzado, hubieseis cruzado, hubiesen cruzado
Imperative	—— cruza, cruce; crucemos, cruzad, crucen

to cover

Pres. Ind.	cubro, cubres, cubre; cubrimos, cubrís, cubren
Imp. Ind.	cubría, cubrías, cubría; cubríamos, cubríais, cubrían
Pret. Ind.	cubrí, cubriste, cubrió; cubrimos, cubristeis, cubrieron
Fut. Ind.	cubriré, cubrirás, cubrirá; cubriremos, cubriréis, cubrirán
Condit.	cubriría, cubrirías, cubriría; cubriríamos, cubriríais, cubrirían
Pres. Subj.	cubra, cubras, cubra; cubramos, cubráis, cubran
Imp. Subj.	cubriera, cubrieras, cubriera; cubriéramos, cubrierais, cubrieran
	cubriese, cubrieses, cubriese; cubriésemos, cubrieseis, cubriesen
Pres. Perf.	he cubierto, has cubierto, ha cubierto; hemos cubierto, habéis cubierto, han cubierto
Pluperf.	había cubierto, habías cubierto, había cubierto; habíamos cubierto, habíais cubierto, habían cubierto
Past Ant.	hube cubierto, hubiste cubierto, hubo cubierto; hubimos cubierto, hubisteis cubierto, hubieron cubierto
Fut. Perf.	habré cubierto, habrás cubierto, habrá cubierto; habremos cubierto, habréis cubierto, habrán cubierto
Cond. Perf.	habría cubierto, habrías cubierto, habría cubierto; habríamos cubierto, habríais cubierto, habrían cubierto
Pres. Perf. Subj.	haya cubierto, hayas cubierto, haya cubierto; hayamos cubierto, hayáis cubierto, hayan cubierto
Plup. Subj.	hubiera cubierto, hubieras cubierto, hubiera cubierto; hubiéramos cubierto, hubierais cubierto, hubieran cubierto
	hubiese cubierto, hubieses cubierto, hubiese cubierto; hubiésemos cubierto, hubieseis cubierto, hubiesen cubierto
Imperative	—— cubre, cubra; cubramos, cubrid, cubran

to fulfill, keep (a promise), reach one's birthday (use with **años**)

Pres. Ind.	cumplo, cumples, cumple; cumplimos, cumplís, cumplen
Imp. Ind.	cumplía, cumplías, cumplía; cumplíamos, cumplíais, cumplían
Preterit	cumplí, cumpliste, cumplió; cumplimos, cumplisteis, cumplieron
Future	cumpliré, cumplirás, cumplirá; cumpliremos, cumpliréis, cumplirán
Condit.	cumpliría, cumplirías, cumpliría; cumpliríamos, cumpliríais, cumplirían
Pres. Subj.	cumpla, cumplas, cumpla; cumplamos, cumpláis, cumplan
Imp. Subj.	cumpliera, cumplieras, cumpliera; cumpliéramos, cumplierais, cumplieran
	cumpliese, cumplieses, cumpliese; cumpliésemos, cumplieseis, cumpliesen
Pres. Perf. Ind.	he cumplido, has cumplido, ha cumplido; hemos cumplido, habéis cumplido, han cumplido
Plup. Ind.	había cumplido, habías cumplido, había cumplido; habíamos cumplido, habíais cumplido, habían cumplido
Past Ant.	hube cumplido, hubiste cumplido, hubo cumplido; hubimos cumplido, hubisteis cumplido, hubieron cumplido
Fut. Perf.	habré cumplido, habrás cumplido, habrá cumplido; habremos cumplido, habréis cumplido, habrán cumplido
Cond. Perf.	habría cumplido, habrías cumplido, habría cumplido; habríamos cumplido, habríais cumplido, habrían cumplido
Pres. Perf. Subj.	haya cumplido, hayas cumplido, haya cumplido; hayamos cumplido, hayáis cumplido, hayan cumplido
Plup. Subj.	hubiera cumplido, hubieras cumplido, hubiera cumplido; hubiéramos cumplido, hubierais cumplido, hubieran cumplido
	hubiese cumplido, hubieses cumplido, hubiese cumplido; hubiésemos cumplido, hubieseis cumplido, hubiesen cumplido
Imperative	—— cumple, cumpla; cumplamos, cumplid, cumplan

to crease, flatten, crumple

Pres. Ind.	chafo, chafas, chafa; chafamos, chafáis, chafan
Imp. Ind.	chafaba, chafabas, chafaba; chafábamos, chafabais, chafaban
Preterit	chafé, chafaste, chafó; chafamos, chafasteis, chafaron
Future	chafaré, chafarás, chafará; chafaremos, chafaréis, chafarán
Condit.	chafaría, chafarías, chafaría; chafaríamos, chafaríais, chafarían
Pres. Subj.	chafe, chafes, chafe; chafemos, chaféis, chafen
Imp. Subj.	chafara, chafaras, chafara; chafáramos, chafarais, chafaran
	chafase, chafases, chafase; chafásemos, chafaseis, chafasen
Pres. Perf. Ind.	he chafado, has chafado, ha chafado; hemos chafado, habéis chafado, han chafado
Plup. Ind.	había chafado, habías chafado, había chafado; habíamos chafado, habíais chafado, habían chafado
Past Ant.	hube chafado, hubiste chafado, hubo chafado; hubimos chafado, hubisteis chafado, hubieron chafado
Fut. Perf.	habré chafado, habrás chafado, habrá chafado; habremos chafado, habréis chafado, habrán chafado
Cond. Perf.	habría chafado, habrías chafado, habría chafado; habríamos chafado, habríais chafado, habrían chafado
Pres. Perf. Subj.	haya chafado, hayas chafado, haya chafado; hayamos chafado, hayáis chafado, hayan chafado
Plup. Subj.	hubiera chafado, hubieras chafado, hubiera chafado; hubiéramos chafado, hubierais chafado, hubieran chafado
	hubiese chafado, hubieses chafado, hubiese chafado; hubiésemos chafado, hubieseis chafado, hubiesen chafado
Imperative	—— chafa, chafe; chafemos, chafad, chafen

to chat, prattle

Pres. Ind.	charlo, charlas, charla; charlamos, charláis, charlan
Imp. Ind.	charlaba, charlabas, charlaba; charlábamos, charlabais, charlaban
Pret. Ind.	charlé, charlaste, charló; charlamos, charlasteis, charlaron
Fut. Ind.	charlaré, charlarás, charlará; charlaremos, charlaréis, charlarán
Condit.	charlaría, charlarías, charlaría; charlaríamos, charlaríais, charlarían
Pres. Subj.	charle, charles, charle; charlemos, charléis, charlen
Imp. Subj.	charlara, charlaras, charlara; charláramos, charlarais, charlaran
	charlase, charlases, charlase; charlásemos, charlaseis, charlasen
Pres. Perf.	he charlado, has charlado, ha charlado; hemos charlado, habéis charlado, han charlado
Pluperf.	había charlado, habías charlado, había charlado; habíamos charlado, habíais charlado, habían charlado
Past Ant.	hube charlado, hubiste charlado, hubo charlado; hubimos charlado, hubisteis charlado, hubieron charlado
Fut. Perf.	habré charlado, habrás charlado, habrá charlado; habremos charlado, habréis charlado, habrán charlado
Cond. Perf.	habría charlado, habrías charlado, habría charlado; habríamos charlado, habríais charlado, habrían charlado
Pres. Perf. Subj.	haya charlado, hayas charlado, haya charlado; hayamos charlado, hayáis charlado, hayan charlado
Plup. Subj.	hubiera charlado, hubieras charlado, hubiera charlado; hubiéramos charlado, hubierais charlado, hubieran charlado
	hubiese charlado, hubieses charlado, hubiese charlado; hubiésemos charlado, hubieseis charlado, hubiesen charlado
Imperative	—— charla, charle; charlemos, charlad, charlen

to mumble, mutter

Pres. Ind.	chisto, chistas, chista; chistamos, chistáis, chistan
Imp. Ind.	chistaba, chistabas, chistaba; chistábamos, chistabais, chistaban
Preterit	chisté, chistaste, chistó; chistamos, chistasteis, chistaron
Future	chistaré, chistarás, chistará; chistaremos, chistaréis, chistarán
Condit.	chistaría, chistarías, chistaría; chistaríamos, chistaríais, chistarían
Pres. Subj.	chiste, chistes, chiste; chistemos, chistéis, chisten
Imp. Subj.	chistara, chistaras, chistara; chistáramos, chistarais, chistaran
	chistase, chistases, chistase; chistásemos, chistaseis, chistasen
Pres. Perf. Ind.	he chistado, has chistado, ha chistado; hemos chistado, habéis chistado, han chistado
Plup. Ind.	había chistado, habías chistado, había chistado; habíamos chistado, habíais chistado, habían chistado
Past Ant.	hube chistado, hubiste chistado, hubo chistado; hubimos chistado, hubisteis chistado, hubieron chistado
Fut. Perf.	habré chistado, habrás chistado, habrá chistado; habremos chistado, habréis chistado, habrán chistado
Cond. Perf.	habría chistado, habrías chistado, habría chistado; habríamos chistado, habríais chistado, habrían chistado
Pres. Perf. Subj.	haya chistado, hayas chistado, haya chistado; hayamos chistado, hayáis chistado, hayan chistado
Plup. Subj.	hubiera chistado, hubieras chistado, hubiera chistado; hubiéramos chistado, hubierais chistado, hubieran chistado
	hubiese chistado, hubieses chistado, hubiese chistado; hubiésemos chistado, hubieseis chistado, hubiesen chistado
Imperative	—— chista, chiste; chistemos, chistad, chisten

to suck

Pres. Ind.	chupo, chupas, chupa; chupamos, chupáis, chupan
Imp. Ind.	chupaba, chupabas, chupaba; chupábamos, chupabais, chupaban
Preterit	chupé, chupaste, chupó; chupamos, chupasteis, chuparon
Future	chuparé, chuparás, chupará; chuparemos, chuparéis, chuparán
Condit.	chuparía, chuparías, chuparía; chuparíamos, chuparíais, chuparían
Pres. Subj.	chupe, chupes, chupe; chupemos, chupéis, chupen
Imp. Subj.	chupara, chuparas, chupara; chupáramos, chuparais, chuparan
	chupase, chupases, chupase; chupásemos, chupaseis, chupasen
Pres. Perf. Ind.	he chupado, has chupado, ha chupado; hemos chupado, habéis chupado, han chupado
Plup. Ind.	había chupado, habías chupado, había chupado; habíamos chupado, habíais chupado, habían chupado
Past Ant.	hube chupado, hubiste chupado, hubo chupado; hubimos chupado, hubisteis chupado, hubieron chupado
Fut. Perf.	habré chupado, habrás chupado, habrá chupado; habremos chupado, habréis chupado, habrán chupado
Cond. Perf.	habría chupado, habrías chupado, habría chupado; habríamos chupado, habríais chupado, habrían chupado
Pres. Perf. Subj.	haya chupado, hayas chupado, haya chupado; hayamos chupado, hayáis chupado, hayan chupado
Plup. Subj.	hubiera chupado, hubieras chupado, hubiera chupado; hubiéramos chupado, hubierais chupado, hubieran chupado
	hubiese chupado, hubieses chupado, hubiese chupado; hubiésemos chupado, hubieseis chupado, hubiesen chupado
Imperative	—— chupa, chupe; chupemos, chupad, chupen

to give

Pres. Ind.	doy, das, da; damos, dais, dan
Imp. Ind.	daba, dabas, daba; dábamos, dabais, daban
Pret. Ind.	di, diste, dio; dimos, disteis, dieron
Fut. Ind.	daré, darás, dará; daremos, daréis, darán
Condit.	daría, darías, daría; daríamos, daríais, darían
Pres. Subj.	dé, des, dé; demos, deis, den
Imp. Subj.	diera, dieras, diera; diéramos, dierais, dieran diese, dieses, diese; diésemos, dieseis, diesen
Pres. Perf.	he dado, has dado, ha dado; hemos dado, habéis dado, han dado
Pluperf.	había dado, habías dado, había dado; habíamos dado, habíais dado, habían dado
Past Ant.	hube dado, hubiste dado, hubo dado; hubimos dado, hubisteis dado, hubieron dado
Fut. Perf.	habré dado, habrás dado, habrá dado; habremos dado, habréis dado, habrán dado
Cond. Perf.	habría dado, habrías dado, habría dado; habríamos dado, habríais dado, habrían dado
Pres. Perf. Subj.	haya dado, hayas dado, haya dado; hayamos dado, hayáis dado, hayan dado
Plup. Subj.	hubiera dado, hubieras dado, hubiera dado; hubiéramos dado, hubierais dado, hubieran dado hubiese dado, hubieses dado, hubiese dado; hubiésemos dado, hubieseis dado, hubiesen dado
Imperative	—— da, dé; demos, dad, den

to owe, must, ought, have to

Pres. Ind.	debo, debes, debe; debemos, debéis, deben
Imp. Ind.	debía, debías, debía; debíamos, debíais, debían
Pret. Ind.	debí, debiste, debió; debimos, debisteis, debieron
Fut. Ind.	deberé, deberás, deberá; deberemos, deberéis, deberán
Condit.	debería, deberías, debería; deberíamos, deberíais, deberían
Pres. Subj.	deba, debas, deba; debamos, debáis, deban
Imp. Subj.	debiera, debieras, debiera; debiéramos, debierais, debieran debiese, debieses, debiese; debiésemos, debieseis, debiesen
Pres. Perf.	he debido, has debido, ha debido; hemos debido, habéis debido, han debido
Pluperf.	había debido, habías debido, había debido; habíamos debido, habíais debido, habían debido
Past Ant.	hube debido, hubiste debido, hubo debido; hubimos debido, hubisteis debido, hubieron debido
Fut. Perf.	habré debido, habrás debido, habrá debido; habremos debido, habréis debido, habrán debido
Cond. Perf.	habría debido, habrías debido, habría debido; habríamos debido, habríais debido, habrían debido
Pres. Perf. Subj.	haya debido, hayas debido, haya debido; hayamos debido, hayáis debido, hayan debido
Plup. Subj.	hubiera debido, hubieras debido, hubiera debido; hubiéramos debido, hubierais debido, hubieran debido hubiese debido, hubieses debido, hubiese debido; hubiésemos debido, hubieseis debido, hubiesen debido
Imperative	—— debe, deba; debamos, debed, deban

to decide

Pres. Ind.	decido, decides, decide; decidimos, decidís, deciden
Imp. Ind.	decidía, decidías, decidía; decidíamos, decidíais, decidían
Pret. Ind.	decidí, decidiste, decidió; decidimos, decidisteis, decidieron
Fut. Ind.	decidiré, decidirás, decidirá; decidiremos, decidiréis, decidirán
Condit.	decidiría, decidirías, decidiría; decidiríamos, decidiríais, decidirían
Pres. Subj.	decida, decidas, decida; decidamos, decidáis, decidan
Imp. Subj.	decidiera, decidieras, decidiera; decidiéramos, decidierais, decidieran decidiese, decidieses, decidiese; decidiésemos, decidieseis, decidiesen
Pres. Perf.	he decidido, has decidido, ha decidido; hemos decidido, habéis decidido, han decidido
Pluperf.	había decidido, habías decidido, había decidido; habíamos decidido, habíais decidido, habían decidido
Past Ant.	hube decidido, hubiste decidido, hubo decidido; hubimos decidido, hubisteis decidido, hubieron decidido
Fut. Perf.	habré decidido, habrás decidido, habrá decidido; habremos decidido, habréis decidido, habrán decidido
Cond. Perf.	habría decidido, habrías decidido, habría decidido; habríamos decidido, habríais decidido, habrían decidido
Pres. Perf. Subj.	haya decidido, hayas decidido, haya decidido; hayamos decidido, hayáis decidido, hayan decidido
Plup. Subj.	hubiera decidido, hubieras decidido, hubiera decidido; hubiéramos decidido, hubierais decidido, hubieran decidido hubiese decidido, hubieses decidido, hubiese decidido; hubiésemos decidido, hubieseis decidido, hubiesen decidido
Imperative	—— decide, decida; decidamos, decidid, decidan

to say, tell

Pres. Ind.	digo, dices, dice; decimos, decís, dicen
Imp. Ind.	decía, decías, decía; decíamos, decíais, decían
Pret. Ind.	dije, dijiste, dijo; dijimos, dijisteis, dijeron
Fut. Ind.	diré, dirás, dirá; diremos, diréis, dirán
Condit.	diría, dirías, diría; diríamos, diríais, dirían
Pres. Subj.	diga, digas, diga; digamos, digáis, digan
Imp. Subj.	dijera, dijeras, dijera; dijéramos, dijerais, dijeran dijese, dijeses, dijese; dijésemos, dijeseis, dijesen
Pres. Perf.	he dicho, has dicho, ha dicho; hemos dicho, habéis dicho, han dicho
Pluperf.	había dicho, habías dicho, había dicho; habíamos dicho, habíais dicho, habían dicho
Past Ant.	hube dicho, hubiste dicho, hubo dicho; hubimos dicho, hubisteis dicho, hubieron dicho
Fut. Perf.	habré dicho, habrás dicho, habrá dicho; habremos dicho, habréis dicho, habrán dicho
Cond. Perf.	habría dicho, habrías dicho, habría dicho; habríamos dicho, habríais dicho, habrían dicho
Pres. Perf. Subj.	haya dicho, hayas dicho, haya dicho; hayamos dicho, hayáis dicho, hayan dicho
Plup. Subj.	hubiera dicho, hubieras dicho, hubiera dicho; hubiéramos dicho, hubierais dicho, hubieran dicho hubiese dicho, hubieses dicho, hubiese dicho; hubiésemos dicho, hubieseis dicho, hubiesen dicho
Imperative	—— di, diga; digamos, decid, digan

to dedicate, devote

Pres. Ind.	dedico, dedicas, dedica; dedicamos, dedicáis, dedican
Imp. Ind.	dedicaba, dedicabas, dedicaba; dedicábamos, dedicabais, dedicaban
Pret. Ind.	dediqué, dedicaste, dedicó; dedicamos, dedicasteis, dedicaron
Fut. Ind.	dedicaré, dedicarás, dedicará; dedicaremos, dedicaréis, dedicarán
Condit.	dedicaría, dedicarías, dedicaría; dedicaríamos, dedicaríais, dedicarían
Pres. Subj.	dedique, dediques, dedique; dediquemos, dediquéis, dediquen
Imp. Subj.	dedicara, dedicaras, dedicara; dedicáramos, dedicarais, dedicaran
	dedicase, dedicases, dedicase; dedicásemos, dedicaseis, dedicasen
Pres. Perf.	he dedicado, has dedicado, ha dedicado; hemos dedicado, habéis dedicado, han dedicado
Pluperf.	había dedicado, habías dedicado, había dedicado; habíamos dedicado, habíais dedicado, habían dedicado
Past Ant.	hube dedicado, hubiste dedicado, hubo dedicado; hubimos dedicado, hubisteis dedicado, hubieron dedicado
Fut. Perf.	habré dedicado, habrás dedicado, habrá dedicado; habremos dedicado, habréis dedicado, habrán dedicado
Cond. Perf.	habría dedicado, habrías dedicado, habría dedicado; habríamos dedicado, habríais dedicado, habrían dedicado
Pres. Perf. Subj.	haya dedicado, hayas dedicado, haya dedicado; hayamos dedicado, hayáis dedicado, hayan dedicado
Plup. Subj.	hubiera dedicado, hubieras dedicado, hubiera dedicado; hubiéramos dedicado, hubierais dedicado, hubieran dedicado
	hubiese dedicado, hubieses dedicado, hubiese dedicado; hubiésemos dedicado, hubieseis dedicado, hubiesen dedicado
Imperative	—— dedica, dedique; dediquemos, dedicad, dediquen

to devote oneself

Pres. Ind.	me dedico, te dedicas, se dedica; nos dedicamos, os dedicáis, se dedican
Imp. Ind.	me dedicaba, te dedicabas, se dedicaba; nos dedicábamos, os dedicabais, se dedicaban
Preterit	me dediqué, te dedicaste, se dedicó; nos dedicamos, os dedicasteis, se dedicaron
Future	me dedicaré, te dedicarás, se dedicará; nos dedicaremos, os dedicaréis, se dedicarán
Condit.	me dedicaría, te dedicarías, se dedicaría; nos dedicaríamos, os dedicaríais, se dedicarían
Pres. Subj.	me dedique, te dediques, se dedique; nos dediquemos, os dediquéis, se dediquen
Imp. Subj.	me dedicara, te dedicaras, se dedicara; nos dedicáramos, os dedicarais, se dedicaran
	me dedicase, te dedicases, se dedicase; nos dedicásemos, os dedicaseis, se dedicasen
Pres. Perf. Ind.	me he dedicado, te has dedicado, se ha dedicado; nos hemos dedicado, os habéis dedicado, se han dedicado
Plup. Ind.	me había dedicado, te habías dedicado, se había dedicado; nos habíamos dedicado, os habíais dedicado, se habían dedicado
Past Ant.	me hube dedicado, te hubiste dedicado, se hubo dedicado; nos hubimos dedicado, os hubisteis dedicado, se hubieron dedicado
Fut. Perf.	me habré dedicado, te habrás dedicado, se habrá dedicado; nos habremos dedicado, os habréis dedicado, se habrán dedicado
Cond. Perf.	me habría dedicado, te habrías dedicado, se habría dedicado; nos habríamos dedicado, os habríais dedicado, se habrían dedicado
Pres. Perf. Subj.	me haya dedicado, te hayas dedicado, se haya dedicado; nos hayamos dedicado, os hayáis dedicado, se hayan dedicado
Plup. Subj.	me hubiera dedicado, te hubieras dedicado, se hubiera dedicado; nos hubiéramos dedicado, os hubierais dedicado, se hubieran dedicado
	me hubiese dedicado, te hubieses dedicado, se hubiese dedicado; nos hubiésemos dedicado, os hubieseis dedicado, se hubiesen dedicado
Imperative	—— dedícate, dedíquese; dediquémonos, dedicaos, dedíquense

to defend

Pres. Ind.	defiendo, defiendes, defiende; defendemos, defendéis, defienden
Imp. Ind.	defendía, defendías, defendía; defendíamos, defendíais, defendían
Pret. Ind.	defendí, defendiste, defendió; defendimos, defendisteis, defendieron
Fut. Ind.	defenderé, defenderás, defenderá; defenderemos, defenderéis, defenderán
Condit.	defendería, defenderías, defendería; defenderíamos, defenderíais, defenderían
Pres. Subj.	defienda, defiendas, defienda; defendamos, defendáis, defiendan
Imp. Subj.	defendiera, defendieras, defendiera; defendiéramos, defendierais, defendieran
	defendiese, defendieses, defendiese; defendiésemos, defendieseis, defendiesen
Pres. Perf.	he defendido, has defendido, ha defendido; hemos defendido, habéis defendido, han defendido
Pluperf.	había defendido, habías defendido, había defendido; habíamos defendido, habíais defendido, habían defendido
Past Ant.	hube defendido, hubiste defendido, hubo defendido; hubimos defendido, hubisteis defendido, hubieron defendido
Fut. Perf.	habré defendido, habrás defendido, habrá defendido; habremos defendido, habréis defendido, habrán defendido
Cond. Perf.	habría defendido, habrías defendido, habría defendido; habríamos defendido, habríais defendido, habrían defendido
Pres. Perf. Subj.	haya defendido, hayas defendido, haya defendido; hayamos defendido, hayáis defendido, hayan defendido
Plup. Subj.	hubiera defendido, hubieras defendido, hubiera defendido; hubiéramos defendido, hubierais defendido, hubieran defendido
	hubiese defendido, hubieses defendido, hubiese defendido; hubiésemos defendido, hubieseis defendido, hubiesen defendido
Imperative	—— defiende, defienda; defendamos, defended, defiendan

to let, permit, allow, leave

Pres. Ind.	dejo, dejas, deja; dejamos, dejáis, dejan
Imp. Ind.	dejaba, dejabas, dejaba; dejábamos, dejabais, dejaban
Pret. Ind.	dejé, dejaste, dejó; dejamos, dejasteis, dejaron
Fut. Ind.	dejaré, dejarás, dejará; dejaremos, dejaréis, dejarán
Condit.	dejaría, dejarías, dejaría; dejaríamos, dejaríais, dejarían
Pres. Subj.	deje, dejes, deje; dejemos, dejéis, dejen
Imp. Subj.	dejara, dejaras, dejara; dejáramos, dejarais, dejaran
	dejase, dejases, dejase; dejásemos, dejaseis, dejasen
Pres. Perf.	he dejado, has dejado, ha dejado; hemos dejado, habéis dejado, han dejado
Pluperf.	había dejado, habías dejado, había dejado; habíamos dejado, habíais dejado, habían dejado
Past Ant.	hube dejado, hubiste dejado, hubo dejado; hubimos dejado, hubisteis dejado, hubieron dejado
Fut. Perf.	habré dejado, habrás dejado, habrá dejado; habremos dejado, habréis dejado, habrán dejado
Cond. Perf.	habría dejado, habrías dejado, habría dejado; habríamos dejado, habríais dejado, habrían dejado
Pres. Perf. Subj.	haya dejado, hayas dejado, haya dejado; hayamos dejado, hayáis dejado, hayan dejado
Plup. Subj.	hubiera dejado, hubieras dejado, hubiera dejado; hubiéramos dejado, hubierais dejado, hubieran dejado
	hubiese dejado, hubieses dejado, hubiese dejado; hubiésemos dejado, hubieseis dejado, hubiesen dejado
Imperative	—— deja, deje; dejemos, dejad, dejen

to be guilty, offend

Pres. Ind.	delinco, delinques, delinque; delinquimos, delinquís, delinquen
Imp. Ind.	delinquía, delinquías, delinquía; delinquíamos, delinquíais, delinquían
Preterit	delinquí, delinquiste, delinquió; delinquimos, delinquisteis, delinquieron
Future	delinquiré, delinquirás, delinquirá; delinquiremos, delinquiréis, delinquirán
Condit.	delinquiría, delinquirías, delinquiría; delinquiríamos, delinquiríais, delinquirían
Pres. Subj.	delinca, delincas, delinca; delincamos, delincáis, delincan
Imp. Subj.	delinquiera, delinquieras, delinquiera; delinquiéramos, delinquierais, delinquieran
	delinquiese, delinquieses, delinquiese; delinquiésemos, delinquieseis, delinquiesen
Pres. Perf. Ind.	he delinquido, has delinquido, ha delinquido; hemos delinquido, habéis delinquido, han delinquido
Plup. Ind.	había delinquido, habías delinquido, había delinquido; habíamos delinquido, habíais delinquido, habían delinquido
Past Ant.	hube delinquido, hubiste delinquido, hubo delinquido; hubimos delinquido, hubisteis delinquido, hubieron delinquido
Fut. Perf.	habré delinquido, habrás delinquido, habrá delinquido; habremos delinquido, habréis delinquido, habrán delinquido
Cond. Perf.	habría delinquido, habrías delinquido, habría delinquido; habríamos delinquido, habríais delinquido, habrían delinquido
Pres. Perf. Subj.	haya delinquido, hayas delinquido, haya delinquido; hayamos delinquido, hayáis delinquido, hayan delinquido
Plup. Subj.	hubiera delinquido, hubieras delinquido, hubiera delinquido; hubiéramos delinquido, hubierais delinquido, hubieran delinquido
	hubiese delinquido, hubieses delinquido, hubiese delinquido; hubiésemos delinquido, hubieseis delinquido, hubiesen delinquido
Imperative	—— delinque, delinca; delincamos, delinquid, delincan

to demonstrate, prove

Pres. Ind. demuestro, demuestras, demuestra;
demostramos, demostráis, demuestran

Imp. Ind. demostraba, demostrabas, demostraba;
demostrábamos, demostrabais, demostraban

Pret. Ind. demostré, demostraste, demostró;
demostramos, demostrasteis, demostraron

Fut. Ind. demostraré, demostrarás, demostrará;
demostraremos, demostraréis, demostrarán

Condit. demostraría, demostrarías, demostraría;
demostraríamos, demostraríais, demostrarían

Pres. Subj. demuestre, demuestres, demuestre;
demostremos, demostréis, demuestren

Imp. Subj. demostrara, demostraras, demostrara;
demostráramos, demostrarais, demostraran

demostrase, demostrases, demostrase;
demostrásemos, demostraseis, demostrasen

Pres. Perf. he demostrado, has demostrado, ha demostrado;
hemos demostrado, habéis demostrado, han demostrado

Pluperf. había demostrado, habías demostrado, había demostrado;
habíamos demostrado, habíais demostrado, habían demostrado

Past Ant. hube demostrado, hubiste demostrado, hubo demostrado;
hubimos demostrado, hubisteis demostrado, hubieron demostrado

Fut. Perf. habré demostrado, habrás demostrado, habrá demostrado;
habremos demostrado, habréis demostrado, habrán demostrado

Cond. Perf. habría demostrado, habrías demostrado, habría demostrado;
habríamos demostrado, habríais demostrado, habrían demostrado

Pres. Perf. Subj. haya demostrado, hayas demostrado, haya demostrado;
hayamos demostrado, hayáis demostrado, hayan demostrado

Plup. Subj. hubiera demostrado, hubieras demostrado, hubiera demostrado;
hubiéramos demostrado, hubierais demostrado, hubieran demostrado

hubiese demostrado, hubieses demostrado, hubiese demostrado;
hubiésemos demostrado, hubieseis demostrado, hubiesen demostrado

Imperative —— demuestra, demuestre;
demostremos, demostrad, demuestren

to denounce

Pres. Ind.	denuncio, denuncias, denuncia; denunciamos, denunciáis, denuncian
Imp. Ind.	denunciaba, denunciabas, denunciaba; denunciábamos, denunciabais, denunciaban
Preterit	denuncié, denunciaste, denunció; denunciamos, denunciasteis, denunciaron
Future	denunciaré, denunciarás, denunciará; denunciaremos, denunciaréis, denunciarán
Condit.	denunciaría, denunciarías, denunciaría; denunciaríamos, denunciaríais, denunciarían
Pres. Subj.	denuncie, denuncies, denuncie; denunciemos, denunciéis, denuncien
Imp. Subj.	denunciara, denunciaras, denunciara; denunciáramos, denunciarais, denunciaran
	denunciase, denunciases, denunciase; denunciásemos, denunciaseis, denunciasen
Pres. Perf. Ind.	he denunciado, has denunciado, ha denunciado; hemos denunciado, habéis denunciado, han denunciado
Plup. Ind.	había denunciado, habías denunciado, había denunciado; habíamos denunciado, habíais denunciado, habían denunciado
Past Ant.	hube denunciado, hubiste denunciado, hubo denunciado; hubimos denunciado, hubisteis denunciado, hubieron denunciado
Fut. Perf.	habré denunciado, habrás denunciado, habrá denunciado; habremos denunciado, habréis denunciado, habrán denunciado
Cond. Perf.	habría denunciado, habrías denunciado, habría denunciado; habríamos denunciado, habríais denunciado, habrían denunciado
Pres. Perf. Subj.	haya denunciado, hayas denunciado, haya denunciado; hayamos denunciado, hayáis denunciado, hayan denunciado
Plup. Subj.	hubiera denunciado, hubieras denunciado, hubiera denunciado; hubiéramos denunciado, hubierais denunciado, hubieran denunciado
	hubiese denunciado, hubieses denunciado, hubiese denunciado; hubiésemos denunciado, hubieseis denunciado, hubiesen denunciado
Imperative	—— denuncia, denuncie; denunciemos, denunciad, denuncien

to knock down, overthrow, tear down, throw down

Pres. Ind.	derribo, derribas, derriba; derribamos, derribáis, derriban
Imp. Ind.	derribaba, derribabas, derribaba; derribábamos, derribabais, derribaban
Preterit	derribé, derribaste, derribó; derribamos, derribasteis, derribaron
Future	derribaré, derribarás, derribará; derribaremos, derribaréis, derribarán
Condit.	derribaría, derribarías, derribaría; derribaríamos, derribaríais, derribarían
Pres. Subj.	derribe, derribe, derribe; derribemos, derribéis, derriben
Imp. Subj.	derribara, derribaras, derribara; derribáramos, derribarais, derribaran
	derribase, derribases, derribase; derribásemos, derribaseis, derribasen
Pres. Perf. Ind.	he derribado, has derribado, ha derribado; hemos derribado, habéis derribado, han derribado
Plup. Ind.	había derribado, habías derribado, había derribado; habíamos derribado, habíais derribado, habían derribado
Past Ant.	hube derribado, hubiste derribado, hubo derribado; hubimos derribado, hubisteis derribado, hubieron derribado
Fut. Perf.	habré derribado, habrás derribado, habrá derribado; habremos derribado, habréis derribado, habrán derribado
Cond. Perf.	habría derribado, habrías derribado, habría derribado; habríamos derribado, habríais derribado, habrían derribado
Pres. Perf. Subj.	haya derribado, hayas derribado, haya derribado; hayamos derribado, hayáis derribado, hayan derribado
Plup. Subj.	hubiera derribado, hubieras derribado, hubiera derribado; hubiéramos derribado, hubierais derribado, hubieran derribado
	hubiese derribado, hubieses derribado, hubiese derribado; hubiésemos derribado, hubieseis derribado, hubiesen derribado
Imperative	—— derriba, derribe; derribemos, derribad, derriben

to breakfast, have breakfast

Pres. Ind.	me desayuno, te desayunas, se desayuna; nos desayunamos, os desayunáis, se desayunan
Imp. Ind.	me desayunaba, te desayunabas, se desayunaba; nos desayunábamos, os desayunabais, se desayunaban
Pret. Ind.	me desayuné, te desayunaste, se desayunó; nos desayunamos, os desayunasteis, se desayunaron
Fut. Ind.	me desayunaré, te desayunarás, se desayunará; nos desayunaremos, os desayunaréis, se desayunarán
Condit.	me desayunaría, te desayunarías, se desayunaría; nos desayunaríamos, os desayunaríais, se desayunarían
Pres. Subj.	me desayune, te desayunes, se desayune; nos desayunemos, os desayunéis, se desayunen
Imp. Subj.	me desayunara, te desayunaras, se desayunara; nos desayunáramos, os desayunarais, se desayunaran
	me desayunase, te desayunases, se desayunase; nos desayunásemos, os desayunaseis, se desayunasen
Pres. Perf.	me he desayunado, te has desayunado, se ha desayunado; nos hemos desayunado, os habéis desayunado, se han desayunado
Pluperf.	me había desayunado, te habías desayunado, se había desayunado; nos habíamos desayunado, os habíais desayunado, se habían desayunado
Past Ant.	me hube desayunado, te hubiste desayunado, se hubo desayunado; nos hubimos desayunado, os hubisteis desayunado, se hubieron desayunado
Fut. Perf.	me habré desayunado, te habrás desayunado, se habrá desayunado; nos habremos desayunado, os habréis desayunado, se habrán desayunado
Cond. Perf.	me habría desayunado, te habrías desayunado, se habría desayunado; nos habríamos desayunado, os habríais desayunado, se habrían desayunado
Pres. Perf. Subj.	me haya desayunado, te hayas desayunado, se haya desayunado; nos hayamos desayunado, os hayáis desayunado, se hayan desayunado
Plup. Subj.	me hubiera desayunado, te hubieras desayunado, se hubiera desayunado; nos hubiéramos desayunado, os hubierais desayunado, se hubieran desayunado
	me hubiese desayunado, te hubieses desayunado, se hubiese desayunado; nos hubiésemos desayunado, os hubieseis desayunado, se hubiesen desayunado
Imperative	—— desayúnate, desayúnese; desayunémonos, desayunaos, desayúnense

to rest

Pres. Ind.	descanso, descansas, descansa; descansamos, descansáis, descansan
Imp. Ind.	descansaba, descansabas, descansaba; descansábamos, descansabais, descansaban
Preterit	descansé, descansaste, descansó; descansamos, descansasteis, descansaron
Future	descansaré, descansarás, descansará; descansaremos, descansaréis, descansarán
Condit.	descansaría, descansarías, descansaría; descansaríamos, descansaríais, descansarían
Pres. Subj.	descanse, descanses, descanse; descansemos, descanséis, descansen
Imp. Subj.	descansara, descansaras, descansara; descansáramos, descansarais, descansaran
	descansase, descansases, descansase; descansásemos, descansaseis, descansasen
Pres. Perf. Ind.	he descansado, has descansado, ha descansado; hemos descansado, habéis descansado, han descansado
Plup. Ind.	había descansado, habías descansado, había descansado; habíamos descansado, habíais descansado, habían descansado
Past Ant.	hube descansado, hubiste descansado, hubo descansado; hubimos descansado, hubisteis descansado, hubieron descansado
Fut. Perf.	habré descansado, habrás descansado, habrá descansado; habremos descansado, habréis descansado, habrán descansado
Cond. Perf.	habría descansado, habrías descansado, habría descansado; habríamos descansado, habríais descansado, habrían descansado
Pres. Perf. Subj.	haya descansado, hayas descansado, haya descansado; hayamos descansado, hayáis descansado, hayan descansado
Plup. Subj.	hubiera descansado, hubieras descansado, hubiera descansado; hubiéramos descansado, hubierais descansado, hubieran descansado
	hubiese descansado, hubieses descansado, hubiese descansado; hubiésemos descansado, hubieseis descansado, hubiesen descansado
Imperative	—— descansa, descanse; descansemos, descansad, descansen

to describe, sketch, delineate

Pres. Ind.	describo, describes, describe; describimos, describís, describen
Imp. Ind.	describía, describías, describía; describíamos, describíais, describían
Preterit	describí, describiste, describió; describimos, describisteis, describieron
Future	describiré, describirás, describirá; describiremos, describiréis, describirán
Condit.	describiría, describirías, describiría; describiríamos, describiríais, describirían
Pres. Subj.	describa, describas, describa; describamos, describáis, describan
Imp. Subj.	describiera, describieras, describiera; describiéramos, describierais, describieran
	describiese, describieses, describiese; describiésemos, describieseis, describiesen
Pres. Perf. Ind.	he descrito, has descrito, ha descrito; hemos descrito, habéis, descrito, han descrito
Plup. Ind.	había descrito, habías descrito, había descrito; habíamos descrito, habíais descrito, habían descrito
Past Ant.	hube descrito, hubiste descrito, hubo descrito; hubimos descrito, hubisteis descrito, hubieron descrito
Fut. Perf.	habré descrito, habrás descrito, habrá descrito; habremos descrito, habréis descrito, habrán descrito
Cond. Perf.	habría descrito, habrías descrito, habría descrito; habríamos descrito, habríais descrito, habrían descrito
Pres. Perf. Subj.	haya descrito, hayas descrito, haya descrito; hayamos descrito, hayáis descrito, hayan descrito
Plup. Subj.	hubiera descrito, hubieras descrito, hubiera descrito; hubiéramos descrito, hubierais descrito, hubieran descrito
	hubiese descrito, hubieses descrito, hubiese descrito; hubiésemos descrito, hubieseis descrito, hubiesen descrito
Imperative	—— describe, describa; describamos, describid, describan

to discover

Pres. Ind.	descubro, descubres, descubre; descubrimos, descubrís, descubren
Imp. Ind.	descubría, descubrías, descubría; descubríamos, descubríais, descubrían
Pret. Ind.	descubrí, descubriste, descubrió; descubrimos, descubristeis, descubrieron
Fut. Ind.	descubriré, descubrirás, descubrirá; descubriremos, descubriréis, descubrirán
Condit.	descubriría, descubrirías, descubriría; descubriríamos, descubriríais, descubrirían
Pres. Subj.	descubra, descubras, descubra; descubramos, descubráis, descubran
Imp. Subj.	descubriera, descubrieras, descubriera; descubriéramos, descubrierais, descubrieran
	descubriese, descubrieses, descubriese; descubriésemos, descubrieseis, descubriesen
Pres. Perf.	he descubierto, has descubierto, ha descubierto; hemos descubierto, habéis descubierto, han descubierto
Pluperf.	había descubierto, habías descubierto, había descubierto; habíamos descubierto, habíais descubierto, habían descubierto
Past Ant.	hube descubierto, hubiste descubierto, hubo descubierto; hubimos descubierto, hubisteis descubierto, hubieron descubierto
Fut. Perf.	habré descubierto, habrás descubierto, habrá descubierto; habremos descubierto, habréis descubierto, habrán descubierto
Cond. Perf.	habría descubierto, habrías descubierto, habría descubierto; habríamos descubierto, habríais descubierto, habrían descubierto
Pres. Perf. Subj.	haya descubierto, hayas descubierto, haya descubierto; hayamos descubierto, hayáis descubierto, hayan descubierto
Plup. Subj.	hubiera descubierto, hubieras descubierto, hubiera descubierto; hubiéramos descubierto, hubierais descubierto, hubieran descubierto
	hubiese descubierto, hubieses descubierto, hubiese descubierto; hubiésemos descubierto, hubieseis descubierto, hubiesen descubierto
Imperative	—— descubre, descubra; descubramos, descubrid, descubran

to desire, wish, want

Pres. Ind.	deseo, deseas, desea; deseamos, deseáis, desean
Imp. Ind.	deseaba, deseabas, deseaba; deseábamos, deseabais, deseaban
Pret. Ind.	deseé, deseaste, deseó; deseamos, deseasteis, desearon
Fut. Ind.	desearé, desearás, deseará; desearemos, desearéis, desearán
Condit.	desearía, desearías, desearía; desearíamos, desearíais, desearían
Pres. Subj.	desee, desees, desee; deseemos, deseéis, deseen
Imp. Subj.	deseara, desearas, deseara; deseáramos, desearais, desearan
	desease, deseases, desease; deseásemos, deseaseis, deseasen
Pres. Perf.	he deseado, has deseado, ha deseado; hemos deseado, habéis deseado, han deseado
Pluperf.	había deseado, habías deseado, había deseado; habíamos deseado, habíais deseado, habían deseado
Past Ant.	hube deseado, hubiste deseado, hubo deseado; hubimos deseado, hubisteis deseado, hubieron deseado
Fut. Perf.	habré deseado, habrás deseado, habrá deseado; habremos deseado, habréis deseado, habrán deseado
Cond. Perf.	habría deseado, habrías deseado, habría deseado; habríamos deseado, habríais deseado, habrían deseado
Pres. Perf. Subj.	haya deseado, hayas deseado, haya deseado; hayamos deseado, hayáis deseado, hayan deseado
Plup. Subj.	hubiera deseado, hubieras deseado, hubiera deseado; hubiéramos deseado, hubierais deseado, hubieran deseado
	hubiese deseado, hubieses deseado, hubiese deseado; hubiésemos deseado, hubieseis deseado, hubiesen deseado
Imperative	—— desea, desee; deseemos, desead, deseen

to play (a part), act (a part), discharge, perform (a duty), take out of pawn

Pres. Ind.	desempeño, desempeñas, desempeña; desempeñamos, desempeñáis, desempeñan
Imp. Ind.	desempeñaba, desempeñabas, desempeñaba; desempeñábamos, desempeñabais, desempeñaban
Preterit	desempeñé, desempeñaste, desempeñó; desempeñamos, desempeñasteis, desempeñaron
Future	desempeñaré, desempeñarás, desempeñará; desempeñaremos, desempeñaréis, desempeñarán
Condit.	desempeñaría, desempeñarías, desempeñaría; desempeñaríamos, desempeñaríais, desempeñarían
Pres. Subj.	desempeñe, desempeñes, desempeñe; desempeñemos, desempeñéis, desempeñen
Imp. Subj.	desempeñara, desempeñaras, desempeñara; desempeñáramos, desempeñarais, desempeñaran
	desempeñase, desempeñases, desempeñase; desempeñásemos, desempeñaseis, desempeñasen
Pres. Perf. Ind.	he desempeñado, has desempeñado, ha desempeñado; hemos desempeñado, habéis desempeñado, han desempeñado
Plup. Ind.	había desempeñado, habías desempeñado, había desempeñado; habíamos desempeñado, habíais desempeñado, habían desempeñado
Past Ant.	hube desempeñado, hubiste desempeñado, hubo desempeñado; hubimos desempeñado, hubisteis desempeñado, hubieron desempeñado
Fut. Perf.	habré desempeñado, habrás desempeñado, habrá desempeñado; habremos desempeñado, habréis desempeñado, habrán desempeñado
Cond. Perf.	habría desempeñado, habrías desempeñado, habría desempeñado; habríamos desempeñado, habríais desempeñado, habrían desempeñado
Pres. Perf. Subj.	haya desempeñado, hayas desempeñado, haya desempeñado; hayamos desempeñado, hayáis desempeñado, hayan desempeñado
Plup. Subj.	hubiera desempeñado, hubieras desempeñado, hubiera desempeñado; hubiéramos desempeñado, hubierais desempeñado, hubieran desempeñado
	hubiese desempeñado, hubieses desempeñado, hubiese desempeñado; hubiésemos desempeñado, hubieseis desempeñado, hubiesen desempeñado
Imperative	—— desempeña, desempeñe; desempeñemos, desempeñad, desempeñen

to dismiss

Pres. Ind.	despido, despides, despide; despedimos, despedís, despiden
Imp. Ind.	despedía, despedías, despedía; despedíamos, despedíais, despedían
Pret. Ind.	despedí, despediste, despidió; despedimos, despedisteis, despidieron
Fut. Ind.	despediré, despedirás, despedirá; despediremos, despediréis, despedirán
Condit.	despediría, despedirías, despediría; despediríamos, despediríais, despedirían
Pres. Subj.	despida, despidas, despida; despidamos, despidáis, despidan
Imp. Subj.	despidiera, despidieras, despidiera; despidiéramos, despidierais, despidieran despidiese, despidieses, despidiese; despidiésemos, despidieseis, despidiesen
Pres. Perf.	he despedido, has despedido, ha despedido; hemos despedido, habéis despedido, han despedido
Pluperf.	había despedido, habías despedido, había despedido; habíamos despedido, habíais despedido, habían despedido
Past Ant.	hube despedido, hubiste despedido, hubo despedido; hubimos despedido, hubisteis despedido, hubieron despedido
Fut. Perf.	habré despedido, habrás despedido, habrá despedido; habremos despedido, habréis despedido, habrán despedido
Cond. Perf.	habría despedido, habrías despedido, habría despedido; habríamos despedido, habríais despedido, habrían despedido
Pres. Perf. Subj.	haya despedido, hayas despedido, haya despedido; hayamos despedido, hayáis despedido, hayan despedido
Plup. Subj.	hubiera despedido, hubieras despedido, hubiera despedido; hubiéramos despedido, hubierais despedido, hubieran despedido hubiese despedido, hubieses despedido, hubiese despedido; hubiésemos despedido, hubieseis despedido, hubiesen despedido
Imperative	—— despide, despida; despidamos, despedid, despidan

PRES. PART. *despidiéndose* PAST PART. *despedido*

despedirse

to take leave of, say good-by to

Pres. Ind.	me despido, te despides, se despide; nos despedimos, os despedís, se despiden
Imp. Ind.	me despedía, te despedías, se despedía; nos despedíamos, os despedíais, se despedían
Pret. Ind.	me despedí, te despediste, se despidió; nos despedimos, os despedisteis, se despidieron
Fut. Ind.	me despediré, te despedirás, se despedirá; nos despediremos, os despediréis, se despedirán
Condit.	me despediría, te despedirías, se despediría; nos despediríamos, os despediríais, se despedirían
Pres. Subj.	me despida, te despidas, se despida; nos despidamos, os despidáis, se despidan
Imp. Subj.	me despidiera, te despidieras, se despidiera; nos despidiéramos, os despidierais, se despidieran
	me despidiese, te despidieses, se despidiese; nos despidiésemos, os despidieseis, se despidiesen
Pres. Perf.	me he despedido, te has despedido, se ha despedido; nos hemos despedido, os habéis despedido, se han despedido
Pluperf.	me había despedido, te habías despedido, se había despedido; nos habíamos despedido, os habíais despedido, se habían despedido
Past Ant.	me hube despedido, te hubiste despedido, se hubo despedido; nos hubimos despedido, os hubisteis despedido, se hubieron despedido
Fut. Perf.	me habré despedido, te habrás despedido, se habrá despedido; nos habremos despedido, os habréis despedido, se habrán despedido
Cond. Perf.	me habría despedido, te habrías despedido, se habría despedido; nos habríamos despedido, os habríais despedido, se habrían despedido
Pres. Perf. Subj.	me haya despedido, te hayas despedido, se haya despedido; nos hayamos despedido, os hayáis despedido, se hayan despedido
Plup. Subj.	me hubiera despedido, te hubieras despedido, se hubiera despedido; nos hubiéramos despedido, os hubierais despedido, se hubieran despedido
	me hubiese despedido, te hubieses despedido, se hubiese despedido; nos hubiésemos despedido, os hubieseis despedido, se hubiesen despedido
Imperative	—— despídete, despídase; despidámonos, despedíos, despídanse

to stretch (oneself)

Pres. Ind.	me desperezo, te desperezas, se despereza; nos desperezamos, os desperezáis, se desperezan
Imp. Ind.	me desperezaba, te desperezabas, se desperezaba; nos desperezábamos, os desperezabais, se desperezaban
Preterit	me desperecé, te desperezaste, se desperezó; nos desperezamos, os desperezasteis, se desperezaron
Future	me desperezaré, te desperezarás, se desperezará; nos desperezaremos, os desperezaréis, se desperezarán
Condit.	me desperezaría, te desperezarías, se desperezaría; nos desperezaríamos, os desperezaríais, se desperezarían
Pres. Subj.	me desperece, te despereces, se desperece; nos desperecemos, os desperecéis, se desperecen
Imp. Subj.	me desperezara, te desperezaras, se desperezara; nos desperezáramos, os desperezarais, se desperezaran
	me desperezase, te desperezases, se desperezase; nos desperezásemos, os desperezaseis, se desperezasen
Pres. Perf. Ind.	me he desperezado, te has desperezado, se ha desperezado; nos hemos desperezado, os habéis desperezado, se han desperezado
Plup. Ind.	me había desperezado, te habías desperezado, se había desperezado; nos habíamos desperezado, os habíais desperezado, se habían desperezado
Past Ant.	me hube desperezado, te hubiste desperezado, se hubo desperezado; nos hubimos desperezado, os hubisteis desperezado, se hubieron desperezado
Fut. Perf.	me habré desperezado, te habrás desperezado, se habrá desperezado; nos habremos desperezado, os habréis desperezado, se habrán desperezado
Cond. Perf.	me habría desperezado, te habrías desperezado, se habría desperezado; nos habríamos desperezado, os habríais desperezado, se habrían desperezado
Pres. Perf. Subj.	me haya desperezado, te hayas desperezado, se haya desperezado; nos hayamos desperezado, os hayáis desperezado, se hayan desperezado
Plup. Subj.	me hubiera desperezado, te hubieras desperezado, se hubiera desperezado; nos hubiéramos desperezado, os hubierais desperezado, se hubieran desperezado
	me hubiese desperezado, te hubieses desperezado, se hubiese desperezado; nos hubiésemos desperezado, os hubieseis desperezado, se hubiesen desperezado
Imperative	—— desperézate, desperécese; desperecémonos, desperezaos, desperécense

to awaken, enliven

Pres. Ind.	despierto, despiertas, despierta; despertamos, despertáis, despiertan
Imp. Ind.	despertaba, despertabas, despertaba; despertábamos, despertabais, despertaban
Preterit	desperté, despertaste, despertó; despertamos, despertasteis, despertaron
Future	despertaré, despertarás, despertará; despertaremos, despertaréis, despertarán
Condit.	despertaría, despertarías, despertaría; despertaríamos, despertaríais, despertarían
Pres. Subj.	despierte, despiertes, despierte; despertemos, despertéis, despierten
Imp. Subj.	despertara, despertaras, despertara; despertáramos, despertarais, despertaran
	despertase, despertases, despertase; despertásemos, despertaseis, despertasen
Pres. Perf. Ind.	he despertado, has despertado, ha despertado; hemos despertado, habéis despertado, han despertado
Plup. Ind.	había despertado, habías despertado, había despertado; habíamos despertado, habíais despertado, habían despertado
Past Ant.	hube despertado, hubiste despertado, hubo despertado; hubimos despertado, hubisteis despertado, hubieron despertado
Fut. Perf.	habré despertado, habrás despertado, habrá despertado; habremos despertado, habréis despertado, habrán despertado
Cond. Perf.	habría despertado, habrías despertado, habría despertado; habríamos despertado, habríais despertado, habrían despertado
Pres. Perf. Subj.	haya despertado, hayas despertado, haya despertado; hayamos despertado, hayáis despertado, hayan despertado
Plup. Subj.	hubiera despertado, hubieras despertado, hubiera despertado; hubiéramos despertado, hubierais despertado, hubieran despertado
	hubiese despertado, hubieses despertado, hubiese despertado; hubiésemos despertado, hubieseis despertado, hubiesen despertado
Imperative	—— despierta, despierte; despertemos, despertad, despierten

to wake up

Pres. Ind.	me despierto, te despiertas, se despierta; nos despertamos, os despertáis, se despiertan
Imp. Ind.	me despertaba, te despertabas, se despertaba; nos despertábamos, os despertabais, se despertaban
Pret. Ind.	me desperté, te despertaste, se despertó; nos despertamos, os despertasteis, se despertaron
Fut. Ind.	me despertaré, te despertarás, se despertará; nos despertaremos, os despertaréis, se despertarán
Condit.	me despertaría, te despertarías, se despertaría; nos despertaríamos, os despertaríais, se despertarían
Pres. Subj.	me despierte, te despiertes, se despierte; nos despertemos, os despertéis, se despierten
Imp. Subj.	me despertara, te despertaras, se despertara; nos despertáramos, os despertarais, se despertaran
	me despertase, te despertases, se despertase; nos despertásemos, os despertaseis, se despertasen
Pres. Perf.	me he despertado, te has despertado, se ha despertado; nos hemos despertado, os habéis despertado, se han despertado
Pluperf.	me había despertado, te habías despertado, se había despertado; nos habíamos despertado, os habíais despertado, se habían despertado
Past Ant.	me hube despertado, te hubiste despertado, se hubo despertado; nos hubimos despertado, os hubisteis despertado, se hubieron despertado
Fut. Perf.	me habré despertado, te habrás despertado, se habrá despertado; nos habremos despertado, os habréis despertado, se habrán despertado
Cond. Perf.	me habría despertado, te habrías despertado, se habría despertado; nos habríamos despertado, os habríais despertado, se habrían despertado
Pres. Perf. Subj.	me haya despertado, te hayas despertado, se haya despertado; nos hayamos despertado, os hayáis despertado, se hayan despertado
Plup. Subj.	me hubiera despertado, te hubieras despertado, se hubiera despertado; nos hubiéramos despertado, os hubierais despertado, se hubieran despertado
	me hubiese despertado, te hubieses despertado, se hubiese despertado; nos hubiésemos despertado, os hubieseis despertado, se hubiesen despertado
Imperative	—— despiértate, despiértese; despertémonos, despertaos, despiértense

to destroy

Pres. Ind.	destruyo, destruyes, destruye; destruimos, destruís, destruyen
Imp. Ind.	destruía, destruías, destruía; destruíamos, destruíais, destruían
Pret. Ind.	destruí, destruiste, destruyó; destruimos, destruisteis, destruyeron
Fut. Ind.	destruiré, destruirás, destruirá; destruiremos, destruiréis, destruirán
Condit.	destruiría, destruirías, destruiría; destruiríamos, destruiríais, destruirían
Pres. Subj.	destruya, destruyas, destruya; destruyamos, destruyáis, destruyan
Imp. Subj.	destruyera, destruyeras, destruyera; destruyéramos, destruyerais, destruyeran
	destruyese, destruyeses, destruyese; destruyésemos, destruyeseis, destruyesen
Pres. Perf.	he destruido, has destruido, ha destruido; hemos destruido, habéis destruido, han destruido
Pluperf.	había destruido, habías destruido, había destruido; habíamos destruido, habíais destruido, habían destruido
Past Ant.	hube destruido, hubiste destruido, hubo destruido; hubimos destruido, hubisteis destruido, hubieron destruido
Fut. Perf.	habré destruido, habrás destruido, habrá destruido; habremos destruido, habréis destruido, habrán destruido
Cond. Perf.	habría destruido, habrías destruido, habría destruido; habríamos destruido, habríais destruido, habrían destruido
Pres. Perf. Subj.	haya destruido, hayas destruido, haya destruido; hayamos destruido, hayáis destruido, hayan destruido
Plup. Subj.	hubiera destruido, hubieras destruido, hubiera destruido; hubiéramos destruido, hubierais destruido, hubieran destruido
	hubiese destruido, hubieses destruido, hubiese destruido; hubiésemos destruido, hubieseis destruido, hubiesen destruido
Imperative	—— destruye, destruya; destruyamos, destruid, destruyan

to undress, get undressed

Pres. Ind.	me desvisto, te desvistes, se desviste; nos desvestimos, os desvestís, se desvisten
Imp. Ind.	me desvestía, te desvestías, se desvestía; nos desvestíamos, os desvestíais, se desvestían
Preterit	me desvestí, te desvestiste, se desvistió; nos desvestimos, os desvestisteis, se desvistieron
Future	me desvestiré, te desvestirás, se desvestirá; nos desvestiremos, os desvestiréis, se desvestirán
Condit.	me desvestiría, te desvestirías, se desvestiría; nos desvestiríamos, os desvestiríais, se desvestirían
Pres. Subj.	me desvista, te desvistas, se desvista; nos desvistamos, os devistáis, se desvistan
Imp. Subj.	me desvistiera, te desvistieras, se desvistiera; nos desvistiéramos, os desvistierais, se desvistieran
	me desvistiese, te desvistieses, se desvistiese; nos desvistiésemos, os desvistieseis, se desvistiesen
Pres. Perf. Ind.	me he desvestido, te has desvestido, se ha desvestido; nos hemos desvestido, os habéis desvestido, se han desvestido
Plup. Ind.	me había desvestido, te habías desvestido, se había desvestido; nos habíamos desvestido, os habíais desvestido, se habían desvestido
Past Ant.	me hube desvestido, te hubiste desvestido, se hubo desvestido; nos hubimos desvestido, os hubisteis desvestido, se hubieron desvestido
Fut. Perf.	me habré desvestido, te habrás desvestido, se habrá desvestido; nos habremos desvestido, os habréis desvestido, se habrán desvestido
Cond. Perf.	me habría desvestido, te habrías desvestido, se habría desvestido; nos habríamos desvestido, os habríais desvestido, se habrían desvestido
Pres. Perf. Subj.	me haya desvestido, te hayas desvestido, se haya desvestido; nos hayamos desvestido, os hayáis desvestido, se hayan desvestido
Plup. Subj.	me hubiera desvestido, te hubieras desvestido, se hubiera desvestido; nos hubiéramos desvestido, os hubierais desvestido, se hubieran desvestido
	me hubiese desvestido, te hubieses desvestido, se hubiese desvestido; nos hubiésemos desvestido, os hubieseis desvestido, se hubiesen desvestido
Imperative	—— desvístete, desvístase; desvistámonos, desvestíos, desvístanse

to stop (someone or something), detain

Pres. Ind.	detengo, detienes, detiene; detenemos, detenéis, detienen
Imp. Ind.	detenía, detenías, detenía; deteníamos, deteníais, detenían
Preterit	detuve, detuviste, detuvo; detuvimos, detuvisteis, detuvieron
Future	detendré, detendrás, detendrá; detendremos, detendréis, detendrán
Condit.	detendría, detendrías, detendría; detendríamos, detendríais, detendrían
Pres. Subj.	detenga, detengas, detenga; detengamos, detengáis, detengan
Imp. Subj.	detuviera, detuvieras, detuviera; detuviéramos, detuvierais, detuvieran
	detuviese, detuvieses, detuviese; detuviésemos, detuvieseis, detuviesen
Pres. Perf. Ind.	he detenido, has detenido, ha detenido; hemos detenido, habéis detenido, han detenido
Plup. Ind.	había detenido, habías detenido, había detenido; habíamos detenido, habíais detenido, habían detenido
Past Ant.	hube detenido, hubiste detenido, hubo detenido; hubimos detenido, hubisteis detenido, hubieron detenido
Fut. Perf.	habré detenido, habrás detenido, habrá detenido; habremos detenido, habréis detenido, habrán detenido
Cond. Perf.	habría detenido, habrías detenido, habría detenido; habríamos detenido, habríais detenido, habrían detenido
Pres. Perf. Subj.	haya detenido, hayas detenido, haya detenido; hayamos detenido, hayáis detenido, hayan detenido
Plup. Subj.	hubiera detenido, hubieras detenido, hubiera detenido; hubiéramos detenido, hubierais detenido, hubieran detenido
	hubiese detenido, hubieses detenido, hubiese detenido; hubiésemos detenido, hubieseis detenido, hubiesen detenido
Imperative	—— deten, detenga; detengamos, detened, detengan

to stop

Pres. Ind.	me detengo, te detienes, se detiene; nos detenemos, os detenéis, se detienen
Imp. Ind.	me detenía, te detenías, se detenía; nos deteníamos, os deteníais, se detenían
Pret. Ind.	me detuve, te detuviste, se detuvo; nos detuvimos, os detuvisteis, se detuvieron
Fut. Ind.	me detendré, te detendrás, se detendrá; nos detendremos, os detendréis, se detendrán
Condit.	me detendría, te detendrías, se detendría; nos detendríamos, os detendríais, se detendrían
Pres. Subj.	me detenga, te detengas, se detenga; nos detengamos, os detengáis, se detengan
Imp. Subj.	me detuviera, te detuvieras, se detuviera; nos detuviéramos, os detuvierais, se detuvieran
	me detuviese, te detuvieses, se detuviese; nos detuviésemos, os detuvieseis, se detuviesen
Pres. Perf.	me he detenido, te has detenido, se ha detenido; nos hemos detenido, os habéis detenido, se han detenido
Pluperf.	me había detenido, te habías detenido, se había detenido; nos habíamos detenido, os habíais detenido, se habían detenido
Past Ant.	me hube detenido, te hubiste detenido, se hubo detenido; nos hubimos detenido, os hubisteis detenido, se hubieron detenido
Fut. Perf.	me habré detenido, te habrás detenido, se habrá detenido; nos habremos detenido, os habréis detenido, se habrán detenido
Cond. Perf.	me habría detenido, te habrías detenido, se habría detenido; nos habríamos detenido, os habríais detenido, se habrían detenido
Pres. Perf. Subj.	me haya detenido, te hayas detenido, se haya detenido; nos hayamos detenido, os hayáis detenido, se hayan detenido
Plup. Subj.	me hubiera detenido, te hubieras detenido, se hubiera detenido; nos hubiéramos detenido, os hubierais detenido, se hubieran detenido
	me hubiese detenido, te hubieses detenido, se hubiese detenido; nos hubiésemos detenido, os hubieseis detenido, se hubiesen detenido
Imperative	—— detente, deténgase; detengámonos, deteneos, deténganse

to return (an object), refund, give back

Pres. Ind.	devuelvo, devuelves, devuelve; devolvemos, devolvéis, devuelven
Imp. Ind.	devolvía, devolvías, devolvía; devolvíamos, devolvíais, devolvían
Pret. Ind.	devolví, devolviste, devolvió; devolvimos, devolvisteis, devolvieron
Fut. Ind.	devolveré, devolverás, devolverá; devolveremos, devolveréis, devolverán
Condit.	devolvería, devolverías, devolvería; devolveríamos, devolveríais, devolverían
Pres. Subj.	devuelva, devuelvas, devuelva; devolvamos, devolváis, devuelvan
Imp. Subj.	devolviera, devolvieras, devolviera; devolviéramos, devolvierais, devolvieran
	devolviese, devolvieses, devolviese; devolviésemos, devolvieseis, devolviesen
Pres. Perf.	he devuelto, has devuelto, ha devuelto; hemos devuelto, habéis devuelto, han devuelto
Pluperf.	había devuelto, habías devuelto, había devuelto; habíamos devuelto, habíais devuelto, habían devuelto
Past Ant.	hube devuelto, hubiste devuelto, hubo devuelto; hubimos devuelto, hubisteis devuelto, hubieron devuelto
Fut. Perf.	habré devuelto, habrás devuelto, habrá devuelto; habremos devuelto, habréis devuelto, habrán devuelto
Cond. Perf.	habría devuelto, habrías devuelto, habría devuelto; habríamos devuelto, habríais devuelto, habrían devuelto
Pres. Perf. Subj.	haya devuelto, hayas devuelto, haya devuelto; hayamos devuelto, hayáis devuelto, hayan devuelto
Plup. Subj.	hubiera devuelto, hubieras devuelto, hubiera devuelto; hubiéramos devuelto, hubierais devuelto, hubieran devuelto
	hubiese devuelto, hubieses devuelto, hubiese devuelto; hubiésemos devuelto, hubieseis devuelto, hubiesen devuelto
Imperative	—— devuelve, devuelva; devolvamos, devolved, devuelvan

to direct

Pres. Ind.	dirijo, diriges, dirige; dirigimos, dirigís, dirigen
Imp. Ind.	dirigía, dirigías, dirigía; dirigíamos, dirigíais, dirigían
Pret. Ind.	dirigí, dirigiste, dirigió; dirigimos, dirigisteis, dirigieron
Fut. Ind.	dirigiré, dirigirás, dirigirá; dirigiremos, dirigiréis, dirigirán
Condit.	dirigiría, dirigirías, dirigiría; dirigiríamos, dirigiríais, dirigirían
Pres. Subj.	dirija, dirijas, dirija; dirijamos, dirijáis, dirijan
Imp. Subj.	dirigiera, dirigieras, dirigiera; dirigiéramos, dirigierais, dirigieran
	dirigiese, dirigieses, dirigiese; dirigiésemos, dirigieseis, dirigiesen
Pres. Perf.	he dirigido, has dirigido, ha dirigido; hemos dirigido, habéis dirigido, han dirigido
Pluperf.	había dirigido, habías dirigido, había dirigido; habíamos dirigido, habíais dirigido, habían dirigido
Past Ant.	hube dirigido, hubiste dirigido, hubo dirigido; hubimos dirigido, hubisteis dirigido, hubieron dirigido
Fut. Perf.	habré dirigido, habrás dirigido, habrá dirigido; habremos dirigido, habréis dirigido, habrán dirigido
Cond. Perf.	habría dirigido, habrías dirigido, habría dirigido; habríamos dirigido, habríais dirigido, habrían dirigido
Pres. Perf. Subj.	haya dirigido, hayas dirigido, haya dirigido; hayamos dirigido, hayáis dirigido, hayan dirigido
Plup. Subj.	hubiera dirigido, hubieras dirigido, hubiera dirigido; hubiéramos dirigido, hubierais dirigido, hubieran dirigido
	hubiese dirigido, hubieses dirigido, hubiese dirigido; hubiésemos dirigido, hubieseis dirigido, hubiesen dirigido
Imperative	—— dirige, dirija; dirijamos, dirigid, dirijan

to excuse, dispense, distribute, exempt

Pres. Ind.	dispenso, dispensas, dispensa; dispensamos, dispensáis, dispensan
Imp. Ind.	dispensaba, dispensabas, dispensaba; dispensábamos, dispensabais, dispensaban
Preterit	dispensé, dispensaste, dispensó; dispensamos, dispensasteis, dispensaron
Future	dispensaré, dispensarás, dispensará; dispensaremos, dispensaréis, dispensarán
Condit.	dispensaría, dispensarías, dispensaría; dispensaríamos, dispensaríais, dispensarían
Pres. Subj.	dispense, dispenses, dispense; dispensemos, dispenséis, dispensen
Imp. Subj.	dispensara, dispensaras, dispensara; dispensáramos, dispensarais, dispensaran
	dispensase, dispensases, dispensase; dispensásemos, dispensaseis, dispensasen
Pres. Perf. Ind.	he dispensado, has dispensado, ha dispensado; hemos dispensado, habéis dispensado, han dispensado
Plup. Ind.	había dispensado, habías dispensado, había dispensado; habíamos dispensado, habíais dispensado, habían dispensado
Past Ant.	hube dispensado, hubiste dispensado, hubo dispensado; hubimos dispensado, hubisteis dispensado, hubieron dispensado
Fut. Perf.	habré dispensado, habrás dispensado, habrá dispensado; habremos dispensado, habréis dispensado, habrán dispensado
Cond. Perf.	habría dispensado, habrías dispensado, habría dispensado; habríamos dispensado, habríais dispensado, habrían dispensado
Pres. Perf. Subj.	haya dispensado, hayas dispensado, haya dispensado; hayamos dispensado, hayáis dispensado, hayan dispensado
Plup. Subj.	hubiera dispensado, hubieras dispensado, hubiera dispensado; hubiéramos dispensado, hubierais dispensado, hubieran dispensado
	hubiese dispensado, hubieses dispensado, hubiese dispensado; hubiésemos dispensado, hubieseis dispensado, hubiesen dispensado
Imperative	—— dispensa, dispense; dispensemos, dispensad, dispensen

to distinguish

Pres. Ind.	distingo, distingues, distingue; distinguimos, distinguís, distinguen
Imp. Ind.	distinguía, distinguías, distinguía; distinguíamos, distinguíais, distinguían
Pret. Ind.	distinguí, distinguiste, distinguió; distinguimos, distinguisteis, distinguieron
Fut. Ind.	distinguiré, distinguirás, distinguirá; distinguiremos, distinguiréis, distinguirán
Condit.	distinguiría, distinguirías, distinguiría; distinguiríamos, distinguiríais, distinguirían
Pres. Subj.	distinga, distingas, distinga; distingamos, distingáis, distingan
Imp. Subj.	distinguiera, distinguieras, distinguiera; distinguiéramos, distinguierais, distinguieran
	distinguiese, distinguieses, distinguiese; distinguiésemos, distinguieseis, distinguiesen
Pres. Perf.	he distinguido, has distinguido, ha distinguido; hemos distinguido, habéis distinguido, han distinguido
Pluperf.	había distinguido, habías distinguido, había distinguido; habíamos distinguido, habíais distinguido, habían distinguido
Past Ant.	hube distinguido, hubiste distinguido, hubo distinguido; hubimos distinguido, hubisteis distinguido, hubieron distinguido
Fut. Perf.	habré distinguido, habrás distinguido, habrá distinguido; habremos distinguido, habréis distinguido, habrán distinguido
Cond. Perf.	habría distinguido, habrías distinguido, habría distinguido; habríamos distinguido, habríais distinguido, habrían distinguido
Pres. Perf. Subj.	haya distinguido, hayas distinguido, haya distinguido; hayamos distinguido, hayáis distinguido, hayan distinguido
Plup. Subj.	hubiera distinguido, hubieras distinguido, hubiera distinguido; hubiéramos distinguido, hubierais distinguido, hubieran distinguido
	hubiese distinguido, hubieses distinguido, hubiese distinguido; hubiésemos distinguido, hubieseis distinguido, hubiesen distinguido
Imperative	—— distingue, distinga; distingamos, distinguid, distingan

to have a good time, enjoy oneself

Pres. Ind.	me divierto, te diviertes, se divierte; nos divertimos, os divertís, se divierten
Imp. Ind.	me divertía, te divertías, se divertía; nos divertíamos, os divertíais, se divertían
Pret. Ind.	me divertí, te divertiste, se divirtió; nos divertimos, os divertisteis, se divirtieron
Fut. Ind.	me divertiré, te divertirás, se divertirá; nos divertiremos, os divertiréis, se divertirán
Condit.	me divertiría, te divertirías, se divertiría; nos divertiríamos, os divertiríais, se divertirían
Pres. Subj.	me divierta, te diviertas, se divierta; nos divirtamos, os divirtáis, se diviertan
Imp. Subj.	me divirtiera, te divirtieras, se divirtiera; nos divirtiéramos, os divirtierais, se divirtieran
	me divirtiese, te divirtieses, se divirtiese; nos divirtiésemos, os divirtieseis, se divirtiesen
Pres. Perf.	me he divertido, te has divertido, se ha divertido; nos hemos divertido, os habéis divertido, se han divertido
Pluperf.	me había divertido, te habías divertido, se había divertido; nos habíamos divertido, os habíais divertido, se habían divertido
Past Ant.	me hube divertido, te hubiste divertido, se hubo divertido; nos hubimos divertido, os hubisteis divertido, se hubieron divertido
Fut. Perf.	me habré divertido, te habrás divertido, se habrá divertido; nos habremos divertido, os habréis divertido, se habrán divertido
Cond. Perf.	me habría divertido, te habrías divertido, se habría divertido; nos habríamos divertido, os habríais divertido, se habrían divertido
Pres. Perf. Subj.	me haya divertido, te hayas divertido, se haya divertido; nos hayamos divertido, os hayáis divertido, se hayan divertido
Plup. Subj.	me hubiera divertido, te hubieras divertido, se hubiera divertido; nos hubiéramos divertido, os hubierais divertido, se hubieran divertido
	me hubiese divertido, te hubieses divertido, se hubiese divertido; nos hubiésemos divertido, os hubieseis divertido, se hubiesen divertido
Imperative	—— diviértete, diviértase; divirtámonos, divertíos, diviértanse

to ache, pain, hurt, cause grief, cause regret

Pres. Ind.	duelo, dueles, duele; dolemos, doléis, duelen
Imp. Ind.	dolía, dolías, dolía; dolíamos, dolíais, dolían
Preterit	dolí, doliste, dolió; dolimos, dolisteis, dolieron
Future	doleré, dolerás, dolerá; doleremos, doleréis, dolerán
Condit.	dolería, dolerías, dolería; doleríamos, doleríais, dolerían
Pres. Subj.	duela, duelas, duela; dolamos, doláis, duelan
Imp. Subj.	doliera, dolieras, doliera; doliéramos, dolierais, dolieran
	doliese, dolieses, doliese; doliésemos, dolieseis, doliesen
Pres. Perf. Ind.	he dolido, has dolido, ha dolido; hemos dolido, habéis dolido, han dolido
Plup. Ind.	había dolido, habías dolido, había dolido; habíamos dolido, habíais dolido, habían dolido
Past Ant.	hube dolido, hubiste dolido, hubo dolido; hubimos dolido, hubisteis dolido, hubieron dolido
Fut. Perf.	habré dolido, habrás dolido, habrá dolido; habremos dolido, habréis dolido, habrán dolido
Cond. Perf.	habría dolido, habrías dolido, habría dolido; habríamos dolido, habríais dolido, habrían dolido
Pres. Perf. Subj.	haya dolido, hayas dolido, haya dolido; hayamos dolido, hayáis dolido, hayan dolido
Plup. Subj.	hubiera dolido, hubieras dolido, hubiera dolido; hubiéramos dolido, hubierais dolido, hubieran dolido
	hubiese dolido, hubieses dolido, hubiese dolido; hubiésemos dolido, hubieseis dolido, hubiesen dolido
Imperative	—— duele, duela; dolamos, doled, duelan

to sleep

Pres. Ind.	duermo, duermes, duerme; dormimos, dormís, duermen
Imp. Ind.	dormía, dormías, dormía; dormíamos, dormíais, dormían
Pret. Ind.	dormí, dormiste, durmió; dormimos, dormisteis, durmieron
Fut. Ind.	dormiré, dormirás, dormirá; dormiremos, dormiréis, dormirán
Condit.	dormiría, dormirías, dormiría; dormiríamos, dormiríais, dormirían
Pres. Subj.	duerma, duermas, duerma; durmamos, durmáis, duerman
Imp. Subj.	durmiera, durmieras, durmiera; durmiéramos, durmierais, durmieran
	durmiese, durmieses, durmiese; durmiésemos, durmieseis, durmiesen
Pres. Perf.	he dormido, has dormido, ha dormido; hemos dormido, habéis dormido, han dormido
Pluperf.	había dormido, habías dormido, había dormido; habíamos dormido, habíais dormido, habían dormido
Past Ant.	hube dormido, hubiste dormido, hubo dormido; hubimos dormido, hubisteis dormido, hubieron dormido
Fut. Perf.	habré dormido, habrás dormido, habrá dormido; habremos dormido, habréis dormido, habrán dormido
Cond. Perf.	habría dormido, habrías dormido, habría dormido; habríamos dormido, habríais dormido, habrían dormido
Pres. Perf. Subj.	haya dormido, hayas dormido, haya dormido; hayamos dormido, hayáis dormido, hayan dormido
Plup. Subj.	hubiera dormido, hubieras dormido, hubiera dormido; hubiéramos dormido, hubierais dormido, hubieran dormido
	hubiese dormido, hubieses dormido, hubiese dormido; hubiésemos dormido, hubieseis dormido, hubiesen dormido
Imperative	—— duerme, duerma; durmamos, dormid, duerman

to fall asleep

Pres. Ind.	me duermo, te duermes, se duerme; nos dormimos, os dormís, se duermen
Imp. Ind.	me dormía, te dormías, se dormía; nos dormíamos, os dormíais, se dormían
Pret. Ind.	me dormí, te dormiste, se durmió; nos dormimos, os dormisteis, se durmieron
Fut. Ind.	me dormiré, te dormirás, se dormirá; nos dormiremos, os dormiréis, se dormirán
Condit.	me dormiría, te dormirías, se dormiría; nos dormiríamos, os dormiríais, se dormirían
Pres. Subj.	me duerma, te duermas, se duerma; nos durmamos, os durmáis, se duerman
Imp. Subj.	me durmiera, te durmieras, se durmiera; nos durmiéramos, os durmierais, se durmieran
	me durmiese, te durmieses, se durmiese; nos durmiésemos, os durmieseis, se durmiesen
Pres. Perf.	me he dormido, te has dormido, se ha dormido; nos hemos dormido, os habéis dormido, se han dormido
Pluperf.	me había dormido, te habías dormido, se había dormido; nos habíamos dormido, os habíais dormido, se habían dormido
Past Ant.	me hube dormido, te hubiste dormido, se hubo dormido; nos hubimos dormido, os hubisteis dormido, se hubieron dormido
Fut. Perf.	me habré dormido, te habrás dormido, se habrá dormido; nos habremos dormido, os habréis dormido, se habrán dormido
Cond. Perf.	me habría dormido, te habrías dormido, se habría dormido; nos habríamos dormido, os habríais dormido, se habrían dormido
Pres. Perf. Subj.	me haya dormido, te hayas dormido, se haya dormido; nos hayamos dormido, os hayáis dormido, se hayan dormido
Plup. Subj.	me hubiera dormido, te hubieras dormido, se hubiera dormido; nos hubiéramos dormido, os hubierais dormido, se hubieran dormido
	me hubiese dormido, te hubieses dormido, se hubiese dormido; nos hubiésemos dormido, os hubieseis dormido, se hubiesen dormido
Imperative	—— duérmete, duérmase; durmámonos, dormíos, duérmanse

to doubt

Pres. Ind.	dudo, dudas, duda; dudamos, dudáis, dudan
Imp. Ind.	dudaba, dudabas, dudaba; dudábamos, dudabais, dudaban
Preterit	dudé, dudaste, dudó; dudamos, dudasteis, dudaron
Future	dudaré, dudarás, dudará; dudaremos, dudaréis, dudarán
Condit.	dudaría, dudarías, dudaría; dudaríamos, dudaríais, dudarían
Pres. Subj.	dude, dudes, dude; dudemos, dudéis, duden
Imp. Subj.	dudara, dudaras, dudara; dudáramos, dudarais, dudaran
	dudase, dudases, dudase; dudásemos, dudaseis, dudasen
Pres. Perf. Ind.	he dudado, has dudado, ha dudado; hemos dudado, habéis dudado, han dudado
Plup. Ind.	había dudado, habías dudado, había dudado; habíamos dudado, habíais dudado, habían dudado
Past Ant.	hube dudado, hubiste dudado, hubo dudado; hubimos dudado, hubisteis dudado, hubieron dudado
Fut. Perf.	habré dudado, habrás dudado, habrá dudado; habremos dudado, habréis dudado, habrán dudado
Cond. Perf.	habría dudado, habrías dudado, habría dudado; habríamos dudado, habríais dudado, habrían dudado
Pres. Perf. Subj.	haya dudado, hayas dudado, haya dudado; hayamos dudado, hayáis dudado, hayan dudado
Plup. Subj.	hubiera dudado, hubieras dudado, hubiera dudado; hubiéramos dudado, hubierais dudado, hubieran dudado
	hubiese dudado, hubieses dudado, hubiese dudado; hubiésemos dudado, hubieseis dudado, hubiesen dudado
Imperative	—— duda, dude; dudemos, dudad, duden

to cast, fling, hurl, pitch, throw

Pres. Ind.	echo, echas, echa; echamos, echáis, echan
Imp. Ind.	echaba, echabas, echaba; echábamos, echabais, echaban
Preterit	eché, echaste, echó; echamos, echasteis, echaron
Future	echaré, echarás, echará; echaremos, echaréis, echarán
Condit.	echaría, echarías, echaría; echaríamos, echaríais, echarían
Pres. Subj.	eche, eches, eche; echemos, echéis, echen
Imp. Subj.	echara, echaras, echara; echáramos, echarais, echaran
	echase, echases, echase; echásemos, echaseis, echasen
Pres. Perf. Ind.	he echado, has echado, ha echado; hemos echado, habéis echado, han echado
Plup. Ind.	había echado, habías echado, había echado; habíamos echado, habíais echado, habían echado
Past Ant.	hube echado, hubiste echado, hubo echado; hubimos echado, hubisteis echado, hubieron echado
Fut. Perf.	habré echado, habrás echado, habrá echado; habremos echado, habréis echado, habrán echado
Cond. Perf.	habría echado, habrías echado, habría echado; habríamos echado, habríais echado, habrían echado
Pres. Perf. Subj.	haya echado, hayas echado, haya echado; hayamos echado, hayáis echado, hayan echado
Plup. Subj.	hubiera echado, hubieras echado, hubiera echado; hubiéramos echado, hubierais echado, hubieran echado
	hubiese echado, hubieses echado, hubiese echado; hubiésemos echado, hubieseis echado, hubiesen echado
Imperative	—— echa, eche; echemos, echad, echen

to execute, carry out, perform

Pres. Ind.	ejecuto, ejecutas, ejecuta; ejecutamos, ejecutáis, ejecutan
Imp. Ind.	ejecutaba, ejecutabas, ejecutaba; ejecutábamos, ejecutabais, ejecutaban
Preterit	ejecuté, ejecutaste, ejecutó; ejecutamos, ejecutasteis, ejecutaron
Future	ejecutaré, ejecutarás, ejecutará; ejecutaremos, ejecutaréis, ejecutarán
Condit.	ejecutaría, ejecutarías, ejecutaría; ejecutaríamos, ejecutaríais, ejecutarían
Pres. Subj.	ejecute, ejecutes, ejecute; ejecutemos, ejecutéis, ejecuten
Imp. Subj.	ejecutara, ejecutaras, ejecutara; ejecutáramos, ejecutarais, ejecutaran
	ejecutase, ejecutases, ejecutase; ejecutásemos, ejecutaseis, ejecutasen
Pres. Perf. Ind.	he ejecutado, has ejecutado, ha ejecutado; hemos ejecutado, habéis ejecutado, han ejecutado
Plup. Ind.	había ejecutado, habías ejecutado, había ejecutado; habíamos ejecutado, habíais ejecutado, habían ejecutado
Past Ant.	hube ejecutado, hubiste ejecutado, hubo ejecutado; hubimos ejecutado, hubisteis ejecutado, hubieron ejecutado
Fut. Perf.	habré ejecutado, habrás ejecutado, habrá ejecutado; habremos ejecutado, habréis ejecutado, habrán ejecutado
Cond. Perf.	habría ejecutado, habrías ejecutado, habría ejecutado; habríamos ejecutado, habríais ejecutado, habrían ejecutado
Pres. Perf. Subj.	haya ejecutado, hayas ejecutado, haya ejecutado; hayamos ejecutado, hayais ejecutado, hayan ejecutado
Plup. Subj.	hubiera ejecutado, hubieras ejecutado, hubiera ejecutado; hubiéramos ejectuado, hubierais ejecutado, hubieran ejecutado
	hubiese ejecutado, hubieses ejecutado, hubiese ejecutado; hubiésemos ejecutado, hubieseis ejecutado, hubiesen ejecutado
Imperative	—— ejecuta, ejecute; ejecutemos, ejecutad, ejecuten

to exert, exercise

Pres. Ind.	ejerzo, ejerces, ejerce; ejercemos, ejercéis, ejercen
Imp. Ind.	ejercía, ejercías, ejercía; ejercíamos, ejercíais, ejercían
Preterit	ejercí, ejerciste, ejerció; ejercimos, ejercisteis, ejercieron
Future	ejerceré, ejercerás, ejercerá; ejerceremos, ejerceréis, ejercerán
Condit.	ejercería, ejercerías, ejercería; ejerceríamos, ejerceríais, ejercerían
Pres. Subj.	ejerza, ejerzas, ejerza; ejerzamos, ejerzáis, ejerzan
Imp. Subj.	ejerciera, ejercieras, ejerciera; ejerciéramos, ejercierais, ejercieran ejerciese, ejercieses, ejerciese; ejerciésemos, ejercieseis, ejerciesen
Pres. Perf. Ind.	he ejercido, has ejercido, ha ejercido; hemos ejercido, habéis ejercido, han ejercido
Plup. Ind.	había ejercido, habías ejercido, había ejercido; habíamos ejercido, habíais ejercido, habían ejercido
Past Ant.	hube ejercido, hubiste ejercido, hubo ejercido; hubimos ejercido, hubisteis ejercido, hubieron ejercido
Fut. Perf.	habré ejercido, habrás ejercido, habrá ejercido; habremos ejercido, habréis ejercido, habrán ejercido
Cond. Perf.	habría ejercido, habrías ejercido, habría ejercido; habríamos ejercido, habríais ejercido, habrían ejercido
Pres. Perf. Subj.	haya ejercido, hayas ejercido, haya ejercido; hayamos ejercido, hayáis ejercido, hayan ejercido
Plup. Subj.	hubiera ejercido, hubieras ejercido, hubiera ejercido; hubiéramos ejercido, hubierais ejercido, hubieran ejercido hubiese ejercido, hubieses ejercido, hubiese ejercido; hubiésemos ejercido, hubieseis ejercido, hubiesen ejercido
Imperative	—— ejerce, ejerza; ejerzamos, ejerced, ejerzan

to elect

Pres. Ind.	elijo, eliges, elige; elegimos, elegís, eligen
Imp. Ind.	elegía, elegías, elegía; elegíamos, elegíais, elegían
Pret. Ind.	elegí, elegiste, eligió; elegimos, elegisteis, eligieron
Fut. Ind.	elegiré, elegirás, elegirá; elegiremos, elegiréis, elegirán
Condit.	elegiría, elegirías, elegiría; elegiríamos, elegiríais, elegirían
Pres. Subj.	elija, elijas, elija; elijamos, elijáis, elijan
Imp. Subj.	eligiera, eligieras, eligiera; eligiéramos, eligierais, eligieran eligiese, eligieses, eligiese; eligiésemos, eligieseis, eligiesen
Pres. Perf.	he elegido, has elegido, ha elegido; hemos elegido, habéis elegido, han elegido
Pluperf.	había elegido, habías elegido, había elegido; habíamos elegido, habíais elegido, habían elegido
Past Ant.	hube elegido, hubiste elegido, hubo elegido; hubimos elegido, hubisteis elegido, hubieron elegido
Fut. Perf.	habré elegido, habrás elegido, habrá elegido; habremos elegido, habréis elegido, habrán elegido
Cond. Perf.	habría elegido, habrías elegido, habría elegido; habríamos elegido, habríais elegido, habrían elegido
Pres. Perf. Subj.	haya elegido, hayas elegido, haya elegido; hayamos elegido, hayáis elegido, hayan elegido
Plup. Subj.	hubiera elegido, hubieras elegido, hubiera elegido; hubiéramos elegido, hubierais elegido, hubieran elegido hubiese elegido, hubieses elegido, hubiese elegido; hubiésemos elegido, hubieseis elegido, hubiesen elegido
Imperative	—— elige, elija; elijamos, elegid, elijan

to soak in, soak up, suck in

Pres. Ind.	embebo, embebes, embebe; embebemos, embebéis, embeben
Imp. Ind.	embebía, embebía, embebía; embebíamos, embebíais, embebían
Preterit	embebí, embebiste, embebió; embebimos, embebisteis, embebieron
Future	embeberé, embeberás, embeberá; embeberemos, embeberéis, embeberán
Condit.	embebería, embeberías, embebería; embeberíamos, embeberíais, embeberían
Pres. Subj.	embeba, embebas, embeba; embebamos, embebáis, embeban
Imp. Subj.	embebiera, embebieras, embebiera; embebiéramos, embebierais, embebieran
	embebiese, embebieses, embebiese; embebiésemos, embebieseis, embebiesen
Pres. Perf. Ind.	he embebido, has embebido, ha embebido; hemos embebido, habéis embebido, han embebido
Plup. Ind.	había embebido, habías embebido, había embebido; habíamos embebido, habíais embebido, habían embebido
Past Ant.	hube embebido, hubiste embebido, hubo embebido; hubimos embebido, hubisteis embebido, hubieron embebido
Fut. Perf.	habré embebido, habrás embebido, habrá embebido; habremos embebido, habréis embebido, habrán embebido
Cond. Perf.	habría embebido, habrías embebido, habría embebido; habríamos embebido, habríais embebido, habrían embebido
Pres. Perf. Subj.	haya embebido, hayas embebido, haya embebido; hayamos embebido, hayáis embebido, hayan embebido
Plup. Subj.	hubiera embebido, hubieras embebido, hubiera embebido; hubiéramos embebido, hubierais embebido, hubieran embebido
	hubiese embebido, hubieses embebido, hubiese embebido; hubiésemos embebido, hubieseis embebido, hubiesen embebido
Imperative	—— embebe, embeba; embebamos, embebed, embeban

to begin, start

Pres. Ind.	empiezo, empiezas, empieza; empezamos, empezáis, empiezan
Imp. Ind.	empezaba, empezabas, empezaba; empezábamos, empezabais, empezaban
Pret. Ind.	empecé, empezaste, empezó; empezamos, empezasteis, empezaron
Fut. Ind.	empezaré, empezarás, empezará; empezaremos, empezaréis, empezarán
Condit.	empezaría, empezarías, empezaría; empezaríamos, empezaríais, empezarían
Pres. Subj.	empiece, empieces, empiece; empecemos, empecéis, empiecen
Imp. Subj.	empezara, empezaras, empezara; empezáramos, empezarais, empezaran empezase, empezases, empezase; empezásemos, empezaseis, empezasen
Pres. Perf.	he empezado, has empezado, ha empezado; hemos empezado, habéis empezado, han empezado
Pluperf.	había empezado, habías empezado, había empezado; habíamos empezado, habíais empezado, habían empezado
Past Ant.	hube empezado, hubiste empezado, hubo empezado; hubimos empezado, hubisteis empezado, hubieron empezado
Fut. Perf.	habré empezado, habrás empezado, habrá empezado; habremos empezado, habréis empezado, habrán empezado
Cond. Perf.	habría empezado, habrías empezado, habría empezado; habríamos empezado, habríais empezado, habrían empezado
Pres. Perf. Subj.	haya empezado, hayas empezado, haya empezado; hayamos empezado, hayáis empezado, hayan empezado
Plup. Subj.	hubiera empezado, hubieras empezado, hubiera empezado; hubiéramos empezado, hubierais empezado, hubieran empezado hubiese empezado, hubieses empezado, hubiese empezado; hubiésemos empezado, hubieseis empezado, hubiesen empezado
Imperative	—— empieza, empiece; empecemos, empezad, empiecen

to employ

Pres. Ind.	empleo, empleas, emplea; empleamos, empleáis, emplean
Imp. Ind.	empleaba, empleabas, empleaba; empleábamos, empleabais, empleaban
Preterit	empleé, empleaste, epleó; empleamos, empleasteis, emplearon
Future	emplearé, emplearás, empleará; emplearemos, emplearéis, emplearán
Condit.	emplearía, emplearías, emplearía; emplearíamos, emplearíais, emplearían
Pres. Subj.	emplee, emplees, emplee; empleemos, empleéis, empleen
Imp. Subj.	empleara, emplearas, empleara; empleáramos, emplearais, emplearan
	emplease, empleases, emplease; empleásemos, empleaseis, empleasen
Pres. Perf. Ind.	he empleado, has empleado, ha empleado; hemos empleado, habéis empleado, han empleado
Plup. Ind.	había empleado, habías empleado, había empleado; habíamos empleado, habíais empleado, habían empleado
Past Ant.	hube empleado, hubiste empleado, hubo empleado; hubimos empleado, hubisteis empleado, hubieron empleado
Fut. Perf.	habré empleado, habrás empleado, habrá empleado; habremos empleado, habréis empleado, habrán empleado
Cond. Perf.	habría empleado, habrías empleado, habría empleado; habríamos empleado, habríais empleado, habrían empleado
Pres. Perf. Subj.	haya empleado, hayas empleado, haya empleado; hayamos empleado, hayáis empleado, hayan empleado
Plup. Subj.	hubiera empleado, hubieras empleado, hubiera empleado; hubiéramos empleado, hubierais empleado, hubieran empleado
	hubiese empleado, hubieses empleado, hubiese empleado; hubiésemos empleado, hubieseis empleado, hubiesen empleado
Imperative	—— emplea, emplee; empleemos, emplead, empleen

to incite, inflame, kindle, light

Pres. Ind.	enciendo, enciendes, enciende; encendemos, encendéis, encienden
Imp. Ind.	encendía, encendías, encendía; encendíamos, encendíais, encendían
Preterit	encendí, encendiste, encendió; encendimos, encendisteis, encendieron
Future	encenderé, encenderás, encenderá; encenderemos, encenderéis, encenderán
Condit.	encendería, encenderías, encendería; encenderíamos, encenderíais, encenderían
Pres. Subj.	encienda, enciendas, encienda; encendamos, encendáis, enciendan
Imp. Subj.	encendiera, encendieras, encendiera; encendiéramos, encendierais, encendieran encendiese, encendieses, encendiese; encendiésemos, encendieseis, encendiesen
Pres. Perf. Ind.	he encendido, has encendido, ha encendido; hemos encendido, habéis encendido, han encendido
Plup. Ind.	había encendido, habías encendido, había encendido; habíamos encendido, habíais encendido, habían encendido
Past Ant.	hube encendido, hubiste encendido, hubo encendido; hubimos encendido, hubisteis encendido, hubieron encendido
Fut. Perf.	habré encendido, habrás encendido, habrá encendido; habremos encendido, habréis encendido, habrán encendido
Cond. Perf.	habría encendido, habrías encendido, habría encendido; habríamos encendido, habríais encendido, habrían encendido
Pres. Perf. Subj.	haya encendido, hayas encendido, haya encendido; hayamos encendido, hayáis encendido, hayan encendido
Plup. Subj.	hubiera encendido, hubieras encendido, hubiera encendido; hubiéramos encendido, hubierais encendido, hubieran encendido hubiese encendido, hubieses encendido, hubiese encendido; hubiésemos encendido, hubieseis encendido, hubiesen encendido
Imperative	—— enciende, encienda; encendamos, encended, enciendan

to enclose, lock up, confine

Pres. Ind.	encierro, encierras, encierra; encerramos, encerráis, encierran
Imp. Ind.	encerraba, encerrabas, encerraba; encerrábamos, encerrabais, encerraban
Preterit	encerré, encerraste, encerró; encerramos, encerrasteis, encerraron
Future	encerraré, encerrarás, encerrará; encerraremos, encerraréis, encerrarán
Condit.	encerraría, encerrarías, encerraría; encerraríamos, encerraríais, encerrarían
Pres. Subj.	encierre, encierres, encierre; encerremos, encerréis, encierren
Imp. Subj.	encerrara, encerraras, encerrara; encerráramos, encerrarais, encerraran encerrase, encerrases, encerrase; encerrásemos, encerraseis, encerrasen
Pres. Perf. Ind.	he encerrado, has encerrado, ha encerrado; hemos encerrado, habéis encerrado, han encerrado
Plup. Ind.	había encerrado, habías encerrado, había encerrado; habíamos encerrado, habíais encerrado, habían encerrado
Past Ant.	hube encerrado, hubiste encerrado, hubo encerrado; hubimos encerrado, hubisteis encerrado, hubieron encerrado
Fut. Perf.	habré encerrado, habrás encerrado, habrá encerrado; habremos encerrado, habréis encerrado, habrán encerrado
Cond. Perf.	habría encerrado, habrías encerrado, habría encerrado; habríamos encerrado, habríais encerrado, habrían encerrado
Pres. Perf. Subj.	haya encerrado, hayas encerrado, haya encerrado; hayamos encerrado, hayáis encerrado, hayan encerrado
Plup. Subj.	hubiera encerrado, hubieras encerrado, hubiera encerrado; hubiéramos encerrado, hubierais encerrado, hubieran encerrado hubiese encerrado, hubieses encerrado, hubiese encerrado; hubiésemos encerrado, hubieseis encerrado, hubiesen encerrado
Imperative	—— encierra, encierre; encerremos, encerrad, encierren

to meet, encounter, find

Pres. Ind.	encuentro, encuentras, encuentra; encontramos, encontráis, encuentran
Imp. Ind.	encontraba, encontrabas, encontraba; encontrábamos, encontrabais, encontraban
Pret. Ind.	encontré, encontraste, encontró; encontramos, encontrasteis, encontraron
Fut. Ind.	encontraré, encontrarás, encontrará; encontraremos, encontraréis, encontrarán
Condit.	encontraría, encontrarías, encontraría; encontraríamos, encontraríais, encontrarían
Pres. Subj.	encuentre, encuentres, encuentre; encontremos, encontréis, encuentren
Imp. Subj.	encontrara, encontraras, encontrara; encontráramos, encontrarais, encontraran encontrase, encontrases, encontrase; encontrásemos, encontraseis, encontrasen
Pres. Perf.	he encontrado, has encontrado, ha encontrado; hemos encontrado, habéis encontrado, han encontrado
Pluperf.	había encontrado, habías encontrado, había encontrado; habíamos encontrado, habíais encontrado, habían encontrado
Past Ant.	hube encontrado, hubiste encontrado, hubo encontrado; hubimos encontrado, hubisteis encontrado, hubieron encontrado
Fut. Perf.	habré encontrado, habrás encontrado, habrá encontrado; habremos encontrado, habréis encontrado, habrán encontrado
Cond. Perf.	habría encontrado, habrías encontrado, habría encontrado; habríamos encontrado, habríais encontrado, habrían encontrado
Pres. Perf. Subj.	haya encontrado, hayas encontrado, haya encontrado; hayamos encontrado, hayáis encontrado, hayan encontrado
Plup. Subj.	hubiera encontrado, hubieras encontrado, hubiera encontrado; hubiéramos encontrado, hubierais encontrado, hubieran encontrado hubiese encontrado, hubieses encontrado, hubiese encontrado; hubiésemos encontrado, hubieseis encontrado, hubiesen encontrado
Imperative	—— encuentra, encuentre; encontremos, encontrad, encuentren

to find, meet, come across or upon (with **con**)

Pres. Ind.	me encuentro, te encuentras, se encuentra; nos encontramos, os encontráis, se encuentran
Imp. Ind.	me encontraba, te encontrabas, se encontraba; nos encontrábamos, os encontrabais, se encontraban
Preterit	me encontré, te encontraste, se encontró; nos encontramos, os encontrasteis, se encontraron
Future	me encontraré, te encontrarás, se encontrará; nos encontraremos, os encontraréis, se encontrarán
Condit.	me encontraría, te encontrarías, se encontraría; nos encontraríamos, os encontraríais, se encontrarían
Pres. Subj.	me encuentre, te encuentres, se encuentre; nos encontremos, os encontréis, se encuentren
Imp. Subj.	me encontrara, te encontraras, se encontrara; nos encontráramos, os encontrarais, se encontraran
	me encontrase, te encontrases, se encontrase; nos encontrásemos, os encontraseis, se encontrasen
Pres. Perf. Ind.	me he encontrado, te has encontrado, se ha encontrado; nos hemos encontrado, os habéis encontrado, se han encontrado
Plup. Ind.	me había encontrado, te habías encontrado, se había encontrado; nos habíamos encontrado, os habíais encontrado, se habían encontrado
Past Ant.	me hube encontrado, te hubiste encontrado, se hubo encontrado; nos hubimos encontrado, os hubisteis encontrado, se hubieron encontrado
Fut. Perf.	me habré encontrado, te habrás encontrado, se habrá encontrado; nos habremos encontrado, os habréis encontrado, se habrán encontrado
Cond. Perf.	me habría encontrado, te habrías encontrado, se habría encontrado; nos habríamos encontrado, os habríais encontrado, se habrían encontrado
Pres. Perf. Subj.	me haya encontrado, te hayas encontrado, se haya encontrado; nos hayamos encontrado, os hayáis encontrado, se hayan encontrado
Plup. Subj.	me hubiera encontrado, te hubieras encontrado, se hubiera encontrado; nos hubiéramos encontrado, os hubierais encontrado, se hubieran encontrado
	me hubiese encontrado, te hubieses encontrado, se hubiese encontrado; nos hubiésemos encontrado, os hubieseis encontrado, se hubiesen encontrado
Imperative	—— encuéntrate, encuéntrese; encontrémonos, encontraos, encuéntrense

to become angry

Pres. Ind. me enfado, te enfadas, se enfada;
nos enfadamos, os enfadáis, se enfadan

Imp. Ind. me enfadaba, te enfadabas, se enfadaba;
nos enfadábamos, os enfadabais, se enfadaban

Pret. Ind. me enfadé, te enfadaste, se enfadó;
nos enfadamos, os enfadasteis, se enfadaron

Fut. Ind. me enfadaré, te enfadarás, se enfadará;
nos enfadaremos, os enfadaréis, se enfadarán

Condit. me enfadaría, te enfadarías, se enfadaría;
nos enfadaríamos, os enfadaríais, se enfadarían

Pres. Subj. me enfade, te enfades, se enfade;
nos enfademos, os enfadéis, se enfaden

Imp. Subj. me enfadara, te enfadaras, se enfadara;
nos enfadáramos, os enfadarais, se enfadaran

me enfadase, te enfadases, se enfadase;
nos enfadásemos, os enfadaseis, se enfadasen

Pres. Perf. me he enfadado, te has enfadado, se ha enfadado;
nos hemos enfadado, os habéis enfadado, se han enfadado

Pluperf. me había enfadado, te habías enfadado, se había enfadado;
nos habíamos enfadado, os habíais enfadado, se habían enfadado

Past Ant. me hube enfadado, te hubiste enfadado, se hubo enfadado;
nos hubimos enfadado, os hubisteis enfadado, se hubieron enfadado

Fut. Perf. me habré enfadado, te habrás enfadado, se habrá enfadado;
nos habremos enfadado, os habréis enfadado, se habrán enfadado

Cond. Perf. me habría enfadado, te habrías enfadado, se habría enfadado;
nos habríamos enfadado, os habríais enfadado, se habrían enfadado

Pres. Perf. Subj. me haya enfadado, te hayas enfadado, se haya enfadado;
nos hayamos enfadado, os hayáis enfadado, se hayan enfadado

Plup. Subj. me hubiera enfadado, te hubieras enfadado, se hubiera enfadado;
nos hubiéramos enfadado, os hubierais enfadado, se hubieran enfadado

me hubiese enfadado, te hubieses enfadado, se hubiese enfadado;
nos hubiésemos enfadado, os hubieseis enfadado, se hubiesen enfadado

Imperative —— enfádate, enfádese;
enfadémonos, enfadaos, enfádense

to get sick, fall sick, become sick, fall ill, get ill, become ill

Pres. Ind.	me enfermo, te enfermas, se enferma; nos enfermamos, os enfermáis, se enferman
Imp. Ind.	me enfermaba, te enfermabas, se enfermaba; nos enfermábamos, os enfermabais, se enfermaban
Preterit	me enfermé, te enfermaste, se enfermó; nos enfermamos, os enfermasteis, se enfermaron
Future	me enfermaré, te enfermarás, se enfermará; nos enfermaremos, os enfermaréis, se enfermarán
Condit.	me enfermaría, te enfermarías, se enfermaría; nos enfermaríamos, os enfermaríais, se enfermarían
Pres. Subj.	me enferme, te enfermes, se enferme; nos enfermemos, os enferméis, se enfermen
Imp. Subj.	me enfermara, te enfermaras, se enfermara; nos enfermáramos, os enfermarais, se enfermaran me enfermase, te enfermases, se enfermase; nos enfermásemos, os enfermaseis, se enfermasen
Pres. Perf. Ind.	me he enfermado, te has enfermado, se ha enfermado; nos hemos enfermado, os habéis enfermado, se han enfermado
Plup. Ind.	me había enfermado, te habías enfermado, se había enfermado; nos habíamos enfermado, os habíais enfermado, se habían enfermado
Past Ant.	me hube enfermado, te hubiste enfermado, se hubo enfermado; nos hubimos enfermado, os hubisteis enfermado, se hubieron enfermado
Fut. Perf.	me habré enfermado, te habrás enfermado, se habrá enfermado; nos habremos enfermado, os habréis enfermado, se habrán enfermado
Cond. Perf.	me habría enfermado, te habrías enfermado, se habría enfermado; nos habríamos enfermado, os habríais enfermado, se habrían enfermado
Pres. Perf. Subj.	me haya enfermado, te hayas enfermado, se haya enfermado; nos hayamos enfermado, os hayáis enfermado, se hayan enfermado
Plup. Subj.	me hubiera enfermado, te hubieras enfermado, se hubiera enfermado; nos hubiéramos enfermado, os hubierais enfermado, se hubieran enfermado me hubiese enfermado, te hubieses enfermado, se hubiese enfermado; nos hubiésemos enfermado, os hubieseis enfermado, se hubiesen enfermado
Imperative	—— enférmate, enférmese; enfermémonos, enfermaos, enférmense

to annoy, irritate, make angry, vex

Pres. Ind.	enojo, enojas, enoja; enojamos, enojáis, enojan
Imp. Ind.	enojaba, enojabas, enojaba; enojábamos, enojabais, enojaban
Preterit	enojé, enojaste, enojó; enojamos, enojasteis, enojaron
Future	enojaré, enojarás, enojará; enojaremos, enojaréis, enojarán
Condit.	enojaría, enojarías, enojaría; enojaríamos, enojaríais, enojarían
Pres. Subj.	enoje, enojes, enoje; enojemos, enojéis, enojen
Imp. Subj.	enojara, enojaras, enojara; enojáramos, enojarais, enojaran
	enojase, enojases, enojase; enojásemos, enojaseis, enojasen
Pres. Perf. Ind.	he enojado, has enojado, ha enojado; hemos enojado, habéis enojado, han enojado
Plup. Ind.	había enojado, habías enojado, había enojado; habíamos enojado, habíais enojado, habían enojado
Past Ant.	hube enojado, hubiste enojado, hubo enojado; hubimos enojado, hubisteis enojado, hubieron enojado
Fut. Perf.	habré enojado, habrás enojado, habrá enojado; habremos enojado, habréis enojado, habrán enojado
Cond. Perf.	habría enojado, habrías enojado, habría enojado; habríamos enojado, habríais enojado, habrían enojado
Pres. Perf. Subj.	haya enojado, hayas enojado, haya enojado; hayamos enojado, hayáis enojado, hayan enojado
Plup. Subj.	hubiera enojado, hubieras enojado, hubiera enojado; hubiéramos enojado, hubierais enojado, hubieran enojado
	hubiese enojado, hubieses enojado, hubiese enojado; hubiésemos enojado, hubieseis enojado, hubiesen enojado
Imperative	—— enoja, enoje; enojemos, enojad, enojen

to become angry, get angry, get cross

Pres. Ind.	me enojo, te enojas, se enoja; nos enojamos, os enojáis, se enojan
Imp. Ind.	me enojaba, te enojabas, se enojaba; nos enojábamos, os enojabais, se enojaban
Preterit	me enojé, te enojaste, se enojó; nos enojamos, os enojasteis, se enojaron
Future	me enojaré, te enojarás, se enojará; nos enojaremos, os enojaréis, se enojarán
Condit.	me enojaría, te enojarías, se enojaría; nos enojaríamos, os enojaríais, se enojarían
Pres. Subj.	me enoje, te enojes, se enoje; nos enojemos, os enojéis, se enojen
Imp. Subj.	me enojara, te enojaras, se enojara; nos enojáramos, os enojarais, se enojaran
	me enojase, te enojases, se enojase; nos enojásemos, os enojaseis, se enojasen
Pres. Perf. Ind.	me he enojado, te has enojado, se ha enojado; nos hemos enojado, os habéis enojado, se han enojado
Plup. Ind.	me había enojado, te habías enojado, se había enojado; nos habíamos enojado, os habíais enojado, se habían enojado
Past Ant.	me hube enojado, te hubiste enojado, se hubo enojado; nos hubimos enojado, os hubisteis enojado, se hubieron enojado
Fut. Perf.	me habré enojado, te habrás enojado, se habrá enojado; nos habremos enojado, os habréis enojado, se habrán enojado
Cond. Perf.	me habría enojado, te habrías enojado, se habría enojado; nos habríamos enojado, os habríais enojado, se habrían enojado
Pres. Perf. Subj.	me haya enojado, te hayas enojado, se haya enojado; nos hayamos enojado, os hayáis enojado, se hayan enojado
Plup. Subj.	me hubiera enojado, te hubieras enojado, se hubiera enojado; nos hubiéramos enojado, os hubierais enojado, se hubieran enojado
	me hubiese enojado, te hubieses enojado, se hubiese enojado; nos hubiésemos enojado, os hubieseis enojado, se hubiesen enojado
Imperative	——enójate, enójese; enojémonos, enojaos, enójense

to teach, show, point out

Pres. Ind.	enseño, enseñas, enseña; enseñamos, enseñáis, enseñan
Imp. Ind.	enseñaba, enseñabas, enseñaba; enseñábamos, enseñabais, enseñaban
Preterit	enseñé, enseñaste, enseñó; enseñamos, enseñasteis, enseñaron
Future	enseñaré, enseñarás, enseñará; enseñaremos, enseñaréis, enseñarán
Condit.	enseñaría, enseñarías, enseñaría; enseñaríamos, enseñaríais, enseñarían
Pres. Subj.	enseñe, enseñes, enseñe; enseñemos, enseñéis, enseñen
Imp. Subj.	enseñara, enseñaras, enseñara; enseñáramos, enseñarais, enseñaran
	enseñase, enseñases, enseñase; enseñásemos, enseñaseis, enseñasen
Pres. Perf. Ind.	he enseñado, has enseñado, ha enseñado; hemos enseñado, habéis enseñado, han enseñado
Plup. Ind.	había enseñado, habías enseñado, había enseñado; habíamos enseñado, habíais enseñado, habían enseñado
Past Ant.	hube enseñado, hubiste enseñado, hubo enseñado; hubimos enseñado, hubisteis enseñado, hubieron enseñado
Fut. Perf.	habré enseñado, habrás enseñado, habrá enseñado; habremos enseñado, habréis enseñado, habrán enseñado
Cond. Perf.	habría enseñado, habrías enseñado, habría enseñado; habríamos enseñado, habríais enseñado, habrían enseñado
Pres. Perf. Subj.	haya enseñado, hayas enseñado, haya enseñado; hayamos enseñado, hayáis enseñado, hayan enseñado
Plup. Subj.	hubiera enseñado, hubieras enseñado, hubiera enseñado; hubiéramos enseñado, hubierais enseñado, hubieran enseñado
	hubiese enseñado, hubieses enseñado, hubiese enseñado; hubiésemos enseñado, hubieseis enseñado, hubiesen enseñado
Imperative	—— enseña, enseñe; enseñemos, enseñad, enseñen

to understand

Pres. Ind.	entiendo, entiendes, entiende; entendemos, entendéis, entienden
Imp. Ind.	entendía, entendías, entendía; entendíamos, entendíais, entendían
Pret. Ind.	entendí, entendiste, entendió; entendimos, entendisteis, entendieron
Fut. Ind.	entenderé, entenderás, entenderá; entenderemos, entenderéis, entenderán
Condit.	entendería, entenderías, entendería; entenderíamos, entenderíais, entenderían
Pres. Subj.	entienda, entiendas, entienda; entendamos, entendáis, entiendan
Imp. Subj.	entendiera, entendieras, entendiera; entendiéramos, entendierais, entendieran entendiese, entendieses, entendiese; entendiésemos, entendieseis, entendiesen
Pres. Perf.	he entendido, has entendido, ha entendido; hemos entendido, habéis entendido, han entendido
Pluperf.	había entendido, habías entendido, había entendido; habíamos entendido, habíais entendido, habían entendido
Past Ant.	hube entendido, hubiste entendido, hubo entendido; hubimos entendido, hubisteis entendido, hubieron entendido
Fut. Perf.	habré entendido, habrás entendido, habrá entendido; habremos entendido, habréis entendido, habrán entendido
Cond. Perf.	habría entendido, habrías entendido, habría entendido; habríamos entendido, habríais entendido, habrían entendido
Pres. Perf. Subj.	haya entendido, hayas entendido, haya entendido; hayamos entendido, hayáis entendido, hayan entendido
Plup. Subj.	hubiera entendido, hubieras entendido, hubiera entendido; hubiéramos entendido, hubierais entendido, hubieran entendido hubiese entendido, hubieses entendido, hubiese entendido; hubiésemos entendido, hubieseis entendido, hubiesen entendido
Imperative	—— entiende, entienda; entendamos, entended, entiendan

to enter, go (in), come (in)

Pres. Ind.	entro, entras, entra; entramos, entráis, entran
Imp. Ind.	entraba, entrabas, entraba; entrábamos, entrabais, entraban
Preterit	entré, entraste, entró; entramos, entrasteis, entraron
Future	entraré, entrarás, entrará; entraremos, entraréis, entrarán
Condit.	entraría, entrarías, entraría; entraríamos, entraríais, entrarían
Pres. Subj.	entre, entres, entre; entremos, entréis, entren
Imp. Subj.	entrara, entraras, entrara; entráramos, entrarais, entraran entrase, entrases, entrase; entrásemos, entraseis, entrasen
Pres. Perf. Ind.	he entrado, has entrado, ha entrado; hemos entrado, habéis entrado, han entrado
Plup. Ind.	había entrado, habías entrado, había entrado; habíamos entrado, habíais entrado, habían entrado
Past Ant.	hube entrado, hubiste entrado, hubo entrado; hubimos entrado, hubisteis entrado, hubieron entrado
Fut. Perf.	habré entrado, habrás entrado, habrá entrado; habremos entrado, habréis entrado, habrán entrado
Cond. Perf.	habría entrado, habrías entrado, habría entrado; habríamos entrado, habríais entrado, habrían entrado
Pres. Perf. Subj.	haya entrado, hayas entrado, haya entrado; hayamos entrado, hayáis entrado, hayan entrado
Plup. Subj.	hubiera entrado, hubieras entrado, hubiera entrado; hubiéramos entrado, hubierais entrado, hubieran entrado hubiese entrado, hubieses entrado, hubiese entrado; hubiésemos entrado, hubieseis entrado, hubiesen entrado
Imperative	—— entra, entre; entremos, entrad, entren

to deliver, hand over, give

Pres. Ind.	entrego, entregas, entrega; entregamos, entregáis, entregan
Imp. Ind.	entregaba, entregabas, entregaba; entregábamos, entregabais, entregaban
Pret. Ind.	entregué, entregaste, entregó; entregamos, entregasteis, entregaron
Fut. Ind.	entregaré, entregarás, entregará; entregaremos, entregaréis, entregarán
Condit.	entregaría, entregarías, entregaría; entregaríamos, entregaríais, entregarían
Pres. Subj.	entregue, entregues, entregue; entreguemos, entreguéis, entreguen
Imp. Subj.	entregara, entregaras, entregara; entregáramos, entregarais, entregaran
	entregase, entregases, entregase; entregásemos, entregaseis, entregasen
Pres. Perf.	he entregado, has entregado, ha entregado; hemos entregado, habéis entregado, han entregado
Pluperf.	había entregado, habías entregado, había entregado; habíamos entregado, habíais entregado, habían entregado
Past Ant.	hube entregado, hubiste entregado, hubo entregado; hubimos entregado, hubisteis entregado, hubieron entregado
Fut. Perf.	habré entregado, habrás entregado, habrá entregado; habremos entregado, habréis entregado, habrán entregado
Cond. Perf.	habría entregado, habrías entregado, habría entregado; habríamos entregado, habríais entregado, habrían entregado
Pres. Perf. Subj.	haya entregado, hayas entregado, haya entregado; hayamos entregado, hayáis entregado, hayan entregado
Plup. Subj.	hubiera entregado, hubieras entregado, hubiera entregado; hubiéramos entregado, hubierais entregado, hubieran entregado
	hubiese entregado, hubieses entregado, hubiese entregado; hubiésemos entregado, hubieseis entregado, hubiesen entregado
Imperative	—— entrega, entregue; entreguemos, entregad, entreguen

to enunciate

Pres. Ind.	enuncio, enuncias, enuncia; enunciamos, enunciáis, enuncian
Imp. Ind.	enunciaba, enunciabas, enunciaba; enunciábamos, enunciabais, enunciaban
Preterit	enuncié, enunciaste, enunció; enunciamos, enunciasteis, enunciaron
Future	enunciaré, enunciarás, enunciará; enunciaremos, enunciaréis, enunciarán
Condit.	enunciaría, enunciarías, enunciaría; enunciaríamos, enunciaríais, enunciarían
Pres. Subj.	enuncie, enuncies, enuncie; enunciemos, enunciéis, enuncien
Imp. Subj.	enunciara, enunciaras, enunciara; enunciáramos, enunciarais, enunciaran
	enunciase, enunciases, enunciase; enunciásemos, enunciaseis, enunciasen
Pres. Perf. Ind.	he enunciado, has enunciado, ha enunciado; hemos enunciado, habéis enunciado, han enunciado
Plup. Ind.	había enunciado, habías enunciado, había enunciado; habíamos enunciado, habíais enunciado, habían enunciado
Past Ant.	hube enunciado, hubiste enunciado, hubo enunciado; hubimos enunciado, hubisteis enunciado, hubieron enunciado
Fut. Perf.	habré enunciado, habrás enunciado, habrá enunciado; habremos enunciado, habréis enunciado, habrán enunciado
Cond. Perf.	habría enunciado, habrías enunciado, habría enunciado; habríamos enunciado, habríais enunciado, habrían enunciado
Pres. Perf. Subj.	haya enunciado, hayas enunciado, haya enunciado; hayamos enunciado, hayáis enunciado, hayan enunciado
Plup. Subj.	hubiera enunciado, hubieras enunciado, hubiera enunciado; hubiéramos enunciado, hubierais enunciado, hubieran enunciado
	hubiese enunciado, hubieses enunciado, hubiese enunciado; hubiésemos enunciado, hubieseis enunciado, hubiesen enunciado
Imperative	—— enuncia, enuncie; enunciemos, enunciad, enuncien

to send

Pres. Ind.	envío, envías, envía; enviamos, enviáis, envían
Imp. Ind.	enviaba, enviabas, enviaba; enviábamos, enviabais, enviaban
Pret. Ind.	envié, enviaste, envió; enviamos, enviasteis, enviaron
Fut. Ind.	enviaré, enviarás, enviará; enviaremos, enviaréis, enviarán
Condit.	enviaría, enviarías, enviaría; enviaríamos, enviaríais, enviarían
Pres. Subj.	envíe, envíes, envíe; enviemos, enviéis, envíen
Imp. Subj.	enviara, enviaras, enviara; enviáramos, enviarais, enviaran enviase, enviases, enviase; enviásemos, enviaseis, enviasen
Pres. Perf.	he enviado, has enviado, ha enviado; hemos enviado, habéis enviado, han enviado
Pluperf.	había enviado, habías enviado, había enviado; habíamos enviado, habíais enviado, habían enviado
Past Ant.	hube enviado, hubiste enviado, hubo enviado; hubimos enviado, hubisteis enviado, hubieron enviado
Fut. Perf.	habré enviado, habrás enviado, habrá enviado; habremos enviado, habréis enviado, habrán enviado
Cond. Perf.	habría enviado, habrías enviado, habría enviado; habríamos enviado, habríais enviado, habrían enviado
Pres. Perf. Subj.	haya enviado, hayas enviado, haya enviado; hayamos enviado, hayáis enviado, hayan enviado
Plup. Subj.	hubiera enviado, hubieras enviado, hubiera enviado; hubiéramos enviado, hubierais enviado, hubieran enviado hubiese enviado, hubieses enviado, hubiese enviado; hubiésemos enviado, hubieseis enviado, hubiesen enviado
Imperative	—— envía, envíe; enviemos, enviad, envíen

to wrap up

Pres. Ind.	envuelvo, envuelves, envuelve; envolvemos, envolvéis, envuelven
Imp. Ind.	envolvía, envolvías, envolvía; envolvíamos, envolvíais, envolvían
Preterit	envolví, envolviste, envolvió; envolvimos, envolvisteis, envolvieron
Future	envolveré, envolverás, envolverá; envolveremos, envolveréis, envolverán
Condit.	envolvería, envolverías, envolvería; envolveríamos, envolveríais, envolverían
Pres. Subj.	envuelva, envuelvas, envuelva; envolvamos, envolváis, envuelvan
Imp. Subj.	envolviera, envolvieras, envolviera; envolviéramos, envolvierais, envolvieran
	envolviese, envolvieses, envolviese; envolviésemos, envolvieseis, envolviesen
Pres. Perf. Ind.	he envuelto, has envuelto, ha envuelto; hemos envuelto, habéis envuelto, han envuelto
Plup. Ind.	había envuelto, habías envuelto, había envuelto; habíamos envuelto, habíais envuelto, habían envuelto
Past Ant.	hube envuelto, hubiste envuelto, hubo envuelto; hubimos envuelto, hubisteis envuelto, hubieron envuelto
Fut. Perf.	habré envuelto, habrás envuelto, habrá envuelto; habremos envuelto, habréis envuelto, habrán envuelto
Cond. Perf.	habría envuelto, habrías envuelto, habría envuelto; habríamos envuelto, habríais envuelto, habrían envuelto
Pres. Perf. Subj.	haya envuelto, hayas envuelto, haya envuelto; hayamos envuelto, hayáis envuelto, hayan envuelto
Plup. Subj.	hubiera envuelto, hubieras envuelto, hubiera envuelto; hubiéramos envuelto, hubierais envuelto, hubieran envuelto
	hubiese envuelto, hubieses envuelto, hubiese envuelto; hubiésemos envuelto, hubieseis envuelto, hubiesen envuelto
Imperative	—— envuelve, envuelva; envolvamos, envolved, envuelvan

to be mistaken

Pres. Ind.	me equivoco, te equivocas, se equivoca; nos equivocamos, os equivocáis, se equivocan
Imp. Ind.	me equivocaba, te equivocabas, se equivocaba; nos equivocábamos, os equivocabais, se equivocaban
Pret. Ind.	me equivoqué, te equivocaste, se equivocó; nos equivocamos, os equivocasteis, se equivocaron
Fut. Ind.	me equivocaré, te equivocarás, se equivocará; nos equivocaremos, os equivocaréis, se equivocarán
Condit.	me equivocaría, te equivocarías, se equivocaría; nos equivocaríamos, os equivocaríais, se equivocarían
Pres. Subj.	me equivoque, te equivoques, se equivoque; nos equivoquemos, os equivoquéis, se equivoquen
Imp. Subj.	me equivocara, te equivocaras, se equivocara; nos equivocáramos, os equivocarais, se equivocaran
	me equivocase, te equivocases, se equivocase; nos equivocásemos, os equivocaseis, se equivocasen
Pres. Perf.	me he equivocado, te has equivocado, se ha equivocado; nos hemos equivocado, os habéis equivocado, se han equivocado
Pluperf.	me había equivocado, te habías equivocado, se había equivocado; nos habíamos equivocado, os habíais equivocado, se habían equivocado
Past Ant.	me hube equivocado, te hubiste equivocado, se hubo equivocado; nos hubimos equivocado, os hubisteis equivocado, se hubieron equivocado
Fut. Perf.	me habré equivocado, te habrás equivocado, se habrá equivocado; nos habremos equivocado, os habréis equivocado, se habrán equivocado
Cond. Perf.	me habría equivocado, te habrías equivocado, se habría equivocado; nos habríamos equivocado, os habríais equivocado, se habrían equivocado
Pres. Perf. Subj.	me haya equivocado, te hayas equivocado, se haya equivocado; nos hayamos equivocado, os hayáis equivocado, se hayan equivocado
Plup. Subj.	me hubiera equivocado, te hubieras equivocado, se hubiera equivocado; nos hubiéramos equivocado, os hubierais equivocado, se hubieran equivocado
	me hubiese equivocado, te hubieses equivocado, se hubiese equivocado; nos hubiésemos equivocado, os hubieseis equivocado, se hubiesen equivocado
Imperative	—— equivócate, equivóquese; [ordinarily not used] equivoquémonos, equivocaos, equivóquense

to erect, set up straight

Pres. Ind.	irgo, irgues, irgue; *OR:* yergo, yergues, yergue; erguimos, erguís, irguen *OR:* yerguen
Imp. Ind.	erguía, erguías, erguía; erguíamos, erguíais, erguían
Preterit	erguí, erguiste, irguió; erguimos, erguisteis, irguieron
Future	erguiré, erguirás, erguirá; erguiremos, erguiréis, erguirán
Condit.	erguiría, erguirías, erguiría; erguiríamos, erguiríais, erguirían
Pres. Subj.	irga, irgas, irga; *OR:* yerga, yergas, yerga; irgamos, irgáis, irgan *OR:* yergamos, yergáis, yergan
Imp. Subj.	irguiera, irguieras, irguiera; irguiéramos, irguierais, irguieran
	irguiese, irguieses, irguiese; irguiésemos, irguieseis, irguiesen
Pres. Perf. Ind.	he erguido, has erguido, ha erguido; hemos erguido, habéis erguido, han erguido
Plup. Ind.	había erguido, habías erguido, había erguido; habíamos erguido, habíais erguido, habían erguido
Past Ant.	hube erguido, hubiste erguido, hubo erguido; hubimos erguido, hubisteis erguido, hubieron erguido
Fut. Perf.	habré erguido, habrás erguido, habrá erguido; habremos erguido, habréis erguido, habrán erguido
Cond. Perf.	habría erguido, habrías erguido, habría erguido; habríamos erguido, habríais erguido, habrían erguido
Pres. Perf. Subj.	haya erguido, hayas erguido, haya erguido; hayamos erguido, hayáis erguido, hayan erguido
Plup. Subj.	hubiera erguido, hubieras erguido, hubiera erguido; hubiéramos erguido, hubierais erguido, hubieran erguido
	hubiese erguido, hubieses erguido, hubiese erguido; hubiésemos erguido, hubieseis erguido, hubiesen erguido
Imperative	—— irgue, irga; *OR:* yergue, yerga irgamos, erguid, irgan *OR:* yergamos, erguid, yergan

to straighten up, sit erect, stand erect

Pres. Ind.	me irgo, te irgues, se irgue; *OR:* me yergo, te yergues, se yergue; nos erguimos, os erguís, se irguen (se yerguen)
Imp. Ind.	me erguía, te erguías, se erguía; nos erguíamos, os erguíais, se erguían
Preterit	me erguí, te erguiste, se irguió; nos erguimos, os erguisteis, se irguieron
Future	me erguiré, te erguirás, se erguirá; nos erguiremos, os erguiréis, se erguirán
Condit.	me erguiría, te erguirías, se erguiría; nos erguiríamos, os erguiríais, se erguirían
Pres. Subj.	me irga, te irgas, se irga; *OR:* me yerga, te yergas, se yerga; nos irgamos, os irgáis, se irgan *OR:* nos yergamos, os yergáis, se yergan
Imp. Subj.	me irguiera, te irguieras, se irguiera; nos irguiéramos, os irguierais, se irguieran
	me irguiese, te irguieses, se irguiese; nos irguiésemos, os irguieseis, se irguiesen
Pres. Perf. Ind.	me he erguido, te has erguido, se ha erguido; nos hemos erguido, os habéis erguido, se han erguido
Plup. Ind.	me había erguido, te habías erguido, se había erguido; nos habíamos erguido, os habíais erguido, se habían erguido
Past Ant.	me hube erguido, te hubiste erguido, se hubo erguido; nos hubimos erguido, os hubisteis erguido, se hubieron erguido
Fut. Pref.	me habré erguido, te habrás erguido, se habrá erguido; nos habremos erguido, os habréis erguido, se habrán erguido
Cond. Perf.	me habría erguido, te habrías erguido, se habría erguido; nos habríamos erguido, os habríais erguido, se habrían erguido
Pres. Perf. Subj.	me haya erguido, te hayas erguido, se haya erguido; nos hayamos erguido, os hayáis erguido, se hayan erguido
Plup. Subj.	me hubiera erguido, te hubieras erguido, se hubiera erguido; nos hubiéramos erguido, os hubierais erguido, se hubieran erguido
	me hubiese erguido, te hubieses erguido, se hubiese erguido; nos hubiésemos erguido, os hubieseis erguido, se hubiesen erguido
Imperative	—— írguete, írgase; *OR:* —— yérguete, yérgase irgámonos, erguíos, írganse *OR:* yergámonos, erguíos, yérganse

to err, wander, roam, miss

Pres. Ind.	yerro, yerras, yerra; erramos, erráis, yerran
Imp. Ind.	erraba, errabas, erraba; errábamos, errabais, erraban
Pret. Ind.	erré, erraste, erró; erramos, errasteis, erraron
Fut. Ind.	erraré, errarás, errará; erraremos, erraréis, errarán
Condit.	erraría, errarías, erraría; erraríamos, erraríais, errarían
Pres. Subj.	yerre, yerres, yerre; erremos, erréis, yerren
Imp. Subj.	errara, erraras, errara; erráramos, errarais, erraran
	errase, errases, errase; errásemos, erraseis, errasen
Pres. Perf.	he errado, has errado, ha errado; hemos errado, habéis errado, han errado
Pluperf.	había errado, habías errado, había errado; habíamos errado, habíais errado, habían errado
Past Ant.	hube errado, hubiste errado, hubo errado; hubimos errado, hubisteis errado, hubieron errado
Fut. Perf.	habré errado, habrás errado, habrá errado; habremos errado, habréis errado, habrán errado
Cond. Perf.	habría errado, habrías errado, habría errado; habríamos errado, habríais errado, habrían errado
Pres. Perf. Subj.	haya errado, hayas errado, haya errado; hayamos errado, hayáis errado, hayan errado
Plup. Subj.	hubiera errado, hubieras errado, hubiera errado; hubiéramos errado, hubierais errado, hubieran errado
	hubiese errado, hubieses errado, hubiese errado; hubiésemos errado, hubieseis errado, hubiesen errado
Imperative	—— yerra, yerre; erremos, errad, yerren

to choose, select

Pres. Ind.	escojo, escoges, escoge; escogemos, escogéis, escogen
Imp. Ind.	escogía, escogías, escogía; escogíamos, escogíais, escogían
Pret. Ind.	escogí, escogiste, escogió; escogimos, escogisteis, escogieron
Fut. Ind.	escogeré, escogerás, escogerá; escogeremos, escogeréis, escogerán
Condit.	escogería, escogerías, escogería; escogeríamos, escogeríais, escogerían
Pres. Subj.	escoja, escojas, escoja; escojamos, escojáis, escojan
Imp. Subj.	escogiera, escogieras, escogiera; escogiéramos, escogierais, escogieran
	escogiese, escogieses, escogiese; escogiésemos, escogieseis, escogiesen
Pres. Perf.	he escogido, has escogido, ha escogido; hemos escogido, habéis escogido, han escogido
Pluperf.	había escogido, habías escogido, había escogido; habíamos escogido, habíais escogido, habían escogido
Past Ant.	hube escogido, hubiste escogido, hubo escogido; hubimos escogido, hubisteis escogido, hubieron escogido
Fut. Perf.	habré escogido, habrás escogido, habrá escogido; habremos escogido, habréis escogido, habrán escogido
Cond. Perf.	habría escogido, habrías escogido, habría escogido; habríamos escogido, habríais escogido, habrían escogido
Pres. Perf. Subj.	haya escogido, hayas escogido, haya escogido; hayamos escogido, hayáis escogido, hayan escogido
Plup. Subj.	hubiera escogido, hubieras escogido, hubiera escogido; hubiéramos escogido, hubierais escogido, hubieran escogido
	hubiese escogido, hubieses escogido, hubiese escogido; hubiésemos escogido, hubieseis escogido, hubiesen escogido
Imperative	—— escoge, escoja; escojamos, escoged, escojan

to write

Pres. Ind.	escribo, escribes, escribe; escribimos, escribís, escriben
Imp. Ind.	escribía, escribías, escribía; escribíamos, escribíais, escribían
Pret. Ind.	escribí, escribiste, escribió; escribimos, escribisteis, escribieron
Fut. Ind.	escribiré, escribirás, escribirá; escribiremos, escribiréis, escribirán
Condit.	escribiría, escribirías, escribiría; escribiríamos, escribiríais, escribirían
Pres. Subj.	escriba, escribas, escriba; escribamos, escribáis, escriban
Imp. Subj.	escribiera, escribieras, escribiera; escribiéramos, escribierais, escribieran
	escribiese, escribieses, escribiese; escribiésemos, escribieseis, escribiesen
Pres. Perf.	he escrito, has escrito, ha escrito; hemos escrito, habéis escrito, han escrito
Pluperf.	había escrito, habías escrito, había escrito; habíamos escrito, habíais escrito, habían escrito
Past Ant.	hube escrito, hubiste escrito, hubo escrito; hubimos escrito, hubisteis escrito, hubieron escrito
Fut. Perf.	habré escrito, habrás escrito, habrá escrito; habremos escrito, habréis escrito, habrán escrito
Cond. Perf.	habría escrito, habrías escrito, habría escrito; habríamos escrito, habríais escrito, habrían escrito
Pres. Perf. Subj.	haya escrito, hayas escrito, haya escrito; hayamos escrito, hayáis escrito, hayan escrito
Plup. Subj.	hubiera escrito, hubieras escrito, hubiera escrito; hubiéramos escrito, hubierais escrito, hubieran escrito
	hubiese escrito, hubieses escrito, hubiese escrito; hubiésemos escrito, hubieseis escrito, hubiesen escrito
Imperative	—— escribe, escriba; escribamos, escribid, escriban

to listen (to)

Pres. Ind.	escucho, escuchas, escucha; escuchamos, escucháis, escuchan
Imp. Ind.	escuchaba, escuchabas, escuchaba; escuchábamos, escuchabais, escuchaban
Preterit	escuché, escuchaste, escuchó; escuchamos, escuchasteis, escucharon
Future	escucharé, escucharás, escuchará; escucharemos, escucharéis, escucharán
Condit.	escucharía, escucharías, escucharía; escucharíamos, escucharíais, escucharían
Pres. Subj.	escuche, escuches, escuche; escuchemos, escuchéis, escuchen
Imp. Subj.	escuchara, escucharas, escuchara; escucháramos, escucharais, escucharan
	escuchase, escuchases, escuchase; escuchásemos, escuchaseis, escuchasen
Pres. Perf. Ind.	he escuchado, has escuchado, ha escuchado; hemos escuchado, habéis escuchado, han escuchado
Plup. Ind.	había escuchado, habías escuchado, había escuchado; habíamos escuchado, habíais escuchado, habían escuchado
Past Ant.	hube escuchado, hubiste escuchado, hubo escuchado; hubimos escuchado, hubisteis escuchado, hubieron escuchado
Fut. Perf.	habré escuchado, habrás escuchado, habrá escuchado; habremos escuchado, habréis escuchado, habrán escuchado
Cond. Perf.	habría escuchado, habrías escuchado, habría escuchado; habríamos escuchado, habríais escuchado, habrían escuchado
Pres. Perf. Subj.	haya escuchado, hayas escuchado, haya escuchado; hayamos escuchado, hayáis escuchado, hayan escuchado
Plup. Subj.	hubiera escuchado, hubieras escuchado, hubiera escuchado; hubiéramos escuchado, hubierais escuchado, hubieran escuchado
	hubiese escuchado, hubieses escuchado, hubiese escuchado; hubiésemos escuchado, hubieseis escuchado, hubiesen escuchado
Imperative	—— escucha, escuche; escuchemos, escuchad, escuchen

to scatter, spread

Pres. Ind.	esparzo, esparces, esparce; esparcimos, esparcís, esparcen
Imp. Ind.	esparcía, esparcías, esparcía; esparcíamos, esparcíais, esparcían
Pret. Ind.	esparcí, esparciste, esparció; esparcimos, esparcisteis, esparcieron
Fut. Ind.	esparciré, esparcirás, esparcirá; esparciremos, esparciréis, esparcirán
Condit.	esparciría, esparcirías, esparciría; esparciríamos, esparciríais, esparcirían
Pres. Subj.	esparza, esparzas, esparza; esparzamos, esparzáis, esparzan
Imp. Subj.	esparciera, esparcieras, esparciera; esparciéramos, esparcierais, esparcieran
	esparciese, esparcieses, esparciese; esparciésemos, esparcieseis, esparciesen
Pres. Perf.	he esparcido, has esparcido, ha esparcido; hemos esparcido, habéis esparcido, han esparcido
Pluperf.	había esparcido, habías esparcido, había esparcido; habíamos esparcido, habíais esparcido, habían esparcido
Past Ant.	hube esparcido, hubiste esparcido, hubo esparcido; hubimos esparcido, hubisteis esparcido, hubieron esparcido
Fut. Perf.	habré esparcido, habrás esparcido, habrá esparcido; habremos esparcido, habréis esparcido, habrán esparcido
Cond. Perf.	habría esparcido, habrías esparcido, habría esparcido; habríamos esparcido, habríais esparcido, habrían esparcido
Pres. Perf. Subj.	haya esparcido, hayas esparcido, haya esparcido; hayamos esparcido, hayáis esparcido, hayan esparcido
Plup. Subj.	hubiera esparcido, hubieras esparcido, hubiera esparcido; hubiéramos esparcido, hubierais esparcido, hubieran esparcido
	hubiese esparcido, hubieses esparcido, hubiese esparcido; hubiésemos esparcido, hubieseis esparcido, hubiesen esparcido
Imperative	—— esparce, esparza; esparzamos, esparcid, esparzan

to expect, hope, wait (for)

Pres. Ind.	espero, esperas, espera; esperamos, esperáis, esperan
Imp. Ind.	esperaba, esperabas, esperaba; esperábamos, esperabais, esperaban
Preterit	esperé, esperaste, esperó; esperamos, esperasteis, esperaron
Future	esperaré, esperarás, esperará; esperaremos, esperaréis, esperarán
Condit.	esperaría, esperarías, esperaría; esperaríamos, esperaríais, esperarían
Pres. Subj.	espere, esperes, espere; esperemos, esperéis, esperen
Imp. Subj.	esperara, esperaras, esperara; esperáramos, esperarais, esperaran
	esperase, esperases, esperase; esperásemos, esperaseis, esperasen
Pres. Perf. Ind.	he esperado, has esperado, ha esperado; hemos esperado, habéis esperado, han esperado
Plup. Ind.	había esperado, habías esperado, había esperado; habíamos esperado, habíais esperado, habían esperado
Past Ant.	hube esperado, hubiste esperado, hubo esperado; hubimos esperado, hubisteis esperado, hubieron esperado
Fut. Perf.	habré esperado, habrás esperado, habrá esperado; habremos esperado, habréis esperado, habrán esperado
Cond. Perf.	habría esperado, habrías esperado, habría esperado; habríamos esperado, habríais esperado, habrían esperado
Pres. Perf. Subj.	haya esperado, hayas esperado, haya esperado; hayamos esperado, hayáis esperado, hayan esperado
Plup. Subj.	hubiera esperado, hubieras esperado, hubiera esperado; hubiéramos esperado, hubierais esperado, hubieran esperado
	hubiese esperado, hubieses esperado, hubiese esperado; hubiésemos esperado, hubieseis esperado, hubiesen esperado
Imperative	—— espera, espere; esperemos, esperad, esperen

to establish

Pres. Ind.	establezco, estableces, establece; establecemos, establecéis, establecen
Imp. Ind.	establecía, establecías, establecía; establecíamos, establecíais, establecían
Preterit	establecí, estableciste, estableció; establecimos, establecisteis, establecieron
Future	estableceré, establecerás, establecerá; estableceremos, estableceréis, establecerán
Condit.	establecería, establecerías, establecería; estableceríamos, estableceríais, establecerían
Pres. Subj.	establezca, establezcas, establezca; establezcamos, establezcáis, establezcan
Imp. Subj.	estableciera, establecieras, estableciera; estableciéramos, establecierais, establecieran estableciese, establecieses, estableciese; estableciésemos, establecieseis, estableciesen
Pres. Perf. Ind.	he establecido, has establecido, ha establecido; hemos establecido, habéis establecido, han establecido
Plup. Ind.	había establecido, habías establecido, había establecido; habíamos establecido, habíais establecido, habían establecido
Past Ant.	hube establecido, hubiste establecido, hubo establecido; hubimos establecido, hubisteis establecido, hubieron establecido
Fut. Perf.	habré establecido, habrás establecido, habrá establecido; habremos establecido, habréis establecido, habrán establecido
Cond. Perf.	habría establecido, habrías establecido, habría establecido; habríamos establecido, habríais establecido, habrían establecido
Pres. Perf. Subj.	haya establecido, hayas establecido, haya establecido; hayamos establecido, hayáis establecido, hayan establecido
Plup. Subj.	hubiera establecido, hubieras establecido, hubiera establecido; hubiéramos establecido, hubierais establecido, hubieran establecido hubiese establecido, hubieses establecido, hubiese establecido; hubiésemos establecido, hubieseis establecido, hubiesen establecido
Imperative	—— establece, establezca; establezcamos, estableced, establezcan

to be

Pres. Ind.	estoy, estás, está; estamos, estáis, están
Imp. Ind.	estaba, estabas, estaba; estábamos, estabais, estaban
Pret. Ind.	estuve, estuviste, estuvo; estuvimos, estuvisteis, estuvieron
Fut. Ind.	estaré, estarás, estará; estaremos, estaréis, estarán
Condit.	estaría, estarías, estaría; estaríamos, estaríais, estarían
Pres. Subj.	esté, estés, esté; estemos, estéis, estén
Imp. Subj.	estuviera, estuvieras, estuviera; estuviéramos, estuvierais, estuvieran estuviese, estuvieses, estuviese; estuviésemos, estuvieseis, estuviesen
Pres. Perf.	he estado, has estado, ha estado; hemos estado, habéis estado, han estado
Pluperf.	había estado, habías estado, había estado; habíamos estado, habíais estado, habían estado
Past Ant.	hube estado, hubiste estado, hubo estado; hubimos estado, hubisteis estado, hubieron estado
Fut. Perf.	habré estado, habrás estado, habrá estado; habremos estado, habréis estado, habrán estado
Cond. Perf.	habría estado, habrías estado, habría estado; habríamos estado, habríais estado, habrían estado
Pres. Perf. Subj.	haya estado, hayas estado, haya estado; hayamos estado, hayáis estado, hayan estado
Plup. Subj.	hubiera estado, hubieras estado, hubiera estado; hubiéramos estado, hubierais estado, hubieran estado hubiese estado, hubieses estado, hubiese estado; hubiésemos estado, hubieseis estado, hubiesen estado
Imperative	—— está, esté; estemos, estad, estén

to estimate, esteem, respect, value

Pres. Ind.	estimo, estimas, estima; estimamos, estimáis, estiman
Imp. Ind.	estimaba, estimabas, estimaba; estimábamos, estimabais, estimaban
Preterit	estimé, estimaste, estimó; estimamos, estimasteis, estimaron
Future	estimaré, estimarás, estimará; estimaremos, estimaréis, estimarán
Condit.	estimaría, estimarías, estimaría; estimaríamos, estimaríais, estimarían
Pres. Subj.	estime, estimes, estime; estimemos, estiméis, estimen
Imp. Subj.	estimara, estimaras, estimara; estimáramos, estimarais, estimaran
	estimase, estimases, estimase; estimásemos, estimaseis, estimasen
Pres. Perf. Ind.	he estimado, has estimado, ha estimado; hemos estimado, habéis estimado, han estimado
Plup. Ind.	había estimado, habías estimado, había estimado; habíamos estimado, habíais estimado, habían estimado
Past Ant.	hube estimado, hubiste estimado, hubo estimado; hubimos estimado, hubisteis estimado, hubieron estimado
Fut. Perf.	habré estimado, habrás estimado, habrá estimado; habremos estimado, habréis estimado, habrán estimado
Cond. Perf.	habría estimado, habrías estimado, habría estimado; habríamos estimado, habríais estimado, habrían estimado
Pres. Perf. Subj.	haya estimado, hayas estimado, haya estimado; hayamos estimado, hayáis estimado, hayan estimado
Plup. Subj.	hubiera estimado, hubieras estimado, hubiera estimado; hubiéramos estimado, hubierais estimado, hubieran estimado
	hubiese estimado, hubieses estimado, hubiese estimado; hubiésemos estimado, hubieseis estimado, hubiesen estimado
Imperative	—— estima, estime; estimemos, estimad, estimen

to study

Pres. Ind.	estudio, estudias, estudia; estudiamos, estudiáis, estudian
Imp. Ind.	estudiaba, estudiabas, estudiaba; estudiábamos, estudiabais, estudiaban
Pret. Ind.	estudié, estudiaste, estudió; estudiamos, estudiasteis, estudiaron
Fut. Ind.	estudiaré, estudiarás, estudiará; estudiaremos, estudiaréis, estudiarán
Condit.	estudiaría, estudiarías, estudiaría; estudiaríamos, estudiaríais, estudiarían
Pres. Subj.	estudie, estudies, estudie; estudiemos, estudiéis, estudien
Imp. Subj.	estudiara, estudiaras, estudiara; estudiáramos, estudiarais, estudiaran
	estudiase, estudiases, estudiase; estudiásemos, estudiaseis, estudiasen
Pres. Perf.	he estudiado, has estudiado, ha estudiado; hemos estudiado, habéis estudiado, han estudiado
Pluperf.	había estudiado, habías estudiado, había estudiado; habíamos estudiado, habíais estudiado, habían estudiado
Past Ant.	hube estudiado, hubiste estudiado, hubo estudiado; hubimos estudiado, hubisteis estudiado, hubieron estudiado
Fut. Perf.	habré estudiado, habrás estudiado, habrá estudiado; habremos estudiado, habréis estudiado, habrán estudiado
Cond. Perf.	habría estudiado, habrías estudiado, habría estudiado; habríamos estudiado, habríais estudiado, habrían estudiado
Pres. Perf. Subj.	haya estudiado, hayas estudiado, haya estudiado; hayamos estudiado, hayáis estudiado, hayan estudiado
Plup. Subj.	hubiera estudiado, hubieras estudiado, hubiera estudiado; hubiéramos estudiado, hubierais estudiado, hubieran estudiado
	hubiese estudiado, hubieses estudiado, hubiese estudiado; hubiésemos estudiado, hubieseis estudiado, hubiesen estudiado
Imperative	—— estudia, estudie; estudiemos, estudiad, estudien

to demand, urge, require

Pres. Ind.	exijo, exiges, exige; exigimos, exigís, exigen
Imp. Ind.	exigía, exigías, exigía; exigíamos, exigíais, exigían
Pret. Ind.	exigí, exigiste, exigió; exigimos, exigisteis, exigieron
Fut. Ind.	exigiré, exigirás, exigirá; exigiremos, exigiréis, exigirán
Condit.	exigiría, exigirías, exigiría; exigiríamos, exigiríais, exigirían
Pres. Subj.	exija, exijas, exija; exijamos, exijáis, exijan
Imp. Subj.	exigiera, exigieras, exigiera; exigiéramos, exigierais, exigieran
	exigiese, exigieses, exigiese; exigiésemos, exigieseis, exigiesen
Pres. Perf.	he exigido, has exigido, ha exigido; hemos exigido, habéis exigido, han exigido
Pluperf.	había exigido, habías exigido, había exigido; habíamos exigido, habíais exigido, habían exigido
Past Ant.	hube exigido, hubiste exigido, hubo exigido; hubimos exigido, hubisteis exigido, hubieron exigido
Fut. Perf.	habré exigido, habrás exigido, habrá exigido; habremos exigido, habréis exigido, habrán exigido
Cond. Perf.	habría exigido, habrías exigido, habría exigido; habríamos exigido, habríais exigido, habrían exigido
Pres. Perf. Subj.	haya exigido, hayas exigido, haya exigido; hayamos exigido, hayáis exigido, hayan exigido
Plup. Subj.	hubiera exigido, hubieras exigido, hubiera exigido; hubiéramos exigido, hubierais exigido, hubieran exigido
	hubiese exigido, hubieses exigido, hubiese exigido; hubiésemos exigido, hubieseis exigido, hubiesen exigido
Imperative	—— exige, exija; exijamos, exigid, exijan

to explain

Pres. Ind.	explico, explicas, explica; explicamos, explicáis, explican
Imp. Ind.	explicaba, explicabas, explicaba; explicábamos, explicabais, explicaban
Preterit	expliqué, explicaste, explicó; explicamos, explicasteis, explicaron
Future	explicaré, explicarás, explicará; explicaremos, explicaréis, explicarán
Condit.	explicaría, explicarías, explicaría; explicaríamos, explicaríais, explicarían
Pres. Subj.	explique, expliques, explique; expliquemos, expliquéis, expliquen
Imp. Subj.	explicara, explicaras, explicara; explicáramos, explicarais, explicaran
	explicase, explicases, explicase; explicásemos, explicaseis, explicasen
Pres. Perf. Ind.	he explicado, has explicado, ha explicado; hemos explicado, habéis explicado, han explicado
Plup. Ind.	había explicado, habías explicado, había explicado; habíamos explicado, habíais explicado, habían explicado
Past Ant.	hube explicado, hubiste explicado, hubo explicado; hubimos explicado, hubisteis explicado, hubieron explicado
Fut. Perf.	habré explicado, habrás explicado, habrá explicado; habremos explicado, habréis explicado, habrán explicado
Cond. Perf.	habría explicado, habrías explicado, habría explicado; habríamos explicado, habríais explicado, habrían explicado
Pres. Perf. Subj.	haya explicado, hayas explicado, haya explicado; hayamos explicado, hayáis explicado, hayan explicado
Plup. Subj.	hubiera explicado, hubieras explicado, hubiera explicado; hubiéramos explicado, hubierais explicado, hubieran explicado
	hubiese explicado, hubieses explicado, hubiese explicado; hubiésemos explicado, hubieseis explicado, hubiesen explicado
Imperative	—— explica, explique; expliquemos, explicad, expliquen

to express

Pres. Ind.	expreso, expresas, expresa; expresamos, expresáis, expresan
Imp. Ind.	expresaba, expresabas, expresaba; expresábamos, expresabais, expresaban
Preterit	expresé, expresaste, expresó; expresamos, expresasteis, expresaron
Future	expresaré, expresarás, expresará; expresaremos, expresaréis, expresarán
Condit.	expresaría, expresarías, expresaría; expresaríamos, expresaríais, expresarían
Pres. Subj.	exprese, expreses, exprese; expresemos, expreséis, expresen
Imp. Subj.	expresara, expresaras, expresara; expresáramos, expresarais, expresaran
	expresase, expresases, expresase; expresásemos, expresaseis, expresasen
Pres. Perf. Ind.	he expresado, has expresado, ha expresado; hemos expresado, habéis expresado, han expresado
Plup. Ind.	había expresado, habías expresado, había expresado; habíamos expresado, habíais expresado, habían expresado
Past Ant.	hube expresado, hubiste expresado, hubo expresado; hubimos expresado, hubisteis expresado, hubieron expresado
Fut. Perf.	habré expresado, habrás expresado, habrá expresado; habremos expresado, habréis expresado, habrán expresado
Cond. Perf.	habría expresado, habrías expresado, habría expresado; habríamos expresado, habríais expresado, habrían expresado
Pres. Perf. Subj.	haya expresado, hayas expresado, haya expresado; hayamos expresado, hayáis expresado, hayan expresado
Plup. Subj.	hubiera expresado, hubieras expresado, hubiera expresado; hubiéramos expresado, hubierais expresado, hubieran expresado
	hubiese expresado, hubieses expresado, hubiese expresado; hubiésemos expresado, hubieseis expresado, hubiesen expresado
Imperative	—— expresa, exprese; expresemos, expresad, expresen

to be lacking, to be wanting, lack, miss, need

Pres. Ind.	falto, faltas, falta; faltamos, faltáis, faltan
Imp. Ind.	faltaba, faltabas, faltaba; faltábamos, faltabais, faltaban
Pret. Ind.	falté, faltaste, faltó; faltamos, faltasteis, faltaron
Fut. Ind.	faltaré, faltarás, faltará; faltaremos, faltaréis, faltarán
Condit.	faltaría, faltarías, faltaría; faltaríamos, faltaríais, faltarían
Pres. Subj.	falte, faltes, falte; faltemos, faltéis, falten
Imp. Subj.	faltara, faltaras, faltara; faltáramos, faltarais, faltaran
	faltase, faltases, faltase; faltásemos, faltaseis, faltasen
Pres. Perf.	he faltado, has faltado, ha faltado; hemos faltado, habéis faltado, han faltado
Pluperf.	había faltado, habías faltado, había faltado; habíamos faltado, habíais faltado, habían faltado
Past Ant.	hube faltado, hubiste faltado, hubo faltado; hubimos faltado, hubisteis faltado, hubieron faltado
Fut. Perf.	habré faltado, habrás faltado, habrá faltado; habremos faltado, habréis faltado, habrán faltado
Cond. Perf.	habría faltado, habrías faltado, habría faltado; habríamos faltado, habríais faltado, habrían faltado
Pres. Perf. Subj.	haya faltado, hayas faltado, haya faltado; hayamos faltado, hayáis faltado, hayan faltado
Plup. Subj.	hubiera faltado, hubieras faltado, hubiera faltado; hubiéramos faltado, hubierais faltado, hubieran faltado
	hubiese faltado, hubieses faltado, hubiese faltado; hubiésemos faltado, hubieseis faltado, hubiesen faltado
Imperative	—— falta, falte; faltemos, faltad, falten

to congratulate, felicitate

Pres. Ind.	felicito, felicitas, felicita; felicitamos, felicitáis, felicitan
Imp. Ind.	felicitaba, felicitabas, felicitaba; felicitábamos, felicitabais, felicitaban
Preterit	felicité, felicitaste, felicitó; felicitamos, felicitasteis, felicitaron
Future	felicitaré, felicitarás, felicitará; felicitaremos, felicitaréis, felicitarán
Condit.	felicitaría, felicitarías, felicitaría; felicitaríamos, felicitaríais, felicitarían
Pres. Subj.	felicite, felicites, felicite; felicitemos, felicitéis, feliciten
Imp. Subj.	felicitara, felicitaras, felicitara; felicitáramos, felicitarais, felicitaran
	felicitase, felicitases, felicitase; felicitásemos, felicitaseis, felicitasen
Pres. Perf. Ind.	he felicitado, has felicitado, ha felicitado; hemos felicitado, habéis felicitado, han felicitado
Plup. Ind.	había felicitado, habías felicitado, había felicitado; habíamos felicitado, habíais felicitado, habían felicitado
Past Ant.	hube felicitado, hubiste felicitado, hubo felicitado; hubimos felicitado, hubisteis felicitado, hubieron felicitado
Fut. Perf.	habré felicitado, habrás felicitado, habrá felicitado; habremos felicitado, habréis felicitado, habrán felicitado
Cond. Perf.	habría felicitado, habrías felicitado, habría felicitado; habríamos felicitado, habríais felicitado, habrían felicitado
Pres. Perf. Subj.	haya felicitado, hayas felicitado, haya felicitado; hayamos felicitado, hayáis felicitado, hayan felicitado
Plup. Subj.	hubiera felicitado, hubieras felicitado, hubiera felicitado; hubiéramos felicitado, hubierais felicitado, hubieran felicitado
	hubiese felicitado, hubieses felicitado, hubiese felicitado; hubiésemos felicitado, hubieseis felicitado, hubiesen felicitado
Imperative	—— felicita, felicite; felicitemos, felicitad, feliciten

to feast, entertain, celebrate

Pres. Ind.	festejo, festejas, festeja; festejamos, festejáis, festejan
Imp. Ind.	festejaba, festejabas, festejaba; festejábamos, festejabais, festejaban
Preterit	festejé, festejaste, festejó; festejamos, festejasteis, festejaron
Future	festejaré, festejarás, festejará; festejaremos, festejaréis, festejarán
Condit.	festejaría, festejarías, festejaría; festejaríamos, festejaríais, festejarían
Pres. Subj.	festeje, festejes, festeje; festejemos, festejéis, festejen
Imp. Subj.	festejara, festejaras, festejara; festejáramos, festejarais, festejaran
	festejase, festejases, festejase; festejásemos, festejaseis, festejasen
Pres. Perf. Ind.	he festejado, has festejado, ha festejado; hemos festejado, habéis festejado, han festejado
Plup. Ind.	había festejado, habías festejado, había festejado; habíamos festejado, habíais festejado, habían festejado
Past Ant.	hube festejado, hubiste festejado, hubo festejado; hubimos festejado, hubisteis festejado, hubieron festejado
Fut. Perf.	habré festejado, habrás festejado, habrá festejado; habremos festejado, habréis festejado, habrán festejado
Cond. Perf.	habría festejado, habrías festejado, habría festejado; habríamos festejado, habríais festejado, habrían festejado
Pres. Perf. Subj.	haya festejado, hayas festejado, haya festejado; hayamos festejado, hayáis festejado, hayan festejado
Plup. Subj.	hubiera festejado, hubieras festejado, hubiera festejado; hubiéramos festejado, hubierais festejado, hubieran festejado
	hubiese festejado, hubieses festejado, hubiese festejado; hubiésemos festejado, hubieseis festejado, hubiesen festejado
Imperative	—— festeja, festeje; festejemos, festejad, festejen

to confide, intrust

Pres. Ind.	fío, fías, fía; fiamos, fiáis, fían
Imp. Ind.	fiaba, fiabas, fiaba; fiábamos, fiabais, fiaban
Pret. Ind.	fié, fiaste, fio; fiamos, fiasteis, fiaron
Fut. Ind.	fiaré, fiarás, fiará; fiaremos, fiaréis, fiarán
Condit.	fiaría, fiarías, fiaría; fiaríamos, fiaríais, fiarían
Pres. Subj.	fíe, fíes, fíe; fiemos, fiéis, fíen
Imp. Subj.	fiara, fiaras, fiara; fiáramos, fiarais, fiaran
	fiase, fiases, fiase; fiásemos, fiaseis, fiasen
Pres. Perf.	he fiado, has fiado, ha fiado; hemos fiado, habéis fiado, han fiado
Pluperf.	había fiado, habías fiado, había fiado; habíamos fiado, habíais fiado, habían fiado
Past Ant.	hube fiado, hubiste fiado, hubo fiado; hubimos fiado, hubisteis fiado, hubieron fiado
Fut. Perf.	habré fiado, habrás fiado, habrá fiado; habremos fiado, habréis fiado, habrán fiado
Cond. Perf.	habría fiado, habrías fiado, habría fiado; habríamos fiado, habríais fiado, habrían fiado
Pres. Perf. Subj.	haya fiado, hayas fiado, haya fiado; hayamos fiado, hayáis fiado, hayan fiado
Plup. Subj.	hubiera fiado, hubieras fiado, hubiera fiado; hubiéramos fiado, hubierais fiado, hubieran fiado
	hubiese fiado, hubieses fiado, hubiese fiado; hubiésemos fiado, hubieseis fiado, hubiesen fiado
Imperative	—— fía, fíe; fiemos, fiad, fíen

to clinch, fasten, fix

Pres. Ind.	fijo, fijas, fija; fijamos, fijáis, fijan
Imp. Ind.	fijaba, fijabas, fijaba; fijábamos, fijabais, fijaban
Preterit	fijé, fijaste, fijó; fijamos, fijasteis, fijaron
Future	fijaré, fijarás, fijará; fijaremos, fijaréis, fijarán
Condit.	fijaría, fijarías, fijaría; fijaríamos, fijaríais, fijarían
Pres. Subj.	fije, fijes, fije; fijemos, fijéis, fijen
Imp. Subj.	fijara, fijaras, fijara; fijáramos, fijarais, fijaran
	fijase, fijases, fijase; fijásemos, fijaseis, fijasen
Pres. Perf. Ind.	he fijado, has fijado, ha fijado; hemos fijado, habéis fijado, han fijado
Plup. Ind.	había fijado, habías fijado, había fijado; habíamos fijado, habíais fijado, habían fijado
Past Ant.	hube fijado, hubiste fijado, hubo fijado; hubimos fijado, hubisteis fijado, hubieron fijado
Fut. Perf.	habré fijado, habrás fijado, habra fijado; habremos, fijado, habréis fijado, habrán fijado
Cond. Perf.	habría fijado, habrías fijado, habría fijado; habríamos fijado, habríais fijado, habrían fijado
Pres. Perf. Subj.	haya fijado, hayas fijado, haya fijado; hayamos fijado, hayáis fijado, hayan fijado
Plup. Subj.	hubiera fijado, hubieras fijado, hubiera fijado; hubiéramos fijado, hubierais fijado, hubieran fijado
	hubiese fijado, hubieses fijado, hubiese fijado; hubiésemos fijado, hubieseis fijado, hubiesen fijado
Imperative	—— fija, fije; fijemos, fijad, fijen

to take notice, pay attention, settle (in)

Pres. Ind.	me fijo, te fijas, se fija; nos fijamos, os fijáis, se fijan
Imp. Ind.	me fijaba, te fijabas, se fijaba; nos fijábamos, os fijabais, se fijaban
Preterit	me fijé, te fijaste, se fijó; nos fijamos, os fijasteis, se fijaron
Future	me fijaré, te fijarás, se fijará; nos fijaremos, os fijaréis, se fijarán
Condit.	me fijaría, te fijarías, se fijaría; nos fijaríamos, os fijaríais, se fijarían
Pres. Subj.	me fije, te fijes, se fije; nos fijemos, os fijéis, se fijen
Imp. Subj.	me fijara, te fijaras, se fijara; nos fijáramos, os fijarais, se fijaran
	me fijase, te fijases, se fijase; nos fijásemos, os fijaseis, se fijasen
Pres. Perf. Ind.	me he fijado, te has fijado, se ha fijado; nos hemos fijado, os habéis fijado, se han fijado
Plup. Ind.	me había fijado, te habías fijado, se había fijado; nos habíamos fijado, os habíais fijado, se habían fijado
Past Ant.	me hube fijado, te hubiste fijado, se hubo fijado; nos hubimos fijado, os hubisteis fijado, se hubieron fijado
Fut. Perf.	me habré fijado, te habrás fijado, se habrá fijado; nos habremos fijado, os habréis fijado, se habrán fijado
Cond. Perf.	me habría fijado, te habrías fijado, se habría fijado; nos habríamos fijado, os habríais fijado, se habrían fijado
Pres. Perf. Subj.	me haya fijado, te hayas fijado, se haya fijado; nos hayamos fijado, os hayáis fijado, se hayan fijado
Plup. Subj.	me hubiera fijado, te hubieras fijado, se hubiera fijado; nos hubiéramos fijado, os hubierais fijado, se hubieran fijado
	me hubiese fijado, te hubieses fijado, se hubiese fijado; nos hubiésemos fijado, os hubieseis fijado, se hubiesen fijado
Imperative	—— fíjate, fíjese; fijémonos, fijaos, fíjense

to feign, pretend

Pres. Ind.	finjo, finges, finge; fingimos, fingís, fingen
Imp. Ind.	fingía, fingías, fingía; fingíamos, fingíais, fingían
Preterit	fingí, fingiste, fingió; fingimos, fingisteis, fingieron
Future	fingiré, fingirás, fingirá; fingiremos, fingiréis, fingirán
Condit.	fingiría, fingirías, fingiría; fingiríamos, fingiríais, fingirían
Pres. Subj.	finja, finjas, finja; finjamos, finjáis, finjan
Imp. Subj.	fingiera, fingieras, fingiera; fingiéramos, fingierais, fingieran
	fingiese, fingieses, fingiese; fingiésemos, fingieseis, fingiesen
Pres. Perf. Ind.	he fingido, has fingido, ha fingido; hemos fingido, habéis fingido, han fingido
Plup. Ind.	había fingido, habías fingido, había fingido; habíamos fingido, habíais fingido, habían fingido
Past Ant.	hube fingido, hubiste fingido, hubo fingido; hubimos fingido, hubisteis fingido, hubieron fingido
Fut. Perf.	habré fingido, habrás fingido, habrá fingido; habremos fingido, habréis fingido, habrán fingido
Cond. Perf.	habría fingido, habrías fingido, habría fingido; habríamos fingido, habríais fingido, habrían fingido
Pres. Perf. Subj.	haya fingido, hayas fingido, haya fingido; hayamos fingido, hayáis fingido, hayan fingido
Plup. Subj.	hubiera fingido, hubieras fingido, hubiera fingido; hubiéramos fingido, hubierais fingido, hubieran fingido
	hubiese fingido, hubieses fingido, hubiese fingido; hubiésemos fingido, hubieseis fingido, hubiesen fingido
Imperative	—— finge, finja; finjamos, fingid, finjan

to form, shape

Pres. Ind.	formo, formas, forma; formamos, formáis, forman
Imp. Ind.	formaba, formabas, formaba; formábamos, formabais, formaban
Preterit	formé, formaste, formó; formamos, formasteis, formaron
Future	formaré, formarás, formará; formaremos, formaréis, formarán
Condit.	formaría, formarías, formaría; formaríamos, formaríais, formarían
Pres. Subj.	forme, formes, forme; formemos, forméis, formen
Imp. Subj.	formara, formaras, formara; formáramos, formarais, formaran
	formase, formases, formase; formásemos, formaseis, formasen
Pres. Perf. Ind.	he formado, has formado, ha formado; hemos formado, habéis formado, han formado
Plup. Ind.	había formado, habías formado, había formado; habíamos formado, habíais formado, habían formado
Past Ant.	hube formado, hubiste formado, hubo formado; hubimos formado, hubisteis formado, hubieron formado
Fut. Perf.	habré formado, habrás formado, habrá formado; habremos formado, habréis formado, habrán formado
Cond. Perf.	habría formado, habrías formado, habría formado; habríamos formado, habríais formado, habrían formado
Pres. Perf. Subj.	haya formado, hayas formado, haya formado; hayamos formado, hayáis formado, hayan formado
Plup. Subj.	hubiera formado, hubieras formado, hubiera formado; hubiéramos formado, hubierais formado, hubieran formado
	hubiese formado, hubieses formado, hubiese formado; hubiésemos formado, hubieseis formado, hubiesen formado
Imperative	—— forma, forme; formemos, formad, formen

to fry

Pres. Ind.	frío, fríes, fríe; freímos, freís, fríen
Imp. Ind.	freía, freías, freía; freíamos, freíais, freían
Preterit	freí, freíste, frió; freímos, freísteis, frieron
Future	freiré, freirás, freirá; freiremos, freiréis, freirán
Condit.	freiría, freirías, freiría; freiríamos, freiríais, freirían
Pres. Subj.	fría, frías, fría; friamos, friáis, frían
Imp. Subj.	friera, frieras, friera; friéramos, frierais, frieran
	friese, frieses, friese; friésemos, frieseis, friesen
Pres. Perf. Ind.	he frito, has frito, ha frito; hemos frito, habéis frito, han frito
Plup. Ind.	había frito, habías frito, había frito; habíamos frito, habíais frito, habían frito
Past Ant.	hube frito, hubiste frito, hubo frito; hubimos frito, hubisteis frito, hubieron frito
Fut. Perf.	habré frito, habrás frito, habrá frito; habremos frito, habréis frito, habrán frito
Cond. Perf.	habría frito, habrías frito, habría frito; habríamos frito, habríais frito, habrían frito
Pres. Perf. Subj.	haya frito, hayas frito, haya frito; hayamos frito, hayáis frito, hayan frito
Plup. Subj.	hubiera frito, hubieras frito, hubiera frito; hubiéramos frito, hubierais frito, hubieran frito
	hubiese frito, hubieses frito, hubiese frito; hubiésemos frito, hubieseis frito, hubiesen frito
Imperative	—— fríe, fría; friamos, freíd, frían

to earn, gain, win

Pres. Ind.	gano, ganas, gana; ganamos, ganáis, ganan
Imp. Ind.	ganaba, ganabas, ganaba; ganábamos, ganabais, ganaban
Preterit	gané, ganaste, ganó; ganamos, ganasteis, ganaron
Future	ganaré, ganarás, ganará; ganaremos, ganaréis, ganarán
Condit.	ganaría, ganarías, ganaría; ganaríamos, ganaríais, ganarían
Pres. Subj.	gane, ganes, gane; ganemos, ganéis, ganen
Imp. Subj.	ganara, ganaras, ganara; ganáramos, ganarais, ganaran
	ganase, ganases, ganase; ganásemos, ganaseis, ganasen
Pres. Perf. Ind.	he ganado, has ganado, ha ganado; hemos ganado, habéis ganado, han ganado
Plup. Ind.	había ganado, habías ganado, había ganado; habíamos ganado, habíais ganado, habían ganado
Past Ant.	hube ganado, hubiste ganado, hubo ganado; hubimos ganado, hubisteis ganado, hubieron ganado
Fut. Perf.	habré ganado, habrás ganado, habrá ganado; habremos ganado, habréis ganado, habrán ganado
Cond. Perf.	habría ganado, habrías ganado, habría ganado; habríamos ganado, habríais ganado, habrían ganado
Pres. Perf. Subj.	haya ganado, hayas ganado, haya ganado; hayamos ganado, hayáis ganado, hayan ganado
Plup. Subj.	hubiera ganado, hubieras ganado, hubiera ganado; hubiéramos ganado, hubierais ganado, hubieran ganado
	hubiese ganado, hubieses ganado, hubiese ganado; hubiésemos ganado, hubieseis ganado, hubiesen ganado
Imperative	—— gana, gane; ganemos, ganad, ganen

to grieve, groan, moan

Pres. Ind.	gimo, gimes, gime; gemimos, gemís, gimen
Imp. Ind.	gemía, gemías, gemía; gemíamos, gemíais, gemían
Preterit	gemí, gemiste, gimió; gemimos, gemisteis, gimieron
Future	gemiré, gemirás, gemirá; gemiremos, gemiréis, gemirán
Condit.	gemiría, gemirías, gemiría; gemiríamos, gemiríais, gemirían
Pres. Subj.	gima, gimas, gima; gimamos, gimáis, giman
Imp. Subj.	gimiera, gimieras, gimiera; gimiéramos, gimierais, gimieran gimiese, gimieses, gimiese; gimiésemos, gimieseis, gimiesen
Pres. Perf. Ind.	he gemido, has gemido, ha gemido; hemos gemido, habéis gemido, han gemido
Plup. Ind.	había gemido, habías gemido, había gemido; habíamos gemido, habíais gemido, habían gemido
Past Ant.	hube gemido, hubiste gemido, hubo gemido; hubimos gemido, hubisteis gemido, hubieron gemido
Fut. Perf.	habré gemido, habrás gemido, habrá gemido; habremos gemido, habréis gemido, habrán gemido
Cond. Perf.	habría gemido, habrías gemido, habría gemido; habríamos gemido, habríais gemido, habrían gemido
Pres. Perf. Subj.	haya gemido, hayas gemido, haya gemido; hayamos gemido, hayáis gemido, hayan gemido
Plup. Subj.	hubiera gemido, hubieras gemido, hubiera gemido; hubiéramos gemido, hubierais gemido, hubieran gemido hubiese gemido, hubieses gemido, hubiese gemido; hubiésemos gemido, hubieseis gemido, hubiesen gemido
Imperative	—— gime, gima; gimamos, gemid, giman

to govern, rule

Pres. Ind.	gobierno, gobiernas, gobierna; gobernamos, gobernáis, gobiernan
Imp. Ind.	gobernaba, gobernabas, gobernaba; governábamos, gobernabais, gobernaban
Preterit	goberné, gobernaste, gobernó; gobernamos, gobernasteis, gobernaron
Future	gobernaré, gobernarás, gobernará; gobernaremos, gobernaréis, gobernarán
Condit.	gobernaría, gobernarías, gobernaría; gobernaríamos, gobernaríais, gobernarían
Pres. Subj.	gobierne, gobiernes, gobierne; gobernemos, gobernéis, gobiernen
Imp. Subj.	gobernara, gobernaras, gobernara; gobernáramos, gobernarais, gobernaran
	gobernase, gobernases, gobernase; gobernásemos, gobernaseis, gobernasen
Pres. Perf. Ind.	he gobernado, has gobernado, ha gobernado; hemos gobernado, habéis gobernado, han gobernado
Plup. Ind.	había gobernado, habías gobernado, había gobernado; habíamos gobernado, habíais gobernado, habían gobernado
Past Ant.	hube gobernado, hubiste gobernado, hubo gobernado; hubimos gobernado, hubisteis gobernado, hubieron gobernado
Fut. Perf.	habré gobernado, habrás gobernado, habrá gobernado; habremos gobernado, habréis gobernado, habrán gobernado
Cond. Perf.	habría gobernado, habrías gobernado, habría gobernado; habríamos gobernado, habríais gobernado, habrían gobernado
Pres. Perf. Subj.	haya gobernado, hayas gobernado, haya gobernado; hayamos gobernado, hayáis gobernado, hayan gobernado
Plup. Subj.	hubiera gobernado, hubieras gobernado, hubiera gobernado; hubiéramos gobernado, hubierais gobernado, hubieran gobernado
	hubiese gobernado, hubieses gobernado, hubiese gobernado; hubiésemos gobernado, hubieseis gobernado, hubiesen gobernado
Imperative	—— gobierna, gobierne; gobernemos, gobernad, gobiernen

to enjoy

Pres. Ind.	gozo, gozas, goza; gozamos, gozáis, gozan
Imp. Ind.	gozaba, gozabas, gozaba; gozábamos, gozabais, gozaban
Pret. Ind.	gocé, gozaste, gozó; gozamos, gozasteis, gozaron
Fut. Ind.	gozaré, gozarás, gozará; gozaremos, gozaréis, gozarán
Condit.	gozaría, gozarías, gozaría; gozaríamos, gozaríais, gozarían
Pres. Subj.	goce, goces, goce; gocemos, gocéis, gocen
Imp. Subj.	gozara, gozaras, gozara; gozáramos, gozarais, gozaran
	gozase, gozases, gozase; gozásemos, gozaseis, gozasen
Pres. Perf.	he gozado, has gozado, ha gozado; hemos gozado, habéis gozado, han gozado
Pluperf.	había gozado, habías gozado, había gozado; habíamos gozado, habíais gozado, habían gozado
Past Ant.	hube gozado, hubiste gozado, hubo gozado; hubimos gozado, hubisteis gozado, hubieron gozado
Fut. Perf.	habré gozado, habrás gozado, habrá gozado; habremos gozado, habréis gozado, habrán gozado
Cond. Perf.	habría gozado, habrías gozado, habría gozado; habríamos gozado, habríais gozado, habrían gozado
Pres. Perf. Subj.	haya gozado, hayas gozado, haya gozado; hayamos gozado, hayáis gozado, hayan gozado
Plup. Subj.	hubiera gozado, hubieras gozado, hubiera gozado; hubiéramos gozado, hubierais gozado, hubieran gozado
	hubiese gozado, hubieses gozado, hubiese gozado; hubiésemos gozado, hubieseis gozado, hubiesen gozado
Imperative	—— goza, goce; gocemos, gozad, gocen

to shout, scream, shriek, cry out

Pres. Ind.	grito, gritas, grita; gritamos, gritáis, gritan
Imp. Ind.	gritaba, gritabas, gritaba; gritábamos, gritabais, gritaban
Preterit	grité, gritaste, gritó; gritamos, gritasteis, gritaron
Future	gritaré, gritarás, gritará; gritaremos, gritaréis, gritarán
Condit.	gritaría, gritarías, gritaría; gritaríamos, gritaríais, gritarían
Pres. Subj.	grite, grites, grite; gritemos, gritéis, griten
Imp. Subj.	gritara, gritaras, gritara; gritáramos, gritarais, gritaran
	gritase, gritases, gritase; gritásemos, gritaseis, gritasen
Pres. Perf. Ind.	he gritado, has gritado, ha gritado; hemos gritado, habéis gritado, han gritado
Plup. Ind.	había gritado, habías gritado, había gritado; habíamos gritado, habíais gritado, habían gritado
Past Ant.	hube gritado, hubiste gritado, hubo gritado; hubimos gritado, hubisteis gritado, hubieron gritado
Fut. Perf.	habré gritado, habrás gritado, habrá gritado; habremos gritado, habréis gritado, habrán gritado
Cond. Perf.	habría gritado, habrías gritado, habría gritado; habríamos gritado, habríais gritado, habrían gritado
Pres. Perf. Subj.	haya gritado, hayas gritado, haya gritado; hayamos gritado, hayáis gritado, hayan gritado
Plup. Subj.	hubiera gritado, hubieras gritado, hubiera gritado; hubiéramos gritado, hubierais gritado, hubieran gritado
	hubiese gritado, hubieses gritado, hubiese gritado; hubiésemos gritado, hubieseis gritado, hubiesen gritado
Imperative	—— grita, grite; gritemos, gritad, griten

to grumble, grunt, growl, creak (as doors, hinges, etc.)

Pres. Ind.	gruño, gruñes, gruñe; gruñimos, gruñís, gruñen
Imp. Ind.	gruñía, gruñías, gruñía; gruñíamos, gruñíais, gruñían
Preterit	gruñí, gruñiste, gruñó; gruñimos, gruñisteis, gruñeron
Future	gruñiré, gruñirás, gruñirá; gruñiremos, gruñiréis, gruñirán
Condit.	gruñiría, gruñirías, gruñiría; gruñiríamos, gruñiríais, gruñirían
Pres. Subj.	gruña, gruñas, gruña; gruñamos, gruñáis, gruñan
Imp. Subj.	gruñera, gruñeras, gruñera; gruñéramos, gruñerais, gruñeran
	gruñese, gruñeses, gruñese; gruñésemos, gruñeseis, gruñesen
Pres. Perf. Ind.	he gruñido, has gruñido, ha gruñido; hemos gruñido, habéis gruñido, han gruñido
Plup. Ind.	había gruñido, habías gruñido, había gruñido; habíamos gruñido, habíais gruñido, habían gruñido
Past Ant.	hube gruñido, hubiste gruñido, hubo gruñido; hubimos gruñido, hubisteis gruñido, hubieron gruñido
Fut. Perf.	habré gruñido, habrás gruñido, habrá gruñido; habremos gruñido, habréis gruñido, habrán gruñido
Cond. Perf.	habría gruñido, habrías gruñido, habría gruñido; habríamos gruñido, habríais gruñido, habrían gruñido
Pres. Perf. Subj.	haya gruñido, hayas gruñido, haya gruñido; hayamos gruñido, hayáis gruñido, hayan gruñido
Plup. Subj.	hubiera gruñido, hubieras gruñido, hubiera gruñido; hubiéramos gruñido, hubierais gruñido, hubieran gruñido
	hubiese gruñido, hubieses gruñido, hubiese gruñido; hubiésemos gruñido, hubieseis gruñido, hubiesen gruñido
Imperative	—— gruñe, gruña; gruñamos, gruñid, gruñan

to lead

Pres. Ind.	guío, guías, guía; guiamos, guiáis, guían
Imp. Ind.	guiaba, guiabas, guiaba; guiábamos, guiabais, guiaban
Pret. Ind.	guié, guiaste, guió; guiamos, guiasteis, guiaron
Fut. Ind.	guiaré, guiarás, guiará; guiaremos, guiaréis, guiarán
Condit.	guiaría, guiarías, guiaría; guiaríamos, guiaríais, guiarían
Pres. Subj.	guíe, guíes, guíe; guiemos, guiéis, guíen
Imp. Subj.	guiara, guiaras, guiara; guiáramos, guiarais, guiaran guiase, guiases, guiase; guiásemos, guiaseis, guiasen
Pres. Perf.	he guiado, has guiado, ha guiado; hemos guiado, habéis guiado, han guiado
Pluperf.	había guiado, habías guiado, había guiado; habíamos guiado, habíais guiado, habían guiado
Past Ant.	hube guiado, hubiste guiado, hubo guiado; hubimos guiado, hubisteis guiado, hubieron guiado
Fut. Perf.	habré guiado, habrás guiado, habrá guiado; habremos guiado, habréis guiado, habrán guiado
Cond. Perf.	habría guiado, habrías guiado, habría guiado; habríamos guiado, habríais guiado, habrían guiado
Pres. Perf. Subj.	haya guiado, hayas guiado, haya guiado; hayamos guiado, hayáis guiado, hayan guiado
Plup. Subj.	hubiera guiado, hubieras guiado, hubiera guiado; hubiéramos guiado, hubierais guiado, hubieran guiado hubiese guiado, hubieses guiado, hubiese guiado; hubiésemos guiado, hubieseis guiado, hubiesen guiado
Imperative	—— guía, guíe; guiemos, guiad, guíen

to be pleasing (to), like

Pres. Ind.	gusta; gustan
Imp. Ind.	gustaba; gustaban
Preterit	gustó; gustaron
Future	gustará; gustarán
Condit.	gustaría; gustarían
Pres. Subj.	guste; gusten
Imp. Subj.	gustara; gustaran gustase; gustasen
Pres. Perf. Ind.	ha gustado; han gustado
Plup. Ind.	había gustado; habían gustado
Past Ant.	hubo gustado; hubieron gustado
Fut. Perf.	habrá gustado; habrán gustado
Cond. Perf.	habría gustado; habrían gustado
Pres. Perf. Subj.	haya gustado; hayan gustado
Plup. Subj.	hubiera gustado; hubieran gustado hubiese gustado; hubiesen gustado
Imperative	que guste; que gusten

* This verb is commonly used in the third person singular or plural, as in the following examples:

1. **A Juan le gustan los deportes.** *John likes sports.*
2. **Me gusta la música.** *I like music.*

to have

Pres. Ind.	he, has, ha; hemos, habéis, han
Imp. Ind.	había, habías, había; habíamos, habíais, habían
Pret. Ind.	hube, hubiste, hubo; hubimos, hubisteis, hubieron
Fut. Ind.	habré, habrás, habrá; habremos, habréis, habrán
Condit.	habría, habrías, habría; habríamos, habríais, habrían
Pres. Subj.	haya, hayas, haya; hayamos, hayáis, hayan
Imp. Subj.	hubiera, hubieras, hubiera; hubiéramos, hubierais, hubieran
	hubiese, hubieses, hubiese; hubiésemos, hubieseis, hubiesen
Pres. Perf.	he habido, has habido, ha habido; hemos habido, habéis habido, han habido
Pluperf.	había habido, habías habido, había habido; habíamos habido, habíais habido, habían habido
Past Ant.	hube habido, hubiste habido, hubo habido; hubimos habido, hubisteis habido, hubieron habido
Fut. Perf.	habré habido, habrás habido, habrá habido; habremos habido, habréis habido, habrán habido
Cond. Perf.	habría habido, habrías habido, habría habido; habríamos habido, habríais habido, habrían habido
Pres. Perf. Subj.	haya habido, hayas habido, haya habido; hayamos habido, hayáis habido, hayan habido
Plup. Subj.	hubiera habido, hubieras habido, hubiera habido; hubiéramos habido, hubierais habido, hubieran habido
	hubiese habido, hubieses habido, hubiese habido; hubiésemos habido, hubieseis habido, hubiesen habido
Imperative	—— he, haya; hayamos, habed, hayan

to inhabit, dwell, live, reside

Pres. Ind.	habito, habitas, habita; habitamos, habitáis, habitan
Imp. Ind.	habitaba, habitabas, habitaba; habitábamos, habitabais, habitaban
Preterit	habité, habitaste, habitó; habitamos, habitasteis, habitaron
Future	habitaré, habitarás, habitará; habitaremos, habitaréis, habitarán
Condit.	habitaría, habitarías, habitaría; habitaríamos, habitaríais, habitarían
Pres. Subj.	habite, habites, habite; habitemos, habitéis, habiten
Imp. Subj.	habitara, habitaras, habitara; habitáramos, habitarais, habitaran
	habitase, habitases, habitase; habitásemos, habitaseis, habitasen
Pres. Perf. Ind.	he habitado, has habitado, ha habitado; hemos habitado, habéis habitado, han habitado
Plup. Ind.	había habitado, habías habitado, había habitado; habíamos habitado, habíais habitado, habían habitado
Past Ant.	hube habitado, hubiste habitado, hubo habitado; hubimos habitado, hubisteis habitado, hubieron habitado
Fut. Perf.	habré habitado, habrás habitado, habrá habitado; habremos habitado, habréis habitado, habrán habitado
Cond. Perf.	habría habitado, habrías habitado, habría habitado; habríamos habitado, habríais habitado, habrían habitado
Pres. Perf. Subj.	haya habitado, hayas habitado, haya habitado; hayamos habitado, hayáis habitado, hayan habitado
Plup. Subj.	hubiera habitado, hubieras habitado, hubiera habitado; hubiéramos habitado, hubierais habitado, hubieran habitado
	hubiese habitado, hubieses habitado, hubiese habitado; hubiésemos habitado, hubieseis habitado, hubiesen habitado
Imperative	—— habita, habite; habitemos, habitad, habiten

to speak, talk

Pres. Ind.	hablo, hablas, habla; hablamos, habláis, hablan
Imp. Ind.	hablaba, hablabas, hablaba; hablábamos, hablabais, hablaban
Pret. Ind.	hablé, hablaste, habló; hablamos, hablasteis, hablaron
Fut. Ind.	hablaré, hablarás, hablará; hablaremos, hablaréis, hablarán
Condit.	hablaría, hablarías, hablaría; hablaríamos, hablaríais, hablarían
Pres. Subj.	hable, hables, hable; hablemos, habléis, hablen
Imp. Subj.	hablara, hablaras, hablara; habláramos, hablarais, hablaran
	hablase, hablases, hablase; hablásemos, hablaseis, hablasen
Pres. Perf.	he hablado, has hablado, ha hablado; hemos hablado, habéis hablado, han hablado
Pluperf.	había hablado, habías hablado, había hablado; habíamos hablado, habíais hablado, habían hablado
Past Ant.	hube hablado, hubiste hablado, hubo hablado; hubimos hablado, hubisteis hablado, hubieron hablado
Fut. Perf.	habré hablado, habrás hablado, habrá hablado; habremos hablado, habréis hablado, habrán hablado
Cond. Perf.	habría hablado, habrías hablado, habría hablado; habríamos hablado, habríais hablado, habrían hablado
Pres. Perf. Subj.	haya hablado, hayas hablado, haya hablado; hayamos hablado, hayáis hablado, hayan hablado
Plup. Subj.	hubiera hablado, hubieras hablado, hubiera hablado; hubiéramos hablado, hubierais hablado, hubieran hablado
	hubiese hablado, hubieses hablado, hubiese hablado; hubiésemos hablado, hubieseis hablado, hubiesen hablado
Imperative	—— habla, hable; hablemos, hablad, hablen

to do, make

Pres. Ind.	hago, haces, hace; hacemos, hacéis, hacen
Imp. Ind.	hacía, hacías, hacía; hacíamos, hacíais, hacían
Pret. Ind.	hice, hiciste, hizo; hicimos, hicisteis, hicieron
Fut. Ind.	haré, harás, hará; haremos, haréis, harán
Condit.	haría, harías, haría; haríamos, haríais, harían
Pres. Subj.	haga, hagas, haga; hagamos, hagáis, hagan
Imp. Subj.	hiciera, hicieras, hiciera; hiciéramos, hicierais, hicieran hiciese, hicieses, hiciese; hiciésemos, hicieseis, hiciesen
Pres. Perf.	he hecho, has hecho, ha hecho; hemos hecho, habéis hecho, han hecho
Pluperf.	había hecho, habías hecho, había hecho; habíamos hecho, habíais hecho, habían hecho
Past Ant.	hube hecho, hubiste hecho, hubo hecho; hubimos hecho, hubisteis hecho, hubieron hecho
Fut. Perf.	habré hecho, habrás hecho, habrá hecho; habremos hecho, habréis hecho, habrán hecho
Cond. Perf.	habría hecho, habrías hecho, habría hecho; habríamos hecho, habríais hecho, habrían hecho
Pres. Perf. Subj.	haya hecho, hayas hecho, haya hecho; hayamos hecho, hayáis hecho, hayan hecho
Plup. Subj.	hubiera hecho, hubieras hecho, hubiera hecho; hubiéramos hecho, hubierais hecho, hubieran hecho hubiese hecho, hubieses hecho, hubiese hecho; hubiésemos hecho, hubieseis hecho, hubiesen hecho
Imperative	—— haz, haga; hagamos, haced, hagan

to freeze

Pres. Ind.	hiela OR está helando
Imp. Ind.	helaba OR estaba helando
Pret. Ind.	heló
Fut. Ind.	helará
Condit.	helaría
Pres. Subj.	hiele
Imp. Subj.	helara
	helase
Pres. Perf.	ha helado
Pluperf.	había helado
Past Ant.	hubo helado
Fut. Perf.	habrá helado
Cond. Perf.	habría helado
Pres. Perf. Subj.	haya helado
Plup. Subj.	hubiera helado
	hubiese helado
Imperative	que hiele

to inherit

Pres. Ind.	heredo, heredas, hereda; heredamos, heredáis, heredan
Imp. Ind.	heredaba, heredabas, heredaba; heredábamos, heredabais, heredaban
Preterit	heredé, heredaste, heredó; heredamos, heredasteis, heredaron
Future	heredaré, heredarás, heredará; heredaremos, heredaréis, heredarán
Condit.	heredaría, heredarías, heredaría; heredaríamos, heredaríais, heredarían
Pres. Subj.	herede, heredes, herede; heredemos, heredéis, hereden
Imp. Subj.	heredara, heredaras, heredara; heredáramos, heredarais, heredaran
	heredase, heredases, heredase; heredásemos, heredaseis, heredasen
Pres. Perf. Ind.	he heredado, has heredado, ha heredado; hemos heredado, habéis heredado, han heredado
Plup. Ind.	había heredado, habías heredado, había heredado; habíamos heredado, habíais heredado, habían heredado
Past Ant.	hube heredado, hubiste heredado, hubo heredado; hubimos heredado, hubisteis heredado, hubieron heredado
Fut. Perf.	habré heredado, habrás heredado, habrá heredado; habremos heredado, habréis heredado, habrán heredado
Cond. Perf.	habría heredado, habrías heredado, habría heredado; habríamos heredado, habríais heredado, habrían heredado
Pres. Perf. Subj.	haya heredado, hayas heredado, haya heredado; hayamos heredado, hayáis heredado, hayan heredado
Plup. Subj.	hubiera heredado, hubieras heredado, hubiera heredado; hubiéramos heredado, hubierais heredado, hubieran heredado
	hubiese heredado, hubieses heredado, hubiese heredado; hubiésemos heredado, hubieseis heredado, hubiesen heredado
Imperative	—— hereda, herede; heredemos, heredad, hereden

to harm, hurt, wound

Pres. Ind.	hiero, hieres, hiere; herimos, herís, hieren
Imp. Ind.	hería, herías, hería; heríamos, heríais, herían
Preterit	herí, heriste, hirió; herimos, heristeis, hirieron
Future	heriré, herirás, herirá; heriremos, heriréis, herirán
Condit.	heriría, herirías, heriría; heriríamos, heriríais, herirían
Pres. Subj.	hiera, hieras, hiera; hiramos, hiráis, hieran
Imp. Subj.	hiriera, hirieras, hiriera; hiriéramos, hirierais, hirieran
	hiriese, hirieses, hiriese; hiriésemos, hirieseis, hiriesen
Pres. Perf. Ind.	he herido, has herido, ha herido; hemos herido, habéis herido, han herido
Plup. Ind.	había herido, habías herido, había herido; habíamos herido, habíais herido, habían herido
Past Ant.	hube herido, hubiste herido, hubo herido; hubimos herido, hubisteis herido, hubieron herido
Fut. Perf.	habré herido, habrás herido, habrá herido; habremos herido, habréis herido, habrán herido
Cond. Perf.	habría herido, habrías herido, habría herido; habríamos herido, habríais herido, habrían herido
Pres. Perf. Subj.	haya herido, hayas herido, haya herido; hayamos herido, hayáis herido, hayan herido
Plup. Subj.	hubiera herido, hubieras herido, hubiera herido; hubiéramos herido, hubierais herido, hubieran herido
	hubiese herido, hubieses herido, hubiese herido; hubiésemos herido, hubieseis herido, hubiesen herido
Imperative	—— hiere, hiera; hiramos, herid, hieran

to escape, flee, run away, slip away

Pres. Ind.	huyo, huyes, huye; huimos, huís, huyen
Imp. Ind.	huía, huías, huía; huíamos, huíais, huían
Preterit	huí, huiste, huyó; huimos, huisteis, huyeron
Future	huiré, huirás, huirá; huiremos, huiréis, huirán
Condit.	huiría, huirías, huiría; huiríamos, huiríais, huirían
Pres. Subj.	huya, huyas, huya; huyamos, huyáis, huyan
Imp. Subj.	huyera, huyeras, huyera; huyéramos, huyerais, huyeran
	huyese, huyeses, huyese; huyésemos, huyeseis, huyesen
Pres. Perf. Ind.	he huido, has huido, ha huido; hemos huido, habéis huido, han huido
Plup. Ind.	había huido, habías huido, había huido; habíamos huido, habíais huido, habían huido
Past Ant.	hube huido, hubiste huido, hubo huido; hubimos huido, hubisteis huido, hubieron huido
Fut. Perf.	habré huido, habrás huido, habrá huido; habremos huido, habréis huido, habrán huido
Cond. Perf.	habría huido, habrías huido, habría huido; habríamos huido, habríais huido, habrían huido
Pres. Perf. Subj.	haya huido, hayas huido, haya huido; hayamos huido, hayáis huido, hayan huido
Plup. Subj.	hubiera huido, hubieras huido, hubiera huido; hubiéramos huido, hubierais huido, hubieran huido
	hubiese huido, hubieses huido, hubiese huido; hubiésemos huido, hubieseis huido, hubiesen huido
Imperative	—— huye, huya; huyamos, huid, huyan

to be ignorant of,
not to know

Pres. Ind.	ignoro, ignoras, ignora; ignoramos, ignoráis, ignoran
Imp. Ind.	ignoraba, ignorabas, ignoraba; ignorábamos, ignorabais, ignoraban
Preterit	ignoré, ignoraste, ignoró; ignoramos, ignorasteis, ignoraron
Future	ignoraré, ignorarás, ignorará; ignoraremos, ignoraréis, ignorarán
Condit.	ignoraría, ignorarías, ignoraría; ignoraríamos, ignoraríais, ignorarían
Pres. Subj.	ignore, ignores, ignore; ignoremos, ignoréis, ignoren
Imp. Subj.	ignorara, ignoraras, ignorara; ignoráramos, ignorarais, ignoraran
	ignorase, ignorases, ignorase; ignorásemos, ignoraseis, ignorasen
Pres. Perf. Ind.	he ignorado, has ignorado, ha ignorado; hemos ignorado, habéis ignorado, han ignorado
Plup. Ind.	había ignorado, habías ignorado, había ignorado; habíamos ignorado, habíais ignorado, habían ignorado
Past Ant.	hube ignorado, hubiste ignorado, hubo ignorado; hubimos ignorado, hubisteis ignorado, hubieron ignorado
Fut. Perf.	habré ignorado, habrás ignorado, habrá ignorado; habremos ignorado, habréis ignorado, habrán ignorado
Cond. Perf.	habría ignorado, habrías ignorado, habría ignorado; habríamos ignorado, habríais ignorado, habrían ignorado
Pres. Perf. Subj.	haya ignorado, hayas ignorado, haya ignorado; hayamos ignorado, hayáis ignorado, hayan ignorado
Plup. Subj.	hubiera ignorado, hubieras ignorado, hubiera ignorado; hubiéramos ignorado, hubierais ignorado, hubieran ignorado
	hubiese ignorado, hubieses ignorado, hubiese ignorado; hubiésemos ignorado, hubieseis ignorado, hubiesen ignorado
Imperative	—— ignora, ignore; ignoremos, ignorad, ignoren

to hinder, impede, prevent

Pres. Ind.	impido, impides, impide; impedimos, impedís, impiden
Imp. Ind.	impedía, impedías, impedía; impedíamos, impedíais, impedían
Preterit	impedí, impediste, impidió; impedimos, impedisteis, impidieron
Future	impediré, impedirás, impedirá; impediremos, impediréis, impedirán
Condit.	impediría, impedirías, impediría; impediríamos, impediríais, impedirían
Pres. Subj.	impida, impidas, impida; impidamos, impidáis, impidan
Imp. Subj.	impidiera, impidieras, impidiera; impidiéramos, impidierais, impidieran
	impidiese, impidieses, impidiese; impidiésemos, impidieseis, impidiesen
Pres. Perf. Ind.	he impedido, has impedido, ha impedido; hemos impedido, habéis impedido, han impedido
Plup. Ind.	había impedido, habías impedido, había impedido; habíamos impedido, habíais impedido, habían impedido
Past Ant.	hube impedido, hubiste impedido, hubo impedido; hubimos impedido, hubisteis impedido, hubieron impedido
Fut. Perf.	habré impedido, habrás impedido, habrá impedido; habremos impedido, habréis impedido, habrán impedido
Cond. Perf.	habría impedido, habrías impedido, habría impedido; habríamos impedido, habríais impedido, habrían impedido
Pres. Perf. Subj.	haya impedido, hayas impedido, haya impedido; hayamos impedido, hayáis impedido, hayan impedido
Plup. Subj.	hubiera impedido, hubieras impedido, hubiera impedido; hubiéramos impedido, hubierais impedido, hubieran impedido
	hubiese impedido, hubieses impedido, hubiese impedido; hubiésemos impedido, hubieseis impedido, hubiesen impedido
Imperative	—— impide, impida; impidamos, impedid, impidan

to beg, entreat, implore

Pres. Ind.	imploro, imploras, implora; imploramos, imploráis, imploran
Imp. Ind.	imploraba, implorabas, imploraba; implorábamos, implorabais, imploraban
Preterit	imploré, imploraste, imploró; imploramos, implorasteis, imploraron
Future	imploraré, implorarás, implorará; imploraremos, imploraréis, implorarán
Condit.	imploraría, implorarías, imploraría; imploraríamos, imploraríais, implorarían
Pres. Subj.	implore, implores, implore; imploremos, imploréis, imploren
Imp. Subj.	implorara, imploraras, implorara; imploráramos, implorarais, imploraran implorase, implorases, implorase; implorásemos, imploraseis, implorasen
Pres. Perf. Ind.	he implorado, has implorado, ha implorado; hemos implorado, habéis implorado, han implorado
Plup. Ind.	había implorado, habías implorado, había implorado; habíamos implorado, habíais implorado, habían implorado
Past Ant.	hube implorado, hubiste implorado, hubo implorado; hubimos implorado, hubisteis implorado, hubieron implorado
Fut. Perf.	habré implorado, habrás implorado, habrá implorado; habremos implorado, habréis implorado, habrán implorado
Cond. Perf.	habría implorado, habrías implorado, habría implorado; habríamos implorado, habríais implorado, habrían implorado
Pres. Perf. Subj.	haya implorado, hayas implorado, haya implorado; hayamos implorado, hayáis implorado, hayan implorado
Plup. Subj.	hubiera implorado, hubieras implorado, hubiera implorado; hubiéramos implorado, hubierais implorado, hubieran implorado hubiese implorado, hubieses implorado, hubiese implorado; hubiésemos implorado, hubieseis implorado, hubiesen implorado
Imperative	—— implora, implore; imploremos, implorad, imploren

to matter, be important

Pres. Ind.	importa; importan
Imp. Ind.	importaba; importaban
Preterit	importó; importaron
Future	importará; importarán
Condit.	importaría; importarían
Pres. Subj.	importe; importen
Imp. Subj.	importara; importaran
	importase; importasen
Pres. Perf. Ind.	ha importado; han importado
Plup. Ind.	había importado; habían importado
Past Ant.	hubo importado; hubieron importado
Fut. Perf.	habrá importado; habrán importado
Cond. Perf.	habría importado; habrían importado
Pres. Perf. Subj.	haya importado; hayan importado
Plup. Subj.	hubiera importado; hubieran importado
	hubiese importado; hubiesen importado
Imperative	que importe; que importen

to impress, make an impression

Pres. Ind.	impresiono, impresionas, impresiona; impresionamos, impresionáis, impresionan
Imp. Ind.	impresionaba, impresionabas, impresionaba; impresionábamos, impresionabais, impresionaban
Preterit	impresioné, impresionaste, impresionó; impresionamos, impresionasteis, impresionaron
Future	impresionaré, impresionarás, impresionará; impresionaremos, impresionaréis, impresionarán
Condit.	impresionaría, impresionarías, impresionaría; impresionaríamos, impresionaríais, impresionarían
Pres. Subj.	impresione, impresiones, impresione; impresionemos, impresionéis, impresionen
Imp. Subj.	impresionara, impresionaras, impresionara; impresionáramos, impresionarais, impresionaran
	impresionase, impresionases, impresionase; impresionásemos, impresionaseis, impresionasen
Pres. Perf. Ind.	he impresionado, has impresionado, ha impresionado; hemos impresionado, habéis impresionado, han impresionado
Plup. Ind.	había impresionado, habías impresionado, había impresionado; habíamos impresionado, habíais impresionado, habían impresionado
Past Ant.	hube impresionado, hubiste impresionado, hubo impresionado; hubimos impresionado, hubisteis impresionado, hubieron impresionado
Fut. Perf.	habré impresionado, habrás impresionado, habrá impresionado; habremos impresionado, habréis impresionado, habrán impresionado
Cond. Perf.	habría impresionado, habrías impresionado, habría impresionado; habríamos impresionado, habríais impresionado, habrían impresionado
Pres. Perf. Subj.	haya impresionado, hayas impresionado, haya impresionado; hayamos impresionado, hayáis impresionado, hayan impresionado
Plup. Subj.	hubiera impresionado, hubieras impresionado, hubiera impresionado; hubiéramos impresionado, hubierais impresionado, hubieran impresionado
	hubiese impresionado, hubieses impresionado, hubiese impresionado; hubiésemos impresionado, hubieseis impresionado, hubiesen impresionado
Imperative	—— impresiona, impresione; impresionemos, impresionad, impresionen

to imprint, impress, print, fix in the mind

Pres. Ind.	imprimo, imprimes, imprime; imprimimos, imprimís, imprimen
Imp. Ind.	imprimía, imprimías, imprimía; imprimíamos, imprimíais, imprimían
Preterit	imprimí, imprimiste, imprimió; imprimimos, imprimisteis, imprimieron
Future	imprimiré, imprimirás, imprimirá; imprimiremos, imprimiréis, imprimirán
Condit.	imprimiría, imprimirías, imprimiría; imprimiríamos, imprimiríais, imprimirían
Pres. Subj.	imprima, imprimas, imprima; imprimamos, imprimáis, impriman
Imp. Subj.	imprimiera, imprimieras, imprimiera; imprimiéramos, imprimierais, imprimieran
	imprimiese, imprimieses, imprimiese; imprimiésemos, imprimieseis, imprimiesen
Pres. Perf. Ind.	he impreso, has impreso, ha impreso; hemos impreso, habéis impreso, han impreso
Plup. Ind.	había impreso, habías impreso, había impreso; habíamos impreso, habíais impreso, habían impreso
Past Ant.	hube impreso, hubiste impreso, hubo impreso; hubimos impreso, hubisteis impreso, hubieron impreso
Fut. Perf.	habré impreso, habrás impreso, habrá impreso; habremos impreso, habréis impreso, habrán impreso
Cond. Perf.	habría impreso, habrías impreso, habría impreso; habríamos impreso, habríais impreso, habrían impreso
Pres. Perf. Subj.	haya impreso, hayas impreso, haya impreso; hayamos impreso, hayáis impreso, hayan impreso
Plup. Subj.	hubiera impreso, hubieras impreso, hubiera impreso; hubiéramos impreso, hubierais impreso, hubieran impreso
	hubiese impreso, hubieses impreso, hubiese impreso; hubiésemos impreso, hubieseis impreso, hubiesen impreso
Imperative	—— imprime, imprima; imprimamos, imprimid, impriman

to set on fire

Pres. Ind.	incendio, incendias, incendia; incendiamos, incendiáis, incendian
Imp. Ind.	incendiaba, incendiabas, incendiaba; incendiábamos, incendiabais, incendiaban
Preterit	incendié, incendiaste, incendió; incendiamos, incendiasteis, incendiaron
Future	incendiaré, incendiarás, incendiará; incendiaremos, incendiaréis, incendiarán
Condit.	incendiaría, incendiarías, incendiaría; incendiaríamos, incendiaríais, incendiarían
Pres. Subj.	incendie, incendies, incendie; incendiemos, incendiéis, incendien
Imp. Subj.	incendiara, incendiaras, incendiara; incendiáramos, incendiarais, incendiaran
	incendiase, incendiases, incendiase; incendiásemos, incendiaseis, incendiasen
Pres. Perf. Ind.	he incendiado, has incendiado, ha incendiado; hemos incendiado, habéis incendiado, han incendiado
Plup. Ind.	había incendiado, habías incendiado, había incendiado; habíamos incendiado, habíais incendiado, habían incendiado
Past Ant.	hube incendiado, hubiste incendiado, hubo incendiado; hubimos incendiado, hubisteis incendiado, hubieron incendiado
Fut. Perf.	habré incendiado, habrás incendiado, habrá incendiado; habremos incendiado, habréis incendiado, habrán incendiado
Cond. Perf.	habría incendiado, habrías incendiado, habría incendiado; habríamos incendiado, habríais incendiado, habrían incendiado
Pres. Perf. Subj.	haya incendiado, hayas incendiado, haya incendiado; hayamos incendiado, hayáis incendiado, hayan incendiado
Plup. Subj.	hubiera incendiado, hubieras incendiado, hubiera incendiado; hubiéramos incendiado, hubierais incendiado, hubieran incendiado
	hubiese incendiado, hubieses incendiado, hubiese incendiado; hubiésemos incendiado, hubieseis incendiado, hubiesen incendiado
Imperative	—— incendia, incendie; incendiemos, incendiad, incendien

to bow, incline, tilt

Pres. Ind.	inclino, inclinas, inclina; inclinamos, inclináis, inclinan
Imp. Ind.	inclinaba, inclinabas, inclinaba; inclinábamos, inclinabais, inclinaban
Preterit	incliné, inclinaste, inclinó; inclinamos, inclinasteis, inclinaron
Future	inclinaré, inclinarás, inclinará; inclinaremos, inclinaréis, inclinarán
Condit.	inclinaría, inclinarías, inclinaría; inclinaríamos, inclinaríais, inclinarían
Pres. Subj.	incline, inclines, incline; inclinemos, inclinéis, inclinen
Imp. Subj.	inclinara, inclinaras, inclinara; inclináramos, inclinarais, inclinaran
	inclinase, inclinases, inclinase; inclinásemos, inclinaseis, inclinasen
Pres. Perf. Ind.	he inclinado, has inclinado, ha inclinado; hemos inclinado, habéis inclinado, han inclinado
Plup. Ind.	había inclinado, habías inclinado, había inclinado; habíamos inclinado, habíais inclinado, habían inclinado
Past Ant.	hube inclinado, hubiste inclinado, hubo inclinado; hubimos inclinado, hubisteis inclinado, hubieron inclinado
Fut. Perf.	habré inclinado, habrás inclinado, habrá inclinado; habremos inclinado, habréis inclinado, habrán inclinado
Cond. Perf.	habría inclinado, habrías inclinado, habría inclinado; habríamos inclinado, habríais inclinado, habrían inclinado
Pres. Perf. Subj.	haya inclinado, hayas inclinado, haya inclinado; hayamos inclinado, hayáis inclinado, hayan inclinado
Plup. Subj.	hubiera inclinado, hubieras inclinado, hubiera inclinado; hubiéramos inclinado, hubierais inclinado, hubieran inclinado
	hubiese inclinado, hubieses inclinado, hubiese inclinado; hubiésemos inclinado, hubieseis inclinado, hubiesen inclinado
Imperative	—— inclina, incline; inclinemos, inclinad, inclinen

to enclose, include

Pres. Ind.	incluyo, incluyes, incluye; incluimos, incluís, incluyen
Imp. Ind.	incluía, incluías, incluía; incluíamos, incluíais, incluían
Preterit	incluí, incluiste, incluyó; incluimos, incluisteis, incluyeron
Future	incluiré, incluirás, incluirá; incluiremos, incluiréis, incluirán
Condit.	incluiría, incluirías, incluiría; incluiríamos, incluiríais, incluirían
Pres. Subj.	incluya, incluyas, incluya; incluyamos, incluyáis, incluyan
Imp. Subj.	incluyera, incluyeras, incluyera; incluyéramos, incluyerais, incluyeran incluyese, incluyeses, incluyese; incluyésemos, incluyeseis, incluyesen
Pres. Perf. Ind.	he incluido, has incluido, ha incluido; hemos incluido, habéis incluido, han incluido
Plup. Ind.	había incluido, habías incluido, había incluido habíamos incluido, habíais incluido, habían incluido
Past Ant.	hube incluido, hubiste incluido, hubo incluido; hubimos incluido, hubisteis incluido, hubieron incluido
Fut. Perf.	habré incluido, habrás incluido, habrá incluido; habremos incluido, habréis incluido, habrán incluido
Cond. Perf.	habría incluido, habrías incluido, habría incluido; habríamos incluido, habríais incluido, habrían incluido
Pres. Perf. Subj.	haya incluido, hayas incluido, haya incluido; hayamos incluido, hayáis incluido, hayan incluido
Plup. Subj.	hubiera incluido, hubieras incluido, hubiera incluido; hubiéramos incluido, hubierais incluido, hubieran incluido hubiese incluido, hubieses incluido, hubiese incluido; hubiésemos incluido, hubieseis incluido, hubiesen incluido
Imperative	—— incluye, incluya; incluyamos, incluid, incluyan

to indicate, point out

Pres. Ind. indico, indicas, indica;
indicamos, indicáis, indican

Imp. Ind. indicaba, indicabas, indicaba;
indicábamos, indicabais, indicaban

Preterit indiqué, indicaste, indicó;
indicamos, indicasteis, indicaron

Future indicaré, indicarás, indicará;
indicaremos, indicaréis, indicarán

Condit. indicaría, indicarías, indicaría;
indicaríamos, indicaríais, indicarían

Pres. Subj. indique, indiques, indique;
indiquemos, indiquéis, indiquen

Imp. Subj. indicara, indicaras, indicara;
indicáramos, indicarais, indicaran

indicase, indicases, indicase;
indicásemos, indicaseis, indicasen

Pres. Perf. Ind. he indicado, has indicado, ha indicado;
hemos indicado, habéis indicado, han indicado

Plup. Ind. había indicado, habías indicado, había indicado;
habíamos indicado, habíais indicado, habían indicado

Past Ant. hube indicado, hubiste indicado, hubo indicado;
hubimos indicado, hubisteis indicado, hubieron indicado

Fut. Perf. habré indicado, habrás indicado, habrá indicado;
habremos indicado, habréis indicado, habrán indicado

Cond. Perf. habría indicado, habrías indicado, habría indicado;
habríamos indicado, habríais indicado, habrían indicado

Pres. Perf. Subj. haya indicado, hayas indicado, haya indicado;
hayamos indicado, hayáis indicado, hayan indicado

Plup. Subj. hubiera indicado, hubieras indicado, hubiera indicado;
hubiéramos indicado, hubierais indicado, hubieran indicado

hubiese indicado, hubieses indicado, hubiese indicado;
hubiésemos indicado, hubieseis indicado, hubiesen indicado

Imperative —— indica, indique;
indiquemos, indicad, indiquen

to induce, influence, persuade

Pres. Ind.	induzco, induces, induce; inducimos, inducís, inducen
Imp. Ind.	inducía, inducías, inducía; inducíamos, inducíais, inducían
Preterit	induje, indujiste, indujo; indujimos, indujisteis, indujeron
Future	induciré, inducirás, inducirá; induciremos, induciréis, inducirán
Condit.	induciría, inducirías, induciría; induciríamos, induciríais, inducirían
Pres. Subj.	induzca, induzcas, induzca; induzcamos, induzcáis, induzcan
Imp. Subj.	indujera, indujeras, indujera; indujéramos, indujerais, indujeran indujese, indujeses, indujese; indujésemos, indujeseis, indujesen
Pres. Perf. Ind.	he inducido, has inducido, ha inducido; hemos inducido, habéis inducido, han inducido
Plup. Ind.	había inducido, habías inducido, había inducido; habíamos inducido, habíais inducido, habían inducido
Past Ant.	hube inducido, hubiste inducido, hubo inducido; hubimos inducido, hubisteis inducido, hubieron inducido
Fut. Perf.	habré inducido, habrás inducido, habrá inducido; habremos inducido, habréis inducido, habrán inducido
Cond. Perf.	habría inducido, habrías inducido, habría inducido; habríamos inducido, habríais inducido, habrían inducido
Pres. Perf. Subj.	haya inducido, hayas inducido, haya inducido; hayamos inducido, hayáis inducido, hayan inducido
Plup. Subj.	hubiera inducido, hubieras inducido, hubiera inducido; hubiéramos inducido, hubierais inducido, hubieran inducido hubiese inducido, hubieses inducido, hubiese inducido; hubiésemos inducido, hubieseis inducido, hubiesen inducido
Imperative	—— induce, induzca; induzcamos, inducid, induzcan

to influence

Pres. Ind.	influyo, influyes, influye; influimos, influís, influyen
Imp. Ind.	influía, influías, influía; influíamos, influíais, influían
Pret. Ind.	influí, influiste, influyó; influimos, influisteis, influyeron
Fut. Ind.	influiré, influirás, influirá; influiremos, influiréis, influirán
Condit.	influiría, influirías, influiría; influiríamos, influiríais, influirían
Pres. Subj.	influya, influyas, influya; influyamos, influyáis, influyan
Imp. Subj.	influyera, influyeras, influyera; influyéramos, influyerais, influyeran
	influyese, influyeses, influyese; influyésemos, influyeseis, influyesen
Pres. Perf.	he influido, has influido, ha influido; hemos influido, habéis influido, han influido
Pluperf.	había influido, habías influido, había influido; habíamos influido, habíais influido, habían influido
Past Ant.	hube influido, hubiste influido, hubo influido; hubimos influido, hubisteis influido, hubieron influido
Fut. Perf.	habré influido, habrás influido, habrá influido; habremos influido, habréis influido, habrán influido
Cond. Perf.	habría influido, habrías influido, habría influido; habríamos influido, habríais influido, habrían influido
Pres. Perf. Subj.	haya influido, hayas influido, haya influido; hayamos influido, hayáis influido, hayan influido
Plup. Subj.	hubiera influido, hubieras influido, hubiera influido; hubiéramos influido, hubierais influido, hubieran influido
	hubiese influido, hubieses influido, hubiese influido; hubiésemos influido, hubieseis influido, hubiesen influido
Imperative	—— influye, influya; influyamos, influid, influyan

to initiate, begin, start

Pres. Ind.	inicio, inicias, inicia; iniciamos, iniciáis, inician
Imp. Ind.	iniciaba, iniciabas, iniciaba; iniciábamos, iniciabais, iniciaban
Preterit	inicié, iniciaste, inició; iniciamos, iniciasteis, iniciaron
Future	iniciaré, iniciarás, iniciará; iniciaremos, inciaréis, iniciarán
Condit.	iniciaría, iniciarías, iniciaría; iniciaríamos, iniciaríais, iniciarían
Pres. Subj.	inicie, inicies, inicie; iniciemos, iniciéis, inicien
Imp. Subj.	iniciara, iniciaras, iniciara; iniciáramos, iniciarais, iniciaran
	iniciase, iniciases, iniciase; iniciásemos, iniciaseis, iniciasen
Pres. Perf. Ind.	he iniciado, has iniciado, ha iniciado; hemos iniciado, habéis iniciado, han iniciado
Plup. Ind.	había iniciado, habías iniciado, había iniciado; habíamos iniciado, habíais iniciado, habían iniciado
Past Ant.	hube iniciado, hubiste iniciado, hubo iniciado; hubimos iniciado, hubisteis iniciado, hubieron iniciado
Fut. Perf.	habré iniciado, habrás iniciado, habrá iniciado; habremos iniciado, habréis iniciado, habrán iniciado
Cond. Perf.	habría iniciado, habrías iniciado, habría iniciado; habríamos iniciado, habríais iniciado, habrían iniciado
Pres. Perf. Subj.	haya iniciado, hayas iniciado, haya iniciado; hayamos iniciado, hayáis iniciado, hayan iniciado
Plup. Subj.	hubiera iniciado, hubieras iniciado, hubiera iniciado; hubiéramos iniciado, hubierais iniciado, hubieran iniciado
	hubiese iniciado, hubieses iniciado, hubiese iniciado; hubiésemos iniciado, hubieseis iniciado, hubiesen iniciado
Imperative	—— inicia, inicie; iniciemos, iniciad, inicien

to inscribe, record

Pres. Ind.	inscribo, inscribes, inscribe; inscribimos, inscribís, inscriben
Imp. Ind.	inscribía, inscribías, inscribía; inscribíamos, inscribíais, inscribían
Preterit	inscribí, inscribiste, inscribió; inscribimos, inscribisteis, inscribieron
Future	inscribiré, inscribirás, inscribirá; inscribiremos, inscribiréis, inscribirán
Condit.	inscribiría, inscribirías, inscribiría; inscribiríamos, inscribiríais, inscribirían
Pres. Subj.	inscriba, inscribas, inscriba; inscribamos, inscribáis, inscriban
Imp. Subj.	inscribiera, inscribieras, inscribiera; inscribiéramos, inscribierais, inscribieran
	inscribiese, inscribieses, inscribiese; inscribiésemos, inscribieseis, inscribiesen
Pres. Perf. Ind.	he inscrito, has inscrito, ha inscrito; hemos inscrito, habéis inscrito, han escrito
Plup. Ind.	había inscrito, habías inscrito, había inscrito; habíamos inscrito, habíais inscrito, habían inscrito
Past Ant.	hube inscrito, hubiste inscrito, hubo inscrito; hubimos inscrito, hubisteis inscrito, hubieron inscrito
Fut. Perf.	habré inscrito, habrás inscrito, habrá inscrito; habremos inscrito, habréis inscrito, habrán inscrito
Cond. Perf.	habría inscrito, habrías inscrito, habría inscrito; habríamos inscrito, habríais inscrito, habrían inscrito
Pres. Perf. Subj.	haya inscrito, hayas inscrito, haya inscrito; hayamos inscrito, hayáis inscrito, hayan inscrito
Plup. Subj.	hubiera inscrito, hubieras inscrito, hubiera inscrito; hubiéramos inscrito, hubierais inscrito, hubieran inscrito
	hubiese inscrito, hubieses inscrito, hubiese inscrito; hubiésemos inscrito, hubieseis inscrito, hubiesen inscrito
Imperative	—— inscribe, inscriba; inscribamos, inscribid, inscriban

to enroll, register

Pres. Ind.	me inscribo, te inscribes, se inscribe; nos inscribimos, os inscribís, se inscriben
Imp. Ind.	me inscribía, te inscribías, se inscribía; nos inscribíamos, os inscribíais, se inscribían
Preterit	me inscribí, te inscribiste, se inscribió; nos inscribimos, os inscribisteis, se inscribieron
Future	me inscribiré, te inscribirás, se inscribirá; nos inscribiremos, os inscribiréis, se inscribirán
Condit.	me inscribiría, te inscribirías, se inscribiría; nos inscribiríamos, os inscribiríais, se inscribirían
Pres. Subj.	me inscriba, te inscribas, se inscriba; nos inscribamos, os inscribáis, se inscriban
Imp. Subj.	me inscribiera, te inscribieras, se inscribiera; nos inscribiéramos, os inscribierais, se inscribieran
	me inscribiese, te inscribieses, se inscribiese; nos inscribiésemos, os inscribieseis, se inscribiesen
Pres. Perf. Ind.	me he inscrito, te has inscrito, se ha inscrito; nos hemos inscrito, os habéis inscrito, se han inscrito
Plup. Ind.	me había inscrito, te habías inscrito, se había inscrito; nos habíamos inscrito, os habíais inscrito, se habían inscrito
Past Ant.	me hube inscrito, te hubiste inscrito, se hubo inscrito; nos hubimos inscrito, os hubisteis inscrito, se hubieron inscrito
Fut. Perf.	me habré inscrito, te habrás inscrito, se habrá inscrito; nos habremos inscrito, os habréis inscrito, se habrán inscrito
Cond. Perf.	me habría inscrito, te habrías inscrito, se habría inscrito; nos habríamos inscrito, os habríais inscrito, se habrían inscrito
Pres. Perf. Subj.	me haya inscrito, te hayas inscrito, se haya inscrito; nos hayamos inscrito, os hayáis inscrito, se hayan inscrito
Plup. Subj.	me hubiera inscrito, te hubieras inscrito, se hubiera inscrito; nos hubiéramos inscrito, os hubierais inscrito, se hubieran inscrito
	me hubiese inscrito, te hubieses inscrito, se hubiese inscrito; nos hubiésemos inscrito, os hubieseis inscrito, se hubiesen inscrito
Imperative	—— inscríbete, inscríbase; inscribámonos, inscribíos, inscríbanse

to insist, persist

Pres. Ind.	insisto, insistes, insiste; insistimos, insistís, insisten
Imp. Ind.	insistía, insistías, insistía; insistíamos, insistíais, insistían
Preterit	insistí, insististe, insistió; insistimos, insististeis, insistieron
Future	insistiré, insistirás, insistirá; insistiremos, insistiréis, insistirán
Condit.	insistiría, insistirías, insistiría; insistiríamos, insistiríais, insistirían
Pres. Subj.	insista, insistas, insista; insistamos, insistáis, insistan
Imp. Subj.	insistiera, insistieras, insistiera; insistiéramos, insistierais, insistieran
	insistiese, insistieses, insistiese; insistiésemos, insistieseis, insistiesen
Pres. Perf. Ind.	he insistido, has insistido, ha insistido; hemos insistido, habéis insistido, han insistido
Plup. Ind.	había insistido, habías insistido, había insistido; habíamos insistido, habíais insistido, habían insistido
Past Ant.	hube insistido, hubiste insistido, hubo insistido; hubimos insistido, hubisteis insistido, hubieron insistido
Fut. Perf.	habré insistido, habrás insistido, habrá insistido; habremos insistido, habréis insistido, habrán insistido
Cond. Perf.	habría insistido, habrías insistido, habría insistido; habríamos insistido, habríais insistido, habrían insistido
Pres. Perf. Subj.	haya insistido, hayas insistido, haya insistido; hayamos insistido, hayáis insistido, hayan insistido
Plup. Subj.	hubiera insistido, hubieras insistido, hubiera insistido; hubiéramos insistido, hubierais insistido, hubieran insistido
	hubiese insistido, hubieses insistido, hubiese insistido; hubiésemos insistido, hubieseis insistido, hubiesen insistido
Imperative	—— insiste, insista; insistamos, insistid, insistan

to introduce

Pres. Ind.	introduzco, introduces, introduce; introducimos, introducís, introducen
Imp. Ind.	introducía, introducías, introducía; introducíamos, introducíais, introducían
Pret. Ind.	introduje, introdujiste, introdujo; introdujimos, introdujisteis, introdujeron
Fut. Ind.	introduciré, introducirás, introducirá; introduciremos, introduciréis, introducirán
Condit.	introduciría, introducirías, introduciría; introduciríamos, introduciríais, introducirían
Pres. Subj.	introduzca, introduzcas, introduzca; introduzcamos, introduzcáis, introduzcan
Imp. Subj.	introdujera, introdujeras, introdujera; introdujéramos, introdujerais, introdujeran
	introdujese, introdujeses, introdujese; introdujésemos, introdujeseis, introdujesen
Pres. Perf.	he introducido, has introducido, ha introducido; hemos introducido, habéis introducido, han introducido
Pluperf.	había introducido, habías introducido, había introducido; habíamos introducido, habíais introducido, habían introducido
Past Ant.	hube introducido, hubiste introducido, hubo introducido; hubimos introducido, hubisteis introducido, hubieron introducido
Fut. Perf.	habré introducido, habrás introducido, habrá introducido; habremos introducido, habréis introducido, habrán introducido
Cond. Perf.	habría introducido, habrías introducido, habría introducido; habríamos introducido, habríais introducido, habrían introducido
Pres. Perf. Subj.	haya introducido, hayas introducido, haya introducido; hayamos introducido, hayáis introducido, hayan introducido
Plup. Subj.	hubiera introducido, hubieras introducido, hubiera introducido; hubiéramos introducido, hubierais introducido, hubieran introducido
	hubiese introducido, hubieses introducido, hubiese introducido; hubiésemos introducido, hubieseis introducido, hubiesen introducido
Imperative	—— introduce, introduzca; introduzcamos, introducid, introduzcan

to go

Pres. Ind.	voy, vas, va; vamos, vais, van
Imp. Ind.	iba, ibas, iba; íbamos, ibais, iban
Pret. Ind.	fui, fuiste, fue; fuimos, fuisteis, fueron
Fut. Ind.	iré, irás, irá; iremos, iréis, irán
Condit.	iría, irías, iría; iríamos, iríais, irían
Pres. Subj.	vaya, vayas, vaya; vayamos, vayáis, vayan
Imp. Subj.	fuera, fueras, fuera; fuéramos, fuerais, fueran fuese, fueses, fuese; fuésemos, fueseis, fuesen
Pres. Perf.	he ido, has ido, ha ido; hemos ido, habéis ido, han ido
Pluperf.	había ido, habías ido, había ido; habíamos ido, habíais ido, habían ido
Past Ant.	hube ido, hubiste ido, hubo ido; hubimos ido, hubisteis ido, hubieron ido
Fut. Perf.	habré ido, habrás ido, habrá ido; habremos ido, habréis ido, habrán ido
Cond. Perf.	habría ido, habrías ido, habría ido; habríamos ido, habríais ido, habrían ido
Pres. Perf. Subj.	haya ido, hayas ido, haya ido; hayamos ido, hayáis ido, hayan ido
Plup. Subj.	hubiera ido, hubieras ido, hubiera ido; hubiéramos ido, hubierais ido, hubieran ido hubiese ido, hubieses ido, hubiese ido; hubiésemos ido, hubieseis ido, hubiesen ido
Imperative	—— ve, vaya; vamos, id, vayan

to go away

Pres. Ind.	me voy, te vas, se va; nos vamos, os vais, se van
Imp. Ind.	me iba, te ibas, se iba; nos íbamos, os ibais, se iban
Pret. Ind.	me fui, te fuiste, se fue; nos fuimos, os fuisteis, se fueron
Fut. Ind.	me iré, te irás, se irá; nos iremos, os iréis, se irán
Condit.	me iría, te irías, se iría; nos iríamos, os iríais, se irían
Pres. Subj.	me vaya, te vayas, se vaya; nos vayamos, os vayáis, se vayan
Imp. Subj.	me fuera, te fueras, se fuera; nos fuéramos, os fuerais, se fueran me fuese, te fueses, se fuese; nos fuésemos, os fueseis, se fuesen
Pres. Perf.	me he ido, te has ido, se ha ido; nos hemos ido, os habéis ido, se han ido
Pluperf.	me había ido, te habías ido, se había ido; nos habíamos ido, os habíais ido, se habían ido
Past Ant.	me hube ido, te hubiste ido, se hubo ido; nos hubimos ido, os hubisteis ido, se hubieron ido
Fut. Perf.	me habré ido, te habrás ido, se habrá ido; nos habremos ido, os habréis ido, se habrán ido
Cond. Perf.	me habría ido, te habrías ido, se habría ido; nos habríamos ido, os habríais ido, se habrían ido
Pres. Perf. Subj.	me haya ido, te hayas ido, se haya ido; nos hayamos ido, os hayáis ido, se hayan ido
Plup. Subj.	me hubiera ido, te hubieras ido, se hubiera ido; nos hubiéramos ido, os hubierais ido, se hubieran ido me hubiese ido, te hubieses ido, se hubiese ido; nos hubiésemos ido, os hubieseis ido, se hubiesen ido
Imperative	—— vete, váyase; vámonos, idos, váyanse

to play (a game)

Pres. Ind.	juego, juegas, juega; jugamos, jugáis, juegan
Imp. Ind.	jugaba, jugabas, jugaba; jugábamos, jugabais, jugaban
Pret. Ind.	jugué, jugaste, jugó; jugamos, jugasteis, jugaron
Fut. Ind.	jugaré, jugarás, jugará; jugaremos, jugaréis, jugarán
Condit.	jugaría, jugarías, jugaría; jugaríamos, jugaríais, jugarían
Pres. Subj.	juegue, juegues, juegue; juguemos, juguéis, jueguen
Imp. Subj.	jugara, jugaras, jugara; jugáramos, jugarais, jugaran
	jugase, jugases, jugase; jugásemos, jugaseis, jugasen
Pres. Perf.	he jugado, has jugado, ha jugado; hemos jugado, habéis jugado, han jugado
Pluperf.	había jugado, habías jugado, había jugado; habíamos jugado, habíais jugado, habían jugado
Past Ant.	hube jugado, hubiste jugado, hubo jugado; hubimos jugado, hubisteis jugado, hubieron jugado
Fut. Perf.	habré jugado, habrás jugado, habrá jugado; habremos jugado, habréis jugado, habrán jugado
Cond. Perf.	habría jugado, habrías jugado, habría jugado; habríamos jugado, habríais jugado, habrían jugado
Pres. Perf. Subj.	haya jugado, hayas jugado, haya jugado; hayamos jugado, hayáis jugado, hayan jugado
Plup. Subj.	hubiera jugado, hubieras jugado, hubiera jugado; hubiéramos jugado, hubierais jugado, hubieran jugado
	hubiese jugado, hubieses jugado, hubiese jugado; hubiésemos jugado, hubieseis jugado, hubiesen jugado
Imperative	—— juega, juegue; juguemos, jugad, jueguen

to join, unite, connect

Pres. Ind.	junto, juntas, junta; juntamos, juntáis, juntan
Imp. Ind.	juntaba, juntabas, juntaba; juntábamos, juntabais, juntaban
Preterit	junté, juntaste, juntó; juntamos, juntasteis, juntaron
Future	juntaré, juntarás, juntará; juntaremos, juntaréis, juntarán
Condit.	juntaría, juntarías, juntaría; juntaríamos, juntaríais, juntarían
Pres. Subj.	junte, juntes, junte; juntemos, juntéis, junten
Imp. Subj.	juntara, juntaras, juntara; juntáramos, juntarais, juntaran
	juntase, juntases, juntase; juntásemos, juntaseis juntasen
Pres. Perf. Ind.	he juntado, has juntado, ha juntado; hemos juntado, habéis juntado, han juntado
Plup. Ind.	había juntado, habías juntado, había juntado; habíamos juntado, habíais juntado, habían juntado
Past Ant.	hube juntado, hubiste juntado, hubo juntado; hubimos juntado, hubisteis juntado, hubieron juntado
Fut. Perf.	habré juntado, habrás juntado, habrá juntado; habremos juntado, habréis juntado, habrán juntado
Cond. Perf.	habría juntado, habrías juntado, habría juntado; habríamos juntado, habríais juntado, habrían juntado
Pres. Perf. Subj.	haya juntado, hayas juntado, haya juntado; hayamos juntado, hayáis juntado, hayan juntado
Plup. Subj.	hubiera juntado, hubieras juntado, hubiera juntado; hubiéramos juntado, hubierais juntado, hubieran juntado
	hubiese juntado, hubieses juntado, hubiese juntado; hubiésemos juntado, hubieseis juntado, hubiesen juntado
Imperative	—— junta, junte; juntemos, juntad, junten

to swear, take an oath

Pres. Ind.	juro, juras, jura; juramos, juráis, juran
Imp. Ind.	juraba, jurabas, juraba; jurábamos, jurabais, juraban
Preterit	juré, juraste, juró; juramos, jurasteis, juraron
Future	juraré, jurarás, jurará; juraremos, juraréis, jurarán
Condit.	juraría, jurarías, juraría; juraríamos, juraríais, jurarían
Pres. Subj.	jure, jures, jure; juremos, juréis, juren
Imp. Subj.	jurara, juraras, jurara; juráramos, jurarais, juraran
	jurase, jurases, jurase; jurásemos, juraseis, jurasen
Pres. Perf. Ind.	he jurado, has jurado, ha jurado; hemos jurado, habéis jurado, han jurado
Plup. Ind.	había jurado, habías jurado, había jurado; habíamos jurado, habíais jurado, habían jurado
Past Ant.	hube jurado, hubiste jurado, hubo jurado; hubimos jurado, hubisteis jurado, hubieron jurado
Fut. Perf.	habré jurado, habrás jurado, habrá jurado; habremos jurado, habréis jurado, habrán jurado
Cond. Perf.	habría jurado, habrías jurado, habría jurado; habríamos jurado, habríais jurado, habrían jurado
Pres. Perf. Subj.	haya jurado, hayas jurado, haya jurado; hayamos jurado, hayáis jurado, hayan jurado
Plup. Subj.	hubiera jurado, hubieras jurado, hubiera jurado; hubiéramos jurado, hubierais jurado, hubieran jurado
	hubiese jurado, hubieses jurado, hubiese jurado; hubiésemos jurado, hubieseis jurado, hubiesen jurado
Imperative	—— jura, jure; juremos, jurad, juren

to throw, hurl, fling, launch

Pres. Ind.	lanzo, lanzas, lanza; lanzamos, lanzáis, lanzan
Imp. Ind.	lanzaba, lanzabas, lanzaba; lanzábamos, lanzabais, lanzaban
Pret. Ind.	lancé, lanzaste, lanzó; lanzamos, lanzasteis, lanzaron
Fut. Ind.	lanzaré, lanzarás, lanzará; lanzaremos, lanzaréis, lanzarán
Condit.	lanzaría, lanzarías, lanzaría; lanzaríamos, lanzaríais, lanzarían
Pres. Subj.	lance, lances, lance; lancemos, lancéis, lancen
Imp. Subj.	lanzara, lanzaras, lanzara; lanzáramos, lanzarais, lanzaran
	lanzase, lanzases, lanzase; lanzásemos, lanzaseis, lanzasen
Pres. Perf.	he lanzado, has lanzado, ha lanzado; hemos lanzado, habéis lanzado, han lanzado
Pluperf.	había lanzado, habías lanzado, había lanzado; habíamos lanzado, habíais lanzado, habían lanzado
Past Ant.	hube lanzado, hubiste lanzado, hubo lanzado; hubimos lanzado, hubisteis lanzado, hubieron lanzado
Fut. Perf.	habré lanzado, habrás lanzado, habrá lanzado; habremos lanzado, habréis lanzado, habrán lanzado
Cond. Perf.	habría lanzado, habrías lanzado, habría lanzado; habríamos lanzado, habríais lanzado, habrían lanzado
Pres. Perf. Subj.	haya lanzado, hayas lanzado, haya lanzado; hayamos lanzado, hayáis lanzado, hayan lanzado
Plup. Subj.	hubiera lanzado, hubieras lanzado, hubiera lanzado; hubiéramos lanzado, hubierais lanzado, hubieran lanzado
	hubiese lanzado, hubieses lanzado, hubiese lanzado; hubiésemos lanzado, hubieseis lanzado, hubiesen lanzado
Imperative	—— lanza, lance; lancemos, lanzad, lancen

to hurt oneself, be sorry for, complain, regret

Pres. Ind.	me lastimo, te lastimas, se lastima; nos lastimamos, os lastimáis, se lastiman
Imp. Ind.	me lastimaba, te lastimabas, se lastimaba; nos lastimábamos, os lastimabais, se lastimaban
Preterit	me lastimé, te lastimaste, se lastimó; nos lastimamos, os lastimasteis, se lastimaron
Future	me lastimaré, te lastimarás, se lastimará; nos lastimaremos, os lastimaréis, se lastimarán
Condit.	me lastimaría, te lastimarías, se lastimaría; nos lastimaríamos, os lastimaríais, se lastimarían
Pres. Subj.	me lastime, te lastimes, se lastime; nos lastimemos, os lastiméis, se lastimen
Imp. Subj.	me lastimara, te lastimaras, se lastimara; nos lastimáramos, os lastimarais, se lastimaran
	me lastimase, te lastimases, se lastimase; nos lastimásemos, os lastimaseis, se lastimasen
Pres. Perf. Ind.	me he lastimado, te has lastimado, se ha lastimado; nos hemos lastimado, os habéis lastimado, se han lastimado
Plup. Ind.	me había lastimado, te habías lastimado, se había lastimado; nos habíamos lastimado, os habíais lastimado, se habían lastimado
Past Ant.	me hube lastimado, te hubiste lastimado, se hubo lastimado; nos hubimos lastimado, os hubisteis lastimado, se hubieron lastimado
Fut. Perf.	me habré lastimado, te habrás lastimado, se habrá lastimado; nos habremos lastimado, os habréis lastimado, se habrán lastimado
Cond. Perf.	me habría lastimado, te habrías lastimado, se habría lastimado; nos habríamos lastimado, os habríais lastimado, se habrían lastimado
Pres. Perf. Subj.	me haya lastimado, te hayas lastimado, se haya lastimado; nos hayamos lastimado, os hayáis lastimado, se hayan lastimado
Plup. Subj.	me hubiera lastimado, te hubieras lastimado, se hubiera lastimado; nos hubiéramos lastimado, os hubierais lastimado, se hubieran lastimado
	me hubiese lastimado, te hubieses lastimado, se hubiese lastimado; nos hubiésemos lastimado, os hubieseis lastimado, se hubiesen lastimado
Imperative	—— lastímate, lastímese; lastimémonos, lastimaos, lastímense

to wash oneself

Pres. Ind.	me lavo, te lavas, se lava; nos lavamos, os laváis, se lavan
Imp. Ind.	me lavaba, te lavabas, se lavaba; nos lavábamos, os lavabais, se lavaban
Pret. Ind.	me lavé, te lavaste, se lavó; nos lavamos, os lavasteis, se lavaron
Fut. Ind.	me lavaré, te lavarás, se lavará; nos lavaremos, os lavaréis, se lavarán
Condit.	me lavaría, te lavarías, se lavaría; nos lavaríamos, os lavaríais, se lavarían
Pres. Subj.	me lave, te laves, se lave; nos lavemos, os lavéis, se laven
Imp. Subj.	me lavara, te lavaras, se lavara; nos laváramos, os lavarais, se lavaran me lavase, te lavases, se lavase; nos lavásemos, os lavaseis, se lavasen
Pres. Perf.	me he lavado, te has lavado, se ha lavado; nos hemos lavado, os habéis lavado, se han lavado
Pluperf.	me había lavado, te habías lavado, se había lavado; nos habíamos lavado, os habíais lavado, se habían lavado
Past Ant.	me hube lavado, te hubiste lavado, se hubo lavado; nos hubimos lavado, os hubisteis lavado, se hubieron lavado
Fut. Perf.	me habré lavado, te habrás lavado, se habrá lavado; nos habremos lavado, os habréis lavado, se habrán lavado
Cond. Perf.	me habría lavado, te habrías lavado, se habría lavado; nos habríamos lavado, os habríais lavado, se habrían lavado
Pres. Perf. Subj.	me haya lavado, te hayas lavado, se haya lavado; nos hayamos lavado, os hayáis lavado, se hayan lavado
Plup. Subj.	me hubiera lavado, te hubieras lavado, se hubiera lavado; nos hubiéramos lavado, os hubierais lavado, se hubieran lavado me hubiese lavado, te hubieses lavado, se hubiese lavado; nos hubiésemos lavado, os hubieseis lavado, se hubiesen lavado
Imperative	—— lávate, lávese; lavémonos, lavaos, lávense

to read

Pres. Ind.	leo, lees, lee; leemos, leéis, leen
Imp. Ind.	leía, leías, leía; leíamos, leíais, leían
Pret. Ind.	leí, leíste, leyó; leímos, leísteis, leyeron
Fut. Ind.	leeré, leerás, leerá; leeremos, leeréis, leerán
Condit.	leería, leerías, leería; leeríamos, leeríais, leerían
Pres. Subj.	lea, leas, lea; leamos, leáis, lean
Imp. Subj.	leyera, leyeras, leyera; leyéramos, leyerais, leyeran
	leyese, leyeses, leyese; leyésemos, leyeseis, leyesen
Pres. Perf.	he leído, has leído, ha leído; hemos leído, habéis leído, han leído
Pluperf.	había leído, habías leído, había leído; habíamos leído, habíais leído, habían leído
Past Ant.	hube leído, hubiste leído, hubo leído; hubimos leído, hubisteis leído, hubieron leído
Fut. Perf.	habré leído, habrás leído, habrá leído; habremos leído, habréis leído, habrán leído
Cond. Perf.	habría leído, habrías leído, habría leído; habríamos leído, habríais leído, habrían leído
Pres. Perf. Subj.	haya leído, hayas leído, haya leído; hayamos leído, hayáis leído, hayan leído
Plup. Subj.	hubiera leído, hubieras leído, hubiera leído; hubiéramos leído, hubierais leído, hubieran leído
	hubiese leído, hubieses leído, hubiese leído; hubiésemos leído, hubieseis leído, hubiesen leído
Imperative	—— lee, lea; leamos, leed, lean

to get up, rise

Pres. Ind.	me levanto, te levantas, se levanta; nos levantamos, os levantáis, se levantan
Imp. Ind.	me levantaba, te levantabas, se levantaba; nos levantábamos, os levantabais, se levantaban
Pret. Ind.	me levanté, te levantaste, se levantó; nos levantamos, os levantasteis, se levantaron
Fut. Ind.	me levantaré, te levantarás, se levantará; nos levantaremos, os levantaréis, se levantarán
Condit.	me levantaría, te levantarías, se levantaría; nos levantaríamos, os levantaríais, se levantarían
Pres. Subj.	me levante, te levantes, se levante; nos levantemos, os levantéis, se levanten
Imp. Subj.	me levantara, te levantaras, se levantara; nos levantáramos, os levantarais, se levantaran
	me levantase, te levantases, se levantase; nos levantásemos, os levantaseis, se levantasen
Pres. Perf.	me he levantado, te has levantado, se ha levantado; nos hemos levantado, os habéis levantado, se han levantado
Pluperf.	me había levantado, te habías levantado, se había levantado; nos habíamos levantado, os habíais levantado, se habían levantado
Past Ant.	me hube levantado, te hubiste levantado, se hubo levantado; nos hubimos levantado, os hubisteis levantado, se hubieron levantado
Fut. Perf.	me habré levantado, te habrás levantado, se habrá levantado; nos habremos levantado, os habréis levantado, se habrán levantado
Cond. Perf.	me habría levantado, te habrías levantado, se habría levantado; nos habríamos levantado, os habríais levantado, se habrían levantado
Pres. Perf. Subj.	me haya levantado, te hayas levantado, se haya levantado; nos hayamos levantado, os hayáis levantado, se hayan levantado
Plup. Subj.	me hubiera levantado, te hubieras levantado, se hubiera levantado; nos hubiéramos levantado, os hubierais levantado, se hubieran levantado
	me hubiese levantado, te hubieses levantado, se hubiese levantado; nos hubiésemos levantado, os hubieseis levantado, se hubiesen levantado
Imperative	—— levántate, levántese; levantémonos, levantaos, levántense

to clean

Pres. Ind.	limpio, limpias, limpia; limpiamos, limpiáis, limpian
Imp. Ind.	limpiaba, limpiabas, limpiaba; limpiábamos, limpiabais, limpiaban
Pret. Ind.	limpié, limpiaste, limpió; limpiamos, limpiasteis, limpiaron
Fut. Ind.	limpiaré, limpiarás, limpiará; limpiaremos, limpiaréis, limpiarán
Condit.	limpiaría, limpiarías, limpiaría; limpiaríamos, limpiaríais, limpiarían
Pres. Subj.	limpie, limpies, limpie; limpiemos, limpiéis, limpien
Imp. Subj.	limpiara, limpiaras, limpiara; limpiáramos, limpiarais, limpiaran
	limpiase, limpiases, limpiase; limpiásemos, limpiaseis, limpiasen
Pres. Perf.	he limpiado, has limpiado, ha limpiado; hemos limpiado, habéis limpiado, han limpiado
Pluperf.	había limpiado, habías limpiado, había limpiado; habíamos limpiado, habíais limpiado, habían limpiado
Past Ant.	hube limpiado, hubiste limpiado, hubo limpiado; hubimos limpiado, hubisteis limpiado, hubieron limpiado
Fut. Perf.	habré limpiado, habrás limpiado, habrá limpiado; habremos limpiado, habréis limpiado, habrán limpiado
Cond. Perf.	habría limpiado, habrías limpiado, habría limpiado; habríamos limpiado, habríais limpiado, habrían limpiado
Pres. Perf. Subj.	haya limpiado, hayas limpiado, haya limpiado; hayamos limpiado, hayáis limpiado, hayan limpiado
Plup. Subj.	hubiera limpiado, hubieras limpiado, hubiera limpiado; hubiéramos limpiado, hubierais limpiado, hubieran limpiado
	hubiese limpiado, hubieses limpiado, hubiese limpiado; hubiésemos limpiado, hubieseis limpiado, hubiesen limpiado
Imperative	—— limpia, limpie; limpiemos, limpiad, limpien

to clean oneself

Pres. Ind.	me limpio, te limpias, se limpia; nos limpiamos, os limpiáis, se limpian
Imp. Ind.	me limpiaba, te limpiabas, se limpiaba; nos limpiábamos, os limpiabais, se limpiaban
Preterit	me limpié, te limpiaste, se limpió; nos limpiamos, os limpiasteis, se limpiaron
Future	me limpiaré, te limpiarás, se limpiará; nos limpiaremos, os limpiaréis, se limpiarán
Condit.	me limpiaría, te limpiarías, se limpiaría; nos limpiaríamos, os limpiaríais, se limpiarían
Pres. Subj.	me limpie, te limpies, se limpie; nos limpiemos, os limpiéis, se limpien
Imp. Subj.	me limpiara, te limpiaras, se limpiara; nos limpiáramos, os limpiarais, se limpiaran
	me limpiase, te limpiases, se limpiase; nos limpiásemos, os limpiaseis, se limpiasen
Pres. Perf. Ind.	me he limpiado, te has limpiado, se ha limpiado; nos hemos limpiado, os habéis limpiado, se han limpiado
Plup. Ind.	me había limpiado, te habías limpiado, se había limpiado; nos habíamos limpiado, os habíais limpiado, se habían limpiado
Past Ant.	me hube limpiado, te hubiste limpiado, se hubo limpiado; nos hubimos limpiado, os hubisteis limpiado, se hubieron limpiado
Fut. Perf.	me habré limpiado, te habrás limpiado, se habrá limpiado; nos habremos limpiado, os habréis limpiado, se habrán limpiado
Cond. Perf.	me habría limpiado, te habrías limpiado, se habría limpiado; nos habríamos limpiado, os habríais limpiado, se habrían limpiado
Pres. Perf. Subj.	me haya limpiado, te hayas limpiado, se haya limpiado; nos hayamos limpiado, os hayáis limpiado, se hayan limpiado
Plup. Subj.	me hubiera limpiado, te hubieras limpiado, se hubiera limpiado; nos hubiéramos limpiado, os hubierais limpiado, se hubieran limpiado
	me hubiese limpiado, te hubieses limpiado, se hubiese limpiado; nos hubiésemos limpiado, os hubieseis limpiado, se hubiesen limpiado
Imperative	—— límpiate, límpiese; limpiémonos, limpiaos, límpiense

to attain, get, obtain, procure, succeed

Pres. Ind.	logro, logras, logra; logramos, logréis, logran
Imp. Ind.	lograba, lograbas, lograba; lográbamos, lograbais, lograban
Preterit	logré, lograste, logró; logramos, lograsteis, lograron
Future	lograré, lograrás, logrará; lograremos, lograréis, lograrán
Condit.	lograría, lograrías, lograría; lograríamos, lograríais, lograrían
Pres. Subj.	logre, logres, logre; logremos, logréis, logren
Imp. Subj.	lograra, lograras, lograra; lográramos, lograrais, lograran
	lograse, lograses, lograse; lográsemos, lograseis, lograsen
Pres. Perf. Ind.	he logrado, has logrado, ha logrado; hemos logrado, habéis logrado, han logrado
Plup. Ind.	había logrado, habías logrado, había logrado; habíamos logrado, habíais logrado, habían logrado
Past Ant.	hube logrado, hubiste logrado, hubo logrado; hubimos logrado, hubisteis logrado, hubieron logrado
Fut. Perf.	habré logrado, habrás logrado, habrá logrado; habremos logrado, habréis logrado, habrán logrado
Cond. Perf.	habría logrado, habrías logrado, habría logrado; habríamos logrado, habríais logrado, habrían logrado
Pres. Perf. Subj.	haya logrado, hayas logrado, haya logrado; hayamos logrado, hayáis logrado, hayan logrado
Plup. Subj.	hubiera logrado, hubieras logrado, hubiera logrado; hubiéramos logrado, hubierais logrado, hubieran logrado
	hubiese logrado, hubieses logrado, hubiese logrado; hubiésemos logrado, hubieseis logrado, hubiesen logrado
Imperative	—— logra, logre; logremos, lograd, logren

to fight, strive, struggle, wrestle

Pres. Ind.	lucho, luchas, lucha; luchamos, lucháis, luchan
Imp. Ind.	luchaba, luchabas, luchaba; luchábamos, luchabais, luchaban
Preterit	luché, luchaste, luchó; luchamos, luchasteis, lucharon
Future	lucharé, lucharás, luchará; lucharemos, lucharéis, lucharán
Condit.	lucharía, lucharías, lucharía; lucharíamos, lucharíais, lucharían
Pres. Subj.	luche, luches, luche; luchemos, luchéis, luchen
Imp. Subj.	luchara, lucharas, luchara; lucháramos, lucharais, lucharan
	luchase, luchases, luchase; luchásemos, luchaseis, luchasen
Pres. Perf. Ind.	he luchado, has luchado, ha luchado; hemos luchado, habéis luchado, han luchado
Plup. Ind.	había luchado, habías luchado, había luchado; habíamos luchado, habíais luchado, habían luchado
Past Ant.	hube luchado, hubiste luchado, hubo luchado; hubimos luchado, hubisteis luchado, hubieron luchado
Fut. Perf.	habré luchado, habrás luchado, habrá luchado; habremos luchado, habréis luchado, habrán luchado
Cond. Perf.	habría luchado, habrías luchado, habría luchado; habríamos luchado, habríais luchado, habrían luchado
Pres. Perf. Subj.	haya luchado, hayas luchado, haya luchado; hayamos luchado, hayáis luchado, hayan luchado
Plup. Subj.	hubiera luchado, hubieras luchado, hubiera luchado; hubiéramos luchado, hubierais luchado, hubieran luchado
	hubiese luchado, hubieses luchado, hubiese luchado; hubiésemos luchado, hubieseis luchado, hubiesen luchado
Imperative	—— lucha, luche; luchemos, luchad, luchen

to call, name

Pres. Ind.	llamo, llamas, llama; llamamos, llamáis, llaman
Imp. Ind.	llamaba, llamabas, llamaba; llamábamos, llamabais, llamaban
Preterit	llamé, llamaste, llamó; llamamos, llamasteis, llamaron
Future	llamaré, llamarás, llamará; llamaremos, llamaréis, llamarán
Condit.	llamaría, llamarías, llamaría; llamaríamos, llamaríais, llamarían
Pres. Subj.	llame, llames, llame; llamemos, llaméis, llamen
Imp. Subj.	llamara, llamaras, llamara; llamáramos, llamarais, llamaran llamase, llamases, llamase; llamásemos, llamaseis, llamasen
Pres. Perf. Ind.	he llamado, has llamado, ha llamado; hemos llamado, habéis llamado, han llamado
Plup. Ind.	había llamado, habías llamado, había llamado; habíamos llamado, habíais llamado, habían llamado
Past Ant.	hube llamado, hubiste llamado, hubo llamado; hubimos llamado, hubisteis llamado, hubieron llamado
Fut. Perf.	habré llamado, habrás llamado, habrá llamado; habremos llamado, habréis llamado, habrán llamado
Cond. Perf.	habría llamado, habrías llamado, habría llamado; habríamos llamado, habríais llamado, habrían llamado
Pres. Perf. Subj.	haya llamado, hayas llamado, haya llamado; hayamos llamado, hayáis llamado, hayan llamado
Plup. Subj.	hubiera llamado, hubieras llamado, hubiera llamado; hubiéramos llamado, hubierais llamado, hubieran llamado hubiese llamado, hubieses llamado, hubiese llamado; hubiésemos llamado, hubieseis llamado, hubiesen llamado
Imperative	—— llama, llame; llamemos, llamad, llamen

to be called, be named

Pres. Ind.	me llamo, te llamas, se llama; nos llamamos, os llamáis, se llaman
Imp. Ind.	me llamaba, te llamabas, se llamaba; nos llamábamos, os llamabais, se llamaban
Pret. Ind.	me llamé, te llamaste, se llamó; nos llamamos, os llamasteis, se llamaron
Fut. Ind.	me llamaré, te llamarás, se llamará; nos llamaremos, os llamaréis, se llamarán
Condit.	me llamaría, te llamarías, se llamaría; nos llamaríamos, os llamaríais, se llamarían
Pres. Subj.	me llame, te llames, se llame; nos llamemos, os llaméis, se llamen
Imp. Subj.	me llamara, te llamaras, se llamara; nos llamáramos, os llamarais, se llamaran
	me llamase, te llamases, se llamase; nos llamásemos, os llamaseis, se llamasen
Pres. Perf.	me he llamado, te has llamado, se ha llamado; nos hemos llamado, os habéis llamado, se han llamado
Pluperf.	me había llamado, te habías llamado, se había llamado; nos habíamos llamado, os habíais llamado, se habían llamado
Past Ant.	me hube llamado, te hubiste llamado, se hubo llamado; nos hubimos llamado, os hubisteis llamado, se hubieron llamado
Fut. Perf.	me habré llamado, te habrás llamado, se habrá llamado; nos habremos llamado, os habréis llamado, se habrán llamado
Cond. Perf.	me habría llamado, te habrías llamado, se habría llamado; nos habríamos llamado, os habríais llamado, se habrían llamado
Pres. Perf. Subj.	me haya llamado, te hayas llamado, se haya llamado; nos hayamos llamado, os hayáis llamado, se hayan llamado
Plup. Subj.	me hubiera llamado, te hubieras llamado, se hubiera llamado; nos hubiéramos llamado, os hubierais llamado, se hubieran llamado
	me hubiese llamado, te hubieses llamado, se hubiese llamado; nos hubiésemos llamado, os hubieseis llamado, se hubiesen llamado
Imperative	—— llámate, llámese; llamémonos, llamaos, llámense

to arrive

Pres. Ind.	llego, llegas, llega; llegamos, llegáis, llegan
Imp. Ind.	llegaba, llegabas, llegaba; llegábamos, llegabais, llegaban
Pret. Ind.	llegué, llegaste, llegó; llegamos, llegasteis, llegaron
Fut. Ind.	llegaré, llegarás, llegará; llegaremos, llegaréis, llegarán
Condit.	llegaría, llegarías, llegaría; llegaríamos, llegaríais, llegarían
Pres. Subj.	llegue, llegues, llegue; lleguemos, lleguéis, lleguen
Imp. Subj.	llegara, llegaras, llegara; llegáramos, llegarais, llegaran
	llegase, llegases, llegase; llegásemos, llegaseis, llegasen
Pres. Perf.	he llegado, has llegado, ha llegado; hemos llegado, habéis llegado, han llegado
Pluperf.	había llegado, habías llegado, había llegado; habíamos llegado, habíais llegado, habían llegado
Past Ant.	hube llegado, hubiste llegado, hubo llegado; hubimos llegado, hubisteis llegado, hubieron llegado
Fut. Perf.	habré llegado, habrás llegado, habrá llegado; habremos llegado, habréis llegado, habrán llegado
Cond. Perf.	habría llegado, habrías llegado, habría llegado; habríamos llegado, habríais llegado, habrían llegado
Pres. Perf. Subj.	haya llegado, hayas llegado, haya llegado; hayamos llegado, hayáis llegado, hayan llegado
Plup. Subj.	hubiera llegado, hubieras llegado, hubiera llegado; hubiéramos llegado, hubierais llegado, hubieran llegado
	hubiese llegado, hubieses llegado, hubiese llegado; hubiésemos llegado, hubieseis llegado, hubiesen llegado
Imperative	—— llega, llegue; lleguemos, llegad, lleguen

to fill

Pres. Ind.	lleno, llenas, llena; llenamos, llenáis, llenan
Imp. Ind.	llenaba, llenabas, llenaba; llenábamos, llenabais, llenaban
Preterit	llené, llenaste, llenó; llenamos, llenasteis, llenaron
Future	llenaré, llenarás, llenará; llenaremos, llenaréis, llenarán
Condit.	llenaría, llenarías, llenaría; llenaríamos, llenaríais, llenarían
Pres. Subj.	llene, llenes, llene; llenemos, llenéis, llenen
Imp. Subj.	llenara, llenaras, llenara; llenáramos, llenarais, llenaran llenase, llenases, llenase; llenásemos, llenaseis, llenasen
Pres. Perf. Ind.	he llenado, has llenado, ha llenado; hemos llenado, habéis llenado, han llenado
Plup. Ind.	había llenado, habías llenado, había llenado; habíamos llenado, habíais llenado, habían llenado
Past Ant.	hube llenado, hubiste llenado, hubo llenado; hubimos llenado, hubisteis llenado, hubieron llenado
Fut. Perf.	habré llenado, habrás llenado, habrá llenado; habremos llenado, habréis llenado, habrán llenado
Cond. Perf.	habría llenado, habrías llenado, habría llenado; habríamos llenado, habríais llenado, habrían llenado
Pres. Perf. Subj.	haya llenado, hayas llenado, haya llenado; hayamos llenado, hayáis llenado, hayan llenado
Plup. Subj.	hubiera llenado, hubieras llenado, hubiera llenado; hubiéramos llenado, hubierais llenado, hubieran llenado hubiese llenado, hubieses llenado, hubiese llenado; hubiésemos llenado, hubieseis llenado, hubiesen llenado
Imperative	—— llena, llene; llenemos, llenad, llenen

to carry (away), take (away), wear

Pres. Ind.	llevo, llevas, lleva; llevamos, lleváis, llevan
Imp. Ind.	llevaba, llevabas, llevaba; llevábamos, llevabais, llevaban
Preterit	llevé, llevaste, llevó; llevamos, llevasteis, llevaron
Future	llevaré, llevarás, llevará; llevaremos, llevaréis, llevarán
Condit.	llevaría, llevarías, llevaría; llevaríamos, llevaríais, llevarían
Pres. Subj.	lleve, lleves, lleve; llevemos, llevéis, lleven
Imp. Subj.	llevara, llevaras, llevara; lleváramos, llevarais, llevaran
	llevase, llevases, llevase; llevásemos, llevaseis, llevasen
Pres. Perf. Ind.	he llevado, has llevado, ha llevado; hemos llevado, habéis llevado, han llevado
Plup. Ind.	había llevado, habías llevado, había llevado; habíamos llevado, habíais llevado, habían llevado
Past Ant.	hube llevado, hubiste llevado, hubo llevado; hubimos llevado, hubisteis llevado, hubieron llevado
Fut. Perf.	habré llevado, habrás llevado, habrá llevado; habremos llevado, habréis llevado, habrán llevado
Cond. Perf.	habría llevado, habrías llevado, habría llevado; habríamos llevado, habríais llevado, habrían llevado
Pres. Perf. Subj.	haya llevado, hayas llevado, haya llevado; hayamos llevado, hayáis llevado, hayan llevado
Plup. Subj.	hubiera llevado, hubieras llevado, hubiera llevado; hubiéramos llevado, hubierais llevado, hubieran llevado
	hubiese llevado, hubieses llevado, hubiese llevado; hubiésemos llevado, hubieseis llevado, hubiesen llevado
Imperative	—— lleva, lleve; llevemos, llevad, lleven

to cry, weep, whine

Pres. Ind.	lloro, lloras, llora; lloramos, lloráis, lloran
Imp. Ind.	lloraba, llorabas, lloraba; llorábamos, llorabais, lloraban
Preterit	lloré, lloraste, lloró; lloramos, llorasteis, lloraron
Future	lloraré, llorarás, llorará; lloraremos, lloraréis, llorarán
Condit.	lloraría, llorarías, lloraría; lloraríamos, lloraríais, llorarían
Pres. Subj.	llore, llores, llore; lloremos, lloréis, lloren
Imp. Subj.	llorara, lloraras, llorara; lloráramos, llorarais, lloraran
	llorase, llorases, llorase; llorásemos, lloraseis, llorasen
Pres. Perf. Ind.	he llorado, has llorado, ha llorado; hemos llorado, habéis llorado, han llorado
Plup. Ind.	había llorado, habías llorado, había llorado; habíamos llorado, habíais llorado, habían llorado
Past Ant.	hube llorado, hubiste llorado, hubo llorado; hubimos llorado, hubisteis llorado, hubieron llorado
Fut. Perf.	habré llorado, habrás llorado, habrá llorado; habremos llorado, habréis llorado, habrán llorado
Cond. Perf.	habría llorado, habrías llorado, habría llorado; habríamos llorado, habríais llorado, habrían llorado
Pres. Perf. Subj.	haya llorado, hayas llorado, haya llorado; hayamos llorado, hayáis llorado, hayan llorado
Plup. Subj.	hubiera llorado, hubieras llorado, hubiera llorado; hubiéramos llorado, hubierais llorado, hubieran llorado;
	hubiese llorado, hubieses llorado, hubiese llorado; hubiésemos llorado, hubieseis llorado, hubiesen llorado
Imperative	—— llora, llore; lloremos, llorad, lloren

to rain

Pres. Ind.	llueve OR está lloviendo
Imp. Ind.	llovía OR estaba lloviendo
Pret. Ind.	llovió
Fut. Ind.	lloverá
Condit.	llovería
Pres. Subj.	llueva
Imp. Subj.	lloviera
	lloviese
Pres. Perf.	ha llovido
Pluperf.	había llovido
Past Ant.	hubo llovido
Fut. Perf.	habrá llovido
Cond. Perf.	habría llovido
Pres. Perf. Subj.	haya llovido
Plup. Subj.	hubiera llovido
	hubiese llovido
Imperative	que llueva

to curse

Pres. Ind.	maldigo, maldices, maldice; maldecimos, maldecís, maldicen
Imp. Ind.	maldecía, maldecías, maldecía; maldecíamos, maldecíais, maldecían
Pret. Ind.	maldije, maldijiste, maldijo; maldijimos, maldijisteis, maldijeron
Fut. Ind.	maldeciré, maldecirás, maldecirá; maldeciremos, maldeciréis, maldecirán
Condit.	maldeciría, maldecirías, maldeciría; maldeciríamos, maldeciríais, maldecirían
Pres. Subj.	maldiga, maldigas, maldiga; maldigamos, maldigáis, maldigan
Imp. Subj.	maldijera, maldijeras, maldijera; maldijéramos, maldijerais, maldijeran
	maldijese, maldijeses, maldijese; maldijésemos, maldijeseis, maldijesen
Pres. Perf.	he maldecido, has maldecido, ha maldecido; hemos maldecido, habéis maldecido, han maldecido
Pluperf.	había maldecido, habías maldecido, había maldecido; habíamos maldecido, habíais maldecido, habían maldecido
Past Ant.	hube maldecido, hubiste maldecido, hubo maldecido; hubimos maldecido, hubisteis maldecido, hubieron maldecido
Fut. Perf.	habré maldecido, habrás maldecido, habrá maldecido; habremos maldecido, habréis maldecido, habrán maldecido
Cond. Perf.	habría maldecido, habrías maldecido, habría maldecido; habríamos maldecido, habríais maldecido, habrían maldecido
Pres. Perf. Subj.	haya maldecido, hayas maldecido, haya maldecido; hayamos maldecido, hayáis maldecido, hayan maldecido
Plup. Subj.	hubiera maldecido, hubieras maldecido, hubiera maldecido; hubiéramos maldecido, hubierais maldecido, hubieran maldecido
	hubiese maldecido, hubieses maldecido, hubiese maldecido; hubiésemos maldecido, hubieseis maldecido, hubiesen maldecido
Imperative	—— maldice, maldiga; maldigamos, maldecid, maldigan

Pres. Ind.	mantengo, mantienes, mantiene; mantenemos, mantenéis, mantienen	*to maintain, keep up, support, provide for*
Imp. Ind.	mantenía, mantenías, mantenía; manteníamos, manteníais, mantenían	
Preterit	mantuve, mantuviste, mantuvo; mantuvimos, mantuvisteis, mantuvieron	
Future	mantendré, mantendrás, mantendrá; mantendremos, mantendréis, mantendrán	
Condit.	mantendría, mantendrías, mantendría; mantendríamos, mantendríais, mantendrían	
Pres. Subj.	mantenga, mantengas, mantenga; mantengamos, mantengáis, mantengan	
Imp. Subj.	mantuviera, mantuvieras, mantuviera; mantuviéramos, mantuvierais, mantuvieran mantuviese, mantuvieses, mantuviese; mantuviésemos, mantuvieseis, mantuviesen	
Pres. Perf. Ind.	he mantenido, has mantenido, ha mantenido; hemos mantenido, habéis mantenido, han mantenido	
Plup. Ind.	había mantenido, habías mantenido, había mantenido; habíamos mantenido, habíais mantenido, habían mantenido	
Past Ant.	hube mantenido, hubiste mantenido, hubo mantenido; hubimos mantenido, hubisteis, mantenido, hubieron mantenido	
Fut. Perf.	habré mantenido, habrás mantenido, habrá mantenido; habremos mantenido, habréis mantenido, habrán mantenido	
Cond. Perf.	habría mantenido, habrías mantenido, habría mantenido; habríamos mantenido, habríais mantenido, habrían mantenido	
Pres. Perf. Subj.	haya mantenido, hayas mantenido, haya mantenido; hayamos mantenido, hayáis mantenido, hayan mantenido	
Plup. Subj.	hubiera mantenido, hubieras mantenido, hubiera mantenido; hubiéramos mantenido, hubierais mantenido, hubieran mantenido hubiese mantenido, hubieses mantenido, hubiese mantenido; hubiésemos mantenido, hubieseis mantenido, hubiesen mantenido	
Imperative	—— manten, mantenga; mantengamos, mantened, mantengan	

to make up one's face, put make up on, put cosmetics on

Pres. Ind.	me maquillo, te maquillas, se maquilla; nos maquillamos, os maquilláis, se maquillan
Imp. Ind.	me maquillaba, te maquillabas, se maquillaba; nos maquillábamos, os maquillabais, se maquillaban
Preterit	me maquillé, te maquillaste, se maquilló; nos maquillamos, os maquillasteis, se maquillaron
Future	me maquillaré, te maquillarás, se maquillará; nos maquillaremos, os maquillaréis, se maquillarán
Condit.	me maquillaría, te maquillarías, se maquillaría; nos maquillaríamos, os maquillaríais, se maquillarían
Pres. Subj.	me maquille, te maquilles, se maquille; nos maquillemos, os maquilléis, se maquillen
Imp. Subj.	me maquillara, te maquillaras, se maquillara; nos maquilláramos, os maquillarais, se maquillaran
	me maquillase, te maquillases, se maquillase; nos maquillásemos, os maquillaseis, se maquillasen
Pres. Perf. Ind.	me he maquillado, te has maquillado, se ha maquillado; nos hemos maquillado, os habéis maquillado, se han maquillado
Plup. Ind.	me había maquillado, te habías maquillado, se había maquillado; nos habíamos maquillado, os habíais maquillado, se habían maquillado
Past Ant.	me hube maquillado, te hubiste maquillado, se hubo maquillado; nos hubimos maquillado, os hubisteis maquillado, se hubieron maquillado
Fut. Perf.	me habré maquillado, te habrás maquillado, se habrá maquillado; nos habremos maquillado, os habréis maquillado, se habrán maquillado
Cond. Perf.	me habría maquillado, te habrías maquillado, se habría maquillado; nos habríamos maquillado, os habríais maquillado, se habrían maquillado
Pres. Perf. Subj.	me haya maquillado, te hayas maquillado, se haya maquillado; nos hayamos maquillado, os hayáis maquillado, se hayan maquillado
Plup. Subj.	me hubiera maquillado, te hubieras maquillado, se hubiera maquillado; nos hubiéramos maquillado, os hubierais maquillado, se hubieran maquillado
	me hubiese maquillado, te hubieses maquillado, se hubiese maquillado; nos hubiésemos maquillado, os hubieseis maquillado, se hubiesen maquillado
Imperative	—— maquíllate, maquíllese; maquillémonos, maquillaos, maquíllense

to mark, note, observe

Pres. Ind.	marco, marcas, marca; marcamos, marcáis, marcan
Imp. Ind.	marcaba, marcabas, marcaba; marcábamos, marcabais, marcaban
Preterit	marqué, marcaste, marcó; marcamos, marcasteis, marcaron
Future	marcaré, marcarás, marcará; marcaremos, marcaréis, marcarán
Condit.	marcaría, marcarías, marcaría; marcaríamos, marcaríais, marcarían
Pres. Subj.	marque, marques, marque; marquemos, marquéis, marquen
Imp. Subj.	marcara, marcaras, marcara; marcáramos, marcarais, marcaran
	marcase, marcases, marcase; marcásemos, marcaseis, marcasen
Pres. Perf. Ind.	he marcado, has marcado, ha marcado; hemos marcado, habéis marcado, han marcado
Plup. Ind.	había marcado, habías marcado, había marcado; habíamos marcado, habíais marcado, habían marcado
Past Ant.	hube marcado, hubiste marcado, hubo marcado; hubimos marcado, hubisteis marcado, hubieron marcado
Fut. Perf.	habré marcado, habrás marcado, habrá marcado; habremos marcado, habréis marcado, habrán marcado
Cond. Perf.	habría marcado, habrías marcado, habría marcado; habríamos marcado, habríais marcado, habrían marcado
Pres. Perf. Subj.	haya marcado, hayas marcado, haya marcado; hayamos marcado, hayáis marcado, hayan marcado
Plup. Subj.	hubiera marcado, hubieras marcado, hubiera marcado; hubiéramos marcado, hubierais marcado, hubieran marcado
	hubiese marcado, hubieses marcado, hubiese marcado; hubiésemos marcado, hubieseis marcado, hubiesen marcado
Imperative	—— marca, marque; marquemos, marcad, marquen

to walk, march, function (machine), run (machine)

Pres. Ind.	marcho, marchas, marcha; marchamos, marcháis, marchan
Imp. Ind.	marchaba, marchabas, marchaba; marchábamos, marchabais, marchaban
Preterit	marché, marchaste, marchó; marchamos, marchasteis, marcharon
Future	marcharé, marcharás, marchará; marcharemos, marcharéis, marcharán
Condit.	marcharía, marcharías, marcharía; marcharíamos, marcharíais, marcharían
Pres. Subj.	marche, marches, marche; marchemos, marchéis, marchen
Imp. Subj.	marchara, marcharas, marchara; marcháramos, marcharais, marcharan
	marchase, marchases, marchase; marchásemos, marchaseis, marchasen
Pres. Perf. Ind.	he marchado, has marchado, ha marchado; hemos marchado, habéis marchado, han marchado
Plup. Ind.	había marchado, habías marchado, había marchado; habíamos marchado, habíais marchado, habían marchado
Past Ant.	hube marchado, hubiste marchado, hubo marchado; hubimos marchado, hubisteis marchado, hubieron marchado
	habré marchado, habrás marchado, habrá marchado; habremos marchado, habréis marchado, habrán marchado
Cond. Perf.	habría marchado, habrías marchado, habría marchado; habríamos marchado, habríais marchado, habrían marchado
Pres. Perf. Subj.	haya marchado, hayas marchado, haya marchado; hayamos marchado, hayáis marchado, hayan marchado
Plup. Subj.	hubiera marchado, hubieras marchado, hubiera marchado; hubiéramos marchado, hubierais marchado, hubieran marchado
	hubiese marchado, hubieses marchado, hubiese marchado; hubiésemos marchado, hubieseis marchado, hubiesen marchado
Imperative	—— marcha, marche; marchemos, marchad, marchen

to go away, leave

Pres. Ind.	me marcho, te marchas, se marcha; nos marchamos, os marcháis, se marchan
Imp. Ind.	me marchaba, te marchabas, se marchaba; nos marchábamos, os marchabais, se marchaban
Pret. Ind.	me marché, te marchaste, se marchó; nos marchamos, os marchasteis, se marcharon
Fut. Ind.	me marcharé, te marcharás, se marchará; nos marcharemos, os marcharéis, se marcharán
Condit.	me marcharía, te marcharías, se marcharía; nos marcharíamos, os marcharíais, se marcharían
Pres. Subj.	me marche, te marches, se marche; nos marchemos, os marchéis, se marchen
Imp. Subj.	me marchara, te marcharas, se marchara; nos marcháramos, os marcharais, se marcharan
	me marchase, te marchases, se marchase; nos marchásemos, os marchaseis, se marchasen
Pres. Perf.	me he marchado, te has marchado, se ha marchado; nos hemos marchado, os habéis marchado, se han marchado
Pluperf.	me había marchado, te habías marchado, se había marchado; nos habíamos marchado, os habíais marchado, se habían marchado
Past Ant.	me hube marchado, te hubiste marchado, se hubo marchado; nos hubimos marchado, os hubisteis marchado, se hubieron marchado
Fut. Perf.	me habré marchado, te habrás marchado, se habrá marchado; nos habremos marchado, os habréis marchado, se habrán marchado
Cond. Perf.	me habría marchado, te habrías marchado, se habría marchado; nos habríamos marchado, os habríais marchado, se habrían marchado
Pres. Perf. Subj.	me haya marchado, te hayas marchado, se haya marchado; nos hayamos marchado, os hayáis marchado, se hayan marchado
Plup. Subj.	me hubiera marchado, te hubieras marchado, se hubiera marchado; nos hubiéramos marchado, os hubierais marchado, se hubieran marchado
	me hubiese marchado, te hubieses marchado, se hubiese marchado; nos hubiésemos marchado, os hubieseis marchado, se hubiesen marchado
Imperative	—— márchate, márchese; marchémonos, marchaos, márchense

to kill

Pres. Ind.	mato, matas, mata; matamos, matáis, matan
Imp. Ind.	mataba, matabas, mataba; matábamos, matabais, mataban
Preterit	maté, mataste, mató; matamos, matasteis, mataron
Future	mataré, matarás, matará; mataremos, mataréis, matarán
Condit.	mataría, matarías, mataría; mataríamos, mataríais, matarían
Pres. Subj.	mate, mates, mate; matemos, matéis, maten
Imp. Subj.	matara, mataras, matara; matáramos, matarais, mataran
	matase, matases, matase; matásemos, mataseis, matasen
Pres. Perf. Ind.	he matado, has matado, ha matado; hemos matado, habéis matado, han matado
Plup. Ind.	había matado, habías matado, había matado; habíamos matado, habíais matado, habían matado
Past Ant.	hube matado, hubiste matado, hubo matado; hubimos matado, hubisteis matado, hubieron matado
Fut. Perf.	habré matado, habrás matado, habrá matado; habremos matado, habréis matado, habrán matado
Cond. Perf.	habría matado, habrías matado, habría matado; habríamos matado, habríais matado, habrían matado
Pres. Perf. Subj.	haya matado, hayas matado, haya matado; hayamos matado, hayáis matado, hayan matado
Plup. Subj.	hubiera matado, hubieras matado, hubiera matado; hubiéramos matado, hubierais matado, hubieran matado
	hubiese matado, hubieses matado, hubiese matado; hubiésemos matado, hubieseis matado, hubiesen matado
Imperative	—— mata, mate; matemos, matad, maten

to compare, judge, measure, weigh, scan (verses)

Pres. Ind.	mido, mides, mide; medimos, medís, miden
Imp. Ind.	medía, medías, medía; medíamos, medíais, medían
Preterit	medí, mediste, midió; medimos, medisteis, midieron
Future	mediré, medirás, medirá; mediremos, mediréis, medirán
Condit.	mediría, medirías, mediría; mediríamos, mediríais, medirían
Pres. Subj.	mida, midas, mida; midamos, midáis, midan
Imp. Subj.	midiera, midieras, midiera; midiéramos, midierais, midieran midiese, midieses, midiese; midiésemos, midieseis, midiesen
Pres. Perf. Ind.	he medido, has medido, ha medido; hemos medido, habéis medido, han medido
Plup. Ind.	había medido, habías medido, había medido; habíamos medido, habíais medido, habían medido
Past Ant.	hube medido, hubiste medido, hubo medido; hubimos medido, hubisteis medido, hubieron medido
Fut. Perf.	habré medido, habrás medido, habrá medido; habremos medido, habréis medido, habrán medido
Cond. Perf.	habría medido, habrías medido, habría medido; habríamos medido, habríais medido, habrían medido
Pres. Perf. Subj.	haya medido, hayas medido, haya medido; hayamos medido, hayáis medido, hayan medido
Plup. Subj.	hubiera medido, hubieras medido, hubiera medido; hubiéramos medido, hubierais medido, hubieran medido hubiese medido, hubieses medido, hubiese medido; hubiésemos medido, hubieseis medido, hubiesen medido
Imperative	—— mide, mida; midamos, medid, midan

to mention

Pres. Ind.	menciono, mencionas, menciona; mencionamos, mencionáis, mencionan
Imp. Ind.	mencionaba, mencionabas, mencionaba; mencionábamos, mencionabais, mencionaban
Preterit	mencioné, mencionaste, mencionó; mencionamos, mencionasteis, mencionaron
Future	mencionaré, mencionarás, mencionará; mencionaremos, mencionaréis, mencionarán
Condit.	mencionaría, mencionarías, mencionaría; mencionaríamos, mencionaríais, mencionarían
Pres. Subj.	mencione, menciones, mencione; mencionemos, mencionéis, mencionen
Imp. Subj.	mencionara, mencionaras, mencionara; mencionáramos, mencionarais, mencionaran mencionase, mencionases, mencionase; mencionásemos, mencionaseis, mencionasen
Pres. Perf. Ind.	he mencionado, has mencionado, ha mencionado; hemos mencionado, habéis mencionado, han mencionado
Plup. Ind.	había mencionado, habías mencionado, había mencionado; habíamos mencionado, habíais mencionado, habían mencionado
Past Ant.	hube mencionado, hubiste mencionado, hubo mencionado; hubimos mencionado, hubisteis mencionado, hubieron mencionado
Fut. Perf.	habré mencionado, habrás mencionado, habrá mencionado; habremos mencionado, habréis mencionado, habrán mencionado
Cond. Perf.	habría mencionado, habrías mencionado, habría mencionado; habríamos mencionado, habríais mencionado, habrían mencionado
Pres. Perf. Subj.	haya mencionado, hayas mencionado, haya mencionado; hayamos mencionado, hayáis mencionado, hayan mencionado
Plup. Subj.	hubiera mencionado, hubieras mencionado, hubiera mencionado; hubiéramos mencionado, hubierais mencionado, hubieran mencionado hubiese mencionado, hubieses mencionado, hubiese mencionado; hubiésemos mencionado, hubieseis mencionado, hubiesen mencionado
Imperative	—— menciona, mencione; mencionemos, mencionad, mencionen

to lie, tell a lie

Pres. Ind. miento, mientes, miente;
mentimos, mentís, mienten

Imp. Ind. mentía, mentías, mentía;
mentíamos, mentíais, men ían

Pret. Ind. mentí, mentiste, mintió;
mentimos, mentisteis, mintieron

Fut. Ind. mentiré, mentirás, mentirá;
mentiremos, mentiréis, mentirán

Condit. mentiría, mentirías, mentiría;
mentiríamos, mentiríais, mentirían

Pres. Subj. mienta, mientas, mienta;
mintamos, mintáis, mientan

Imp. Subj. mintiera, mintieras, mintiera;
mintiéramos, mintierais, mintieran

mintiese, mintieses, mintiese;
mintiésemos, mintieseis, mintiesen

Pres. Perf. he mentido, has mentido, ha mentido;
hemos mentido, habéis mentido, han mentido

Pluperf. había mentido, habías mentido, había mentido;
habíamos mentido, habíais mentido, habían mentido

Past Ant. hube mentido, hubiste mentido, hubo mentido;
hubimos mentido, hubisteis mentido, hubieron mentido

Fut. Perf. habré mentido, habrás mentido, habrá mentido;
habremos mentido, habréis mentido, habrán mentido

Cond. Perf. habría mentido, habrías mentido, habría mentido;
habríamos mentido, habríais mentido, habrían mentido

Pres. Perf. Subj. haya mentido, hayas mentido, haya mentido;
hayamos mentido, hayáis mentido, hayan mentido

Plup. Subj. hubiera mentido, hubieras mentido, hubiera mentido;
hubiéramos mentido, hubierais mentido, hubieran mentido

hubiese mentido, hubieses mentido, hubiese mentido;
hubiésemos mentido, hubieseis mentido, hubiesen mentido

Imperative —— miente, mienta;
mintamos, mentid, mientan

to deserve, merit

Pres. Ind.	merezco, mereces, merece; merecemos, merecéis, merecen
Imp. Ind.	merecía, merecías, merecía; merecíamos, merecíais, merecían
Pret. Ind.	merecí, mereciste, mereció; merecimos, merecisteis, merecieron
Fut. Ind.	mereceré, merecerás, merecerá; mereceremos, mereceréis, merecerán
Condit.	merecería, merecerías, merecería; mereceríamos, mereceríais, merecerían
Pres. Subj.	merezca, merezcas, merezca; merezcamos, merezcáis, merezcan
Imp. Subj.	mereciera, merecieras, mereciera; mereciéramos, merecierais, merecieran mereciese, merecieses, mereciese; mereciésemos, merecieseis, mereciesen
Pres. Perf.	he merecido, has merecido, ha merecido; hemos merecido, habéis merecido, han merecido
Pluperf.	había merecido, habías merecido, había merecido; habíamos merecido, habíais merecido, habían merecido
Past Ant.	hube merecido, hubiste merecido, hubo merecido; hubimos merecido, hubisteis merecido, hubieron merecido
Fut. Perf.	habré merecido, habrás merecido, habrá merecido; habremos merecido, habréis merecido, habrán merecido
Cond. Perf.	habría merecido, habrías merecido, habría merecido; habríamos merecido, habríais merecido, habrían merecido
Pres. Perf. Subj.	haya merecido, hayas merecido, haya merecido; hayamos merecido, hayáis merecido, hayan merecido
Plup. Subj.	hubiera merecido, hubieras merecido, hubiera merecido; hubiéramos merecido, hubierais merecido, hubieran merecido hubiese merecido, hubieses merecido, hubiese merecido; hubiésemos merecido, hubieseis merecido, hubiesen merecido
Imperative	—— merece, merezca; merezcamos, mereced, merezcan

to look, look at, watch

Pres. Ind.	miro, miras, mira; miramos, miráis, miran
Imp. Ind.	miraba, mirabas, miraba; mirábamos, mirabais, miraban
Preterit	miré, miraste, miró; miramos, mirasteis, miraron
Future	miraré, mirarás, mirará; miraremos, miraréis, mirarán
Condit.	miraría, mirarías, miraría; miraríamos, miraríais, mirarían
Pres. Subj.	mire, mires, mire; miremos, miréis, miren
Imp. Subj.	mirara, miraras, mirara; miráramos, mirarais, miraran
	mirase, mirases, mirase; mirásemos, miraseis, mirasen
Pres. Perf. Ind.	he mirado, has mirado, ha mirado; hemos mirado, habéis mirado, han mirado
Plup. Ind.	había mirado, habías mirado, había mirado; habíamos mirado, habíais mirado, habían mirado
Past Ant.	hube mirado, hubiste mirado, hubo mirado; hubimos mirado, hubisteis mirado, hubieron mirado
Fut. Perf.	habré mirado, habrás mirado, habrá mirado; habremos mirado, habréis mirado, habrán mirado
Cond. Perf.	habría mirado, habrías mirado, habría mirado; habríamos mirado, habríais mirado, habrían mirado
Pres. Perf. Subj.	haya mirado, hayas mirado, haya mirado; hayamos mirado, hayáis mirado, hayan mirado
Plup. Subj.	hubiera mirado, hubieras mirado, hubiera mirado; hubiéramos mirado, hubierais mirado, hubieran mirado
	hubiese mirado, hubieses mirado, hubiese mirado; hubiésemos mirado, hubieseis mirado, hubiesen mirado
Imperative	—— mira, mire; miremos, mirad, miren

to bite

Pres. Ind.	muerdo, muerdes, muerde; mordemos, mordéis, muerden
Imp. Ind.	mordía, mordías, mordía; mordíamos, mordíais, mordían
Pret. Ind.	mordí, mordiste, mordió; mordimos, mordisteis, mordieron
Fut. Ind.	morderé, morderás, morderá; morderemos, morderéis, morderán
Condit.	mordería, morderías, mordería; morderíamos, morderíais, morderían
Pres. Subj.	muerda, muerdas, muerda; mordamos, mordáis, muerdan
Imp. Subj.	mordiera, mordieras, mordiera; mordiéramos, mordierais, mordieran
	mordiese, mordieses, mordiese; mordiésemos, mordieseis, mordiesen
Pres. Perf.	he mordido, has mordido, ha mordido; hemos mordido, habéis mordido, han mordido
Pluperf.	había mordido, habías mordido, había mordido; habíamos mordido, habíais mordido, habían mordido
Past Ant.	hube mordido, hubiste mordido, hubo mordido; hubimos mordido, hubisteis mordido, hubieron mordido
Fut. Perf.	habré mordido, habrás mordido, habrá mordido; habremos mordido, habréis mordido, habrán mordido
Cond. Perf.	habría mordido, habrías mordido, habría mordido; habríamos mordido, habríais mordido, habrían mordido
Pres. Perf. Subj.	haya mordido, hayas mordido, haya mordido; hayamos mordido, hayáis mordido, hayan mordido
Plup. Subj.	hubiera mordido, hubieras mordido, hubiera mordido; hubiéramos mordido, hubierais mordido, hubieran mordido
	hubiese mordido, hubieses mordido, hubiese mordido; hubiésemos mordido, hubieseis mordido, hubiesen mordido
Imperative	—— muerde, muerda; mordamos, morded, muerdan

to die

Pres. Ind.	muero, mueres, muere; morimos, morís, mueren
Imp. Ind.	moría, morías, moría; moríamos, moríais, morían
Pret. Ind.	morí, moriste, murió; morimos, moristeis, murieron
Fut. Ind.	moriré, morirás, morirá; moriremos, moriréis, morirán
Condit.	moriría, morirías, moriría; moriríamos, moriríais, morirían
Pres. Subj.	muera, mueras, muera; muramos, muráis, mueran
Imp. Subj.	muriera, murieras, muriera; muriéramos, murierais, murieran muriese, murieses, muriese; muriésemos, murieseis, muriesen
Pres. Perf.	he muerto, has muerto, ha muerto; hemos muerto, habéis muerto, han muerto
Pluperf.	había muerto, habías muerto, había muerto; habíamos muerto, habíais muerto, habían muerto
Past Ant.	hube muerto, hubiste muerto, hubo muerto; hubimos muerto, hubisteis muerto, hubieron muerto
Fut. Perf.	habré muerto, habrás muerto, habrá muerto; habremos muerto, habréis muerto, habrán muerto
Cond. Perf.	habría muerto, habrías muerto, habría muerto; habríamos muerto, habríais muerto, habrían muerto
Pres. Perf. Subj.	haya muerto, hayas muerto, haya muerto; hayamos muerto, hayáis muerto, hayan muerto
Plup. Subj.	hubiera muerto, hubieras muerto, hubiera muerto; hubiéramos muerto, hubierais muerto, hubieran muerto hubiese muerto, hubieses muerto, hubiese muerto; hubiésemos muerto, hubieseis muerto, hubiesen muerto
Imperative	—— muere, muera; muramos, morid, mueran

to show, point out

Pres. Ind.	muestro, muestras, muestra; mostramos, mostráis, muestran
Imp. Ind.	mostraba, mostrabas, mostraba; mostrábamos, mostrabais, mostraban
Pret. Ind.	mostré, mostraste, mostró; mostramos, mostrasteis, mostraron
Fut. Ind.	mostraré, mostrarás, mostrará; mostraremos, mostraréis, mostrarán
Condit.	mostraría, mostrarías, mostraría; mostraríamos, mostraríais, mostrarían
Pres. Subj.	muestre, muestres, muestre; mostremos, mostréis, muestren
Imp. Subj.	mostrara, mostraras, mostrara; mostráramos, mostrarais, mostraran mostrase, mostrases, mostrase; mostrásemos, mostraseis, mostrasen
Pres. Perf.	he mostrado, has mostrado, ha mostrado; hemos mostrado, habéis mostrado, han mostrado
Pluperf.	había mostrado, habías mostrado, había mostrado; habíamos mostrado, habíais mostrado, habían mostrado
Past Ant.	hube mostrado, hubiste mostrado, hubo mostrado; hubimos mostrado, hubisteis mostrado, hubieron mostrado
Fut. Perf.	habré mostrado, habrás mostrado, habrá mostrado; habremos mostrado, habréis mostrado, habrán mostrado
Cond. Perf.	habría mostrado, habrías mostrado, habría mostrado; habríamos mostrado, habríais mostrado, habrían mostrado
Pres. Perf. Subj.	haya mostrado, hayas mostrado, haya mostrado; hayamos mostrado, hayáis mostrado, hayan mostrado
Plup. Subj.	hubiera mostrado, hubieras mostrado, hubiera mostrado; hubiéramos mostrado, hubierais mostrado, hubieran mostrado hubiese mostrado, hubieses mostrado, hubiese mostrado; hubiésemos mostrado, hubieseis mostrado, hubiesen mostrado
Imperative	—— muestra, muestre; mostremos, mostrad, muestren

to move, persuade, excite

Pres. Ind.	muevo, mueves, mueve; movemos, movéis, mueven
Imp. Ind.	movía, movías, movía; movíamos, movíais, movían
Pret. Ind.	moví, moviste, movió; movimos, movisteis, movieron
Fut. Ind.	moveré, moverás, moverá; moveremos, moveréis, moverán
Condit.	movería, moverías, movería; moveríamos, moveríais, moverían
Pres. Subj.	mueva, muevas, mueva; movamos, mováis, muevan
Imp. Subj.	moviera, movieras, moviera; moviéramos, movierais, movieran
	moviese, movieses, moviese; moviésemos, movieseis, moviesen
Pres. Perf.	he movido, has movido, ha movido; hemos movido, habéis movido, han movido
Pluperf.	había movido, habías movido, había movido; habíamos movido, habíais movido, habían movido
Past Ant.	hube movido, hubiste movido, hubo movido; hubimos movido, hubisteis movido, hubieron movido
Fut. Perf.	habré movido, habrás movido, habrá movido; habremos movido, habréis movido, habrán movido
Cond. Perf.	habría movido, habrías movido, habría movido; habríamos movido, habríais movido, habrían movido
Pres. Perf. Subj.	haya movido, hayas movido, haya movido; hayamos movido, hayáis movido, hayan movido
Plup. Subj.	hubiera movido, hubieras movido, hubiera movido; hubiéramos movido, hubierais movido, hubieran movido
	hubiese movido, hubieses movido, hubiese movido; hubiésemos movido, hubieseis movido, hubiesen movido
Imperative	—— mueve, mueva; movamos, moved, muevan

to change one's clothes, change one's place of residence, move

Pres. Ind.	me mudo, te mudas, se muda; nos mudamos, os mudáis, se mudan
Imp. Ind.	me mudaba, te mudabas, se mudaba; nos mudábamos, os mudabais, se mudaban
Preterit	me mudé, te mudaste, se mudó; nos mudamos, os mudasteis, se mudaron
Future	me mudaré, te mudarás, se mudará; nos mudaremos, os mudaréis, se mudarán
Condit.	me mudaría, te mudarías, se mudaría; nos mudaríamos, os mudaríais, se mudarían
Pres. Subj.	me mude, te mudes, se mude; nos mudemos, os mudéis, se muden
Imp. Subj.	me mudara, te mudaras, se mudara; nos mudáramos, os mudarais, se mudaran
	me mudase, te mudases, se mudase; nos mudásemos, os mudaseis, se mudasen
Pres. Perf. Ind.	me he mudado, te has mudado, se ha mudado; nos hemos mudado, os habéis mudado, se han mudado
Plup. Ind.	me había mudado, te habías mudado, se había mudado; nos habíamos mudado, os habíais mudado, se habían mudado
Past Ant.	me hube mudado, te hubiste mudado, se hubo mudado; nos hubimos mudado, os hubisteis mudado, se hubieron mudado
Fut. Perf.	me habré mudado, te habrás mudado, se habrá mudado; nos habremos mudado, os habréis mudado, se habrán mudado
Cond. Perf.	me habría mudado, te habrías mudado, se habría mudado; nos habríamos mudado, os habríais mudado, se habrían mudado
Pres. Perf. Subj.	me haya mudado, te hayas mudado, se haya mudado; nos hayamos mudado, os hayáis mudado, se hayan mudado
Plup. Subj.	me hubiera mudado, te hubieras mudado, se hubiera mudado; nos hubiéramos mudado, os hubierais mudado, se hubieran mudado
	me hubiese mudado, te hubieses mudado, se hubiese mudado; nos hubiésemos mudado, os hubieseis mudado, se hubiesen mudado
Imperative	—— múdate, múdese; mudémonos, mudaos, múdense

to be born

Pres. Ind.	nazco, naces, nace; nacemos, nacéis, nacen
Imp. Ind.	nacía, nacías, nacía; nacíamos, nacíais, nacían
Pret. Ind.	nací, naciste, nació; nacimos, nacisteis, nacieron
Fut. Ind.	naceré, nacerás, nacerá; naceremos, naceréis, nacerán
Condit.	nacería, nacerías, nacería; naceríamos, naceríais, nacerían
Pres. Subj.	nazca, nazcas, nazca; nazcamos, nazcáis, nazcan
Imp. Subj.	naciera, nacieras, naciera; naciéramos, nacierais, nacieran
	naciese, nacieses, naciese; naciésemos, nacieseis, naciesen
Pres. Perf.	he nacido, has nacido, ha nacido; hemos nacido, habéis nacido, han nacido
Pluperf.	había nacido, habías nacido, había nacido; habíamos nacido, habíais nacido, habían nacido
Past Ant.	hube nacido, hubiste nacido, hubo nacido; hubimos nacido, hubisteis nacido, hubieron nacido
Fut. Perf.	habré nacido, habrás nacido, habrá nacido; habremos nacido, habréis nacido, habrán nacido
Cond. Perf.	habría nacido, habrías nacido, habría nacido; habríamos nacido, habríais nacido, habrían nacido
Pres. Perf. Subj.	haya nacido, hayas nacido, haya nacido; hayamos nacido, hayáis nacido, hayan nacido
Plup. Subj.	hubiera nacido, hubieras nacido, hubiera nacido; hubiéramos nacido, hubierais nacido, hubieran nacido
	hubiese nacido, hubieses nacido, hubiese nacido; hubiésemos nacido, hubieseis nacido, hubiesen nacido
Imperative	—— nace, nazca; nazcamos, naced, nazcan

to swim

Pres. Ind.	nado, nadas, nada; nadamos, nadáis, nadan
Imp. Ind.	nadaba, nadabas, nadaba; nadábamos, nadabais, nadaban
Preterit	nadé, nadaste, nadó; nadamos, nadasteis, nadaron
Future	nadaré, nadarás, nadará; nadaremos, nadaréis, nadarán
Condit.	nadaría, nadarías, nadaría; nadaríamos, nadaríais, nadarían
Pres. Subj.	nade, nades, nade; nademos, nadéis, naden
Imp. Subj.	nadara, nadaras, nadara; nadáramos, nadarais, nadaran
	nadase, nadases, nadase; nadásemos, nadaseis, nadasen
Pres. Perf. Ind.	he nadado, has nadado, ha nadado; hemos nadado, habéis nadado, han nadado
Plup. Ind.	había nadado, habías nadado, había nadado; habíamos nadado, habíais nadado, habían nadado
Past Ant.	hube nadado, hubiste nadado, hubo nadado; hubimos nadado, hubisteis nadado, hubieron nadado
Fut. Perf.	habré nadado, habrás nadado, habrá nadado; habremos nadado, habréis nadado, habrán nadado
Cond. Perf.	habría nadado, habrías nadado, habría nadado; habríamos nadado, habríais nadado, habrían nadado
Pres. Perf. Subj.	haya nadado, hayas nadado, haya nadado; hayamos nadado, hayáis nadado, hayan nadado
Plup. Subj.	hubiera nadado, hubieras nadado, hubiera nadado; hubiéramos nadado, hubierais nadado, hubieran nadado
	hubiese nadado, hubieses nadado, hubiese nadado; hubiésemos nadado, hubieseis nadado, hubiesen nadado
Imperative	—— nada, nade; nademos, nadad, naden

to sail, navigate

Pres. Ind.	navego, navegas, navega; navegamos, navegáis, navegan
Imp. Ind.	navegaba, navegabas, navegaba; navegábamos, navegabais, navegaban
Preterit	navegué, navegaste, navegó; navegamos, navegasteis, navegaron
Future	navegaré, navegarás, navegará; navegaremos, navegaréis, navegarán
Condit.	navegaría, navegarías, navegaría; navegaríamos, navegaríais, navegarían
Pres. Subj.	navegue, navegues, navegue; naveguemos, naveguéis, naveguen
Imp. Subj.	navegara, navegaras, navegara; navegáramos, navegarais, navegaran
	navegase, navegases, navegase; navegásemos, navegaseis, navegasen
Pres. Perf. Ind.	he navegado, has navegado, ha navegado; hemos navegado, habéis navegado, han navegado
Plup. Ind.	había navegado, habías navegado, había navegado; habíamos navegado, habíais navegado, habían navegado
Past Ant.	hube navegado, hubiste navegado, hubo navegado; hubimos navegado, hubisteis navegado, hubieron navegado
Fut. Perf.	habré navegado, habrás navegado, habrá navegado; habremos navegado, habréis navegado, habrán navegado
Cond. Perf.	habría navegado, habrías navegado, habría navegado; habríamos navegado, habríais navegado, habrían navegado
Pres. Perf. Subj.	haya navegado, hayas navegado, haya navegado; hayamos navegado, hayáis navegado, hayan navegado
Plup. Subj.	hubiera navegado, hubieras navegado, hubiera navegado; hubiéramos navegado, hubierais navegado, hubieran navegado
	hubiese navegado, hubieses navegado, hubiese navegado; hubiésemos navegado, hubieseis navegado, hubiesen navegado
Imperative	—— navega, navegue; naveguemos, navegad, naveguen

to need

Pres. Ind.	necesito, necesitas, necesita; necesitamos, necesitáis, necesitan
Imp. Ind.	necesitaba, necesitabas, necesitaba; necesitábamos, necesitabais, necesitaban
Preterit	necesité, necesitaste, necesitó; necesitamos, necesitasteis, necesitaron
Future	necesitaré, necesitarás, necesitará; necesitaremos, necesitaréis, necesitarán
Condit.	necesitaría, necesitarías, necesitaría; necesitaríamos, necesitaríais, necesitarían
Pres. Subj.	necesite, necesites, necesite; necesitemos, necesitéis, necesiten
Imp. Subj.	necesitara, necesitaras, necesitara; necesitáramos, necesitarais, necesitaran
	necesitase, necesitases, necesitase; necesitásemos, necesitaseis, necesitasen
Pres. Perf. Ind.	he necesitado, has necesitado, ha necesitado; hemos necesitado, habéis necesitado, han necesitado
Plup. Ind.	había necesitado, habías necesitado, había necesitado; habíamos necesitado, habíais necesitado, habían necesitado
Past Ant.	hube necesitado, hubiste necesitado, hubo necesitado; hubimos necesitado, hubisteis necesitado, hubieron necesitado
Fut. Perf.	habré necesitado, habrás necesitado, habrá necesitado; habremos necesitado, habréis necesitado, habrán necesitado
Cond. Perf.	habría necesitado, habrías necesitado, habría necesitado; habríamos necesitado, habríais necesitado, habrían necesitado
Pres. Perf. Subj.	haya necesitado, hayas necesitado, haya necesitado; hayamos necesitado, hayáis necesitado, hayan necesitado
Plup. Subj.	hubiera necesitado, hubieras necesitado, hubiera necesitado; hubiéramos necesitado, hubierais necesitado, hubieran necesitado
	hubiese necesitado, hubieses necesitado, hubiese necesitado; hubiésemos necesitado, hubieseis necesitado, hubiesen necesitado
Imperative	—— necesita, necesite; necesitemos, necesitad, necesiten

to deny

Pres. Ind.	niego, niegas, niega; negamos, negáis, niegan
Imp. Ind.	negaba, negabas, negaba; negábamos, negabais, negaban
Pret. Ind.	negué, negaste, negó; negamos, negasteis, negaron
Fut. Ind.	negaré, negarás, negará; negaremos, negaréis, negarán
Condit.	negaría, negarías, negaría; negaríamos, negaríais, negarían
Pres. Subj.	niegue, niegues, niegue; neguemos, neguéis, nieguen
Imp. Subj.	negara, negaras, negara; negáramos, negarais, negaran
	negase, negases, negase; negásemos, negaseis, negasen
Pres. Perf.	he negado, has negado, ha negado; hemos negado, habéis negado, han negado
Pluperf.	había negado, habías negado, había negado; habíamos negado, habíais negado, habían negado
Past Ant.	hube negado, hubiste negado, hubo negado; hubimos negado, hubisteis negado, hubieron negado
Fut. Perf.	habré negado, habrás negado, habrá negado; habremos negado, habréis negado, habrán negado
Cond. Perf.	habría negado, habrías negado, habría negado; habríamos negado, habríais negado, habrían negado
Pres. Perf. Subj.	haya negado, hayas negado, haya negado; hayamos negado, hayáis negado, hayan negado
Plup. Subj.	hubiera negado, hubieras negado, hubiera negado; hubiéramos negado, hubierais negado, hubieran negado
	hubiese negado, hubieses negado, hubiese negado; hubiésemos negado, hubieseis negado, hubiesen negado
Imperative	—— niega, niegue; neguemos, negad, nieguen

to snow

Pres. Ind.	nieva *OR:* está nevando
Imp. Ind.	nevaba *OR:* estaba nevando
Preterit	nevó
Future	nevará
Condit.	nevaría
Pres. Subj.	nieve
Imp. Subj.	nevara *OR:* nevase
Pres. Perf. Ind.	ha nevado
Plup. Ind.	había nevado
Past Ant.	hubo nevado
Fut. Perf.	habrá nevado
Cond. Perf.	habría nevado
Pres. Perf. Subj.	haya nevado
Plup. Subj.	hubiera nevado *OR:* hubiese nevado
Imperative	que nieve

to note, notice, mark, remark, observe

Pres. Ind.	noto, notas, nota; notamos, notáis, notan
Imp. Ind.	notaba, notabas, notaba; notábamos, notabais, notaban
Preterit	noté, notaste, notó; notamos, notasteis, notaron
Future	notaré, notarás, notará; notaremos, notaréis, notarán
Condit.	notaría, notarías, notaría; notaríamos, notaríais, notarían
Pres. Subj.	note, notes, note; notemos, notéis, noten
Imp. Subj.	notara, notaras, notara; notáramos, notarais, notaran notase, notases, notase; notásemos, notaseis, notasen
Pres. Perf. Ind.	he notado, has notado, ha notado; hemos notado, habéis notado, han notado
Plup. Ind.	había notado, habías notado, había notado; habíamos notado, habíais notado, habían notado
Past Ant.	hube notado, hubiste notado, hubo notado; hubimos notado, hubisteis notado, hubieron notado
Fut. Perf.	habré notado, habrás notado, habrá notado; habremos notado, habréis notado, habrán notado
Cond. Perf.	habría notado, habrías notado, habría notado; habríamos notado, habríais notado, habrían notado
Pres. Perf. Subj.	haya notado, hayas notado, haya notado; hayamos notado, hayáis notado, hayan notado
Plup. Subj.	hubiera notado, hubieras notado, hubiera notado; hubiéramos notado, hubierais notado, hubieran notado hubiese notado, hubieses notado, hubiese notado; hubiésemos notado, hubieseis notado, hubiesen notado
Imperative	—— nota, note; notemos, notad, noten

to obey

Pres. Ind.	obedezco, obedeces, obedece; obedecemos, obedecéis, obedecen
Imp. Ind.	obedecía, obedecías, obedecía; obedecíamos, obedecíais, obedecían
Pret. Ind.	obedecí, obedeciste, obedeció; obedecimos, obedecisteis, obedecieron
Fut. Ind.	obedeceré, obedecerás, obedecerá; obedeceremos, obedeceréis, obedecerán
Condit.	obedecería, obedecerías, obedecería; obedeceríamos, obedeceríais, obedecerían
Pres. Subj.	obedezca, obedezcas, obedezca; obedezcamos, obedezcáis, obedezcan
Imp. Subj.	obedeciera, obedecieras, obedeciera; obedeciéramos, obedecierais, obedecieran
	obedeciese, obedecieses, obedeciese; obedeciésemos, obedecieseis, obedeciesen
Pres. Perf.	he obedecido, has obedecido, ha obedecido; hemos obedecido, habéis obedecido, han obedecido
Pluperf.	había obedecido, habías obedecido, había obedecido; habíamos obedecido, habíais obedecido, habían obedecido
Past Ant.	hube obedecido, hubiste obedecido, hubo obedecido; hubimos obedecido, hubisteis obedecido, hubieron obedecido
Fut. Perf.	habré obedecido, habrás obedecido, habrá obedecido; habremos obedecido, habréis obedecido, habrán obedecido
Cond. Perf.	habría obedecido, habrías obedecido, habría obedecido; habríamos obedecido, habríais obedecido, habrían obedecido
Pres. Perf. Subj.	haya obedecido, hayas obedecido, haya obedecido; hayamos obedecido, hayáis obedecido, hayan obedecido
Plup. Subj.	hubiera obedecido, hubieras obedecido, hubiera obedecido; hubiéramos obedecido, hubierais obedecido, hubieran obedecido
	hubiese obedecido, hubieses obedecido, hubiese obedecido; hubiésemos obedecido, hubieseis obedecido, hubiesen obedecido
Imperative	—— obedece, obedezca; obedezcamos, obedeced, obedezcan

to observe

Pres. Ind.	observo, observas, observa; observamos, observáis, observan
Imp. Ind.	observaba, observabas, observaba; observábamos, observabais, observaban
Preterit	observé, observaste, observó; observamos, observasteis, observaron
Future	observaré, observarás, observará; observaremos, observaréis, observarán
Condit.	observaría, observarías, observaría; observaríamos, observaríais, observarían
Pres. Subj.	observe, observes, observe; observemos, observéis, observen
Imp. Subj.	observara, observaras, observara; observáramos, observarais, observaran
	observase, observases, observase; observásemos, observaseis, observasen
Pres. Perf. Ind.	he observado, has observado, ha observado; hemos observado, habéis observado, han observado
Plup. Ind.	había observado, habías observado, había observado; habíamos observado, habíais observado, habían observado
Past Ant.	hube observado, hubiste observado, hubo observado; hubimos observado, hubisteis observado, hubieron observado
Fut. Perf.	habré observado, habrás observado, habrá observado; habremos observado, habréis observado, habrán observado
Cond. Perf.	habría observado, habrías observado, habría observado; habríamos observado, habríais observado, habrían observado
Pres. Perf. Subj.	haya observado, hayas observado, haya observado; hayamos observado, hayáis observado, hayan observado
Plup. Subj.	hubiera observado, hubieras observado, hubiera observado; hubiéramos observado, hubierais observado, hubieran observado
	hubiese observado, hubieses observado, hubiese observado; hubiésemos observado, hubieseis observado, hubiesen observado
Imperative	—— observa, observe; observemos, observad, observen

to obtain, get

Pres. Ind.	obtengo, obtienes, obtiene; obtenemos, obtenéis, obtienen
Imp. Ind.	obtenía, obtenías, obtenía; obteníamos, obteníais, obtenían
Pret. Ind.	obtuve, obtuviste, obtuvo; obtuvimos, obtuvisteis, obtuvieron
Fut. Ind.	obtendré, obtendrás, obtendrá; obtendremos, obtendréis, obtendrán
Condit.	obtendría, obtendrías, obtendría; obtendríamos, obtendríais, obtendrían
Pres. Subj.	obtenga, obtengas, obtenga; obtengamos, obtengáis, obtengan
Imp. Subj.	obtuviera, obtuvieras, obtuviera; obtuviéramos, obtuvierais, obtuvieran obtuviese, obtuvieses, obtuviese; obtuviésemos, obtuvieseis, obtuviesen
Pres. Perf.	he obtenido, has obtenido, ha obtenido; hemos obtenido, habéis obtenido, han obtenido
Pluperf.	había obtenido, habías obtenido, había obtenido; habíamos obtenido, habíais obtenido, habían obtenido
Past Ant.	hube obtenido, hubiste obtenido, hubo obtenido; hubimos obtenido, hubisteis obtenido, hubieron obtenido
Fut. Perf.	habré obtenido, habrás obtenido, habrá obtenido; habremos obtenido, habréis obtenido, habrán obtenido
Cond. Perf.	habría obtenido, habrías obtenido, habría obtenido; habríamos obtenido, habríais obtenido, habrían obtenido
Pres. Perf. Subj.	haya obtenido, hayas obtenido, haya obtenido; hayamos obtenido, hayáis obtenido, hayan obtenido
Plup. Subj.	hubiera obtenido, hubieras obtenido, hubiera obtenido; hubiéramos obtenido, hubierais obtenido, hubieran obtenido hubiese obtenido, hubieses obtenido, hubiese obtenido; hubiésemos obtenido, hubieseis obtenido, hubiesen obtenido
Imperative	—— obtén, obtenga; obtengamos, obtened, obtengan

to occupy

Pres. Ind.	ocupo, ocupas, ocupa; ocupamos, ocupáis, ocupan
Imp. Ind.	ocupaba, ocupabas, ocupaba; ocupábamos, ocupabais, ocupaban
Preterit	ocupé, ocupaste, ocupó; ocupamos, ocupasteis, ocuparon
Future	ocuparé, ocuparás, ocupará; ocuparemos, ocuparéis, ocuparán
Condit.	ocuparía, ocuparías, ocuparía; ocuparíamos, ocuparíais, ocuparían
Pres. Subj.	ocupe, ocupes, ocupe; ocupemos, ocupéis, ocupen
Imp. Subj.	ocupara, ocuparas, ocupara; ocupáramos, ocuparais, ocuparan
	ocupase, ocupases, ocupase; ocupásemos, ocupaseis, ocupasen
Pres. Perf. Ind.	he ocupado, has ocupado, ha ocupado; hemos ocupado, habéis ocupado, han ocupado
Plup. Ind.	había ocupado, habías ocupado, había ocupado; habíamos ocupado, habíais ocupado, habían ocupado
Past Ant.	hube ocupado, hubiste ocupado, hubo ocupado; hubimos ocupado, hubisteis ocupado, hubieron ocupado
Fut. Perf.	habré ocupado, habrás ocupado, habrá ocupado; habremos ocupado, habréis ocupado, habrán ocupado
Cond. Perf.	habría ocupado, habrías ocupado, habría ocupado; habríamos ocupado, habríais ocupado, habrían ocupado
Pres. Perf. Subj.	haya ocupado, hayas ocupado, haya ocupado; hayamos ocupado, hayáis ocupado, hayan ocupado
Plup. Subj.	hubiera ocupado, hubieras ocupado, hubiera ocupado; hubiéramos ocupado, hubierais ocupado, hubieran ocupado
	hubiese ocupado, hubieses ocupado, hubiese ocupado; hubiésemos ocupado, hubieseis ocupado, hubiesen ocupado
Imperative	—— ocupa, ocupe; ocupemos, ocupad, ocupen

to occur

Pres. Ind.	ocurre
Imp. Ind.	ocurría
Preterit	ocurrió
Future	ocurrirá
Condit.	ocurriría
Pres. Subj.	ocurra
Imp. Subj.	ocurriera *OR:* ocurriese
Pres. Perf. Ind.	ha ocurrido
Plup. Ind.	había ocurrido
Past Ant.	hubo ocurrido
Fut. Perf.	habrá ocurrido
Cond. Perf.	habría ocurrido
Pres. Perf. Subj.	haya ocurrido
Plup. Subj.	hubiera ocurrido *OR:* hubiese ocurrido
Imperative	que ocurra

to offer

Pres. Ind.	ofrezco, ofreces, ofrece; ofrecemos, ofrecéis, ofrecen
Imp. Ind.	ofrecía, ofrecías, ofrecía; ofrecíamos, ofrecíais, ofrecían
Pret. Ind.	ofrecí, ofreciste, ofreció; ofrecimos, ofrecisteis, ofrecieron
Fut. Ind.	ofreceré, ofrecerás, ofrecerá; ofreceremos, ofreceréis, ofrecerán
Condit.	ofrecería, ofrecerías, ofrecería; ofreceríamos, ofreceríais, ofrecerían
Pres. Subj.	ofrezca, ofrezcas, ofrezca; ofrezcamos, ofrezcáis, ofrezcan
Imp. Subj.	ofreciera, ofrecieras, ofreciera; ofreciéramos, ofrecierais, ofrecieran ofreciese, ofrecieses, ofreciese; ofreciésemos, ofrecieseis, ofreciesen
Pres. Perf.	he ofrecido, has ofrecido, ha ofrecido; hemos ofrecido, habéis ofrecido, han ofrecido
Pluperf.	había ofrecido, habías ofrecido, había ofrecido; habíamos ofrecido, habíais ofrecido, habían ofrecido
Past Ant.	hube ofrecido, hubiste ofrecido, hubo ofrecido; hubimos ofrecido, hubisteis ofrecido, hubieron ofrecido
Fut. Perf.	habré ofrecido, habrás ofrecido, habrá ofrecido; habremos ofrecido, habréis ofrecido, habrán ofrecido
Cond. Perf.	habría ofrecido, habrías ofrecido, habría ofrecido; habríamos ofrecido, habríais ofrecido, habrían ofrecido
Pres. Perf. Subj.	haya ofrecido, hayas ofrecido, haya ofrecido; hayamos ofrecido, hayáis ofrecido, hayan ofrecido
Plup. Subj.	hubiera ofrecido, hubieras ofrecido, hubiera ofrecido; hubiéramos ofrecido, hubierais ofrecido, hubieran ofrecido hubiese ofrecido, hubieses ofrecido, hubiese ofrecido; hubiésemos ofrecido, hubieseis ofrecido, hubiesen ofrecido
Imperative	—— ofrece, ofrezca; ofrezcamos, ofreced, ofrezcan

to hear

Pres. Ind.	oigo, oyes, oye; oímos, oís, oyen
Imp. Ind.	oía, oías, oía; oíamos, oíais, oían
Pret. Ind.	oí, oíste, oyó; oímos, oísteis, oyeron
Fut. Ind.	oiré, oirás, oirá; oiremos, oiréis, oirán
Condit.	oiría, oirías, oiría; oiríamos, oiríais, oirían
Pres. Subj.	oiga, oigas, oiga; oigamos, oigáis, oigan
Imp. Subj.	oyera, oyeras, oyera; oyéramos, oyerais, oyeran
	oyese, oyeses, oyese; oyésemos, oyeseis, oyesen
Pres. Perf.	he oído, has oído, ha oído; hemos oído, habéis oído, han oído
Pluperf.	había oído, habías oído, había oído; habíamos oído, habíais oído, habían oído
Past Ant.	hube oído, hubiste oído, hubo oído; hubimos oído, hubisteis oído, hubieron oído
Fut. Perf.	habré oído, habrás oído, habrá oído; habremos oído, habréis oído, habrán oído
Cond. Perf.	habría oído, habrías oído, habría oído; habríamos oído, habríais oído, habrían oído
Pres. Perf. Subj.	haya oído, hayas oído, haya oído; hayamos oído, hayáis oído, hayan oído
Plup. Subj.	hubiera oído, hubieras oído, hubiera oído; hubiéramos oído, hubierais oído, hubieran oído
	hubiese oído, hubieses oído, hubiese oído; hubiésemos oído, hubieseis oído, hubiesen oído
Imperative	—— oye, oiga; oigamos, oíd, oigan

to smell, scent

Pres. Ind.	huelo, hueles, huele; olemos, oléis, huelen
Imp. Ind.	olía, olías, olía; olíamos, olíais, olían
Pret. Ind.	olí, oliste, olió; olimos, olisteis, olieron
Fut. Ind.	oleré, olerás, olerá; oleremos, oleréis, olerán
Condit.	olería, olerías, olería; oleríamos, oleríais, olerían
Pres. Subj.	huela, huelas, huela; olamos, oláis, huelan
Imp. Subj.	oliera, olieras, oliera; oliéramos, olierais, olieran
	oliese, olieses, oliese; oliésemos, olieseis, oliesen
Pres. Perf.	he olido, has olido, ha olido; hemos olido, habéis olido, han olido
Pluperf.	había olido, habías olido, había olido; habíamos olido, habíais olido, habían olido
Past Ant.	hube olido, hubiste olido, hubo olido; hubimos olido, hubisteis olido, hubieron olido
Fut. Perf.	habré olido, habrás olido, habrá olido; habremos olido, habréis olido, habrán olido
Cond. Perf.	habría olido, habrías olido, habría olido; habríamos olido, habríais olido, habrían olido
Pres. Perf. Subj.	haya olido, hayas olido, haya olido; hayamos olido, hayáis olido, hayan olido
Plup. Subj.	hubiera olido, hubieras olido, hubiera olido; hubiéramos olido, hubierais olido, hubieran olido
	hubiese olido, hubieses olido, hubiese olido; hubiésemos olido, hubieseis olido, hubiesen olido
Imperative	—— huele, huela; olamos, oled, huelan

to forget

Pres. Ind.	me olvido, te olvidas, se olvida; nos olvidamos, os olvidáis, se olvidan
Imp. Ind.	me olvidaba, te olvidabas, se olvidaba; nos olvidábamos, os olvidabais, se olvidaban
Pret. Ind.	me olvidé, te olvidaste, se olvidó; nos olvidamos, os olvidasteis, se olvidaron
Fut. Ind.	me olvidaré, te olvidarás, se olvidará; nos olvidaremos, os olvidaréis, se olvidarán
Condit.	me olvidaría, te olvidarías, se olvidaría; nos olvidaríamos, os olvidaríais, se olvidarían
Pres. Subj.	me olvide, te olvides, se olvide; nos olvidemos, os olvidéis, se olviden
Imp. Subj.	me olvidara, te olvidaras, se olvidara; nos olvidáramos, os olvidarais, se olvidaran
	me olvidase, te olvidases, se olvidase; nos olvidásemos, os olvidaseis, se olvidasen
Pres. Perf.	me he olvidado, te has olvidado, se ha olvidado; nos hemos olvidado, os habéis olvidado, se han olvidado
Pluperf.	me había olvidado, te habías olvidado, se había olvidado; nos habíamos olvidado, os habíais olvidado, se habían olvidado
Past Ant.	me hube olvidado, te hubiste olvidado, se hubo olvidado; nos hubimos olvidado, os hubisteis olvidado, se hubieron olvidado
Fut. Perf.	me habré olvidado, te habrás olvidado, se habrá olvidado; nos habremos olvidado, os habréis olvidado, se habrán olvidado
Cond. Perf.	me habría olvidado, te habrías olvidado, se habría olvidado; nos habríamos olvidado, os habríais olvidado, se habrían olvidado
Pres. Perf. Subj.	me haya olvidado, te hayas olvidado, se haya olvidado; nos hayamos olvidado, os hayáis olvidado, se hayan olvidado
Plup. Subj.	me hubiera olvidado, te hubieras olvidado, se hubiera olvidado; nos hubiéramos olvidado, os hubierais olvidado, se hubieran olvidado
	me hubiese olvidado, te hubieses olvidado, se hubiese olvidado; nos hubiésemos olvidado, os hubieseis olvidado, se hubiesen olvidado
Imperative	—— olvídate, olvídese; olvidémonos, olvidaos, olvídense

to oppose

Pres. Ind.	opongo, opones, opone; oponemos, oponéis, oponen
Imp. Ind.	oponía, oponías, oponía; oponíamos, oponíais, oponían
Pret. Ind.	opuse, opusiste, opuso; opusimos, opusisteis, opusieron
Fut. Ind.	opondré, opondrás, opondrá; opondremos, opondréis, opondrán
Condit.	opondría, opondrías, opondría; opondríamos, opondríais, opondrían
Pres. Subj.	oponga, opongas, oponga; opongamos, opongáis, opongan
Imp. Subj.	opusiera, opusieras, opusiera; opusiéramos, opusierais, opusieran
	opusiese, opusieses, opusiese; opusiésemos, opusieseis, opusiesen
Pres. Perf.	he opuesto, has opuesto, ha opuesto; hemos opuesto, habéis opuesto, han opuesto
Pluperf.	había opuesto, habías opuesto, había opuesto; habíamos opuesto, habíais opuesto, habían opuesto
Past Ant.	hube opuesto, hubiste opuesto, hubo opuesto; hubimos opuesto, hubisteis opuesto, hubieron opuesto
Fut. Perf.	habré opuesto, habrás opuesto, habrá opuesto; habremos opuesto, habréis opuesto, habrán opuesto
Cond. Perf.	habría opuesto, habrías opuesto, habría opuesto; habríamos opuesto, habríais opuesto, habrían opuesto
Pres. Perf. Subj.	haya opuesto, hayas opuesto, haya opuesto; hayamos opuesto, hayáis opuesto, hayan opuesto
Plup. Subj.	hubiera opuesto, hubieras opuesto, hubiera opuesto; hubiéramos opuesto, hubierais opuesto, hubieran opuesto
	hubiese opuesto, hubieses opuesto, hubiese opuesto; hubiésemos opuesto, hubieseis opuesto, hubiesen opuesto
Imperative	—— opón, oponga; opongamos, oponed, opongan

Pres. Ind.	ordeno, ordenas, ordena; ordenamos, ordenáis, ordenan	*to order, command, put in order, arrange*
Imp. Ind.	ordenaba, ordenabas, ordenaba; ordenábamos, ordenabais, ordenaban	
Preterit	ordené, ordenaste, ordenó; ordenamos, ordenasteis, ordenaron	
Future	ordenaré, ordenarás, ordenará; ordenaremos, ordenaréis, ordenarán	
Condit.	ordenaría, ordenarías, ordenaría; ordenaríamos, ordenaríais, ordenarían	
Pres. Subj.	ordene, ordenes, ordene; ordenemos, ordenéis, ordenen	
Imp. Subj.	ordenara, ordenaras, ordenara; ordenáramos, ordenarais, ordenaran ordenase, ordenases, ordenase; ordenásemos, ordenaseis, ordenasen	
Pres. Perf. Ind.	he ordenado, has ordenado, ha ordenado; hemos ordenado, habéis ordenado, han ordenado	
Plup. Ind.	había ordenado, habías ordenado, había ordenado; habíamos ordenado, habíais ordenado, habían ordenado	
Past Ant.	hube ordenado, hubiste ordenado, hubo ordenado; hubimos ordenado, hubisteis ordenado, hubieron ordenado	
Fut. Perf.	habré ordenado, habrás ordenado, habrá ordenado; habremos ordenado, habréis ordenado, habrán ordenado	
Cond. Perf.	habría ordenado, habrías ordenado, habría ordenado; habríamos ordenado, habríais ordenado, habrían ordenado	
Pres. Perf. Subj.	haya ordenado, hayas ordenado, haya ordenado; hayamos ordenado, hayáis ordenado, hayan ordenado	
Plup. Subj.	hubiera ordenado, hubieras ordenado, hubiera ordenado; hubiéramos ordenado, hubierais ordenado, hubieran ordenado hubiese ordenado, hubieses ordenado, hubiese ordenado; hubiésemos ordenado, hubieseis ordenado, hubiesen ordenado	
Imperative	—— ordena, ordene; ordenemos, ordenad, ordenen	

to organize, arrange, set up

Pres. Ind.	organizo, organizas, organiza; organizamos, organizáis, organizan
Imp. Ind.	organizaba, organizabas, organizaba; organizábamos, organizabais, organizaban
Preterit	organicé, organizaste, organizó; organizamos, organizasteis, organizaron
Future	organizaré, organizarás, organizará; organizaremos, organizaréis, organizarán
Condit.	organizaría, organizarías, organizaría; organizaríamos, organizaríais, organizarían
Pres. Subj.	organice, organices, organice; organicemos, organicéis, organicen
Imp. Subj.	organizara, organizaras, organizara; organizáramos, organizarais, organizaran
	organizase, organizases, organizase; organizásemos, organizaseis, organizasen
Pres. Perf. Ind.	he organizado, has organizado, ha organizado; hemos organizado, habéis organizado, han organizado
Plup. Ind.	había organizado, habías organizado, había organizado; habíamos organizado, habíais organizado, habían organizado
Past Ant.	hube organizado, hubiste organizado, hubo organizado; hubimos organizado, hubisteis organizado, hubieron organizado
Fut. Perf.	habré organizado, habrás organizado, habrá organizado; habremos organizado, habréis organizado, habrán organizado
Cond. Perf.	habría organizado, habrías organizado, habría organizado; habríamos organizado, habríais organizado, habrían organizado
Pres. Perf. Subj.	haya organizado, hayas organizado, haya organizado; hayamos organizado, hayáis organizado, hayan organizado
Plup. Subj.	hubiera organizado, hubieras organizado, hubiera organizado; hubiéramos organizado, hubierais organizado, hubieran organizado
	hubiese organizado, hubieses organizado, hubiese organizado; hubiésemos organizado, hubieseis organizado, hubiesen organizado
Imperative	—— organiza, organice; organicemos, organizad, organicen

to dare, venture

Pres. Ind.	oso, osas, osa; osamos, osáis, osan
Imp. Ind.	osaba, osabas, osaba; osábamos, osabais, osaban
Preterit	osé, osaste, osó; osamos, osasteis, osaron
Future	osaré, osarás, osará; osaremos, osaréis, osarán
Condit.	osaría, osarías, osaría; osaríamos, osaríais, osarían
Pres. Subj.	ose, oses, ose; osemos, oséis, osen
Imp. Subj.	osara, osaras, osara; osáramos, osarais, osaran osase, osases, osase; osásemos, osaseis, osasen
Pres. Perf. Ind.	he osado, has osado, ha osado; hemos osado, habéis osado, han osado
Plup. Ind.	había osado, habías osado, había osado; habíamos osado, habíais osado, habían osado
Past Ant.	hube osado, hubiste osado, hubo osado; hubimos osado, hubisteis osado, hubieron osado
Fut. Perf.	habré osado, habrás osado, habrá osado; habremos osado, habréis osado, habrán osado
Cond. Perf.	habría osado, habrías osado, habría osado; habríamos osado, habríais osado, habrían osado
Pres. Perf. Subj.	haya osado, hayas osado, haya osado; hayamos osado, hayáis osado, hayan osado
Plup. Subj.	hubiera osado, hubieras osado, hubiera osado; hubiéramos osado, hubierais osado, hubieran osado hubiese osado, hubieses osado, hubiese osado; hubiésemos osado, hubieseis osado, hubiesen osado
Imperative	—— osa, ose; osemos, osad, osen

to pay

Pres. Ind.	pago, pagas, paga; pagamos, pagáis, pagan
Imp. Ind.	pagaba, pagabas, pagaba; pagábamos, pagabais, pagaban
Pret. Ind.	pagué, pagaste, pagó; pagamos, pagasteis, pagaron
Fut. Ind.	pagaré, pagarás, pagará; pagaremos, pagaréis, pagarán
Condit.	pagaría, pagarías, pagaría; pagaríamos, pagaríais, pagarían
Pres. Subj.	pague, pagues, pague; paguemos, paguéis, paguen
Imp. Subj.	pagara, pagaras, pagara; pagáramos, pagarais, pagaran
	pagase, pagases, pagase; pagásemos, pagaseis, pagasen
Pres. Perf.	he pagado, has pagado, ha pagado; hemos pagado, habéis pagado, han pagado
Pluperf.	había pagado, habías pagado, había pagado; habíamos pagado, habíais pagado, habían pagado
Past Ant.	hube pagado, hubiste pagado, hubo pagado; hubimos pagado, hubisteis pagado, hubieron pagado
Fut. Perf.	habré pagado, habrás pagado, habrá pagado; habremos pagado, habréis pagado, habrán pagado
Cond. Perf.	habría pagado, habrías pagado, habría pagado; habríamos pagado, habríais pagado, habrían pagado
Pres. Perf. Subj.	haya pagado, hayas pagado, haya pagado; hayamos pagado, hayáis pagado, hayan pagado
Plup. Subj.	hubiera pagado, hubieras pagado, hubiera pagado; hubiéramos pagado, hubierais pagado, hubieran pagado
	hubiese pagado, hubieses pagado, hubiese pagado; hubiésemos pagado, hubieseis pagado, hubiesen pagado
Imperative	—— paga, pague; paguemos, pagad, paguen

to stop (someone or something)

Pres. Ind. paro, paras, para;
paramos, paráis, paran

Imp. Ind. paraba, parabas, paraba;
parábamos, parabais, paraban

Preterit paré, paraste, paró;
paramos, parasteis, pararon

Future pararé, pararás, parará;
pararemos, pararéis, pararán

Condit. pararía, pararías, paraía;
pararíamos, pararíais, pararían

Pres. Subj. pare, pares, pare;
paremos, paréis, paren

Imp. Subj. parara, pararas, parara;
paráramos, pararais, pararan

parase, parases, parase;
parásemos, paraseis, parasen

Pres. Perf. Ind. he parado, has parado, ha parado;
hemos parado, habéis parado, han parado

Plup. Ind. había parado, habías parado, había parado;
habíamos parado, habíais parado, habían parado

Past Ant. hube parado, hubiste parado, hubo parado;
hubimos parado, hubisteis parado, hubieron parado

Fut. Perf. habré parado, habrás parado, habrá parado;
habremos parado, habréis parado, habrán parado

Cond. Perf. habría parado, habrías parado, habría parado;
habríamos parado, habríais parado, habrían parado

Pres. Perf. Subj. haya parado, hayas parado, haya parado;
hayamos parado, hayáis parado, hayan parado

Plup. Subj. hubiera parado, hubieras parado, hubiera parado;
hubiéramos parado, hubierais parado, hubieran parado

hubiese parado, hubieses parado, hubiese parado;
hubiésemos parado, hubieseis parado, hubiesen parado

Imperative —— para, pare;
paremos, parad, paren

to stop

Pres. Ind.	me paro, te paras, se para; nos paramos, os paráis, se paran
Imp. Ind.	me paraba, te parabas, se paraba; nos parábamos, os parabais, se paraban
Preterit	me paré, te paraste, se paró; nos paramos, os parasteis, se pararon
Future	me pararé, te pararás, se parará; nos pararemos, os pararéis, se pararán
Condit.	me pararía, te pararías, se pararía; nos pararíamos, os pararíais, se pararían
Pres. Subj.	me pare, te pares, se pare; nos paremos, os paréis, se paren
Imp. Subj.	me parara, te pararas, se parara; nos paráramos, os pararais, se pararan
	me parase, te parases, se parase; nos parásemos, os paraseis, se parasen
Pres. Perf. Ind.	me he parado, te has parado, se ha parado; nos hemos parado, os habéis parado, se han parado
Plup. Ind.	me había parado, te habías parado, se había parado; nos habíamos parado, os habíais parado, se habían parado
Past Ant.	me hube parado, te hubiste parado, se hubo parado; nos hubimos parado, os hubisteis parado, se hubieron parado
Fut. Perf.	me habré parado, te habrás parado, se habrá parado; nos habremos parado, os habréis parado, se habrán parado
Cond. Perf.	me habría parado, te habrías parado, se habría parado; nos habríamos parado, os habríais parado, se habrían parado
Pres. Perf. Subj.	me haya parado, te hayas parado, se haya parado; nos hayamos parado, os hayáis parado, se hayan parado
Plup. Subj.	me hubiera parado, te hubieras parado, se hubiera parado; nos hubiéramos parado, os hubierais parado, se hubieran parado
	me hubiese parado, te hubieses parado, se hubiese parado; nos hubiésemos parado, os hubieseis parado, se hubiesen parado
Imperative	—— párate, párese; parémonos, paraos, párense

to seem, appear

Pres. Ind.	parezco, pareces, parece; parecemos, parecéis, parecen
Imp. Ind.	parecía, parecías, parecía; parecíamos, parecíais, parecían
Pret. Ind.	parecí, pareciste, pareció; parecimos, parecisteis, parecieron
Fut. Ind.	pareceré, parecerás, parecerá; pareceremos, pareceréis, parecerán
Condit.	parecería, parecerías, parecería; pareceríamos, pareceríais, parecerían
Pres. Subj.	parezca, parezcas, parezca; parezcamos, parezcáis, parezcan
Imp. Subj.	pareciera, parecieras, pareciera; pareciéramos, parecierais, parecieran
	pareciese, parecieses, pareciese; pareciésemos, parecieseis, pareciesen
Pres. Perf.	he parecido, has parecido, ha parecido; hemos parecido, habéis parecido, han parecido
Pluperf.	había parecido, habías parecido, había parecido; habíamos parecido, habíais parecido, habían parecido
Past Ant.	hube parecido, hubiste parecido, hubo parecido; hubimos parecido, hubisteis parecido, hubieron parecido
Fut. Perf.	habré parecido, habrás parecido, habrá parecido; habremos parecido, habréis parecido, habrán parecido
Cond. Perf.	habría parecido, habrías parecido, habría parecido; habríamos parecido, habríais parecido, habrían parecido
Pres. Perf. Subj.	haya parecido, hayas parecido, haya parecido; hayamos parecido, hayáis parecido, hayan parecido
Plup. Subj.	hubiera parecido, hubieras parecido, hubiera parecido; hubiéramos parecido, hubierais parecido, hubieran parecido
	hubiese parecido, hubieses parecido, hubiese parecido; hubiésemos parecido, hubieseis parecido, hubiesen parecido
Imperative	—— parece, parezca; parezcamos, pareced, parezcan

to resemble each other, look alike

Pres. Ind.	me parezco, te pareces, se parece; nos parecemos, os parecéis, se parecen
Imp. Ind.	me parecía, te parecías, se parecía; nos parecíamos, os parecíais, se parecían
Preterit	me parecí, te pareciste, se pareció; nos parecimos, os parecisteis, se parecieron
Future	me pareceré, te parecerás, se parecerá; nos pareceremos, os pareceréis, se parecerán
Condit.	me parecería, te parecerías, se parecería; nos pareceríamos, os pareceríais, se parecerían
Pres. Subj.	me parezca, te parezcas, se parezca; nos parezcamos, os parezcáis, se parezcan
Imp. Subj.	me pareciera, te parecieras, se pareciera; nos pareciéramos, os parecierais, se parecieran
	me pareciese, te parecieses, se pareciese; nos pareciésemos, os parecieseis, se pareciesen
Pres. Perf. Ind.	me he parecido, te has parecido, se ha parecido; nos hemos parecido, os habéis parecido, se han parecido
Plup. Ind.	me había parecido, te habías parecido, se había parecido; nos habíamos parecido, os habíais parecido, se habían parecido
Past Ant.	me hube parecido, te hubiste parecido, se hubo parecido; nos hubimos parecido, os hubisteis parecido, se hubieron parecido
Fut. Perf.	me habré parecido, te habrás parecido, se habrá parecido; nos habremos parecido, os habréis parecido, se habrán parecido
Cond. Perf.	me habría parecido, te habrías parecido, se habría parecido; nos habríamos parecido, os habríais parecido, se habrían parecido
Pres. Perf. Subj.	me haya parecido, te hayas parecido, se haya parecido; nos hayamos parecido, os hayáis parecido, se hayan parecido
Plup. Subj.	me hubiera parecido, te hubieras parecido, se hubiera parecido; nos hubiéramos parecido, os hubierais parecido, se hubieran parecido
	me hubiese parecido, te hubieses parecido, se hubiese parecido; nos hubiésemos parecido, os hubieseis parecido, se hubiesen parecido
Imperative	—— (por lo general, no se emplea)

to leave, depart, divide, split

Pres. Ind.	parto, partes, parte; partimos, partís, parten
Imp. Ind.	partía, partías, partía; partíamos, partíais, partían
Preterit	partí, partiste, partió; partimos, partisteis, partieron
Future	partiré, partirás, partirá; partiremos, partiréis, partirán
Condit.	partiría, partirías, partiría; partiríamos, partiríais, partirían
Pres. Subj.	parta, partas, parta; partamos, partáis, partan
Imp. Subj.	partiera, partieras, partiera; partiéramos, partierais, partieran
	partiese, partieses, partiese; partiésemos, partieseis, partiesen
Pres. Perf. Ind.	he partido, has partido, ha partido; hemos partido, habéis partido, han partido
Plup. Ind.	había partido, habías partido, había partido; habíamos partido, habíais partido, habían partido
Past Ant.	hube partido, hubiste partido, hubo partido; hubimos partido, hubisteis partido, hubieron partido
Fut. Perf.	habré partido, habrás partido, habrá partido; habremos partido, habréis partido, habrán partido
Cond. Perf.	habría partido, habrías partido, habría partido; habríamos partido, habríais partido, habrían partido
Pres. Perf. Subj.	haya partido, hayas partido, haya partido; hayamos partido, hayáis partido, hayan partido
Plup. Subj.	hubiera partido, hubieras partido, hubiera partido; hubiéramos partido, hubierais partido, hubieran partido
	hubiese partido, hubieses partido, hubiese partido; hubiésemos partido, hubieseis partido, hubiesen partido
Imperative	—— parte, parta; partamos, partid, partan

to pass (by), happen, spend (time)

Pres. Ind.	paso, pasas, pasa; pasamos, pasáis, pasan
Imp. Ind.	pasaba, pasabas, pasaba; pasábamos, pasabais, pasaban
Preterit	pasé, pasaste, pasó; pasamos, pasasteis, pasaron
Future	pasaré, pasarás, pasará; pasaremos, pasaréis, pasarán
Condit.	pasaría, pasarías, pasaría; pasaríamos, pasaríais, pasarían
Pres. Subj.	pase, pases, pase; pasemos, paséis, pasen
Imp. Subj.	pasara, pasaras, pasara; pasáramos, pasarais, pasaran
	pasase, pasases, pasase; pasásemos, pasaseis, pasasen
Pres. Perf. Ind.	he pasado, has pasado, ha pasado; hemos pasado, habéis pasado, han pasado
Plup. Ind.	había pasado, habías pasado, había pasado; habíamos pasado, habíais pasado, habían pasado
Past Ant.	hube pasado, hubiste pasado, hubo pasado; hubimos pasado, hubisteis pasado, hubieron pasado
Fut. Perf.	habré pasado, habrás pasado, habrá pasado; habremos pasado, habréis pasado, habrán pasado
Cond. Perf.	habría pasado, habrías pasado, habría pasado; habríamos pasado, habríais pasado, habrían pasado
Pres. Perf. Subj.	haya pasado, hayas pasado, haya pasado; hayamos pasado, hayáis pasado, hayan pasado
Plup. Subj.	hubiera pasado, hubieras pasado, hubiera pasado; hubiéramos pasado, hubierais pasado, hubieran pasado
	hubiese pasado, hubieses pasado, hubiese pasado; hubiésemos pasado, hubieseis pasado, hubiesen pasado
Imperative	—— pasa, pase; pasemos, pasad, pasen

to take a walk, parade

Pres. Ind.	me paseo, te paseas, se pasea; nos paseamos, os paseáis, se pasean
Imp. Ind.	me paseaba, te paseabas, se paseaba; nos paseábamos, os paseabais, se paseaban
Pret. Ind.	me paseé, te paseaste, se paseó; nos paseamos, os paseasteis, se pasearon
Fut. Ind.	me pasearé, te pasearás, se paseará; nos pasearemos, os pasearéis, se pasearán
Condit.	me pasearía, te pasearías, se pasearía; nos pasearíamos, os pasearíais, se pasearían
Pres. Subj.	me pasee, te pasees, se pasee; nos paseemos, os paseéis, se paseen
Imp. Subj.	me paseara, te pasearas, se paseara; nos paseáramos, os pasearais, se pasearan
	me pasease, te paseases, se pasease; nos paseásemos, os paseaseis, se paseasen
Pres. Perf.	me he paseado, te has paseado, se ha paseado; nos hemos paseado, os habéis paseado, se han paseado
Pluperf.	me había paseado, te habías paseado, se había paseado; nos habíamos paseado, os habíais paseado, se habían paseado
Past Ant.	me hube paseado, te hubiste paseado, se hubo paseado; nos hubimos paseado, os hubisteis paseado, se hubieron paseado
Fut. Perf.	me habré paseado, te habrás paseado, se habrá paseado; nos habremos paseado, os habréis paseado, se habrán paseado
Cond. Perf.	me habría paseado, te habrías paseado, se habría paseado; nos habríamos paseado, os habríais paseado, se habrían paseado
Pres. Perf. Subj.	me haya paseado, te hayas paseado, se haya paseado; nos hayamos paseado, os hayáis paseado, se hayan paseado
Plup. Subj.	me hubiera paseado, te hubieras paseado, se hubiera paseado; nos hubiéramos paseado, os hubierais paseado, se hubieran paseado
	me hubiese paseado, te hubieses paseado, se hubiese paseado; nos hubiésemos paseado, os hubieseis paseado, se hubiesen paseado
Imperative	—— paséate, paséese; paseémonos, paseaos, paséense

to ask for, request

Pres. Ind.	pido, pides, pide; pedimos, pedís, piden
Imp. Ind.	pedía, pedías, pedía; pedíamos, pedíais, pedían
Pret. Ind.	pedí, pediste, pidió; pedimos, pedisteis, pidieron
Fut. Ind.	pediré, pedirás, pedirá; pediremos, pediréis, pedirán
Condit.	pediría, pedirías, pediría; pediríamos, pediríais, pedirían
Pres. Subj.	pida, pidas, pida; pidamos, pidáis, pidan
Imp. Subj.	pidiera, pidieras, pidiera; pidiéramos, pidierais, pidieran
	pidiese, pidieses, pidiese; pidiésemos, pidieseis, pidiesen
Pres. Perf.	he pedido, has pedido, ha pedido; hemos pedido, habéis pedido, han pedido
Pluperf.	había pedido, habías pedido, había pedido; habíamos pedido, habíais pedido, habían pedido
Past Ant.	hube pedido, hubiste pedido, hubo pedido; hubimos pedido, hubisteis pedido, hubieron pedido
Fut. Perf.	habré pedido, habrás pedido, habrá pedido; habremos pedido, habréis pedido, habrán pedido
Cond. Perf.	habría pedido, habrías pedido, habría pedido; habríamos pedido, habríais pedido, habrían pedido
Pres. Perf. Subj.	haya pedido, hayas pedido, haya pedido; hayamos pedido, hayáis pedido, hayan pedido
Plup. Subj.	hubiera pedido, hubieras pedido, hubiera pedido; hubiéramos pedido, hubierais pedido, hubieran pedido
	hubiese pedido, hubieses pedido, hubiese pedido; hubiésemos pedido, hubieseis pedido, hubiesen pedido
Imperative	—— pide, pida; pidamos, pedid, pidan

to beat, hit, slap

Pres. Ind.	pego, pegas, pega; pegamos, pegáis, pegan
Imp. Ind.	pegaba, pegabas, pegaba; pegábamos, pegabais, pegaban
Preterit	pegué, pegaste, pegó; pegamos, pegasteis, pegaron
Future	pegaré, pegarás, pegará; pegaremos, pegaréis, pegarán
Condit.	pegaría, pegarías, pegaría; pegaríamos, pegaríais, pegarían
Pres. Subj.	pegue, pegues, pegue; peguemos, peguéis, peguen
Imp. Subj.	pegara, pegaras, pegara; pegáramos, pegarais, pegaran pegase, pegases, pegase; pegásemos, pegaseis, pegasen
Pres. Perf. Ind.	he pegado, has pegado, ha pegado; hemos pegado, habéis pegado, han pegado
Plup. Ind.	había pegado, habías pegado, había pegado; habíamos pegado, habíais pegado, habían pegado
Past Ant.	hube pegado, hubiste pegado, hubo pegado; hubimos pegado, hubisteis pegado, hubieron pegado
Fut. Perf.	habré pegado, habrás pegado, habrá pegado; habremos pegado, habréis pegado, habrán pegado
Cond. Perf.	habría pegado, habrías pegado, habría pegado; habríamos pegado, habríais pegado, habrían pegado
Pres. Perf. Subj.	haya pegado, hayas pegado, haya pegado; hayamos pegado, hayáis pegado, hayan pegado
Plup. Subj.	hubiera pegado, hubieras pegado, hubiera pegado; hubiéramos pegado, hubierais pegado, hubieran pegado hubiese pegado, hubieses pegado, hubiese pegado; hubiésemos pegado, hubieseis pegado, hubiesen pegado
Imperative	—— pega, pegue; peguemos, pegad, peguen

to comb one's hair

Pres. Ind. me peino, te peinas, se peina;
nos peinamos, os peináis, se peinan

Imp. Ind. me peinaba, te peinabas, se peinaba;
nos peinábamos, os peinabais, se peinaban

Pret. Ind. me peiné, te peinaste, se peinó;
nos peinamos, os peinasteis, se peinaron

Fut. Ind. me peinaré, te peinarás, se peinará;
nos peinaremos, os peinaréis, se peinarán

Condit. me peinaría, te peinarías, se peinaría;
nos peinaríamos, os peinaríais, se peinarían

Pres. Subj. me peine, te peines, se peine;
nos peinemos, os peinéis, se peinen

Imp. Subj. me peinara, te peinaras, se peinara;
nos peináramos, os peinarais, se peinaran

me peinase, te peinases, se peinase;
nos peinásemos, os peinaseis, se peinasen

Pres. Perf. me he peinado, te has peinado, se ha peinado;
nos hemos peinado, os habéis peinado, se han peinado

Pluperf. me había peinado, te habías peinado, se había peinado;
nos habíamos peinado, os habíais peinado, se habían peinado

Past Ant. me hube peinado, te hubiste peinado, se hubo peinado;
nos hubimos peinado, os hubisteis peinado, se hubieron peinado

Fut. Perf. me habré peinado, te habrás peinado, se habrá peinado;
nos habremos peinado, os habréis peinado, se habrán peinado

Cond. Perf. me habría peinado, te habrías peinado, se habría peinado;
nos habríamos peinado, os habríais peinado, se habrían peinado

Pres. Perf. Subj. me haya peinado, te hayas peinado, se haya peinado;
nos hayamos peinado, os hayáis peinado, se hayan peinado

Plup. Subj. me hubiera peinado, te hubieras peinado, se hubiera peinado;
nos hubiéramos peinado, os hubierais peinado, se hubieran peinado

me hubiese peinado, te hubieses peinado, se hubiese peinado;
nos hubiésemos peinado, os hubieseis peinado, se hubiesen peinado

Imperative —— péinate, péinese;
peinémonos, peinaos, péinense

to think

Pres. Ind.	pienso, piensas, piensa; pensamos, pensáis, piensan
Imp. Ind.	pensaba, pensabas, pensaba; pensábamos, pensabais, pensaban
Pret. Ind.	pensé, pensaste, pensó; pensamos, pensasteis, pensaron
Fut. Ind.	pensaré, pensarás, pensará; pensaremos, pensaréis, pensarán
Condit.	pensaría, pensarías, pensaría; pensaríamos, pensaríais, pensarían
Pres. Subj.	piense, pienses, piense; pensemos, penséis, piensen
Imp. Subj.	pensara, pensaras, pensara; pensáramos, pensarais, pensaran
	pensase, pensases, pensase; pensásemos, pensaseis, pensasen
Pres. Perf.	he pensado, has pensado, ha pensado; hemos pensado, habéis pensado, han pensado
Pluperf.	había pensado, habías pensado, había pensado; habíamos pensado, habíais pensado, habían pensado
Past Ant.	hube pensado, hubiste pensado, hubo pensado; hubimos pensado, hubisteis pensado, hubieron pensado
Fut. Perf.	habré pensado, habrás pensado, habrá pensado; habremos pensado, habréis pensado, habrán pensado
Cond. Perf.	habría pensado, habrías pensado, habría pensado; habríamos pensado, habríais pensado, habrían pensado
Pres. Perf. Subj.	haya pensado, hayas pensado, haya pensado; hayamos pensado, hayáis pensado, hayan pensado
Plup. Subj.	hubiera pensado, hubieras pensado, hubiera pensado; hubiéramos pensado, hubierais pensado, hubieran pensado
	hubiese pensado, hubieses pensado, hubiese pensado; hubiésemos pensado, hubieseis pensado, hubiesen pensado
Imperative	—— piensa, piense; pensemos, pensad, piensen

to perceive

Pres. Ind.	percibo, percibes, percibe; percibimos, percibís, perciben
Imp. Ind.	percibía, percibías, percibía; percibíamos, percibíais, percibían
Preterit	percibí, percibiste, percibió; percibimos, percibisteis, percibieron
Future	percibiré, percibirás, percibirá; percibiremos, percibiréis, percibirán
Condit.	percibiría, percibirías, percibiría; percibiríamos, percibiríais, percibirían
Pres. Subj.	perciba, percibas, perciba; percibamos, percibáis, perciban
Imp. Subj.	percibiera, percibieras, percibiera; percibiéramos, percibierais, percibieran
	percibiese, percibieses, percibiese; percibiésemos, percibieseis, percibiesen
Pres. Perf. Ind.	he percibido, has percibido, ha percibido; hemos percibido, habéis percibido, han percibido
Plup. Ind.	había percibido, habías percibido, había percibido; habíamos percibido, habíais percibido, habían percibido
Past Ant.	hube percibido, hubiste percibido, hubo percibido; hubimos percibido, hubisteis percibido, hubieron percibido
Fut. Perf.	habré percibido, habrás percibido, habrá percibido; habremos percibido, habréis percibido, habrán percibido
Cond. Perf.	habría percibido, habrías percibido, habría percibido; habríamos percibido, habríais percibido, habrían percibido
Pres. Perf. Subj.	haya percibido, hayas percibido, haya percibido; hayamos percibido, hayáis percibido, hayan percibido
Plup. Subj.	hubiera percibido, hubieras percibido, hubiera percibido; hubiéramos percibido, hubierais percibido, hubieran percibido
	hubiese percibido, hubieses percibido, hubiese percibido; hubiésemos percibido, hubieseis percibido, hubiesen percibido
Imperative	—— percibe, perciba; percibamos, percibid, perciban

to lose

Pres. Ind.	pierdo, pierdes, pierde; perdemos, perdéis, pierden
Imp. Ind.	perdía, perdías, perdía; perdíamos, perdíais, perdían
Pret. Ind.	perdí, perdiste, perdió; perdimos, perdisteis, perdieron
Fut. Ind.	perderé, perderás, perderá; perderemos, perderéis, perderán
Condit.	perdería, perderías, perdería; perderíamos, perderíais, perderían
Pres. Subj.	pierda, pierdas, pierda; perdamos, perdáis, pierdan
Imp. Subj.	perdiera, perdieras, perdiera; perdiéramos, perdierais, perdieran perdiese, perdieses, perdiese; perdiésemos, perdieseis, perdiesen
Pres. Perf.	he perdido, has perdido, ha perdido; hemos perdido, habéis perdido, han perdido
Pluperf.	había perdido, habías perdido, había perdido; habíamos perdido, habíais perdido, habían perdido
Past Ant.	hube perdido, hubiste perdido, hubo perdido; hubimos perdido, hubisteis perdido, hubieron perdido
Fut. Perf.	habré perdido, habrás perdido, habrá perdido; habremos perdido, habréis perdido, habrán perdido
Cond. Perf.	habría perdido, habrías perdido, habría perdido; habríamos perdido, habríais perdido, habrían perdido
Pres. Perf. Subj.	haya perdido, hayas perdido, haya perdido; hayamos perdido, hayáis perdido, hayan perdido
Plup. Subj.	hubiera perdido, hubieras perdido, hubiera perdido; hubiéramos perdido, hubierais perdido, hubieran perdido hubiese perdido, hubieses perdido, hubiese perdido; hubiésemos perdido, hubieseis perdido, hubiesen perdido
Imperative	—— pierde, pierda; perdamos, perded, pierdan

to permit, admit, allow, grant

Pres. Ind.	permito, permites, permite; permitimos, permitís, permiten
Imp. Ind.	permitía, permitías, permitía; permitíamos, permitíais, permitían
Preterit	permití, permitiste, permitió; permitimos, permitisteis, permitieron
Future	permitiré, permitirás, permitirá; permitiremos, permitiréis, permitirán
Condit.	permitiría, permitirías, permitiría; permitiríamos, permitiríais, permitirían
Pres. Subj.	permita, permitas, permita; permitamos, permitáis, permitan
Imp. Subj.	permitiera, permitieras, permitiera; permitiéramos, permitierais, permitieran permitiese, permitieses, permitiese; permitiésemos, permitieseis, permitiesen
Pres. Perf. Ind.	he permitido, has permitido, ha permitido; hemos permitido, habéis permitido, han permitido
Plup. Ind.	había permitido, habías permitido, había permitido; habíamos permitido, habíais permitido, habían permitido
Past Ant.	hube permitido, hubiste permitido, hubo permitido; hubimos permitido, hubisteis permitido, hubieron permitido
Fut. Perf.	habré permitido, habrás permitido, habrá permitido; habremos permitido, habréis permitido, habrán permitido
Cond. Perf.	habría permitido, habrías permitido, habría permitido; habríamos permitido, habríais permitido, habrían permitido
Pres. Perf. Subj.	haya permitido, hayas permitido, haya permitido; hayamos permitido, hayáis permitido, hayan permitido
Plup. Subj.	hubiera permitido, hubieras permitido, hubiera permitido; hubiéramos permitido, hubierais permitido, hubieran permitido hubiese permitido, hubieses permitido, hubiese permitido; hubiésemos permitido, hubieseis permitido, hubiesen permitido
Imperative	—— permite, permita; permitamos, permitid, permitan

to pertain, appertain, belong

Pres. Ind.	pertenezco, perteneces, pertenece; pertenecemos, pertenecéis, pertenecen
Imp. Ind.	pertenecía, pertenecías, pertenecía; pertenecíamos, pertenecíais, pertenecían
Preterit	pertenecí, perteneciste, perteneció; pertenecimos, pertenecisteis, pertenecieron
Future	perteneceré, pertenecerás, pertenecerá; perteneceremos, perteneceréis, pertenecerán
Condit.	pertenecería, pertenecerías, pertenecería; perteneceríamos, perteneceríais, pertenecerían
Pres. Subj.	pertenezca, pertenezcas, pertenezca; pertenezcamos, pertenezcáis, pertenezcan
Imp. Subj.	perteneciera, pertenecieras, perteneciera; perteneciéramos, pertenecierais, pertenecieran perteneciese, pertenecieses, perteneciese; perteneciésemos, pertenecieseis, perteneciesen
Pres. Perf. Ind.	he pertenecido, has pertenecido, ha pertenecido; hemos pertenecido, habéis pertenecido, han pertenecido
Plup. Ind.	había pertenecido, habías pertenecido, había pertenecido; habíamos pertenecido, habíais pertenecido, habían pertenecido
Past Ant.	hube pertenecido, hubiste pertenecido, hubo pertenecido; hubimos pertenecido, hubisteis pertenecido, hubieron pertenecido
Fut. Perf.	habré pertenecido, habrás pertenecido, habrá pertenecido; habremos pertenecido, habréis pertenecido, habrán pertenecido
Cond. Perf.	habría pertenecido, habrías pertenecido, habría pertenecido; habríamos pertenecido, habríais pertenecido, habrían pertenecido
Pres. Perf. Subj.	haya pertenecido, hayas pertenecido, haya pertenecido; hayamos pertenecido, hayáis pertenecido, hayan pertenecido
Plup. Subj.	hubiera pertenecido, hubieras pertenecido, hubiera pertenecido; hubiéramos pertenecido, hubierais pertenecido, hubieran pertenecido hubiese pertenecido, hubieses pertenecido, hubiese pertenecido; hubiésemos pertenecido, hubieseis pertenecido, hubiesen pertenecido
Imperative	—— pertenece, pertenezca; pertenezcamos, perteneced, pertenezcan

to paint

Pres. Ind.	pinto, pintas, pinta; pintamos, pintáis, pintan
Imp. Ind.	pintaba, pintabas, pintaba; pintábamos, pintabais, pintaban
Preterit	pinté, pintaste, pintó; pintamos, pintasteis, pintaron
Future	pintaré, pintarás, pintará; pintaremos, pintaréis, pintarán
Condit.	pintaría, pintarías, pintaría; pintaríamos, pintaríais, pintarían
Pres. Subj.	pinte, pintes, pinte; pintemos, pintéis, pinten
Imp. Subj.	pintara, pintaras, pintara; pintáramos, pintarais, pintaran
	pintase, pintases, pintase; pintásemos, pintaseis, pintasen
Pres. Perf. Ind.	he pintado, has pintado, ha pintado; hemos pintado, habéis pintado, han pintado
Plup. Ind.	había pintado, habías pintado, había pintado; habíamos pintado, habíais pintado, habían pintado
Past Ant.	hube pintado, hubiste pintado, hubo pintado; hubimos pintado, hubisteis pintado, hubieron pintado
Fut. Perf.	habré pintado, habrás pintado, habrá pintado; habremos pintado, habréis pintado, habrán pintado
Cond. Perf.	habría pintado, habrías pintado, habría pintado; habríamos pintado, habríais pintado, habrían pintado
Pres. Perf. Subj.	haya pintado, hayas pintado, haya pintado; hayamos pintado, hayáis pintado, hayan pintado
Plup. Subj.	hubiera pintado, hubieras pintado, hubiera pintado; hubiéramos pintado, hubierais pintado, hubieran pintado
	hubiese pintado, hubieses pintado, hubiese pintado; hubiésemos pintado, hubieseis pintado, hubiesen pintado
Imperative	—— pinta, pinte; pintemos, pintad, pinten

*to make up (one's face), *tint, color (one's hair, lips, etc.)*

Pres. Ind.	me pinto, te pintas, se pinta; nos pintamos, os pintáis, se pintan
Imp. Ind.	me pintaba, te pintabas, se pintaba; nos pintábamos, os pintabais, se pintaban
Preterit	me pinté, te pintaste, se pintó; nos pintamos, os pintasteis, se pintaron
Future	me pintaré, te pintarás, se pintará; nos pintaremos, os pintaréis, se pintarán
Condit.	me pintaría, te pintarías, se pintaría; nos pintaríamos, os pintaríais, se pintarían
Pres. Subj.	me pinte, te pintes, se pinte; nos pintemos, os pintéis, se pinten
Imp. Subj.	me pintara, te pintaras, se pintara; nos pintáramos, os pintarais, se pintaran
	me pintase, te pintases, se pintase; nos pintásemos, os pintaseis, se pintasen
Pres. Perf. Ind.	me he pintado, te has pintado, se ha pintado; nos hemos pintado, os habéis pintado, se han pintado
Plup. Ind.	me había pintado, te habías pintado, se había pintado; nos habíamos pintado, os habíais pintado, se habían pintado
Past Ant.	me hube pintado, te hubiste pintado, se hubo pintado; nos hubimos pintado, os hubisteis pintado, se hubieron pintado
Fut. Perf.	me habré pintado, te habrás pintado, se habrá pintado; nos habremos pintado, os habréis pintado, se habrán pintado
Cond. Perf.	me habría pintado, te habrías pintado, se habría pintado; nos habríamos pintado, os habríais pintado, se habrían pintado
Pres. Perf. Subj.	me haya pintado, te hayas pintado, se haya pintado; nos hayamos pintado, os hayáis pintado, se hayan pintado
Plup. Subj.	me hubiera pintado, te hubieras pintado, se hubiera pintado; nos hubiéramos pintado, os hubierais pintado, se hubieran pintado
	me hubiese pintado, te hubieses pintado, se hubiese pintado; nos hubiésemos pintado, os hubieseis pintado, se hubiesen pintado
Imperative	—— píntate, píntese; pintémonos, pintaos, píntense

* When using *pintarse* to mean to color one's hair, lips, etc., you must mention *el pelo, los labios*, etc.

to gratify, humor, please

Pres. Ind.	plazco, places, place; placemos, placéis, placen
Imp. Ind.	placía, placías, placía; placíamos, placíais, placían
Preterit	plací, placiste, plació; * placimos, placisteis, placieron **
Future	placeré, placerás, placerá; placeremos, placeréis, placerán
Condit.	placería, placerías, placería; placeríamos, placeríais, placerían
Pres. Subj.	plazca, plazcas, plazca; *** plazcamos, plazcáis, plazcan
Imp. Subj.	placiera, placieras, placiera; **** placiéramos, placierais, placieran placiese, placieses, placiese; ***** placiésemos, placieseis, placiesen
Pres. Perf. Ind.	he placido, has placido, ha placido; hemos placido, habéis placido, han placido
Plup. Ind.	había placido, habías placido, había placido; habíamos placido, habíais placido, habían placido
Past Ant.	hube placido, hubiste placido, hubo placido; hubimos placido, hubisteis placido, hubieron placido
Fut. Perf.	habré placido, habrás placido, habrá placido; habremos placido, habréis placido, habrán placido
Cond. Perf.	habría placido, habrías placido, habría placido; habríamos placido, habríais placido, habrían placido
Pres. Perf. Subj.	haya placido, hayas placido, haya placido; hayamos placido, hayáis placido, hayan placido
Plup. Subj.	hubiera placido, hubieras placido, hubiera placido; hubiéramos placido, hubierais placido, hubieran placido hubiese placido, hubieses placido, hubiese placido; hubiésemos placido, hubieseis placido, hubiesen placido
Imperative	—— place, plazca; plazcamos, placed, plazcan

* Instead of *plació*, you may use *plugo* if used impersonally.
** Instead of *placieron*, you may use *pluguieron* if used impersonally.
*** Instead of *plazca*, you may use *plegue*.
**** Instead of *placiera*, you may use *pluguiera* if used impersonally.
***** Instead of *placiese*, you may use *pluguiese* if used impersonally.

to be able, can

Pres. Ind.	puedo, puedes, puede; podemos, podéis, pueden
Imp. Ind.	podía, podías, podía; podíamos, podíais, podían
Pret. Ind.	pude, pudiste, pudo; pudimos, pudisteis, pudieron
Fut. Ind.	podré, podrás, podrá; podremos, podréis, podrán
Condit.	podría, podrías, podría; podríamos, podríais, podrían
Pres. Subj.	pueda, puedas, pueda; podamos, podáis, puedan
Imp. Subj.	pudiera, pudieras, pudiera; pudiéramos, pudierais, pudieran
	pudiese, pudieses, pudiese; pudiésemos, pudieseis, pudiesen
Pres. Perf.	he podido, has podido, ha podido; hemos podido, habéis podido, han podido
Pluperf.	había podido, habías podido, había podido; habíamos podido, habíais podido, habían podido
Past Ant.	hube podido, hubiste podido, hubo podido; hubimos podido, hubisteis podido, hubieron podido
Fut. Perf.	habré podido, habrás podido, habrá podido; habremos podido, habréis podido, habrán podido
Cond. Perf.	habría podido, habrías podido, habría podido; habríamos podido, habríais podido, habrían podido
Pres. Perf. Subj.	haya podido, hayas podido, haya podido; hayamos podido, hayáis podido, hayan podido
Plup. Subj.	hubiera podido, hubieras podido, hubiera podido; hubiéramos podido, hubierais podido, hubieran podido
	hubiese podido, hubieses podido, hubiese podido; hubiésemos podido, hubieseis podido, hubiesen podido
Imperative	—— puede, pueda; podamos, poded, puedan [**ordinarily not used**]

to put, place

Pres. Ind.	pongo, pones, pone; ponemos, ponéis, ponen
Imp. Ind.	ponía, ponías, ponía; poníamos, poníais, ponían
Pret. Ind.	puse, pusiste, puso; pusimos, pusisteis, pusieron
Fut. Ind.	pondré, pondrás, pondrá; pondremos, pondréis, pondrán
Condit.	pondría, pondrías, pondría; pondríamos, pondríais, pondrían
Pres. Subj.	ponga, pongas, ponga; pongamos, pongáis, pongan
Imp. Subj.	pusiera, pusieras, pusiera; pusiéramos, pusierais, pusieran pusiese, pusieses, pusiese; pusiésemos, pusieseis, pusiesen
Pres. Perf.	he puesto, has puesto, ha puesto; hemos puesto, habéis puesto, han puesto
Pluperf.	había puesto, habías puesto, había puesto; habíamos puesto, habíais puesto, habían puesto
Past Ant.	hube puesto, hubiste puesto, hubo puesto; hubimos puesto, hubisteis puesto, hubieron puesto
Fut. Perf.	habré puesto, habrás puesto, habrá puesto; habremos puesto, habréis puesto, habrán puesto
Cond. Perf.	habría puesto, habrías puesto, habría puesto; habríamos puesto, habríais puesto, habrían puesto
Pres. Perf. Subj.	haya puesto, hayas puesto, haya puesto; hayamos puesto, hayáis puesto, hayan puesto
Plup. Subj.	hubiera puesto, hubieras puesto, hubiera puesto; hubiéramos puesto, hubierais puesto, hubieran puesto hubiese puesto, hubieses puesto, hubiese puesto; hubiésemos puesto, hubieseis puesto, hubiesen puesto
Imperative	—— pon, ponga; pongamos, poned, pongan

to put on, become, set (of sun)

Pres. Ind.	me pongo, te pones, se pone; nos ponemos, os ponéis, se ponen
Imp. Ind.	me ponía, te ponías, se ponía; nos poníamos, os poníais, se ponían
Pret. Ind.	me puse, te pusiste, se puso; nos pusimos, os pusisteis, se pusieron
Fut. Ind.	me pondré, te pondrás, se pondrá; nos pondremos, os pondréis, se pondrán
Condit.	me pondría, te pondrías, se pondría; nos pondríamos, os pondríais, se pondrían
Pres. Subj.	me ponga, te pongas, se ponga; nos pongamos, os pongáis, se pongan
Imp. Subj.	me pusiera, te pusieras, se pusiera; nos pusiéramos, os pusierais, se pusieran
	me pusiese, te pusieses, se pusiese; nos pusiésemos, os pusieseis, se pusiesen
Pres. Perf.	me he puesto, te has puesto, se ha puesto; nos hemos puesto, os habéis puesto, se han puesto
Pluperf.	me había puesto, te habías puesto, se había puesto; nos habíamos puesto, os habíais puesto, se habían puesto
Past Ant.	me hube puesto, te hubiste puesto, se hubo puesto; nos hubimos puesto, os hubisteis puesto, se hubieron puesto
Fut. Perf.	me habré puesto, te habrás puesto, se habrá puesto; nos habremos puesto, os habréis puesto, se habrán puesto
Cond. Perf.	me habría puesto, te habrías puesto, se habría puesto; nos habríamos puesto, os habríais puesto, se habrían puesto
Pres. Perf. Subj.	me haya puesto, te hayas puesto, se haya puesto; nos hayamos puesto, os hayáis puesto, se hayan puesto
Plup. Subj.	me hubiera puesto, te hubieras puesto, se hubiera puesto; nos hubiéramos puesto, os hubierais puesto, se hubieran puesto
	me hubiese puesto, te hubieses puesto, se hubiese puesto; nos hubiésemos puesto, os hubieseis puesto, se hubiesen puesto
Imperative	—— ponte, póngase; pongámonos, poneos, pónganse

to possess, own

Pres. Ind.	poseo, posees, posee; poseemos, poseéis, poseen
Imp. Ind.	poseía, poseías, poseía; poseíamos, poseíais, poseían
Pret. Ind.	poseí, poseíste, poseyó; poseímos, poseísteis, poseyeron
Fut. Ind.	poseeré, poseerás, poseerá; poseeremos, poseeréis, poseerán
Condit.	poseería, poseerías, poseería; poseeríamos, poseeríais, poseerían
Pres. Subj.	posea, poseas, posea; poseamos, poseáis, posean
Imp. Subj.	poseyera, poseyeras, poseyera; poseyéramos, poseyerais, poseyeran poseyese, poseyeses, poseyese; poseyésemos, poseyeseis, poseyesen
Pres. Perf.	he poseído, has poseído, ha poseído; hemos poseído, habéis poseído, han poseído
Pluperf.	había poseído, habías poseído, había poseído; habíamos poseído, habíais poseído, habían poseído
Past Ant.	hube poseído, hubiste poseído, hubo poseído; hubimos poseído, hubisteis poseído, hubieron poseído
Fut. Perf.	habré poseído, habrás poseído, habrá poseído; habremos poseído, habréis poseído, habrán poseído
Cond. Perf.	habría poseído, habrías poseído, habría poseído; habríamos poseído habríais poseído, habrían poseído
Pres. Perf. Subj.	haya poseído, hayas poseído, haya poseído; hayamos poseído, hayáis poseído, hayan poseído
Plup. Subj.	hubiera poseído, hubieras poseído, hubiera poseído; hubiéramos poseído, hubierais poseído, hubieran poseído hubiese poseído, hubieses poseído, hubiese poseído; hubiésemos poseído, hubieseis poseído, hubiesen poseído
Imperative	—— posee, posea; poseamos, poseed, posean

to practice

Pres. Ind.	practico, practicas, practica; practicamos, practicáis, practican
Imp. Ind.	practicaba, practicabas, practicaba; practicábamos, practicabais, practicaban
Preterit	practiqué, practicaste, practicó; practicamos, practicasteis, practicaron
Future	practicaré, practicarás, practicará; practicaremos, practicaréis, practicarán
Condit.	practicaría, practicarías, practicaría; practicaríamos, practicaríais, practicarían
Pres. Subj.	practique, practiques, practique; practiquemos, practiquéis, practiquen
Imp. Subj.	practicara, practicaras, practicara; practicáramos, practicarais, practicaran
	practicase, practicases, practicase; practicásemos, practicaseis, practicasen
Pres. Perf. Ind.	he practicado, has practicado, ha practicado; hemos practicado, habéis practicado, han practicado
Plup. Ind.	había practicado, habías practicado, había practicado; habíamos practicado, habíais practicado, habían practicado
Past Ant.	hube practicado, hubiste practicado, hubo practicado; hubimos practicado, hubisteis practicado, hubieron practicado
Fut. Perf.	habré practicado, habrás practicado, habrá practicado; habremos practicado, habréis practicado, habrán practicado
Cond. Perf.	habría practicado, habrías practicado, habría practicado; habríamos practicado, habríais practicado, habrían practicado
Pres. Perf. Subj.	haya practicado, hayas practicado, haya practicado; hayamos practicado, hayáis practicado, hayan practicado
Plup. Subj.	hubiera practicado, hubieras practicado, hubiera practicado; hubiéramos practicado, hubierais practicado, hubieran practicado
	hubiese practicado, hubieses practicado, hubiese practicado; hubiésemos practicado, hubieseis practicado, hubiesen practicado
Imperative	—— practica, practique; practiquemos, practicad, practiquen

to predict, forecast, foretell

Pres. Ind.	predigo, predices, predice; predecimos, predecís, predicen
Imp. Ind.	predecía, predecías, predecía; predecíamos, predecíais, predecían
Preterit	predije, predijiste, predijo; predijimos, predijisteis, predijeron
Future	predeciré, predecirás, predecirá; predeciremos, predeciréis, predecirán
Condit.	predeciría, predecirías, predeciría; predeciríamos, predeciríais, predecirían
Pres. Subj.	prediga, predigas, prediga; predigamos, predigáis, predigan
Imp. Subj.	predijera, predijeras, predijera; predijéramos, predijerais, predijeran
	predijese, predijeses, predijese; predijésemos, predijeseis, predijesen
Pres. Perf. Ind.	he predicho, has predicho, ha predicho; hemos predicho, habéis predicho, han predicho
Plup. Ind.	había predicho, habías predicho, había predicho; habíamos predicho, habíais predicho, habían predicho
Past Ant.	hube predicho, hubiste predicho, hubo predicho; hubimos predicho, hubisteis predicho, hubieron predicho
Fut. Perf.	habré predicho, habrás predicho, habrá predicho; habremos predicho, habréis predicho, habrán predicho
Cond. Perf.	habría predicho, habrías predicho, habría predicho; habríamos predicho, habríais predicho, habrían predicho
Pres. Perf. Subj.	haya predicho, hayas predicho, haya predicho; hayamos predicho, hayáis predicho, hayan predicho
Plup. Subj.	hubiera predicho, hubieras predicho, hubiera predicho; hubiéramos predicho, hubierais predicho, hubieran predicho
	hubiese predicho, hubieses predicho, hubiese predicho; hubiésemos predicho, hubieseis predicho, hubiesen predicho
Imperative	—— predice, prediga; predigamos, predecid, predigan

to preach

Pres. Ind.	predico, predicas, predica; predicamos, predicáis, predican
Imp. Ind.	predicaba, predicabas, predicaba; predicábamos, predicabais, predicaban
Preterit	prediqué, predicaste, predicó; predicamos, predicasteis, predicaron
Future	predicaré, predicarás, predicará; predicaremos, predicaréis, predicarán
Condit.	predicaría, predicarías, predicaría; predicaríamos, predicaríais, predicarían
Pres. Subj.	predique, prediques, predique; prediquemos, prediquéis, prediquen
Imp. Subj.	predicara, predicaras, predicara; predicáramos, predicarais, predicaran
	predicase, predicases, predicase; predicásemos, predicaseis, predicasen
Pres. Perf. Ind.	he predicado, has predicado, ha predicado; hemos predicado, habéis predicado, han predicado
Plup. Ind.	había predicado, habías predicado, había predicado; habíamos predicado, habíais predicado, habían predicado
Past Ant.	hube predicado, hubiste predicado, hubo predicado; hubimos predicado, hubisteis predicado, hubieron predicado
Fut. Perf.	habré predicado, habrás predicado, habrá predicado; habremos predicado, habréis predicado, habrán predicado
Cond. Perf.	habría predicado, habrías predicado, habría predicado; habríamos predicado, habríais predicado, habrían predicado
Pres. Perf. Subj.	haya predicado, hayas predicado, haya predicado; hayamos predicado, hayáis predicado, hayan predicado
Plup. Subj.	hubiera predicado, hubieras predicado, hubiera predicado; hubiéramos predicado, hubierais predicado, hubieran predicado
	hubiese predicado, hubieses predicado, hubiese predicado; hubiésemos predicado, hubieseis predicado, hubiesen predicado
Imperative	—— predica, predique; prediquemos, predicad, prediquen

to prefer

Pres. Ind.	prefiero, prefieres, prefiere; preferimos, preferís, prefieren
Imp. Ind.	prefería, preferías, prefería; preferíamos, preferíais, preferían
Pret. Ind.	preferí, preferiste, prefirió; preferimos, preferisteis, prefirieron
Fut. Ind.	preferiré, preferirás, preferirá; preferiremos, preferiréis, preferirán
Condit.	preferiría, preferirías, preferiría; preferiríamos, preferiríais, preferirían
Pres. Subj.	prefiera, prefieras, prefiera; prefiramos, prefiráis, prefieran
Imp. Subj.	prefiriera, prefirieras, prefiriera; prefiriéramos, prefirierais, prefirieran
	prefiriese, prefirieses, prefiriese; prefiriésemos, prefirieseis, prefiriesen
Pres. Perf.	he preferido, has preferido, ha preferido; hemos preferido, habéis preferido, han preferido
Pluperf.	había preferido, habías preferido, había preferido; habíamos preferido, habíais preferido, habían preferido
Past Ant.	hube preferido, hubiste preferido, hubo preferido; hubimos preferido, hubisteis preferido, hubieron preferido
Fut. Perf.	habré preferido, habrás preferido, habrá preferido; habremos preferido, habréis preferido, habrán preferido
Cond. Perf.	habría preferido, habrías preferido, habría preferido; habríamos preferido, habríais preferido, habrían preferido
Pres. Perf. Subj.	haya preferido, hayas preferido, haya preferido; hayamos preferido, hayáis preferido, hayan preferido
Plup. Subj.	hubiera preferido, hubieras preferido, hubiera preferido; hubiéramos preferido, hubierais preferido, hubieran preferido
	hubiese preferido, hubieses preferido, hubiese preferido; hubiésemos preferido, hubieseis preferido, hubiesen preferido
Imperative	—— prefiere, prefiera; prefiramos, preferid, prefieran

to ask, inquire, question

Pres. Ind.	pregunto, preguntas, pregunta; preguntamos, preguntáis, preguntan
Imp. Ind.	preguntaba, preguntabas, preguntaba; preguntábamos, preguntabais, preguntaban
Preterit	pregunté, preguntaste, preguntó; preguntamos, preguntasteis, preguntaron
Future	preguntaré, preguntarás, preguntará; preguntaremos, preguntaréis, preguntarán
Condit.	preguntaría, preguntarías, preguntaría; preguntaríamos, preguntaríais, preguntarían
Pres. Subj.	pregunte, preguntes, pregunte; preguntemos, preguntéis, pregunten
Imp. Subj.	preguntara, preguntaras, preguntara; preguntáramos, preguntarais, preguntaran
	preguntase, preguntases, preguntase; preguntásemos, preguntaseis, preguntasen
Pres. Perf. Ind.	he preguntado, has preguntado, ha preguntado; hemos preguntado, habéis preguntado, han preguntado
Plup. Ind.	había preguntado, habías preguntado, había preguntado; habíamos preguntado, habíais preguntado, habían preguntado
Past Ant.	hube preguntado, hubiste preguntado, hubo preguntado; hubimos preguntado, hubisteis preguntado, hubieron preguntado
Fut. Perf.	habré preguntado, habrás preguntado, habrá preguntado; habremos preguntado, habréis preguntado, habrán preguntado
Cond. Perf.	habría preguntado, habrías preguntado, habría preguntado; habríamos preguntado, habríais preguntado, habrían preguntado
Pres. Perf. Subj.	haya preguntado, hayas preguntado, haya preguntado; hayamos preguntado, hayáis preguntado, hayan preguntado
Plup. Subj.	hubiera preguntado, hubieras preguntado, hubiera preguntado; hubiéramos preguntado, hubierais preguntado, hubieran preguntado
	hubiese preguntado, hubieses preguntado, hubiese preguntado; hubiésemos preguntado, hubieseis preguntado, hubiesen preguntado
Imperative	—— pregunta, pregunte; preguntemos, preguntad, pregunten

to be concerned, worry

Pres. Ind.	me preocupo, te preocupas, se preocupa; nos preocupamos, os preocupáis, se preocupan
Imp. Ind.	me preocupaba, te preocupabas, se preocupaba; nos preocupábamos, os preocupabais, se preocupaban
Preterit	me preocupé, te preocupaste, se preocupó; nos preocupamos, os preocupasteis, se preocuparon
Future	me preocuparé, te preocuparás, se preocupará; nos preocuparemos, os preocuparéis, se preocuparán
Condit.	me preocuparía, te preocuparías, se preocuparía; nos preocuparíamos, os preocuparíais, se preocuparían
Pres. Subj.	me preocupe, te preocupes, se preocupe; nos preocupemos, os preocupéis, se preocupen
Imp. Subj.	me preocupara, te preocuparas, se preocupara; nos preocupáramos, os preocuparais, se preocuparan me preocupase, te preocupases, se preocupase; nos preocupásemos, os preocupaseis, se preocupasen
Pres. Perf. Ind.	me he preocupado, te has preocupado, se ha preocupado; nos hemos preocupado, os habéis preocupado, se han preocupado
Plup. Ind.	me había preocupado, te habías preocupado, se había preocupado; nos habíamos preocupado, os habíais preocupado, se habían preocupado
Past Ant.	me hube preocupado, te hubiste preocupado, se hubo preocupado; nos hubimos preocupado, os hubisteis preocupado, se hubieron preocupado
Fut. Perf.	me habré preocupado, te habrás preocupado, se habrá preocupado; nos habremos preocupado, os habréis preocupado, se habrán preocupado
Cond. Perf.	me habría preocupado, te habrías preocupado, se habría preocupado; nos habríamos preocupado, os habríais preocupado, se habrían preocupado
Pres. Perf. Subj.	me haya preocupado, te hayas preocupado, se haya preocupado; nos hayamos preocupado, os hayáis preocupado, se hayan preocupado
Plup. Subj.	me hubiera preocupado, te hubieras preocupado, se hubiera preocupado; nos hubiéramos preocupado, os hubierais preocupado, se hubieran preocupado me hubiese preocupado, te hubieses preocupado, se hubiese preocupado; nos hubiésemos preocupado, os hubieseis preocupado, se hubiesen preocupado
Imperative	—— preocúpate, preocúpese; preocupémonos, preocupaos, preocúpense

to prepare

Pres. Ind.	preparo, preparas, prepara; preparamos, preparáis, preparan
Imp. Ind.	preparaba, preparabas, preparaba; preparábamos, preparabais, preparaban
Preterit	preparé, preparaste, preparó; preparamos, preparasteis, prepararon
Future	prepararé, prepararás, preparará; prepararemos, prepararéis, prepararán
Condit.	prepararía, prepararías, prepararía; prepararíamos, prepararíais, prepararían
Pres. Subj.	prepare, prepares, prepare; preparemos, preparéis, preparen
Imp. Subj.	preparara, prepararas, preparara; preparáramos, prepararais, prepararan
	preparase, preparases, preparase; preparásemos, preparaseis, preparasen
Pres. Perf. Ind.	he preparado, has preparado, ha preparado; hemos preparado, habéis preparado, han preparado
Plup. Ind.	había preparado, habías preparado, había preparado; habíamos preparado, habíais preparado, habían preparado
Past Ant.	hube preparado, hubiste preparado, hubo preparado; hubimos preparado, hubisteis preparado, hubieron preparado
Fut. Perf.	habré preparado, habrás preparado, habrá preparado; habremos preparado, habréis preparado, habrán preparado
Cond. Perf.	habría preparado, habrías preparado, habría preparado; habríamos preparado, habríais preparado, habrían preparado
Pres. Perf. Subj.	haya preparado, hayas preparado, haya preparado; hayamos preparado, hayáis preparado, hayan preparado
Plup. Subj.	hubiera preparado, hubieras preparado, hubiera preparado; hubiéramos preparado, hubierais preparado, hubieran preparado
	hubiese preparado, hubieses preparado, hubiese preparado; hubiésemos preparado, hubieseis preparado, hubiesen preparado
Imperative	—— prepara, prepare; preparemos, preparad, preparen

to be prepared, get ready, prepare oneself

Pres. Ind.	me preparo, te preparas, se prepara; nos preparamos, os preparáis, se preparan
Imp. Ind.	me preparaba, te preparabas, se preparaba; nos preparábamos, os preparabais, se preparaban
Preterit	me preparé, te preparaste, se preparó; nos preparamos, os preparasteis, se prepararon
Future	me prepararé, te prepararás, se preparará; nos prepararemos, os prepararéis, se prepararán
Condit.	me prepararía, te prepararías, se prepararía; nos prepararíamos, os prepararíais, se prepararían
Pres. Subj.	me prepare, te prepares, se prepare; nos preparemos, os preparéis, se preparen
Imp. Subj.	me preparara, te prepararas, se preparara; nos preparáramos, os prepararais, se prepararan
	me preparase, te preparases, se preparase; nos preparásemos, os preparaseis, se preparasen
Pres. Perf. Ind.	me he preparado, te has preparado, se ha preparado; nos hemos preparado, os habéis preparado, se han preparado
Plup. Ind.	me había preparado, te habías preparado, se había preparado; nos habíamos preparado, os habíais preparado, se habían preparado
Past Ant.	me hube preparado, te hubiste preparado, se hubo preparado; nos hubimos preparado, os hubisteis preparado, se hubieron preparado
Fut. Perf.	me habré preparado, te habrás preparado, se habrá preparado; nos habremos preparado, os habréis preparado, se habrán preparado
Cond. Perf.	me habría preparado, te habrías preparado, se habría preparado; nos habríamos preparado, os habríais preparado, se habrían preparado
Pres. Perf. Subj.	me haya preparado, te hayas preparado, se haya preparado; nos hayamos preparado, os hayáis preparado, se hayan preparado
Plup. Subj.	me hubiera preparado, te hubieras preparado, se hubiera preparado; nos hubiéramos preparado, os hubierais preparado, se hubieran preparado
	me hubiese preparado, te hubieses preparado, se hubiese preparado; nos hubiésemos preparado, os hubieseis preparado, se hubiesen preparado
Imperative	—— prepárate, prepárese; preparémonos, preparaos, prepárense

to present, display, show, introduce

Pres. Ind.	presento, presentas, presenta; presentamos, presentáis, presentan
Imp. Ind.	presentaba, presentabas, presentaba; presentábamos, presentabais, presentaban
Preterit	presenté, presentaste, presentó; presentamos, presentasteis, presentaron
Future	presentaré, presentarás, presentará; presentaremos, presentaréis, presentarán
Condit.	presentaría, presentarías, presentaría; presentaríamos, presentaríais, presentarían
Pres. Subj.	presente, presentes, presente; presentemos, presentéis, presenten
Imp. Subj.	presentara, presentaras, presentara; presentáramos, presentarais, presentaran
	presentase, presentases, presentase; presentásemos, presentaseis, presentasen
Pres. Perf. Ind.	he presentado, has presentado, ha presentado; hemos presentado, habéis presentado, han presentado
Plup. Ind.	había presentado, habías presentado, había presentado; habíamos presentado, habíais presentado, habían presentado
Past Ant.	hube presentado, hubiste presentado, hubo presentado; hubimos presentado, hubisteis presentado, hubieron presentado
Fut. Perf.	habré presentado, habrás presentado, habrá presentado; habremos presentado, habréis presentado, habrán presentado
Cond. Perf.	habría presentado, habrías presentado, habría presentado; habríamos presentado, habríais presentado, habrían presentado
Pres. Perf. Subj.	haya presentado, hayas presentado, haya presentado; hayamos presentado, hayáis presentado, hayan presentado
Plup. Subj.	hubiera presentado, hubieras presentado, hubiera presentado; hubiéramos presentado, hubierais presentado, hubieran presentado
	hubiese presentado, hubieses presentado, hubiese presentado; hubiésemos presentado, hubieseis presentado, hubiesen presentado
Imperative	—— presenta, presente; presentemos, presentad, presenten

to lend

Pres. Ind.	presto, prestas, presta; prestamos, prestáis, prestan
Imp. Ind.	prestaba, prestabas, prestaba; prestábamos, prestabais, prestaban
Preterit	presté, prestaste, prestó; prestamos, prestasteis, prestaron
Future	prestaré, prestarás, prestará; prestaremos, prestaréis, prestarán
Condit.	prestaría, prestarías, prestaría; prestaríamos, prestaríais, prestarían
Pres. Subj.	preste, prestes, preste; prestemos, prestéis, presten
Imp. Subj.	prestara, prestaras, prestara; prestáramos, prestarais, prestaran
	prestase, prestases, prestase; prestásemos, prestaseis, prestasen
Pres. Perf. Ind.	he prestado, has prestado, ha prestado; hemos prestado, habéis prestado, han prestado
Plup. Ind.	había prestado, habías prestado, había prestado; habíamos prestado, habíais prestado, habían prestado
Past Ant.	hube prestado, hubiste prestado, hubo prestado; hubimos prestado, hubisteis prestado, hubieron prestado
Fut. Perf.	habré prestado, habrás prestado, habrá prestado; habremos prestado, habréis prestado, habrán prestado
Cond. Perf.	habría prestado, habrías prestado, habría prestado; habríamos prestado, habríais prestado, habrían prestado
Pres. Perf. Subj.	haya prestado, hayas prestado, haya prestado; hayamos prestado, hayáis prestado, hayan prestado
Plup. Subj.	hubiera prestado, hubieras prestado, hubiera prestado; hubiéramos prestado, hubierais prestado, hubieran prestado
	hubiese prestado, hubieses prestado, hubiese prestado; hubiésemos prestado, hubieseis prestado, hubiesen prestado
Imperative	—— presta, preste; prestemos, prestad, presten

to begin

Pres. Ind.	principio, principias, principia; principiamos, principiáis, principian
Imp. Ind.	principiaba, principiabas, principiaba; principiábamos, principiabais, principiaban
Pret. Ind.	principié, principiaste, principió; principiamos, principiasteis, principiaron
Fut. Ind.	principiaré, principiarás, principiará; principiaremos, principiaréis, principiarán
Condit.	principiaría, principiarías, principiaría; principiaríamos, principiaríais, principiarían
Pres. Subj.	principie, principies, principie; principiemos, principiéis, principien
Imp. Subj.	principiara, principiaras, principiara; principiáramos, principiarais, principiaran
	principiase, principiases, principiase; principiásemos, principiaseis, principiasen
Pres. Perf.	he principiado, has principiado, ha principiado; hemos principiado, habéis principiado, han principiado
Pluperf.	había principiado, habías principiado, había principiado; habíamos principiado, habíais principiado, habían principiado
Past Ant.	hube principiado, hubiste principiado, hubo principiado; hubimos principiado, hubisteis principiado, hubieron principiado
Fut. Perf.	habré principiado, habrás principiado, habrá principiado; habremos principiado, habréis principiado, habrán principiado
Cond. Perf.	habría principiado, habrías principiado, habría principiado; habríamos principiado, habríais principiado, habrían principiado
Pres. Perf. Subj.	haya principiado, hayas principiado, haya principiado; hayamos principiado, hayáis principiado, hayan principiado
Plup. Subj.	hubiera principiado, hubieras principiado, hubiera principiado; hubiéramos principiado, hubierais principiado, hubieran principiado
	hubiese principiado, hubieses principiado, hubiese principiado; hubiésemos principiado, hubieseis principiado, hubiesen principiado
Imperative	—— principia, principie; principiemos, principiad, principien

to test, prove, try, try on

Pres. Ind.	pruebo, pruebas, prueba; probamos, probáis, prueban
Imp. Ind.	probaba, probabas, probaba; probábamos, probabais, probaban
Pret. Ind.	probé, probaste, probó; probamos, probasteis, probaron
Fut. Ind.	probaré, probarás, probará; probaremos, probaréis, probarán
Condit.	probaría, probarías, probaría; probaríamos, probaríais, probarían
Pres. Subj.	pruebe, pruebes, pruebe; probemos, probéis, prueben
Imp. Subj.	probara, probaras, probara; probáramos, probarais, probaran
	probase, probases, probase; probásemos, probaseis, probasen
Pres. Perf.	he probado, has probado, ha probado; hemos probado, habéis probado, han probado
Pluperf.	había probado, habías probado, había probado; habíamos probado, habíais probado, habían probado
Past Ant.	hube probado, hubiste probado, hubo probado; hubimos probado, hubisteis probado, hubieron probado
Fut. Perf.	habré probado, habrás probado, habrá probado; habremos probado, habréis probado, habrán probado
Cond. Perf.	habría probado, habrías probado, habría probado; habríamos probado, habríais probado, habrían probado
Pres. Perf. Subj.	haya probado, hayas probado, haya probado; hayamos probado, hayáis probado, hayan probado
Plup. Subj.	hubiera probado, hubieras probado, hubiera probado; hubiéramos probado, hubierais probado, hubieran probado
	hubiese probado, hubieses probado, hubiese probado; hubiésemos probado, hubieseis probado, hubiesen probado
Imperative	—— prueba, pruebe; probemos, probad, prueben

try on

Pres. Ind.	me pruebo, te pruebas, se prueba; nos probamos, os probáis, se prueban
Imp. Ind.	me probaba, te probabas, se probaba; nos probábamos, os probabais, se probaban
Preterit	me probé, te probaste, se probó; nos probamos, os probasteis, se probaron
Future	me probaré, te probarás, se probará; nos probaremos, os probaréis, se probarán
Condit.	me probaría, te probarías, se probaría; nos probaríamos, os probaríais, se probarían
Pres. Subj.	me pruebe, te pruebes, se pruebe; nos probemos, os probéis, se prueben
Imp. Subj.	me probara, te probaras, se probara; nos probáramos, os probarais, se probaran
	me probase, te probases, se probase; nos probásemos, os probaseis, se probasen
Pres. Perf. Ind.	me he probado, te has probado, se ha probado; nos hemos probado, os habéis probado, se han probado
Plup. Ind.	me había probado, te habías probado, se había probado; nos habíamos probado, os habíais probado, se habían probado
Past Ant.	me hube probado, te hubiste probado, se hubo probado; nos hubimos probado, os hubisteis probado, se hubieron probado
Fut. Perf.	me habré probado, te habrás probado, se habrá probado; nos habremos probado, os habréis probado, se habrán probado
Cond. Perf.	me habría probado, te habrías probado, se habría probado; nos habríamos probado, os habríais probado, se habrían probado
Pres. Perf. Subj.	me haya probado, te hayas probado, se haya probado; nos hayamos probado, os hayáis probado, se hayan probado
Plup. Subj.	me hubiera probado, te hubieras probado, se hubiera probado; nos hubiéramos probado, os hubierais probado, se hubieran probado
	me hubiese probado, te hubieses probado, se hubiese probado; nos hubiésemos probado, os hubieseis probado, se hubiesen probado
Imperative	—— pruébate, pruébese; probémonos, probaos, pruébense

to proclaim, promulgate

Pres. Ind.	proclamo, proclamas, proclama; proclamamos, proclamáis, proclaman
Imp. Ind.	proclamaba, proclamabas, proclamaba; proclamábamos, proclamabais, proclamaban
Preterit	proclamé, proclamaste, proclamó; proclamamos, proclamasteis, proclamaron
Future	proclamaré, proclamarás, proclamará; proclamaremos, proclamaréis, proclamarán
Condit.	proclamaría, proclamarías, proclamaría; proclamaríamos, proclamaríais, proclamarían
Pres. Subj.	proclame, proclames, proclame; proclamemos, proclaméis, proclamen
Imp. Subj.	proclamara, proclamaras, proclamara; proclamáramos, proclamarais, proclamaran proclamase, proclamases, proclamase; proclamásemos, proclamaseis, proclamasen
Pres. Perf. Ind.	he proclamado, has proclamado, ha proclamado; hemos proclamado, habéis proclamado, han proclamado
Plup. Ind.	había proclamado, habías proclamado, había proclamado; habíamos proclamado, habíais proclamado, habían proclamado
Past Ant.	hube proclamado, hubiste proclamado, hubo proclamado; hubimos proclamado, hubisteis proclamado, hubieron proclamado
Fut. Perf.	habré proclamado, habrás proclamado, habrá proclamado; habremos proclamado, habréis proclamado, habrán proclamado
Cond. Perf.	habría proclamado, habrías proclamado, habría proclamado; habríamos proclamado, habríais proclamado, habrían proclamado
Pres. Perf. Subj.	haya proclamado, hayas proclamado, haya proclamado; hayamos proclamado, hayáis proclamado, hayan proclamado
Plup. Subj.	hubiera proclamado, hubieras proclamado, hubiera proclamado; hubiéramos proclamado, hubierais proclamado, hubieran proclamado hubiese proclamado, hubieses proclamado, hubiese proclamado; hubiésemos proclamado, hubieseis proclamado, hubiesen proclamado
Imperative	—— proclama, proclame; proclamemos, proclamad, proclamen

to produce, cause

Pres. Ind.	produzco, produces, produce; producimos, producís, producen
Imp. Ind.	producía, producías, producía; producíamos, producíais, producían
Pret. Ind.	produje, produjiste, produjo; produjimos, produjisteis, produjeron
Fut. Ind.	produciré, producirás, producirá; produciremos, produciréis, producirán
Condit.	produciría, producirías, produciría; produciríamos, produciríais, producirían
Pres. Subj.	produzca, produzcas, produzca; produzcamos, produzcáis, produzcan
Imp. Subj.	produjera, produjeras, produjera; produjéramos, produjerais, produjeran produjese, produjeses, produjese; produjésemos, produjeseis, produjesen
Pres. Perf.	he producido, has producido, ha producido; hemos producido, habéis producido, han producido
Pluperf.	había producido, habías producido, había producido; habíamos producido, habíais producido, habían producido
Past Ant.	hube producido, hubiste producido, hubo producido; hubimos producido, hubisteis producido, hubieron producido
Fut. Perf.	habré producido, habrás producido, habrá producido; habremos producido, habréis producido, habrán producido
Cond. Perf.	habría producido, habrías producido, habría producido; habríamos producido, habríais producido, habrían producido
Pres. Perf. Subj.	haya producido, hayas producido, haya producido; hayamos producido, hayáis producido, hayan producido
Plup. Subj.	hubiera producido, hubieras producido, hubiera producido; hubiéramos producido, hubierais producido, hubieran producido hubiese producido, hubieses producido, hubiese producido; hubiésemos producido, hubieseis producido, hubiesen producido
Imperative	—— produce, produzca; produzcamos, producid, produzcan

to pronounce

Pres. Ind.	pronuncio, pronuncias, pronuncia; pronunciamos, pronunciáis, pronuncian
Imp. Ind.	pronunciaba, pronunciabas, pronunciaba; pronunciábamos, pronunciabais, pronunciaban
Preterit	pronuncié, pronunciaste, pronunció; pronunciamos, pronunciasteis, pronunciaron
Future	pronunciaré, pronunciarás, pronunciará; pronunciaremos, pronunciaréis, pronunciarán
Condit.	pronunciaría, pronunciarías, pronunciaría; pronunciaríamos, pronunciaríais, pronunciarían
Pres. Subj.	pronuncie, pronuncies, pronuncie; pronunciemos, pronunciéis, pronuncien
Imp. Subj.	pronunciara, pronunciaras, pronunciara; pronunciáramos, pronunciarais, pronunciaran
	pronunciase, pronunciases, pronunciase; pronunciásemos, pronunciaseis, pronunciasen
Pres. Perf. Ind.	he pronunciado, has pronunciado, ha pronunciado; hemos pronunciado, habéis pronunciado, han pronunciado
Plup. Ind.	había pronunciado, habías pronunciado, había pronunciado; habíamos pronunciado, habíais pronunciado, habían pronunciado
Past Ant.	hube pronunciado, hubiste pronunciado, hubo pronunciado; hubimos pronunciado, hubisteis pronunciado, hubieron pronunciado
Fut. Perf.	habré pronunciado, habrás pronunciado, habrá pronunciado; habremos pronunciado, habréis pronunciado, habrán pronunciado
Cond. Perf.	habría pronunciado, habrías pronunciado, habría pronunciado; habríamos pronunciado, habríais pronunciado, habrían pronunciado
Pres. Perf. Subj.	haya pronunciado, hayas pronunciado, haya pronunciado; hayamos pronunciado, hayáis pronunciado, hayan pronunciado
Plup. Subj.	hubiera pronunciado, hubieras pronunciado, hubiera pronunciado; hubiéramos pronunciado, hubierais pronunciado, hubieran pronunciado
	hubiese pronunciado, hubieses pronunciado, hubiese pronunciado; hubiésemos pronunciado, hubieseis pronunciado, hubiesen pronunciado
Imperative	—— pronuncia, pronuncie; pronunciemos, pronunciad, pronuncien

to protect

Pres. Ind.	protejo, proteges, protege; protegemos, protegéis, protegen
Imp. Ind.	protegía, protegías, protegía; protegíamos, protegíais, protegían
Pret. Ind.	protegí, protegiste, protegió; protegimos, protegisteis, protegieron
Fut. Ind.	protegeré, protegerás, protegerá; protegeremos, protegeréis, protegerán
Condit.	protegería, protegerías, protegería; protegeríamos, protegeríais, protegerían
Pres. Subj.	proteja, protejas, proteja; protejamos, protejáis, protejan
Imp. Subj.	protegiera, protegieras, protegiera; protegiéramos, protegierais, protegieran
	protegiese, protegieses, protegiese; protegiésemos, protegieseis, protegiesen
Pres. Perf.	he protegido, has protegido, ha protegido; hemos protegido, habéis protegido, han protegido
Pluperf.	había protegido, habías protegido, había protegido; habíamos protegido, habíais protegido, habían protegido
Past Ant.	hube protegido, hubiste protegido, hubo protegido; hubimos protegido, hubisteis protegido, hubieron protegido
Fut. Perf.	habré protegido, habrás protegido, habrá protegido; habremos protegido, habréis protegido, habrán protegido
Cond. Perf.	habría protegido, habrías protegido, habría protegido; habríamos protegido, habríais protegido, habrían protegido
Pres. Perf. Subj.	haya protegido, hayas protegido, haya protegido; hayamos protegido, hayáis protegido, hayan protegido
Plup. Subj.	hubiera protegido, hubieras protegido, hubiera protegido; hubiéramos protegido, hubierais protegido, hubieran protegido
	hubiese protegido, hubieses protegido, hubiese protegido; hubiésemos protegido, hubieseis protegido, hubiesen protegido
Imperative	—— protege, proteja; protejamos, proteged, protejan

to publish

Pres. Ind.	publico, publicas, publica; publicamos, publicáis, publican
Imp. Ind.	publicaba, publicabas, publicaba; publicábamos, publicabais, publicaban
Preterit	publiqué, publicaste, publicó; publicamos, publicasteis, publicaron
Future	publicaré, publicarás, publicará; publicaremos, publicaréis, publicarán
Condit.	publicaría, publicarías, publicaría; publicaríamos, publicaríais, publicarían
Pres. Subj.	publique, publiques, publique; publiquemos, publiquéis, publiquen
Imp. Subj.	publicara, publicaras, publicara; publicáramos, publicarais, publicaran
	publicase, publicases, publicase; publicásemos, publicaseis, publicasen
Pres. Perf. Ind.	he publicado, has publicado, ha publicado; hemos publicado, habéis publicado, han publicado
Plup. Ind.	había publicado, habías publicado, había publicado; habíamos publicado, habíais publicado, habían publicado
Past Ant.	hube publicado, hubiste publicado, hubo publicado; hubimos publicado, hubisteis publicado, hubieron publicado
Fut. Perf.	habré publicado, habrás publicado, habrá publicado; habremos publicado, habréis publicado, habrán publicado
Cond. Perf.	habría publicado, habrías publicado, habría publicado; habríamos publicado, habríais publicado, habrían publicado
Pres. Perf. Subj.	haya publicado, hayas publicado, haya publicado; hayamos publicado, hayáis publicado, hayan publicado
Plup. Subj.	hubiera publicado, hubieras publicado, hubiera publicado; hubiéramos publicado, hubierais publicado, hubieran publicado
	hubiese publicado, hubieses publicado, hubiese publicado; hubiésemos publicado, hubieseis publicado, hubiesen publicado
Imperative	—— publica, publique; publiquemos, publicad, publiquen

to polish

Pres. Ind.	pulo, pules, pule; pulimos, pulís, pulen
Imp. Ind.	pulía, pulías, pulía; pulíamos, pulíais, pulían
Preterit	pulí, puliste, pulió; pulimos, pulisteis, pulieron
Future	puliré, pulirás, pulirá; puliremos, puliréis, pulirán
Condit.	puliría, pulirías, puliría; puliríamos, puliríais, pulirían
Pres. Subj.	pula, pulas, pula; pulamos, puláis, pulan
Imp. Subj.	puliera, pulieras, puliera; puliéramos, pulierais, pulieran puliese, pulieses, puliese; puliésemos, pulieseis, puliesen
Pres. Perf. Ind.	he pulido, has pulido, ha pulido; hemos pulido, habéis pulido, han pulido
Plup. Ind.	había pulido, habías pulido, había pulido; habíamos pulido, habíais pulido, habían pulido
Past Ant.	hube pulido, hubiste pulido, hubo pulido; hubimos pulido, hubisteis pulido, hubieron pulido
Fut. Perf.	habré pulido, habrás pulido, habrá pulido; habremos pulido, habréis pulido, habrán pulido
Cond. Perf.	habría pulido, habrías pulido, habría pulido; habríamos pulido, habríais pulido, habrían pulido
Pres. Perf. Subj.	haya pulido, hayas pulido, haya pulido; hayamos pulido, hayáis pulido, hayan pulido
Plup. Subj.	hubiera pulido, hubieras pulido, hubiera pulido; hubiéramos pulido, hubierais pulido, hubieran pulido hubiese pulido, hubieses pulido, hubiese pulido; hubiésemos pulido, hubieseis pulido, hubiesen pulido
Imperative	—— pule, pula; pulamos, pulid, pulan

to remain, stay

Pres. Ind.	me quedo, te quedas, se queda; nos quedamos, os quedáis, se quedan
Imp. Ind.	me quedaba, te quedabas, se quedaba; nos quedábamos, os quedabais, se quedaban
Pret. Ind.	me quedé, te quedaste, se quedó; nos quedamos, os quedasteis, se quedaron
Fut. Ind.	me quedaré, te quedarás, se quedará; nos quedaremos, os quedaréis, se quedarán
Condit.	me quedaría, te quedarías, se quedaría; nos quedaríamos, os quedaríais, se quedarían
Pres. Subj.	me quede, te quedes, se quede; nos quedemos, os quedéis, se queden
Imp. Subj.	me quedara, te quedaras, se quedara; nos quedáramos, os quedarais, se quedaran me quedase, te quedases, se quedase; nos quedásemos, os quedaseis, se quedasen
Pres. Perf.	me he quedado, te has quedado, se ha quedado; nos hemos quedado, os habéis quedado, se han quedado
Pluperf.	me había quedado, te habías quedado, se había quedado; nos habíamos quedado, os habíais quedado, se habían quedado
Past Ant.	me hube quedado, te hubiste quedado, se hubo quedado; nos hubimos quedado, os hubisteis quedado, se hubieron quedado
Fut. Perf.	me habré quedado, te habrás quedado, se habrá quedado; nos habremos quedado, os habréis quedado, se habrán quedado
Cond. Perf.	me habría quedado, te habrías quedado, se habría quedado; nos habríamos quedado, os habríais quedado, se habrían quedado
Pres. Perf. Subj.	me haya quedado, te hayas quedado, se haya quedado; nos hayamos quedado, os hayáis quedado, se hayan quedado
Plup. Subj.	me hubiera quedado, te hubieras quedado, se hubiera quedado; nos hubiéramos quedado, os hubierais quedado, se hubieran quedado me hubiese quedado, te hubieses quedado, se hubiese quedado; nos hubiésemos quedado, os hubieseis quedado, se hubiesen quedado
Imperative	—— quédate, quédese; quedémonos, quedaos, quédense

to complain, grumble

Pres. Ind.	me quejo, te quejas, se queja; nos quejamos, os quejáis, se quejan
Imp. Ind.	me quejaba, te quejabas, se quejaba; nos quejábamos, os quejabais, se quejaban
Pret. Ind.	me quejé, te quejaste, se quejó; nos quejamos, os quejasteis, se quejaron
Fut. Ind.	me quejaré, te quejarás, se quejará; nos quejaremos, os quejaréis, se quejarán
Condit.	me quejaría, te quejarías, se quejaría; nos quejaríamos, os quejaríais, se quejarían
Pres. Subj.	me queje, te quejes, se queje; nos quejemos, os quejéis, se quejen
Imp. Subj.	me quejara, te quejaras, se quejara; nos quejáramos, os quejarais, se quejaran
	me quejase, te quejases, se quejase; nos quejásemos, os quejaseis, se quejasen
Pres. Perf.	me he quejado, te has quejado, se ha quejado; nos hemos quejado, os habéis quejado, se han quejado
Pluperf.	me había quejado, te habías quejado, se había quejado; nos habíamos quejado, os habíais quejado, se habían quejado
Past Ant.	me hube quejado, te hubiste quejado, se hubo quejado; nos hubimos quejado, os hubisteis quejado, se hubieron quejado
Fut. Perf.	me habré quejado, te habrás quejado, se habrá quejado; nos habremos quejado, os habréis quejado, se habrán quejado
Cond. Perf.	me habría quejado, te habrías quejado, se habría quejado; nos habríamos quejado, os habríais quejado, se habrían quejado
Pres. Perf. Subj.	me haya quejado, te hayas quejado, se haya quejado; nos hayamos quejado, os hayáis quejado, se hayan quejado
Plup. Subj.	me hubiera quejado, te hubieras quejado, se hubiera quejado; nos hubiéramos quejado, os hubierais quejado, se hubieran quejado
	me hubiese quejado, te hubieses quejado, se hubiese quejado; nos hubiésemos quejado, os hubieseis quejado, se hubiesen quejado
Imperative	—— quéjate, quéjese; quejémonos, quejaos, quéjense

to burn, fire

Pres. Ind.	quemo, quemas, quema; quemamos, quemáis, queman
Imp. Ind.	quemaba, quemabas, quemaba; quemábamos, quemabais, quemaban
Preterit	quemé, quemaste, quemó; quemamos, quemasteis, quemaron
Future	quemaré, quemarás, quemará; quemaremos, quemaréis, quemarán
Condit.	quemaría, quemarías, quemaría; quemaríamos, quemaríais, quemarían
Pres. Subj.	queme, quemes, queme; quememos, queméis, quemen
Imp. Subj.	quemara, quemaras, quemara; quemáramos, quemarais, quemaran
	quemase, quemases, quemase; quemásemos, quemaseis, quemasen
Pres. Perf. Ind.	he quemado, has quemado, ha quemado; hemos quemado, habéis quemado, han quemado
Plup. Ind.	había quemado, habías quemado, había quemado; habíamos quemado, habíais quemado, habían quemado
Past Ant.	hube quemado, hubiste quemado, hubo quemado; hubimos quemado, hubisteis quemado, hubieron quemado
Fut. Perf.	habré quemado, habrás quemado, habrá quemado; habremos quemado, habréis quemado, habrán quemado
Cond. Perf.	habría quemado, habrías quemado, habría quemado; habríamos quemado, habríais quemado, habrían quemado
Pres. Perf. Subj.	haya quemado, hayas quemado, haya quemado; hayamos quemado, hayáis quemado, hayan quemado
Plup. Subj.	hubiera quemado, hubieras quemado, hubiera quemado; hubiéramos quemado, hubierais quemado, hubieran quemado
	hubiese quemado, hubieses quemado, hubiese quemado; hubiésemos quemado, hubieseis quemado, hubiesen quemado
Imperative	—— quema, queme; quememos, quemad, quemen

to want, wish

Pres. Ind.	quiero, quieres, quiere; queremos, queréis, quieren
Imp. Ind.	quería, querías, quería; queríamos, queríais, querían
Pret. Ind.	quise, quisiste, quiso; quisimos, quisisteis, quisieron
Fut. Ind.	querré, querrás, querrá; querremos, querréis, querrán
Condit.	querría, querrías, querría; querríamos, querríais, querrían
Pres. Subj.	quiera, quieras, quiera; queramos, queráis, quieran
Imp. Subj.	quisiera, quisieras, quisiera; quisiéramos, quisierais, quisieran
	quisiese, quisieses, quisiese; quisiésemos, quisieseis, quisiesen
Pres. Perf.	he querido, has querido, ha querido; hemos querido, habéis querido, han querido
Pluperf.	había querido, habías querido, había querido; habíamos querido, habíais querido, habían querido
Past Ant.	hube querido, hubiste querido, hubo querido; hubimos querido, hubisteis querido, hubieron querido
Fut. Perf.	habré querido, habrás querido, habrá querido; habremos querido, habréis querido, habrán querido
Cond. Perf.	habría querido, habrías querido, habría querido; habríamos querido, habríais querido, habrían querido
Pres. Perf. Subj.	haya querido, hayas querido, haya querido; hayamos querido, hayáis querido, hayan querido
Plup. Subj.	hubiera querido, hubieras querido, hubiera querido; hubiéramos querido, hubierais querido, hubieran querido
	hubiese querido, hubieses querido, hubiese querido; hubiésemos querido, hubieseis querido, hubiesen querido
Imperative	—— quiere, quiera; queramos, quered, quieran

to take off (clothing), to remove oneself, to withdraw

Pres. Ind.	me quito, te quitas, se quita; nos quitamos, os quitáis, se quitan
Imp. Ind.	me quitaba, te quitabas, se quitaba; nos quitábamos, os quitabais, se quitaban
Pret. Ind.	me quité, te quitaste, se quitó; nos quitamos, os quitasteis, se quitaron
Fut. Ind.	me quitaré, te quitarás, se quitará; nos quitaremos, os quitaréis, se quitarán
Condit.	me quitaría, te quitarías, se quitaría; nos quitaríamos, os quitaríais, se quitarían
Pres. Subj.	me quite, te quites, se quite; nos quitemos, os quitéis, se quiten
Imp. Subj.	me quitara, te quitaras, se quitara; nos quitáramos, os quitarais, se quitaran
	me quitase, te quitases, se quitase; nos quitásemos, os quitaseis, se quitasen
Pres. Perf.	me he quitado, te has quitado, se ha quitado; nos hemos quitado, os habéis quitado, se han quitado
Pluperf.	me había quitado, te habías quitado, se había quitado; nos habíamos quitado, os habíais quitado, se habían quitado
Past Ant.	me hube quitado, te hubiste quitado, se hubo quitado; nos hubimos quitado, os hubisteis quitado, se hubieron quitado
Fut. Perf.	me habré quitado, te habrás quitado, se habrá quitado; nos habremos quitado, os habréis quitado, se habrán quitado
Cond. Perf.	me habría quitado, te habrías quitado, se habría quitado; nos habríamos quitado, os habríais quitado, se habrían quitado
Pres. Perf. Subj.	me haya quitado, te hayas quitado, se haya quitado; nos hayamos quitado, os hayáis quitado, se hayan quitado
Plup. Subj.	me hubiera quitado, te hubieras quitado, se hubiera quitado; nos hubiéramos quitado, os hubierais quitado, se hubieran quitado
	me hubiese quitado, te hubieses quitado, se hubiese quitado; nos hubiésemos quitado, os hubieseis quitado, se hubiesen quitado
Imperative	—— quítate, quítese; quitémonos, quitaos, quítense

to scrape, rub off, erase, wipe out

Pres. Ind.	raigo, raes, rae; raemos, raéis, raen
Imp. Ind.	raía, raías, raía; raíamos, raíais, raían
Preterit	raí, raíste, rayó; raímos, raísteis, rayeron
Future	raeré, raerás, raerá; raeremos, raeréis, raerán
Condit.	raería, raerías, raería; raeríamos, raeríais, raerían
Pres. Subj.	raiga, raigas, raiga; raigamos, raigáis, raigan
Imp. Subj.	rayera, rayeras, rayera; rayéramos, rayerais, rayeran rayese, rayeses, rayese; rayésemos, rayeseis, rayesen
Pres. Perf. Ind.	he raído, has raído, ha raído; hemos raído, habéis raído, han raído
Plup. Ind.	había raído, habías raído, había raído; habíamos raído, habíais raído, habían raído
Past Ant.	hube raído, hubiste raído, hubo raído; hubimos raído, hubisteis raído, hubieron raído
Fut. Perf.	habré raído, habrás raído, habrá raído; habremos raído, habréis raído, habrán raído
Cond. Perf.	habría raído, habrías raído, habría raído; habríamos raído, habríais raído, habrían raído
Pres. Perf. Subj.	haya raído, hayas raído, haya raído; hayamos raído, hayáis raído, hayan raído
Plup. Subj.	hubiera raído, hubieras raído, hubiera raído; hubiéramos raído, hubierais raído, hubieran raído hubiese raído, hubieses raído, hubiese raído; hubiésemos raído, hubieseis raído, hubiesen raído
Imperative	—— rae, raiga; raigamos, raed, raigan

to realize, carry out, fulfill

Pres. Ind.	realizo, realizas, realiza; realizamos, realizáis, realizan
Imp. Ind.	realizaba, realizabas, realizaba; realizábamos, realizabais, realizaban
Preterit	realicé, realizaste, realizó; realizamos, realizasteis, realizaron
Future	realizaré, realizarás, realizará; realizaremos, realizaréis, realizarán
Condit.	realizaría, realizarías, realizaría; realizaríamos, realizaríais, realizarían
Pres. Subj.	realice, realices, realice; realicemos, realicéis, realicen
Imp. Subj.	realizara, realizaras, realizara; realizáramos, realizarais, realizaran
	realizase, realizases, realizase; realizásemos, realizaseis, realizasen
Pres. Perf. Ind.	he realizado, has realizado, ha realizado; hemos realizado, habéis realizado, han realizado
Plup. Ind.	había realizado, habías realizado, había realizado; habíamos realizado, habíais realizado, habían realizado
Past Ant.	hube realizado, hubiste realizado, hubo realizado; hubimos realizado, hubisteis realizado, hubieron realizado
Fut. Perf.	habré realizado, habrás realizado, habrá realizado; habremos realizado, habréis realizado, habrán realizado
Cond. Perf.	habría realizado, habrías realizado, habría realizado; habríamos realizado, habríais realizado, habrían realizado
Pres. Perf. Subj.	haya realizado, hayas realizado, haya realizado; hayamos realizado, hayáis realizado, hayan realizado
Plup. Subj.	hubiera realizado, hubieras realizado, hubiera realizado; hubiéramos realizado, hubierais realizado, hubieran realizado
	hubiese realizado, hubieses realizado, hubiese realizado; hubiésemos realizado, hubieseis realizado, hubiesen realizado
Imperative	—— realiza, realice; realicemos, realizad, realicen

to receive, get

Pres. Ind.	recibo, recibes, recibe; recibimos, recibís, reciben
Imp. Ind.	recibía, recibías, recibía; recibíamos, recibíais, recibían
Pret. Ind.	recibí, recibiste, recibió; recibimos, recibisteis, recibieron
Fut. Ind.	recibiré, recibirás, recibirá; recibiremos, recibiréis, recibirán
Condit.	recibiría, recibirías, recibiría; recibiríamos, recibiríais, recibirían
Pres. Subj.	reciba, recibas, reciba; recibamos, recibáis, reciban
Imp. Subj.	recibiera, recibieras, recibiera; recibiéramos, recibierais, recibieran recibiese, recibieses, recibiese; recibiésemos, recibieseis, recibiesen
Pres. Perf.	he recibido, has recibido, ha recibido; hemos recibido, habéis recibido, han recibido
Pluperf.	había recibido, habías recibido, había recibido; habíamos recibido, habíais recibido, habían recibido
Past Ant.	hube recibido, hubiste recibido, hubo recibido; hubimos recibido, hubisteis recibido, hubieron recibido
Fut. Perf.	habré recibido, habrás recibido, habrá recibido; habremos recibido, habréis recibido, habrán recibido
Cond. Perf.	habría recibido, habrías recibido, habría recibido; habríamos recibido, habríais recibido, habrían recibido
Pres. Perf. Subj.	haya recibido, hayas recibido, haya recibido; hayamos recibido, hayáis recibido, hayan recibido
Plup. Subj.	hubiera recibido, hubieras recibido, hubiera recibido; hubiéramos recibido, hubierais recibido, hubieran recibido hubiese recibido, hubieses recibido, hubiese recibido; hubiésemos recibido, hubieseis recibido, hubiesen recibido
Imperative	—— recibe, reciba; recibamos, recibid, reciban

to pick up, pick, gather

Pres. Ind.	recojo, recoges, recoge; recogemos, recogéis, recogen
Imp. Ind.	recogía, recogías, recogía; recogíamos, recogíais, recogían
Pret. Ind.	recogí, recogiste, recogió; recogimos, recogisteis, recogieron
Fut. Ind.	recogeré, recogerás, recogerá; recogeremos, recogeréis, recogerán
Condit.	recogería, recogerías, recogería; recogeríamos, recogeríais, recogerían
Pres. Subj.	recoja, recojas, recoja; recojamos, recojáis, recojan
Imp. Subj.	recogiera, recogieras, recogiera; recogiéramos, recogierais, recogieran
	recogiese, recogieses, recogiese; recogiésemos, recogieseis, recogiesen
Pres. Perf.	he recogido, has recogido, ha recogido; hemos recogido, habéis recogido, han recogido
Pluperf.	había recogido, habías recogido, había recogido; habíamos recogido, habíais recogido, habían recogido
Past Ant.	hube recogido, hubiste recogido, hubo recogido; hubimos recogido, hubisteis recogido, hubieron recogido
Fut. Perf.	habré recogido, habrás recogido, habrá recogido; habremos recogido, habréis recogido, habrán recogido
Cond. Perf.	habría recogido, habrías recogido, habría recogido; habríamos recogido, habríais recogido, habrían recogido
Pres. Perf. Subj.	haya recogido, hayas recogido, haya recogido; hayamos recogido, hayáis recogido, hayan recogido
Plup. Subj.	hubiera recogido, hubieras recogido, hubiera recogido; hubiéramos recogido, hubierais recogido, hubieran recogido
	hubiese recogido, hubieses recogido, hubiese recogido; hubiésemos recogido, hubieseis recogido, hubiesen recogido
Imperative	—— recoge, recoja; recojamos, recoged, recojan

to recommend, commend

Pres. Ind.	recomiendo, recomiendas, recomienda; recomendamos, recomendáis, recomiendan
Imp. Ind.	recomendaba, recomendabas, recomendaba; recomendábamos, recomendabais, recomendaban
Preterit	recomendé, recomendaste, recomendó; recomendamos, recomendasteis, recomendaron
Future	recomendaré, recomendarás, recomendará; recomendaremos, recomendaréis, recomendarán
Condit.	recomendaría, recomendarías, recomendaría; recomendaríamos, recomendaríais, recomendarían
Pres. Subj.	recomiende, recomiendes, recomiende; recomendemos, recomendéis, recomienden
Imp. Subj.	recomendara, recomendaras, recomendara; recomendáramos, recomendarais, recomendaran
	recomendase, recomendases, recomendase; recomendásemos, recomendaseis, recomendasen
Pres. Perf. Ind.	he recomendado, has recomendado, ha recomendado; hemos recomendado, habéis recomendado, han recomendado
Plup. Ind.	había recomendado, habías recomendado, había recomendado; habíamos recomendado, habíais recomendado, habían recomendado
Past Ant.	hube recomendado, hubiste recomendado, hubo recomendado; hubimos recomendado, hubisteis recomendado, hubieron recomendado
Fut. Perf.	habré recomendado, habrás recomendado, habrá recomendado; habremos recomendado, habréis recomendado, habrán recomendado
Cond. Perf.	habría recomendado, habrías recomendado, habría recomendado; habríamos recomendado, habríais recomendado, habrían recomendado
Pres. Perf. Subj.	haya recomendado, hayas recomendado, haya recomendado; hayamos recomendado, hayáis recomendado, hayan recomendado
Plup. Subj.	hubiera recomendado, hubieras recomendado, hubiera recomendado; hubiéramos recomendado, hubierais recomendado, hubieran recomendado
	hubiese recomendado, hubieses recomendado, hubiese recomendado; hubiésemos recomendado, hubieseis recomendado, hubiesen recomendado
Imperative	—— recomienda, recomiende; recomendemos, recomendad, recomienden

to recognize, acknowledge, be grateful for

Pres. Ind.	reconozco, reconoces, reconoce; reconocemos, reconocéis, reconocen
Imp. Ind.	reconocía, reconocías, reconocía; reconocíamos, reconocíais, reconocían
Preterit	reconocí, reconociste, reconoció; reconocimos, reconocisteis, reconocieron
Future	reconoceré, reconocerás, reconocerá; reconoceremos, reconoceréis, reconocerán
Condit.	reconocería, reconocerías, reconocería; reconoceríamos, reconoceríais, reconocerían
Pres. Subj.	reconozca, reconozcas, reconozca; reconozcamos, reconozcáis, reconozcan
Imp. Subj.	reconociera, reconocieras, reconociera; reconociéramos, reconocierais, reconocieran
	reconociese, reconocieses, reconociese; reconociésemos, reconocieseis, reconociesen
Pres. Perf. Ind.	he reconocido, has reconocido, ha reconocido; hemos reconocido, habéis reconocido, han reconocido
Plup. Ind.	había reconocido, habías reconocido, había reconocido; habíamos reconocido, habíais reconocido, habían reconocido
Past Ant.	hube reconocido, hubiste reconocido, hubo reconocido; hubimos reconocido, hubisteis reconocido, hubieron reconocido
Fut. Perf.	habré reconocido, habrás reconocido, habrá reconocido; habremos reconocido, habréis reconocido, habrán reconocido
Cond. Perf.	habría reconocido, habrías reconocido, habría reconocido; habríamos reconocido, habríais reconocido, habrían reconocido
Pres. Perf. Subj.	haya reconocido, hayas reconocido, haya reconocido; hayamos reconocido, hayáis reconocido, hayan reconocido
Plup. Subj.	hubiera reconocido, hubieras reconocido, hubiera reconocido; hubiéramos reconocido, hubierais reconocido, hubieran reconocido
	hubiese reconocido, hubieses reconocido, hubiese reconocido; hubiésemos reconocido, hubieseis reconocido, hubiesen reconocido
Imperative	—— reconoce, reconozca; reconozcamos, reconoced, reconozcan

to remember, recall

Pres. Ind.	recuerdo, recuerdas, recuerda; recordamos, recordáis, recuerdan
Imp. Ind.	recordaba, recordabas, recordaba; recordábamos, recordabais, recordaban
Pret. Ind.	recordé, recordaste, recordó; recordamos, recordasteis, recordaron
Fut. Ind.	recordaré, recordarás, recordará; recordaremos, recordaréis, recordarán
Condit.	recordaría, recordarías, recordaría; recordaríamos, recordaríais, recordarían
Pres. Subj.	recuerde, recuerdes, recuerde; recordemos, recordéis, recuerden
Imp. Subj.	recordara, recordaras, recordara; recordáramos, recordarais, recordaran
	recordase, recordases, recordase; recordásemos, recordaseis, recordasen
Pres. Perf.	he recordado, has recordado, ha recordado; hemos recordado, habéis recordado, han recordado
Pluperf.	había recordado, habías recordado, había recordado; habíamos recordado, habíais recordado, habían recordado
Past Ant.	hube recordado, hubiste recordado, hubo recordado; hubimos recordado, hubisteis recordado, hubieron recordado
Fut. Perf.	habré recordado, habrás recordado, habrá recordado; habremos recordado, habréis recordado, habrán recordado
Cond. Perf.	habría recordado, habrías recordado, habría recordado; habríamos recordado, habríais recordado, habrían recordado
Pres. Perf. Subj.	haya recordado, hayas recordado, haya recordado; hayamos recordado, hayáis recordado, hayan recordado
Plup. Subj.	hubiera recordado, hubieras recordado, hubiera recordado; hubiéramos recordado, hubierais recordado, hubieran recordado
	hubiese recordado, hubieses recordado, hubiese recordado; hubiésemos recordado, hubieseis recordado, hubiesen recordado
Imperative	—— recuerda, recuerde; recordemos, recordad, recuerden

to refer, relate

Pres. Ind.	refiero, refieres, refiere; referimos, referís, refieren
Imp. Ind.	refería, referías, refería; referíamos, referíais, referían
Pret. Ind.	referí, referiste, refirió; referimos, referisteis, refirieron
Fut. Ind.	referiré, referirás, referirá; referiremos, referiréis, referirán
Condit.	referiría, referirías, referiría; referiríamos, referiríais, referirían
Pres. Subj.	refiera, refieras, refiera; refiramos, refiráis, refieran
Imp. Subj.	refiriera, refirieras, refiriera; refiriéramos, refirierais, refirieran
	refiriese, refirieses, refiriese; refiriésemos, refirieseis, refiriesen
Pres. Perf.	he referido, has referido, ha referido; hemos referido, habéis referido, han referido
Pluperf.	había referido, habías referido, había referido; habíamos referido, habíais referido, habían referido
Past Ant.	hube referido, hubiste referido, hubo referido; hubimos referido, hubisteis referido, hubieron referido
Fut. Perf.	habré referido, habrás referido, habrá referido; habremos referido, habréis referido, habrán referido
Cond. Perf.	habría referido, habrías referido, habría referido; habríamos referido, habríais referido, habrían referido
Pres. Perf. Subj.	haya referido, hayas referido, haya referido; hayamos referido, hayáis referido, hayan referido
Plup. Subj.	hubiera referido, hubieras referido, hubiera referido; hubiéramos referido, hubierais referido, hubieran referido
	hubiese referido, hubieses referido, hubiese referido; hubiésemos referido, hubieseis referido, hubiesen referido
Imperative	—— refiere, refiera; refiramos, referid, refieran

to give as a present, make a present of, give as a gift

Pres. Ind.	regalo, regalas, regala; regalamos, regaláis, regalan
Imp. Ind.	regalaba, regalabas, regalaba; regalábamos, regalabais, regalaban
Preterit	regalé, regalaste, regaló; regalamos, regalasteis, regalaron
Future	regalaré, regalarás, regalará; regalaremos, regalaréis, regalarán
Condit.	regalaría, regalarías, regalaría; regalaríamos, regalaríais, regalarían
Pres. Subj.	regale, regales, regale; regalemos, regaléis, regalen
Imp. Subj.	regalara, regalaras, regalara; regaláramos, regalarais, regalaran
	regalase, regalases, regalase; regalásemos, regalaseis, regalasen
Pres. Perf. Ind.	he regalado, has regalado, ha regalado; hemos regalado, habéis regalado, han regalado
Plup. Ind.	había regalado, habías regalado, había regalado; habíamos regalado, habíais regalado, habían regalado
Past Ant.	hube regalado, hubiste regalado, hubo regalado; hubimos regalado, hubisteis regalado, hubieron regalado
Fut. Perf.	habré regalado, habrás regalado, habrá regalado; habremos regalado, habréis regalado, habrán regalado
Cond. Perf.	habría regalado, habrías regalado, habría regalado; habríamos regalado, habríais regalado, habrían regalado
Pres. Perf. Subj.	haya regalado, hayas regalado, haya regalado; hayamos regalado, hayáis regalado, hayan regalado
Plup. Subj.	hubiera regalado, hubieras regalado, hubiera regalado; hubiéramos regalado, hubierais regalado, hubieran regalado
	hubiese regalado, hubieses regalado, hubiese regalado; hubiésemos regalado, hubieseis regalado, hubiesen regalado
Imperative	—— regala, regale; regalemos, regalad, regalen

to return, go back

Pres. Ind.	regreso, regresas, regresa; regresamos, regresáis, regresan
Imp. Ind.	regresaba, regresabas, regresaba; regresábamos, regresabais, regresaban
Preterit	regresé, regresaste, regresó; regresamos, regresasteis, regresaron
Future	regresaré, regresarás, regresará; regresaremos, regresaréis, regresarán
Condit.	regresaría, regresarías, regresaría; regresaríamos, regresaríais, regresarían
Pres. Subj.	regrese, regreses, regrese; regresemos, regreséis, regresen
Imp. Subj.	regresara, regresaras, regresara; regresáramos, regresarais, regresaran
	regresase, regresases, regresase; regresásemos, regresaseis, regresasen
Pres. Perf. Ind.	he regresado, has regresado, ha regresado; hemos regresado, habéis regresado, han regresado
Plup. Ind.	había regresado, habías regresado, había regresado; habíamos regresado, habíais regresado, habían regresado
Past Ant.	hube regresado, hubiste regresado, hubo regresado; hubimos regresado, hubisteis regresado, hubieron regresado
Fut. Perf.	habré regresado, habrás regresado, habrá regresado; habremos regresado, habréis regresado, habrán regresado
Cond. Perf.	habría regresado, habrías regresado, habría regresado; habríamos regresado, habríais regresado, habrían regresado
Pres. Perf. Subj.	haya regresado, hayas regresado, haya regresado; hayamos regresado, hayáis regresado, hayan regresado
Plup. Subj.	hubiera regresado, hubieras regresado, hubiera regresado; hubiéramos regresado, hubierais regresado, hubieran regresado
	hubiese regresado, hubieses regresado, hubiese regresado; hubiésemos regresado, hubieseis regresado, hubiesen regresado
Imperative	—— regresa, regrese; regresemos, regresad, regresen

to laugh

Pres. Ind.	río, ríes, ríe; reímos, reís, ríen
Imp. Ind.	reía, reías, reía; reíamos, reíais, reían
Pret. Ind.	reí, reíste, rió; reímos, reísteis, rieron
Fut. Ind.	reiré, reirás, reirá; reiremos, reiréis, reirán
Condit.	reiría, reirías, reiría; reiríamos, reiríais, reirían
Pres. Subj.	ría, rías, ría; riamos, riáis, rían
Imp. Subj.	riera, rieras, riera; riéramos, rierais, rieran
	riese, rieses, riese; riésemos, rieseis, riesen
Pres. Perf.	he reído, has reído, ha reído; hemos reído, habéis reído, han reído
Pluperf.	había reído, habías reído, había reído; habíamos reído, habíais reído, habían reído
Past Ant.	hube reído, hubiste reído, hubo reído; hubimos reído, hubisteis reído, hubieron reído
Fut. Perf.	habré reído, habrás reído, habrá reído; habremos reído, habréis reído, habrán reído
Cond. Perf.	habría reído, habrías reído, habría reído; habríamos reído, habríais reído, habrían reído
Pres. Perf. Subj.	haya reído, hayas reído, haya reído; hayamos reído, hayáis reído, hayan reído
Plup. Subj.	hubiera reído, hubieras reído, hubiera reído; hubiéramos reído, hubierais reído, hubieran reído
	hubiese reído, hubieses reído, hubiese reído; hubiésemos reído, hubieseis reído, hubiesen reído
Imperative	—— ríe, ría; riamos, reíd, rían

to laugh

Pres. Ind.	me río, te ríes, se ríe; nos reímos, os reís, se ríen
Imp. Ind.	me reía, te reías, se reía; nos reíamos, os reíais, se reían
Pret. Ind.	me reí, te reíste, se rió; nos reímos, os reísteis, se rieron
Fut. Ind.	me reiré, te reirás, se reirá; nos reiremos, os reiréis, se reirán
Condit.	me reiría, te reirías, se reiría; nos reiríamos, os reiríais, se reirían
Pres. Subj.	me ría, te rías, se ría; nos riamos, os riáis, se rían
Imp. Subj.	me riera, te rieras, se riera; nos riéramos, os rierais, se rieran me riese, te rieses, se riese; nos riésemos, os rieseis, se riesen
Pres. Perf.	me he reído, te has reído, se ha reído; nos hemos reído, os habéis reído, se han reído
Pluperf.	me había reído, te habías reído, se había reído; nos habíamos reído, os habíais reído, se habían reído
Past Ant.	me hube reído, te hubiste reído, se hubo reído; nos hubimos reído, os hubisteis reído, se hubieron reído
Fut. Perf.	me habré reído, te habrás reído, se habrá reído; nos habremos reído, os habréis reído, se habrán reído
Cond. Perf.	me habría reído, te habrías reído, se habría reído; nos habríamos reído, os habríais reído, se habrían reído
Pres. Perf. Subj.	me haya reído, te hayas reído, se haya reído; nos hayamos reído, os hayáis reído, se hayan reído
Plup. Subj.	me hubiera reído, te hubieras reído, se hubiera reído; nos hubiéramos reído, os hubierais reído, se hubieran reído me hubiese reído, te hubieses reído, se hubiese reído; nos hubiésemos reído, os hubieseis reído, se hubiesen reído
Imperative	—— ríete, ríase; riámonos, reíos, ríanse

to forward, remit, transmit

Pres. Ind.	remito, remites, remite; remitimos, remitís, remiten
Imp. Ind.	remitía, remitías, remitía; remitíamos, remitíais, remitían
Preterit	remití, remitiste, remitió; remitimos, remitisteis, remitieron
Future	remitiré, remitirás, remitirá; remitiremos, remitiréis, remitirán
Condit.	remitiría, remitirías, remitiría; remitiríamos, remitiríais, remitirían
Pres. Subj.	remita, remitas, remita; remitamos, remitáis, remitan
Imp. Subj.	remitiera, remitieras, remitiera; remitiéramos, remitierais, remitieran
	remitiese, remitieses, remitiese; remitiésemos, remitieseis, remitiesen
Pres. Perf. Ind.	he remitido, has remitido, ha remitido; hemos remitido, habéis remitido, han remitido
Plup. Ind.	había remitido, habías remitido, había remitido; habíamos remitido, habíais remitido, habían remitido
Past Ant.	hube remitido, hubiste remitido, hubo remitido; hubimos remitido, hubisteis remitido, hubieron remitido
Fut. Perf.	habré remitido, habrás remitido, habrá remitido; habremos remitido, habréis remitido, habrán remitido
Cond. Perf.	habría remitido, habrías remitido, habría remitido; habríamos remitido, habríais remitido, habrían remitido
Pres. Perf. Subj.	haya remitido, hayas remitido, haya remitido; hayamos remitido, hayáis remitido, hayan remitido
Plup. Subj.	hubiera remitido, hubieras remitido, hubiera remitido; hubiéramos remitido, hubierais remitido, hubieran remitido
	hubiese remitido, hubieses remitido, hubiese remitido; hubiésemos remitido, hubieseis remitido, hubiesen remitido
Imperative	—— remite, remita; remitamos, remitid, remitan

to scold, quarrel

Pres. Ind.	riño, riñes, riñe; reñimos, reñís, riñen
Imp. Ind.	reñía, reñías, reñía; reñíamos, reñíais, reñían
Pret. Ind.	reñí, reñiste, riñó; reñimos, reñisteis, riñeron
Fut. Ind.	reñiré, reñirás, reñirá; reñiremos, reñiréis, reñirán
Condit.	reñiría, reñirías, reñiría; reñiríamos, reñiríais, reñirían
Pres. Subj.	riña, riñas, riña; riñamos, riñáis, riñan
Imp. Subj.	riñera, riñeras, riñera; riñéramos, riñerais, riñeran
	riñese, riñeses, riñese; riñésemos, riñeseis, riñesen
Pres. Perf.	he reñido, has reñido, ha reñido; hemos reñido, habéis reñido, han reñido
Pluperf.	había reñido, habías reñido, había reñido; habíamos reñido, habíais reñido, habían reñido
Past Ant.	hube reñido, hubiste reñido, hubo reñido; hubimos reñido, hubisteis reñido, hubieron reñido
Fut. Perf.	habré reñido, habrás reñido, habrá reñido; habremos reñido, habréis reñido, habrán reñido
Cond. Perf.	habría reñido, habrías reñido, habría reñido; habríamos reñido, habríais reñido, habrían reñido
Pres. Perf. Subj.	haya reñido, hayas reñido, haya reñido; hayamos reñido, hayáis reñido, hayan reñido
Plup. Subj.	hubiera reñido, hubieras reñido, hubiera reñido; hubiéramos reñido, hubierais reñido, hubieran reñido
	hubiese reñido, hubieses reñido, hubiese reñido; hubiésemos reñido, hubieseis reñido, hubiesen reñido
Imperative	—— riñe, riña; riñamos, reñid, riñan

to repeat

Pres. Ind.	repito, repites, repite; repetimos, repetís, repiten
Imp. Ind.	repetía, repetías, repetía; repetíamos, repetíais, repetían
Pret. Ind.	repetí, repetiste, repitió; repetimos, repetisteis, repitieron
Fut. Ind.	repetiré, repetirás, repetirá; repetiremos, repetiréis, repetirán
Condit.	repetiría, repetirías, repetiría; repetiríamos, repetiríais, repetirían
Pres. Subj.	repita, repitas, repita; repitamos, repitáis, repitan
Imp. Subj.	repitiera, repitieras, repitiera; repitiéramos, repitierais, repitieran repitiese, repitieses, repitiese; repitiésemos, repitieseis, repitiesen
Pres. Perf.	he repetido, has repetido, ha repetido; hemos repetido, habéis repetido, han repetido
Pluperf.	había repetido, habías repetido, había repetido; habíamos repetido, habíais repetido, habían repetido
Past Ant.	hube repetido, hubiste repetido, hubo repetido; hubimos repetido, hubisteis repetido, hubieron repetido
Fut. Perf.	habré repetido, habrás repetido, habrá repetido; habremos repetido, habréis repetido, habrán repetido
Cond. Perf.	habría repetido, habrías repetido, habría repetido; habríamos repetido, habríais repetido, habrían repetido
Pres. Perf. Subj.	haya repetido, hayas repetido, haya repetido; hayamos repetido, hayáis repetido, hayan repetido
Plup. Subj.	hubiera repetido, hubieras repetido, hubiera repetido; hubiéramos repetido, hubierais repetido, hubieran repetido hubiese repetido, hubieses repetido, hubiese repetido; hubiésemos repetido, hubieseis repetido, hubiesen repetido
Imperative	—— repite, repita; repitamos, repetid, repitan

to resolve, solve (a problem)

Pres. Ind.	resuelvo, resuelves, resuelve; resolvemos, resolvéis, resuelven
Imp. Ind.	resolvía, resolvías, resolvía; resolvíamos, resolvíais, resolvían
Preterit	resolví, resolviste, resolvió; resolvimos, resolvisteis, resolvieron
Future	resolveré, resolverás, resolverá; resolveremos, resolveréis, resolverán
Condit.	resolvería, resolverías, resolvería; resolveríamos, resolveríais, resolverían
Pres. Subj.	resuelva, resuelvas, resuelva; resolvamos, resolváis, resuelvan
Imp. Subj.	resolviera, resolvieras, resolviera; resolviéramos, resolvierais, resolvieran
	resolviese, resolvieses, resolviese; resolviésemos, resolvieseis, resolviesen
Pres. Perf. Ind.	he resuelto, has resuelto, ha resuelto; hemos resuelto, habéis resuelto, han resuelto
Plup. Ind.	había resuelto, habías resuelto, había resuelto; habíamos resuelto, habíais resuelto, habían resuelto
Past Ant.	hube resuelto, hubiste resuelto, hubo resuelto; hubimos resuelto, hubisteis resuelto, hubieron resuelto
Fut. Perf.	habré resuelto, habrás resuelto, habrá resuelto; habremos resuelto, habréis resuelto, habrán resuelto
Cond. Perf.	habría resuelto, habrías resuelto, habría resuelto; habríamos resuelto, habríais resuelto, habrían resuelto
Pres. Perf. Subj.	haya resuelto, hayas resuelto, haya resuelto; hayamos resuelto, hayáis resuelto, hayan resuelto
Plup. Subj.	hubiera resuelto, hubieras resuelto, hubiera resuelto; hubiéramos resuelto, hubierais resuelto, hubieran resuelto
	hubiese resuelto, hubieses resuelto, hubiese resuelto; hubiésemos resuelto, hubieseis resuelto, hubiesen resuelto
Imperative	—— resuelve, resuelva; resolvamos, resolved, resuelvan

to answer, reply, respond

Pres. Ind.	respondo, respondes, responde; respondemos, respondéis, responden
Imp. Ind.	respondía, respondías, respondía; respondíamos, respondíais, respondían
	respondí, respondiste, respondió; respondimos, respondisteis, respondieron
Future	responderé, responderás, responderá; responderemos, responderéis, responderán
Condit.	respondería, responderías, respondería; responderíamos, responderíais, responderían
Pres. Subj.	responda, respondas, responda; respondamos, respondáis, respondan
Imp. Subj.	respondiera, respondieras, respondiera; respondiéramos, respondierais, respondieran
	respondiese, respondieses, respondiese; respondiésemos, respondieseis, respondiesen
Pres. Perf. Ind.	he respondido, has respondido, ha respondido; hemos respondido, habéis respondido, han respondido
Plup. Ind.	había respondido, habías respondido, había respondido; habíamos respondido, habíais respondido, habían respondido
Past Ant.	hube respondido, hubiste respondido, hubo respondido; hubimos respondido, hubisteis respondido, hubieron respondido
Fut. Perf.	habré respondido, habrás respondido, habrá respondido; habremos respondido, habréis respondido, habrán respondido
Cond. Perf.	habría respondido, habrías respondido, habría respondido; habríamos respondido, habríais respondido, habrían respondido
Pres. Perf. Subj.	haya respondido, hayas respondido, haya respondido; hayamos respondido, hayáis respondido, hayan respondido
Plup. Subj.	hubiera respondido, hubieras respondido, hubiera respondido; hubiéramos respondido, hubierais respondido, hubieran respondido
	hubiese respondido, hubieses respondido, hubiese respondido; hubiésemos respondido, hubieseis respondido, hubiesen respondido
Imperative	—— responde, responda; respondamos, responded, respondan

to result

Pres. Ind.	resulta; resultan
Imp. Ind.	resultaba; resultaban
Preterit	resultó; resultaron
Future	resultará; resultarán
Condit.	resultaría; resultarían
Pres. Subj.	resulte; resulten
Imp. Subj.	resultara; resultaran
	resultase; resultasen
Pres. Perf. Ind.	ha resultado; han resultado
Plup. Ind.	había resultado; habían resultado
Past Ant.	hubo resultado; hubieron resultado
Fut. Perf.	habrá resultado; habrán resultado
Cond. Perf.	habría resultado; habrían resultado
Pres. Perf. Subj.	haya resultado; hayan resultado
Plup. Subj.	hubiera resultado; hubieran resultado
	hubiese resultado; hubiesen resultado
Imperative	que resulte; que resulten

to gather, join, unite

Pres. Ind.	reúno, reúnes, reúne; reunimos, reunís, reúnen
Imp. Ind.	reunía, reunías, reunía; reuníamos, reuníais, reunían
Preterit	reuní, reuniste, reunió; reunimos, reunisteis, reunieron
Future	reuniré, reunirás, reunirá; reuniremos, reuniréis, reunirán
Condit.	reuniría, reunirías, reuniría; reuniríamos, reuniríais, reunirían
Pres. Subj.	reúna, reúnas, reúna; reunamos, reunáis, reúnan
Imp. Subj.	reuniera, reunieras, reuniera; reuniéramos, reunierais, reunieran reuniese, reunieses, reuniese; reuniésemos, reunieseis, reuniesen
Pres. Perf. Ind.	he reunido, has reunido, ha reunido; hemos reunido, habéis reunido, han reunido
Plup. Ind.	había reunido, habías reunido, había reunido; habíamos reunido, habíais reunido, habían reunido
Past Ant.	hube reunido, hubiste reunido, hubo reunido; hubimos reunido, hubisteis reunido, hubieron reunido
Fut. Perf.	habré reunido, habrás reunido, habrá reunido; habremos reunido, habréis reunido, habrán reunido
Cond. Perf.	habría reunido, habrías reunido, habría reunido; habríamos reunido, habríais reunido, habrían reunido
Pres. Perf. Subj.	haya reunido, hayas reunido, haya reunido; hayamos reunido, hayáis reunido, hayan reunido
Plup. Subj.	hubiera reunido, hubieras reunido, hubiera reunido; hubiéramos reunido, hubierais reunido, hubieran reunido hubiese reunido, hubieses reunido, hubiese reunido; hubiésemos reunido, hubieseis reunido, hubiesen reunido
Imperative	—— reúne, reúna; reunamos, reunid, reúnan

to assemble, get together, meet, gather

Pres. Ind.	me reúno, te reúnes, se reúne; nos reunimos, os reunís, se reúnen
Imp. Ind.	me reunía, te reunías, se reunía; nos reuníamos, os reuníais, se reunían
Preterit	me reuní, te reuniste, se reunió; nos reunimos, os reunisteis, se reunieron
Future	me reuniré, te reunirás, se reunirá; nos reuniremos, os reuniréis, se reunirán
Condit.	me reuniría, te reunirías, se reuniría; nos reuniríamos, os reuniríais, se reunirían
Pres. Subj.	me reúna, te reúnas, se reúna; nos reunamos, os reunáis, se reúnan
Imp. Subj.	me reuniera, te reunieras, se reuniera; nos reuniéramos, os reunierais, se reunieran me reuniese, te reunieses, se reuniese; nos reuniésemos, os reunieseis, se reuniesen
Pres. Perf. Ind.	me he reunido, te has reunido, se ha reunido; nos hemos reunido, os habéis reunido, se han reunido
Plup. Ind.	me había reunido, te habías reunido, se había reunido; nos habíamos reunido, os habíais reunido, se habían reunido
Past Ant.	me hube reunido, te hubiste reunido, se hube reunido; nos hubimos reunido, os hubisteis reunido, se hubieron reunido
Fut. Perf.	me habré reunido, te habrás reunido, se habrá reunido; nos habremos reunido, os habréis reunido, se habrán reunido
Cond. Perf.	me habría reunido, te habrías reunido, se habría reunido; nos habríamos reunido, os habríais reunido, se habrían reunido
Pres. Perf. Subj.	me haya reunido, te hayas reunido, se haya reunido; nos hayamos reunido, os hayáis reunido, se hayan reunido
Plup. Subj.	me hubiera reunido, te hubieras reunido, se hubiera reunido; nos hubiéramos reunido, os hubierais reunido, se hubieran reunido me hubiese reunido, te hubieses reunido, se hubiese reunido; nos hubiésemos reunido, os hubieseis reunido, se hubiesen reunido
Imperative	—— reúnete, reúnase; reunámonos, reuníos, reúnanse

to revoke, repeal

Pres. Ind.	revoco, revocas, revoca; revocamos, revocáis, revocan
Imp. Ind.	revocaba, revocabas, revocaba; revocábamos, revocabais, revocaban
Preterit	revoqué, revocaste, revocó; revocamos, revocasteis, revocaron
Future	revocaré, revocarás, revocará; revocaremos, revocaréis, revocarán
Condit.	revocaría, revocarías, revocaría; revocaríamos, revocaríais, revocarían
Pres. Subj.	revoque, revoques, revoque; revoquemos, revoquéis, revoquen
Imp. Subj.	revocara, revocaras, revocara; revocáramos, revocarais, revocaran
	revocase, revocases, revocase; revocásemos, revocaseis, revocasen
Pres. Perf. Ind.	he revocado, has revocado, ha revocado; hemos revocado, habéis revocado, han revocado
Plup. Ind.	había revocado, habías revocado, había revocado; habíamos revocado, habíais revocado, habían revocado
Past Ant.	hube revocado, hubiste revocado, hubo revocado; hubimos revocado, hubisteis revocado, hubieron revocado
Fut. Perf.	habré revocado, habrás revocado, habrá revocado; habremos revocado, habréis revocado, habrán revocado
Cond. Perf.	habría revocado, habrías revocado, habría revocado; habríamos revocado, habríais revocado, habrían revocado
Pres. Perf. Subj.	haya revocado, hayas revocado, haya revocado; hayamos revocado, hayáis revocado, hayan revocado
Plup. Subj.	hubiera revocado, hubieras revocado, hubiera revocado; hubiéramos revocado, hubierais revocado, hubieran revocado
	hubiese revocado, hubieses revocado, hubiese revocado; hubiésemos revocado, hubieseis revocado, hubiesen revocado
Imperative	—— revoca, revoque; revoquemos, revocad, revoquen

to revolve, turn around, turn over, turn upside down, scramble (eggs)

Pres. Ind.	revuelvo, revuelves, revuelve; revolvemos, revolvéis, revuelven
Imp. Ind.	revolvía, revolvías, revolvía; revolvíamos, revolvíais, revolvían
Preterit	revolví, revolviste, revolvió; revolvimos, revolvisteis, revolvieron
Future	revolveré, revolverás, revolverá; revolveremos, revolveréis, revolverán
Condit.	revolvería, revolverías, revolvería; revolveríamos, revolveríais, revolverían
Pres. Subj.	revuelva, revuelvas, revuelva; revolvamos, revolváis, revuelvan
Imp. Subj.	revolviera, revolvieras, revolviera; revolviéramos, revolvierais, revolvieran revolviese, revolvieses, revolviese; revolviésemos, revolvieseis, revolviesen
Pres. Perf. Ind.	he revuelto, has revuelto, ha revuelto; hemos revuelto, habéis revuelto, han revuelto
Plup. Ind.	había revuelto, habías revuelto, había revuelto; habíamos revuelto, habíais revuelto, habían revuelto
Past Ant.	hube revuelto, hubiste revuelto, hubo revuelto; hubimos revuelto, hubisteis revuelto, hubieron revuelto
Fut. Perf.	habré revuelto, habrás revuelto, habrá revuelto; habremos revuelto, habréis revuelto, habrán revuelto
Cond. Perf.	habría revuelto, habrías revuelto, habría revuelto; habríamos revuelto, habríais revuelto, habrían revuelto
Pres. Perf. Subj.	haya revuelto, hayas revuelto, haya revuelto; hayamos revuelto, hayáis revuelto, hayan revuelto
Plup. Subj.	hubiera revuelto, hubieras revuelto, hubiera revuelto; hubiéramos revuelto, hubierais revuelto, hubieran revuelto hubiese revuelto, hubieses revuelto, hubiese revuelto; hubiésemos revuelto, hubieseis revuelto, hubiesen revuelto
Imperative	—— revuelve, revuelva; revolvamos, revolved, revuelvan

to rob, steal

Pres. Ind.	robo, robas, roba; robamos, robáis, roban
Imp. Ind.	robaba, robabas, robaba; robábamos, robabais, robaban
Preterit	robé, robaste, robó; robamos, robasteis, robaron
Future	robaré, robarás, robará; robaremos, robaréis, robarán
Condit.	robaría, robarías, robaría; robaríamos, robaríais, robarían
Pres. Subj.	robe, robes, robe; robemos, robéis, roben
Imp. Subj.	robara, robaras, robara; robáramos, robarais, robaran
	robase, robases, robase; robásemos, robaseis, robasen
Pres. Perf. Ind.	he robado, has robado, ha robado; hemos robado, habéis robado, han robado
Plup. Ind.	había robado, habías robado, había robado; habíamos robado, habíais robado, habían robado
Past Ant.	hube robado, hubiste robado, hubo robado; hubimos robado, hubisteis robado, hubieron robado
Fut. Perf.	habré robado, habrás robado, habrá robado; habremos robado, habréis robado, habrán robado
Cond. Perf.	habría robado, habrías robado, habría robado; habríamos robado, habríais robado, habrían robado
Pres. Perf.	haya robado, hayas robado, haya robado; hayamos robado, hayáis robado, hayan robado
Plup. Subj.	hubiera robado, hubieras robado, hubiera robado; hubiéramos robado, hubierais robado, hubieran robado
	hubiese robado, hubieses robado, hubiese robado; hubiésemos robado, hubieseis robado, hubiesen robado
Imperative	—— roba, robe; robemos, robad, roben

to ask, ask for, request, beg

Pres. Ind.	ruego, ruegas, ruega; rogamos, rogáis, ruegan
Imp. Ind.	rogaba, rogabas, rogaba; rogábamos, rogabais, rogaban
Pret. Ind.	rogué, rogaste, rogó; rogamos, rogasteis, rogaron
Fut. Ind.	rogaré, rogarás, rogará; rogaremos, rogaréis, rogarán
Condit.	rogaría, rogarías, rogaría; rogaríamos, rogaríais, rogarían
Pres. Subj.	ruegue, ruegues, ruegue; roguemos, roguéis, rueguen
Imp. Subj.	rogara, rogaras, rogara; rogáramos, rogarais, rogaran
	rogase, rogases, rogase; rogásemos, rogaseis, rogasen
Pres. Perf.	he rogado, has rogado, ha rogado; hemos rogado, habéis rogado, han rogado
Pluperf.	había rogado, habías rogado, había rogado; habíamos rogado, habíais rogado, habían rogado
Past Ant.	hube rogado, hubiste rogado, hubo rogado; hubimos rogado, hubisteis rogado, hubieron rogado
Fut. Perf.	habré rogado, habrás rogado, habrá rogado; habremos rogado, habréis rogado, habrán rogado
Cond. Perf.	habría rogado, habrías rogado, habría rogado; habríamos rogado, habríais rogado, habrían rogado
Pres. Perf. Subj.	haya rogado, hayas rogado, haya rogado; hayamos rogado, hayáis rogado, hayan rogado
Plup. Subj.	hubiera rogado, hubieras rogado, hubiera rogado; hubiéramos rogado, hubierais rogado, hubieran rogado
	hubiese rogado, hubieses rogado, hubiese rogado; hubiésemos rogado, hubieseis rogado, hubiesen rogado
Imperative	—— ruega, ruegue; roguemos, rogad, rueguen

to break, tear, shatter

Pres. Ind. rompo, rompes, rompe;
rompemos, rompéis, rompen

Imp. Ind. rompía, rompías, rompía;
rompíamos, rompíais, rompían

Pret. Ind. rompí, rompiste, rompió;
rompimos, rompisteis, rompieron

Fut. Ind. romperé, romperás, romperá;
romperemos, romperéis, romperán

Condit. rompería, romperías, rompería;
romperíamos, romperíais, romperían

Pres. Subj. rompa, rompas, rompa;
rompamos, rompáis, rompan

Imp. Subj. rompiera, rompieras, rompiera;
rompiéramos, rompierais, rompieran

rompiese, rompieses, rompiese;
rompiésemos, rompieseis, rompiesen

Pres. Perf. he roto, has roto, ha roto;
hemos roto, habéis roto, han roto

Pluperf. había roto, habías roto, había roto;
habíamos roto, habíais roto, habían roto

Past Ant. hube roto, hubiste roto, hubo roto;
hubimos roto, hubisteis roto, hubieron roto

Fut. Perf. habré roto, habrás roto, habrá roto;
habremos roto, habréis roto, habrán roto

Cond. Perf. habría roto, habrías roto, habría roto;
habríamos roto, habríais roto, habrían roto

Pres. Perf. Subj. haya roto, hayas roto, haya roto;
hayamos roto, hayáis roto, hayan roto

Plup. Subj. hubiera roto, hubieras roto, hubiera roto;
hubiéramos roto, hubierais roto, hubieran roto

hubiese roto, hubieses roto, hubiese roto;
hubiésemos roto, hubieseis roto, hubiesen roto

Imperative —— rompe, rompa;
rompamos, romped, rompan

to know, know how

Pres. Ind.	sé, sabes, sabe; sabemos, sabéis, saben
Imp. Ind.	sabía, sabías, sabía; sabíamos, sabíais, sabían
Pret. Ind.	supe, supiste, supo; supimos, supisteis, supieron
Fut. Ind.	sabré, sabrás, sabrá; sabremos, sabréis, sabrán
Condit.	sabría, sabrías, sabría; sabríamos, sabríais, sabrían
Pres. Subj.	sepa, sepas, sepa; sepamos, sepáis, sepan
Imp. Subj.	supiera, supieras, supiera; supiéramos, supierais, supieran
	supiese, supieses, supiese; supiésemos, supieseis, supiesen
Pres. Perf.	he sabido, has sabido, ha sabido; hemos sabido, habéis sabido, han sabido
Pluperf.	había sabido, habías sabido, había sabido; habíamos sabido, habíais sabido, habían sabido
Past Ant.	hube sabido, hubiste sabido, hubo sabido; hubimos sabido, hubisteis sabido, hubieron sabido
Fut. Perf.	habré sabido, habrás sabido, habrá sabido; habremos sabido, habréis sabido, habrán sabido
Cond. Perf.	habría sabido, habrías sabido, habría sabido; habríamos sabido, habríais sabido, habrían sabido
Pres. Perf. Subj.	haya sabido, hayas sabido, haya sabido; hayamos sabido, hayáis sabido, hayan sabido
Plup. Subj.	hubiera sabido, hubieras sabido, hubiera sabido; hubiéramos sabido, hubierais sabido, hubieran sabido
	hubiese sabido, hubieses sabido, hubiese sabido; hubiésemos sabido, hubieseis sabido, hubiesen sabido
Imperative	—— sabe, sepa; sepamos, sabed, sepan

to take out, get

Pres. Ind.	saco, sacas, saca; sacamos, sacáis, sacan
Imp. Ind.	sacaba, sacabas, sacaba; sacábamos, sacabais, sacaban
Pret. Ind.	saqué, sacaste, sacó; sacamos, sacasteis, sacaron
Fut. Ind.	sacaré, sacarás, sacará; sacaremos, sacaréis, sacarán
Condit.	sacaría, sacarías, sacaría; sacaríamos, sacaríais, sacarían
Pres. Subj.	saque, saques, saque; saquemos, saquéis, saquen
Imp. Subj.	sacara, sacaras, sacara; sacáramos, sacarais, sacaran sacase, sacases, sacase; sacásemos, sacaseis, sacasen
Pres. Perf.	he sacado, has sacado, ha sacado; hemos sacado, habéis sacado, han sacado
Pluperf.	había sacado, habías sacado, había sacado; habíamos sacado, habíais sacado, habían sacado
Past Ant.	hube sacado, hubiste sacado, hubo sacado; hubimos sacado, hubisteis sacado, hubieron sacado
Fut. Perf.	habré sacado, habrás sacado, habrá sacado; habremos sacado, habréis sacado, habrán sacado
Cond. Perf.	habría sacado, habrías sacado, habría sacado; habríamos sacado, habríais sacado, habrían sacado
Pres. Perf. Subj.	haya sacado, hayas sacado, haya sacado; hayamos sacado, hayáis sacado, hayan sacado
Plup. Subj.	hubiera sacado, hubieras sacado, hubiera sacado; hubiéramos sacado, hubierais sacado, hubieran sacado hubiese sacado, hubieses sacado, hubiese sacado; hubiésemos sacado, hubieseis sacado, hubiesen sacado
Imperative	—— saca, saque; saquemos, sacad, saquen

to shake, jerk, jolt

Pres. Ind.	sacudo, sacudes, sacude; sacudimos, sacudís, sacuden
Imp. Ind.	sacudía, sacudías, sacudía; sacudíamos, sacudíais, sacudían
Preterit	sacudí, sacudiste, sacudió; sacudimos, sacudisteis, sacudieron
Future	sacudiré, sacudirás, sacudirá; sacudiremos, sacudiréis, sacudirán
Condit.	sacudiría, sacudirías, sacudiría; sacudiríamos, sacudiríais, sacudirían
Pres. Subj.	sacuda, sacudas, sacuda; sacudamos, sacudáis, sacudan
Imp. Subj.	sacudiera, sacudieras, sacudiera; sacudiéramos, sacudierais, sacudieran
	sacudiese, sacudieses, sacudiese; sacudiésemos, sacudieseis, sacudiesen
Pres. Perf. Ind.	he sacudido, has sacudido, ha sacudido; hemos sacudido, habéis sacudido, han sacudido
Plup. Ind.	había sacudido, habías sacudido, había sacudido; habíamos sacudido, habíais sacudido, habían sacudido
Past Ant.	hube sacudido, hubiste sacudido, hubo sacudido; hubimos sacudido, hubisteis sacudido, hubieron sacudido
Fut. Perf.	habré sacudido, habrás sacudido, habrá sacudido; habremos sacudido, habréis sacudido, habrán sacudido
Cond. Perf.	habría sacudido, habrías sacudido, habría sacudido; habríamos sacudido, habríais sacudido, habrían sacudido
Pres. Perf. Subj.	haya sacudido, hayas sacudido, haya sacudido; hayamos sacudido, hayáis sacudido, hayan sacudido
Plup. Subj.	hubiera sacudido, hubieras sacudido, hubiera sacudido; hubiéramos sacudido, hubierais sacudido, hubieran sacudido
	hubiese sacudido, hubieses sacudido, hubiese sacudido; hubiésemos sacudido, hubieseis sacudido, hubiesen sacudido
Imperative	—— sacude, sacuda; sacudamos, sacudid, sacudan

to go out, leave

Pres. Ind.	salgo, sales, sale; salimos, salís, salen
Imp. Ind.	salía, salías, salía; salíamos, salíais, salían
Pret. Ind.	salí, saliste, salió; salimos, salisteis, salieron
Fut. Ind.	saldré, saldrás, saldrá; saldremos, saldréis, saldrán
Condit.	saldría, saldrías, saldría; saldríamos, saldríais, saldrían
Pres. Subj.	salga, salgas, salga; salgamos, salgáis, salgan
Imp. Subj.	saliera, salieras, saliera; saliéramos, salierais, salieran saliese, salieses, saliese; saliésemos, salieseis, saliesen
Pres. Perf.	he salido, has salido, ha salido; hemos salido, habéis salido, han salido
Pluperf.	había salido, habías salido, había salido; habíamos salido, habíais salido, habían salido
Past Ant.	hube salido, hubiste salido, hubo salido; hubimos salido, hubisteis salido, hubieron salido
Fut. Perf.	habré salido, habrás salido, habrá salido; habremos salido, habréis salido, habrán salido
Cond. Perf.	habría salido, habrías salido, habría salido; habríamos salido, habríais salido, habrían salido
Pres. Perf. Subj.	haya salido, hayas salido, haya salido; hayamos salido, hayáis salido, hayan salido
Plup. Subj.	hubiera salido, hubieras salido, hubiera salido; hubiéramos salido, hubierais salido, hubieran salido hubiese salido, hubieses salido, hubiese salido; hubiésemos salido, hubieseis salido, hubiesen salido
Imperative	—— sal, salga; salgamos, salid, salgan

to jump, leap, hop, spring

Pres. Ind.	salto, saltas, salta; saltamos, saltáis, saltan
Imp. Ind.	saltaba, saltabas, saltaba; saltábamos, saltabais, saltaban
Preterit	salté, saltaste, saltó; saltamos, saltasteis, saltaron
Future	saltaré, saltarás, saltará; saltaremos, saltaréis, saltarán
Condit.	saltaría, saltarías, saltaría; saltaríamos, saltaríais, saltarían
Pres. Subj.	salte, saltes, salte; saltemos, saltéis, salten
Imp. Subj.	saltara, saltaras, saltara; saltáramos, saltarais, saltaran saltase, saltases, saltase; saltásemos, saltaseis, saltasen
Pres. Perf. Ind.	he saltado, has saltado, ha saltado; hemos saltado, habéis saltado, han saltado
Plup. Ind.	había saltado, habías saltado, había saltado; habíamos saltado, habíais saltado, habían saltado
Past Ant.	hube saltado, hubiste saltado, hubo saltado; hubimos saltado, hubisteis saltado, hubieron saltado
Fut. Perf.	habré saltado, habrás saltado, habrá saltado; habremos saltado, habréis saltado, habrán saltado
Cond. Perf.	habría saltado, habrías saltado, habría saltado; habríamos saltado, habríais saltado, habrían saltado
Pres. Perf. Subj.	haya saltado, hayas saltado, haya saltado; hayamos saltado, hayáis saltado, hayan saltado
Plup. Subj.	hubiera saltado, hubieras saltado, hubiera saltado; hubiéramos saltado, hubierais saltado, hubieran saltado hubiese saltado, hubieses saltado, hubiese saltado; hubiésemos saltado, hubieseis saltado, hubiesen saltado
Imperative	—— salta, salte; saltemos, saltad, salten

to greet, salute

Pres. Ind.	saludo, saludas, saluda; saludamos, saludáis, saludan
Imp. Ind.	saludaba, saludabas, saludaba; saludábamos, saludabais, saludaban
Preterit	saludé, saludaste, saludó; saludamos, saludasteis, saludaron
Future	saludaré, saludarás, saludará; saludaremos, saludaréis, saludarán
Condit.	saludaría, saludarías, saludaría; saludaríamos, saludaríais, saludarían
Pres. Subj.	salude, saludes, salude; saludemos, saludéis, saluden
Imp. Subj.	saludara, saludaras, saludara; saludáramos, saludarais, saludaran
	saludase, saludases, saludase; saludásemos, saludaseis, saludasen
Pres. Perf. Ind.	he saludado, has saludado, ha saludado; hemos saludado, habéis saludado, han saludado
Plup. Ind.	había saludado, habías saludado, había saludado; habíamos saludado, habíais saludado, habían saludado
Past Ant.	hube saludado, hubiste saludado, hubo saludado; hubimos saludado, hubisteis saludado, hubieron saludado
Fut. Perf.	habré saludado, habrás saludado, habrá saludado; habremos saludado, habréis saludado, habrán saludado
Cond. Perf.	habría saludado, habrías saludado, habría saludado; habríamos saludado, habríais saludado, habrían saludado
Pres. Perf. Subj.	haya saludado, hayas saludado, haya saludado; hayamos saludado, hayáis saludado, hayan saludado
Plup. Subj.	hubiera saludado, hubieras saludado, hubiera saludado; hubiéramos saludado, hubierais saludado, hubieran saludado
	hubiese saludado, hubieses saludado, hubiese saludado; hubiésemos saludado, hubieseis saludado, hubiesen saludado
Imperative	—— saluda, salude; saludemos, saludad, saluden

to satisfy

Pres. Ind.	satisfago, satisfaces, satisface; satisfacemos, satisfacéis, satisfacen
Imp. Ind.	satisfacía, satisfacías, satisfacía; satisfacíamos, satisfacíais, satisfacían
Pret. Ind.	satisfice, satisficiste, satisfizo; satisficimos, satisficisteis, satisficieron
Fut. Ind.	satisfaré, satisfarás, satisfará; satisfaremos, satisfaréis, satisfarán
Condit.	satisfaría, satisfarías, satisfaría; satisfaríamos, satisfaríais, satisfarían
Pres. Subj.	satisfaga, satisfagas, satisfaga; satisfagamos, satisfagáis, satisfagan
Imp. Subj.	satisficiera, satisficieras, satisficiera; satisficiéramos, satisficierais, satisficieran
	satisficiese, satisficieses, satisficiese; satisficiésemos, satisficieseis, satisficiesen
Pres. Perf.	he satisfecho, has satisfecho, ha satisfecho; hemos satisfecho, habéis satisfecho, han satisfecho
Pluperf.	había satisfecho, habías satisfecho, había satisfecho; habíamos satisfecho, habíais satisfecho, habían satisfecho
Past Ant.	hube satisfecho, hubiste satisfecho, hubo satisfecho; hubimos satisfecho, hubisteis satisfecho, hubieron satisfecho
Fut. Perf.	habré satisfecho, habrás satisfecho, habrá satisfecho; habremos satisfecho, habréis satisfecho, habrán satisfecho
Cond. Perf.	habría satisfecho, habrías satisfecho, habría satisfecho; habríamos satisfecho, habríais satisfecho, habrían satisfecho
Pres. Perf. Subj.	haya satisfecho, hayas satisfecho, haya satisfecho; hayamos satisfecho, hayáis satisfecho, hayan satisfecho
Plup. Subj.	hubiera satisfecho, hubieras satisfecho, hubiera satisfecho; hubiéramos satisfecho, hubierais satisfecho, hubieran satisfecho
	hubiese satisfecho, hubieses satisfecho, hubiese satisfecho; hubiésemos satisfecho, hubieseis satisfecho, hubiesen satisfecho
Imperative	—— satisfaz, satisfaga; satisfagamos, satisfaced, satisfagan

to dry, wipe dry

Pres. Ind.	seco, secas, seca; secamos, secáis, secan
Imp. Ind.	secaba, secabas, secaba; secábamos, secabais, secaban
Preterit	sequé, secaste, secó; secamos, secasteis, secaron
Future	secaré, secarás, secará; secaremos, secaréis, secarán
Condit.	secaría, secarías, secaría; secaríamos, secaríais, secarían
Pres. Subj.	seque, seques, seque; sequemos, sequéis, sequen
Imp. Subj.	secara, secaras, secara; secáramos, secarais, secaran
	secase, secases, secase; secásemos, secaseis, secasen
Pres. Perf. Ind.	he secado, has secado, ha secado; hemos secado, habéis secado, han secado
Plup. Ind.	había secado, habías secado, había secado; habíamos secado, habíais secado, habían secado
Past Ant.	hube secado, hubiste secado, hubo secado; hubimos secado, hubisteis secado, hubieron secado
Fut. Perf.	habré secado, habrás secado, habrá secado; habremos secado, habréis secado, habrán secado
Cond. Perf.	habría secado, habrías secado, habría secado; habríamos secado, habríais secado, habrían secado
Pres. Perf. Subj.	haya secado, hayas secado, haya secado; hayamos secado, hayáis secado, hayan secado
Plup. Subj.	hubiera secado, hubieras secado, hubiera secado; hubiéramos secado, hubierais secado, hubieran secado
	hubiese secado, hubieses secado, hubiese secado; hubiésemos secado, hubieseis secado, hubiesen secado
Imperative	—— seca, seque; sequemos, secad, sequen

to dry oneself

Pres. Ind.	me seco, te secas, se seca; nos secamos, os secáis, se secan
Imp. Ind.	me secaba, te secabas, se secaba; nos secábamos, os secabais, se secaban
Preterit	me sequé, te secaste, se secó; nos secamos, os secasteis, se secaron
Future	me secaré, te secarás, se secará; nos secaremos, os secaréis, se secarán
Condit.	me secaría, te secarías, se secaría; nos secaríamos, os secaríais, se secarían
Pres. Subj.	me seque, te seques, se seque; nos sequemos, os sequéis, se sequen
Imp. Subj.	me secara, te secaras, se secara; nos secáramos, os secarais, se secaran
	me secase, te secases, se secase; nos secásemos, os secaseis, se secasen
Pres. Perf. Ind.	me he secado, te has secado, se ha secado; nos hemos secado, os habéis secado, se han secado
Plup. Ind.	me había secado, te habías secado, se había secado; nos habíamos secado, os habíais secado, se habían secado
Past Ant.	me hube secado, te hubiste secado, se hubo secado; nos hubimos secado, os hubisteis secado, se hubieron secado
Fut. Perf.	me habré secado, te habrás secado, se habrá secado; nos habremos secado, os habréis secado, se habrán secado
Cond. Perf.	me habría secado, te habrías secado, se habría secado; nos habríamos secado, os habríais secado, se habrían secado
Pres. Perf. Subj.	me haya secado, te hayas secado, se haya secado; nos hayamos secado, os hayáis secado, se hayan secado
Plup. Subj.	me hubiera secado, te hubieras secado, se hubiera secado; nos hubiéramos secado, os hubierais secado, se hubieran secado
	me hubiese secado, te hubieses secado, se hubiese secado; nos hubiésemos secado, os hubieseis secado, se hubiesen secado
Imperative	—— sécate, séquese; sequémonos, secaos, séquense

to follow, pursue, continue

Pres. Ind.	sigo, sigues, sigue; seguimos, seguís, siguen
Imp. Ind.	seguía, seguías, seguía; seguíamos, seguíais, seguían
Pret. Ind.	seguí, seguiste, siguió; seguimos, seguisteis, siguieron
Fut. Ind.	seguiré, seguirás, seguirá; seguiremos, seguiréis, seguirán
Condit.	seguiría, seguirías, seguiría; seguiríamos, seguiríais, seguirían
Pres. Subj.	siga, sigas, siga; sigamos, sigáis, sigan
Imp. Subj.	siguiera, siguieras, siguiera; siguiéramos, siguierais, siguieran
	siguiese, siguieses, siguiese; siguiésemos, siguieseis, siguiesen
Pres. Perf.	he seguido, has seguido, ha seguido; hemos seguido, habéis seguido, han seguido
Pluperf.	había seguido, habías seguido, había seguido; habíamos seguido, habíais seguido, habían seguido
Past Ant.	hube seguido, hubiste seguido, hubo seguido; hubimos seguido, hubisteis seguido, hubieron seguido
Fut. Perf.	habré seguido, habrás seguido, habrá seguido; habremos seguido, habréis seguido, habrán seguido
Cond. Perf.	habría seguido, habrías seguido, habría seguido; habríamos seguido, habríais seguido, habrían seguido
Pres. Perf. Subj.	haya seguido, hayas seguido, haya seguido; hayamos seguido, hayáis seguido, hayan seguido
Plup. Subj.	hubiera seguido, hubieras seguido, hubiera seguido; hubiéramos seguido, hubierais seguido, hubieran seguido
	hubiese seguido, hubieses seguido, hubiese seguido; hubiésemos seguido, hubieseis seguido, hubiesen seguido
Imperative	—— sigue, siga; sigamos, seguid, sigan

to sit down

Pres. Ind.	me siento, te sientas, se sienta; nos sentamos, os sentáis, se sientan
Imp. Ind.	me sentaba, te sentabas, se sentaba; nos sentábamos, os sentabais, se sentaban
Pret. Ind.	me senté, te sentaste, se sentó; nos sentamos, os sentasteis, se sentaron
Fut. Ind.	me sentaré, te sentarás, se sentará; nos sentaremos, os sentaréis, se sentarán
Condit.	me sentaría, te sentarías, se sentaría; nos sentaríamos, os sentaríais, se sentarían
Pres. Subj.	me siente, te sientes, se siente; nos sentemos, os sentéis, se sienten
Imp. Subj.	me sentara, te sentaras, se sentara; nos sentáramos, os sentarais, se sentaran
	me sentase, te sentases, se sentase; nos sentásemos, os sentaseis, se sentasen
Pres. Perf.	me he sentado, te has sentado, se ha sentado; nos hemos sentado, os habéis sentado, se han sentado
Pluperf.	me había sentado, te habías sentado, se había sentado; nos habíamos sentado, os habíais sentado, se habían sentado
Past Ant.	me hube sentado, te hubiste sentado, se hubo sentado; nos hubimos sentado, os hubisteis sentado, se hubieron sentado
Fut. Perf.	me habré sentado, te habrás sentado, se habrá sentado; nos habremos sentado, os habréis sentado, se habrán sentado
Cond. Perf.	me habría sentado, te habrías sentado, se habría sentado; nos habríamos sentado, os habríais sentado, se habrían sentado
Pres. Perf. Subj.	me haya sentado, te hayas sentado, se haya sentado; nos hayamos sentado, os hayáis sentado, se hayan sentado
Plup. Subj.	me hubiera sentado, te hubieras sentado, se hubiera sentado; nos hubiéramos sentado, os hubierais sentado, se hubieran sentado
	me hubiese sentado, te hubieses sentado, se hubiese sentado; nos hubiésemos sentado, os hubieseis sentado, se hubiesen sentado
Imperative	—— siéntate, siéntese; sentémonos, sentaos, siéntense

to feel sorry, regret, feel

Pres. Ind.	siento, sientes, siente; sentimos, sentís, sienten
Imp. Ind.	sentía, sentías, sentía; sentíamos, sentíais, sentían
Pret. Ind.	sentí, sentiste, sintió; sentimos, sentisteis, sintieron
Fut. Ind.	sentiré, sentirás, sentirá; sentiremos, sentiréis, sentirán
Condit.	sentiría, sentirías, sentiría; sentiríamos, sentiríais, sentirían
Pres. Subj.	sienta, sientas, sienta; sintamos, sintáis, sientan
Imp. Subj.	sintiera, sintieras, sintiera; sintiéramos, sintierais, sintieran
	sintiese, sintieses, sintiese; sintiésemos, sintieseis, sintiesen
Pres. Perf.	he sentido, has sentido, ha sentido; hemos sentido, habéis sentido, han sentido
Pluperf.	había sentido, habías sentido, había sentido; habíamos sentido, habíais sentido, habían sentido
Past Ant.	hube sentido, hubiste sentido, hubo sentido; hubimos sentido, hubisteis sentido, hubieron sentido
Fut. Perf.	habré sentido, habrás sentido, habrá sentido; habremos sentido, habréis sentido, habrán sentido
Cond. Perf.	habría sentido, habrías sentido, habría sentido; habríamos sentido, habríais sentido, habrían sentido
Pres. Perf. Subj.	haya sentido, hayas sentido, haya sentido; hayamos sentido, hayáis sentido, hayan sentido
Plup. Subj.	hubiera sentido, hubieras sentido, hubiera sentido; hubiéramos sentido, hubierais sentido, hubieran sentido
	hubiese sentido, hubieses sentido, hubiese sentido; hubiésemos sentido, hubieseis sentido, hubiesen sentido
Imperative	—— siente, sienta; sintamos, sentid, sientan

to feel

Pres. Ind.	me siento, te sientes, se siente; nos sentimos, os sentís, se sienten
Imp. Ind.	me sentía, te sentías, se sentía; nos sentíamos, os sentíais, se sentían
Pret. Ind.	me sentí, te sentiste, se sintió; nos sentimos, os sentisteis, se sintieron
Fut. Ind.	me sentiré, te sentirás, se sentirá; nos sentiremos, os sentiréis, se sentirán
Condit.	me sentiría, te sentirías, se sentiría; nos sentiríamos, os sentiríais, se sentirían
Pres. Subj.	me sienta, te sientas, se sienta; nos sintamos, os sintáis, se sientan
Imp. Subj.	me sintiera, te sintieras, se sintiera; nos sintiéramos, os sintierais, se sintieran
	me sintiese, te sintieses, se sintiese; nos sintiésemos, os sintieseis, se sintiesen
Pres. Perf.	me he sentido, te has sentido, se ha sentido; nos hemos sentido, os habéis sentido, se han sentido
Pluperf.	me había sentido, te habías sentido, se había sentido; nos habíamos sentido, os habíais sentido, se habían sentido
Past Ant.	me hube sentido, te hubiste sentido, se hubo sentido; nos hubimos sentido, os hubisteis sentido, se hubieron sentido
Fut. Perf.	me habré sentido, te habrás sentido, se habrá sentido; nos habremos sentido, os habréis sentido, se habrán sentido
Cond. Perf.	me habría sentido, te habrías sentido, se habría sentido; nos habríamos sentido, os habríais sentido, se habrían sentido
Pres. Perf. Subj.	me haya sentido, te hayas sentido, se haya sentido; nos hayamos sentido, os hayáis sentido, se hayan sentido
Plup. Subj.	me hubiera sentido, te hubieras sentido, se hubiera sentido; nos hubiéramos sentido, os hubierais sentido, se hubieran sentido
	me hubiese sentido, te hubieses sentido, se hubiese sentido; nos hubiésemos sentido, os hubieseis sentido, se hubiesen sentido
Imperative	—— siéntete, siéntase; sintámonos, sentíos, siéntanse

to indicate, point out, show, signal

Pres. Ind.	señalo, señalas, señala; señalamos, señaláis, señalan
Imp. Ind.	señalaba, señalabas, señalaba; señalábamos, señalabais, señalaban
Preterit	señalé, señalaste, señaló; señalamos, señalasteis, señalaron
Future	señalaré, señalarás, señalará; señalaremos, señalaréis, señalarán
Condit.	señalaría, señalarías, señalaría; señalaríamos, señalaríais, señalarían
Pres. Subj.	señale, señales, señale; señalemos, señaléis, señalen
Imp. Subj.	señalara, señalaras, señalara; señaláramos, señalarais, señalaran
	señalase, señalases, señalase; señalásemos, señalaseis, señalasen
Pres. Perf. Ind.	he señalado, has señalado, ha señalado; hemos señalado, habéis señalado, han señalado
Plup. Ind.	había señalado, habías señalado, había señalado; habíamos señalado, habíais señalado, habían señalado
Past Ant.	hube señalado, hubiste señalado, hubo señalado; hubimos señalado, hubisteis señalado, hubieron señalado
Fut. Perf.	habré señalado, habrás señalado, habrá señalado; habremos señalado, habréis señalado, habrán señalado
Cond. Perf.	habría señalado, habrías señalado, habría señalado; habríamos señalado, habríais señalado, habrían señalado
Pres. Perf. Subj.	haya señalado, hayas señalado, haya señalado; hayamos señalado, hayáis señalado, hayan señalado
Plup. Subj.	hubiera señalado, hubieras señalado, hubiera señalado; hubiéramos señalado, hubierais señalado, hubieran señalado
	hubiese señalado, hubieses señalado, hubiese señalado; hubiésemos señalado, hubieseis señalado, hubiesen señalado
Imperative	—— señala, señale; señalemos, señalad, señalen

to be

Pres. Ind.	soy, eres, es; somos, sois, son
Imp. Ind.	era, eras, era; éramos, erais, eran
Pret. Ind.	fui, fuiste, fue; fuimos, fuisteis, fueron
Fut. Ind.	seré, serás, será; seremos, seréis, serán
Condit.	sería, serías, sería; seríamos, seríais, serían
Pres. Subj.	sea, seas, sea; seamos, seáis, sean
Imp. Subj.	fuera, fueras, fuera; fuéramos, fuerais, fueran
	fuese, fueses, fuese; fuésemos, fueseis, fuesen
Pres. Perf.	he sido, has sido, ha sido; hemos sido, habéis sido, han sido
Pluperf.	había sido, habías sido, había sido; habíamos sido, habíais sido, habían sido
Past Ant.	hube sido, hubiste sido, hubo sido; hubimos sido, hubisteis sido, hubieron sido
Fut. Perf.	habré sido, habrás sido, habrá sido; habremos sido, habréis sido, habrán sido
Cond. Perf.	habría sido, habrías sido, habría sido; habríamos sido, habríais sido, habrían sido
Pres. Perf. Subj.	haya sido, hayas sido, haya sido; hayamos sido, hayáis sido, hayan sido
Plup. Subj.	hubiera sido, hubieras sido, hubiera sido; hubiéramos sido, hubierais sido, hubieran sido
	hubiese sido, hubieses sido, hubiese sido; hubiésemos sido, hubieseis sido, hubiesen sido
Imperative	—— sé, sea; seamos, sed, sean

to serve

Pres. Ind.	sirvo, sirves, sirve; servimos, servís, sirven
Imp. Ind.	servía, servías, servía; servíamos, servíais, servían
Pret. Ind.	serví, serviste, sirvió; servimos, servisteis, sirvieron
Fut. Ind.	serviré, servirás, servirá; serviremos, serviréis, servirán
Condit.	serviría, servirías, serviría; serviríamos, serviríais, servirían
Pres. Subj.	sirva, sirvas, sirva; sirvamos, sirváis, sirvan
Imp. Subj.	sirviera, sirvieras, sirviera; sirviéramos, sirvierais, sirvieran sirviese, sirvieses, sirviese; sirviésemos, sirvieseis, sirviesen
Pres. Perf.	he servido, has servido, ha servido; hemos servido, habéis servido, han servido
Pluperf.	había servido, habías servido, había servido; habíamos servido, habíais servido, habían servido
Past Ant.	hube servido, hubiste servido, hubo servido; hubimos servido, hubisteis servido, hubieron servido
Fut. Perf.	habré servido, habrás servido, habrá servido; habremos servido, habréis servido, habrán servido
Cond. Perf.	habría servido, habrías servido, habría servido; habríamos servido, habríais servido, habrían servido
Pres. Perf. Subj.	haya servido, hayas servido, haya servido; hayamos servido, hayáis servido, hayan servido
Plup. Subj.	hubiera servido, hubieras servido, hubiera servido; hubiéramos servido, hubierais servido, hubieran servido hubiese servido, hubieses servido, hubiese servido; hubiésemos servido, hubieseis servido, hubiesen servido
Imperative	—— sirve, sirva; sirvamos, servid, sirvan

to simulate, feign, pretend, sham

Pres. Ind.	simulo, simulas, simula; simulamos, simuláis, simulan
Imp. Ind.	simulaba, simulabas, simulaba; simulábamos, simulabais, simulaban
Preterit	simulé, simulaste, simuló; simulamos, simulasteis, simularon
Future	simularé, simularás, simulará; simularemos, simularéis, simularán
Condit.	simularía, simularías, simularía; simularíamos, simularíais, simularían
Pres. Subj.	simule, simules, simule; simulemos, simuléis, simulen
Imp. Subj.	simulara, simularas, simulara; simuláramos, simularais, simularan
	simulase, simulases, simulase; simulásemos, simulaseis, simulasen
Pres. Perf. Ind.	he simulado, has simulado, ha simulado; hemos simulado, habéis simulado, han simulado
Plup. Ind.	había simulado, habías simulado, había simulado; habíamos simulado, habíais simulado, habían simulado
Past Ant.	hube simulado, hubiste simulado, hubo simulado; hubimos simulado, hubisteis simulado, hubieron simulado
Fut. Perf.	habré simulado, habrás simulado, habrá simulado; habremos simulado, habréis simulado, habrán simulado
Cond. Perf.	habría simulado, habrías simulado, habría simulado; habríamos simulado, habríais simulado, habrían simulado
Pres. Perf. Subj.	haya simulado, hayas simulado, haya simulado; hayamos simulado, hayáis simulado, hayan simulado
Plup. Subj.	hubiera simulado, hubieras simulado, hubiera simulado; hubiéramos simulado, hubierais simulado, hubieran simulado
	hubiese simulado, hubieses simulado, hubiese simulado; hubiésemos simulado, hubieseis simulado, hubiesen simulado
Imperative	—— simula, simule; simulemos, simulad, simulen

to aid, assist, help, succor

Pres. Ind.	socorro, socorres, socorre; socorremos, socorréis, socorren
Imp. Ind.	socorría, socorrías, socorría; socorríamos, socorríais, socorrían
Preterit	socorrí, socorriste, socorrió; socorrimos, socorristeis, socorrieron
Future	socorreré, socorrerás, socorrerá; socorreremos, socorreréis, socorrerán
Condit.	socorrería, socorrerías, socorrería; socorreríamos, socorreríais, socorrerían
Pres. Subj.	socorra, socorras, socorra; socorramos, socorráis, socorran
Imp. Subj.	socorriera, socorrieras, socorriera; socorriéramos, socorrierais, socorrieran
	socorriese, socorrieses, socorriese; socorriésemos, socorrieseis, socorriesen
Pres. Perf. Ind.	he socorrido, has socorrido, ha socorrido; hemos socorrido, habéis socorrido, han socorrido
Plup. Ind.	había socorrido, habías socorrido, había socorrido; habíamos socorrido, habíais socorrido, habían socorrido
Past Ant.	hube socorrido, hubiste socorrido, hubo socorrido; hubimos socorrido, hubisteis socorrido, hubieron socorrido
Fut. Perf.	habré socorrido, habrás socorrido, habrá socorrido; habremos socorrido, habréis socorrido, habrán socorrido
Cond. Perf.	habría socorrido, habrías socorrido, habría socorrido; habríamos socorrido, habríais socorrido, habrían socorrido
Pres. Perf. Subj.	haya socorrido, hayas socorrido, haya socorrido; hayamos socorrido, hayáis socorrido, hayan socorrido
Plup. Subj.	hubiera socorrido, hubieras socorrido, hubiera socorrido; hubiéramos socorrido, hubierais socorrido, hubieran socorrido
	hubiese socorrido, hubieses socorrido, hubiese socorrido; hubiésemos socorrido, hubieseis socorrido, hubiesen socorrido
Imperative	—— socorre, socorra; socorramos, socorred, socorran

to choke, smother, suffocate, stifle

Pres. Ind.	sofoco, sofocas, sofoca; sofocamos, sofocáis, sofocan
Imp. Ind.	sofocaba, sofocabas, sofocaba; sofocábamos, sofocabais, sofocaban
Preterit	sofoqué, sofocaste, sofocó; sofocamos, sofocasteis, sofocaron
Future	sofocaré, sofocarás, sofocará; sofocaremos, sofocaréis, sofocarán
Condit.	sofocaría, sofocarías, sofocaría; sofocaríamos, sofocaríais, sofocarían
Pres. Subj.	sofoque, sofoques, sofoque; sofoquemos, sofoquéis, sofoquen
Imp. Subj.	sofocara, sofocaras, sofocara; sofocáramos, sofocarais, sofocaran
	sofocase, sofocases, sofocase; sofocásemos, sofocaseis, sofocasen
Pres. Perf. Ind.	he sofocado, has sofocado, ha sofocado; hemos sofocado, habéis sofocado, han sofocado
Plup. Ind.	había sofocado, habías sofocado, había sofocado; habíamos sofocado, habíais sofocado, habían sofocado
Past Ant.	hube sofocado, hubiste sofocado, hubo sofocado; hubimos sofocado, hubisteis sofocado, hubieron sofocado
Fut. Perf.	habré sofocado, habrás sofocado, habrá sofocado; habremos sofocado, habréis sofocado, habrán sofocado
Cond. Perf.	habría sofocado, habrías sofocado, habría sofocado; habríamos sofocado, habríais sofocado, habrían sofocado
Pres. Perf. Subj.	haya sofocado, hayas sofocado, haya sofocado; hayamos sofocado, hayáis sofocado, hayan sofocado
Plup. Subj.	hubiera sofocado, hubieras sofocado, hubiera sofocado; hubiéramos sofocado, hubierais sofocado, hubieran sofocado
	hubiese sofocado, hubieses sofocado, hubiese sofocado; hubiésemos sofocado, hubieseis sofocado, hubiesen sofocado
Imperative	—— sofoca, sofoque; sofoquemos, sofocad, sofoquen

to have the custom of, to be in the habit of to be accustomed to

Pres. Ind.	suelo, sueles, suele; solemos, soléis, suelen
Imp. Ind.	solía, solías, solía; solíamos, solíais, solían
Pres. Subj.	suela, suelas, suela; solamos, soláis, suelan

*NOTE: This verb is generally regarded as being defective and is, therefore, used primarily in the tenses given above; it is generally not used in the remaining tenses.

to unfasten, untie, loosen, let go, let loose

Pres. Ind.	suelto, sueltas, suelta; soltamos, soltáis, sueltan
Imp. Ind.	soltaba, soltabas, soltaba; soltábamos, soltabais, soltaban
Preterit	solté, soltaste, soltó; soltamos, soltasteis, soltaron
Future	soltaré, soltarás, soltará; soltaremos, soltaréis, soltarán
Condit.	soltaría, soltarías, soltaría; soltaríamos, soltaríais, soltarían
Pres. Subj.	suelte, sueltes, suelte; soltemos, soltéis, suelten
Imp. Subj.	soltara, soltaras, soltara; soltaramos, soltarais, soltaran
	soltase, soltases, soltase; soltásemos, soltaseis, soltasen
Pres. Perf. Ind.	he suelto, has suelto, ha suelto; hemos suelto, habéis suelto, han suelto
Plup. Ind.	había suelto, habías suelto, había suelto; habíamos suelto, habíais suelto, habían suelto
Past Ant.	hube suelto, hubiste suelto, hubo suelto; hubimos suelto, hubisteis suelto, hubieron suelto
Fut. Perf.	habré suelto, habrás suelto, habrá suelto; habremos suelto, habréis suelto, habrán suelto
Cond. Perf.	habría suelto, habrías suelto, habría suelto; habríamos suelto, habríais suelto, habrían suelto
Pres. Perf. Subj.	haya suelto, hayas suelto, haya suelto; hayamos suelto, hayáis suelto, hayan suelto
Plup. Subj.	hubiera suelto, hubieras suelto, hubiera suelto; hubiéramos suelto, hubierais suelto, hubieran suelto
	hubiese suelto, hubieses suelto, hubiese suelto; hubiésemos suelto, hubieseis suelto, hubiesen suelto
Imperative	—— suelta, suelte; soltemos, soltad, suelten

to sob

Pres. Ind.	sollozo, sollozas, solloza; sollozamos, sollozáis, sollozan
Imp. Ind.	sollozaba, sollozabas, sollozaba; sollozábamos, sollozabais, sollozaban
Preterit	sollocé, sollozaste, sollozó; sollozamos, sollozasteis, sollozaron
Future	sollozaré, sollozarás, sollozará; sollozaremos, sollozaréis, sollozarán
Condit.	sollozaría, sollozarías, sollozaría; sollozaríamos, sollozaríais, sollozarían
Pres. Subj.	solloce, solloces, solloce; sollocemos, sollocéis, sollocen
Imp. Subj.	sollozara, sollozaras, sollozara; sollozáramos, sollozarais, sollozaran
	sollozase, sollozases, sollozase; sollozásemos, sollozaseis, sollozasen
Pres. Perf. Ind.	he sollozado, has sollozado, ha sollozado; hemos sollozado, habéis sollozado, han sollozado
Plup. Ind.	había sollozado, habías sollozado, había sollozado; habíamos sollozado, habíais sollozado, habían sollozado
Past Ant.	hube sollozado, hubiste sollozado, hubo sollozado; hubimos sollozado, hubisteis sollozado, hubieron sollozado
Fut. Perf.	habré sollozado, habrás sollozado, habrá sollozado; habremos sollozado, habréis sollozado, habrán sollozado
Cond. Perf.	habría sollozado, habrías sollozado, habría sollozado; habríamos sollozado, habríais sollozado, habrían sollozado
Pres. Perf. Subj.	haya sollozado, hayas sollozado, haya sollozado; hayamos sollozado, hayáis sollozado, hayan sollozado
Plup. Subj.	hubiera sollozado, hubieras sollozado, hubiera sollozado; hubiéramos sollozado, hubierais sollozado, hubieran sollozado
	hubiese sollozado, hubieses sollozado, hubiese sollozado; hubiésemos sollozado, hubieseis sollozado, hubiesen sollozado
Imperative	—— solloza, solloce; sollocemos, sollozad, sollocen

to subdue, subject, surrender, submit

Pres. Ind.	someto, sometes, somete; sometemos, sometéis, someten
Imp. Ind.	sometía, sometías, sometía; sometíamos, sometíais, sometían
Preterit	sometí, sometiste, sometió; sometimos, sometisteis, sometieron
Future	someteré, someterás, someterá; someteremos, someteréis, someterán
Condit.	sometería, someterías, sometería; someteríamos, someteríais, someterían
Pres. Subj.	someta, sometas, someta; sometamos, sometáis, sometan
Imp. Subj.	sometiera, sometieras, sometiera; sometiéramos, sometierais, sometieran sometiese, sometieses, sometiese; sometiésemos, sometieseis, sometiesen
Pres. Perf. Ind.	he sometido, has sometido, ha sometido; hemos sometido, habéis sometido, han sometido
Plup. Ind.	había sometido, habías sometido, había sometido; habíamos sometido, habíais sometido, habían sometido
Past Ant.	hube sometido, hubiste sometido, hubo sometido; hubimos sometido, hubisteis sometido, hubieron sometido
Fut. Perf.	habré sometido, habrás sometido, habrá sometido; habremos sometido, habréis sometido, habrán sometido
Cond. Perf.	habría sometido, habrías sometido, habría sometido; habríamos sometido, habríais sometido, habrían sometido
Pres. Perf. Subj.	haya sometido, hayas sometido, haya sometido; hayamos sometido, hayáis sometido, hayan sometido
Plup. Subj.	hubiera sometido, hubieras sometido, hubiera sometido; hubiéramos sometido, hubierais sometido, hubieran sometido hubiese sometido, hubieses sometido, hubiese sometido; hubiésemos sometido, hubieseis sometido, hubiesen sometido
Imperative	—— somete, someta; sometamos, someted, sometan

to ring, echo, resound, sound

Pres. Ind.	sueno, suenas, suena; sonamos, sonáis, suenan
Imp. Ind.	sonaba, sonabas, sonaba; sonábamos, sonabais, sonaban
Preterit	soné, sonaste, sonó; sonamos, sonasteis, sonaron
Future	sonaré, sonarás, sonará; sonaremos, sonaréis, sonarán
Condit.	sonaría, sonarías, sonaría; sonaríamos, sonaríais, sonarían
Pres. Subj.	suene, suenes, suene; sonemos, sonéis, suenen
Imp. Subj.	sonara, sonaras, sonara; sonáramos, sonarais, sonaran
	sonase, sonases, sonase; sonásemos, sonaseis, sonasen
Pres. Perf. Ind.	he sonado, has sonado, ha sonado; hemos sonado, habéis sonado, han sonado
Plup. Ind.	había sonado, habías sonado, había sonado; habíamos sonado, habíais sonado, habían sonado
Past Ant.	hube sonado, hubiste sonado, hubo sonado; hubimos sonado, hubisteis sonado, hubieron sonado
Fut. Perf.	habré sonado, habrás sonado, habrá sonado; habremos sonado, habréis sonado, habrán sonado
Cond. Perf.	habría sonado, habrías sonado, habría sonado; habríamos sonado, habríais sonado, habrían sonado
Pres. Perf. Subj.	haya sonado, hayas sonado, haya sonado; hayamos sonado, hayáis sonado, hayan sonado
Plup. Subj.	hubiera sonado, hubieras sonado, hubiera sonado; hubiéramos sonado, hubierais sonado, hubieran sonado
	hubiese sonado, hubieses sonado, hubiese sonado; hubiésemos sonado, hubieseis sonado, hubiesen sonado
Imperative	—— suena, suene; sonemos, sonad, suenen

to smile

Pres. Ind.	sonrío, sonríes, sonríe; sonreímos, sonreís, sonríen
Imp. Ind.	sonreía, sonreías, sonreía; sonreíamos, sonreíais, sonreían
Pret. Ind.	sonreí, sonreíste, sonrió; sonreímos, sonreísteis, sonrieron
Fut. Ind.	sonreiré, sonreirás, sonreirá; sonreiremos, sonreiréis, sonreirán
Condit.	sonreiría, sonreirías, sonreiría; sonreiríamos, sonreiríais, sonreirían
Pres. Subj.	sonría, sonrías, sonría; sonriamos, sonriáis, sonrían
Imp. Subj.	sonriera, sonrieras, sonriera; sonriéramos, sonrierais, sonrieran
	sonriese, sonrieses, sonriese; sonriésemos, sonrieseis, sonriesen
Pres. Perf.	he sonreído, has sonreído, ha sonreído; hemos sonreído, habéis sonreído, han sonreído
Pluperf.	había sonreído, habías sonreído, había sonreído; habíamos sonreído, habíais sonreído, habían sonreído
Past Ant.	hube sonreído, hubiste sonreído, hubo sonreído; hubimos sonreído, hubisteis sonreído, hubieron sonreído
Fut. Perf.	habré sonreído, habrás sonreído, habrá sonreído; habremos sonreído, habréis sonreído, habrán sonreído
Cond. Perf.	habría sonreído, habrías sonreído, habría sonreído; habríamos sonreído, habríais sonreído, habrían sonreído
Pres. Perf. Subj.	haya sonreído, hayas sonreído, haya sonreído; hayamos sonreído, hayáis sonreído, hayan sonreído
Plup. Subj.	hubiera sonreído, hubieras sonreído, hubiera sonreído; hubiéramos sonreído, hubierais sonreído, hubieran sonreído
	hubiese sonreído, hubieses sonreído, hubiese sonreído; hubiésemos sonreído, hubieseis sonreído, hubiesen sonreído
Imperative	—— sonríe, sonría; sonriamos, sonreíd, sonrían

to dream

Pres. Ind.	sueño, sueñas, sueña; soñamos, soñáis, sueñan
Imp. Ind.	soñaba, soñabas, soñaba; soñábamos, soñabais, soñaban
Pret. Ind.	soñé, soñaste, soñó; soñamos, soñasteis, soñaron
Fut. Ind.	soñaré, soñarás, soñará; soñaremos, soñaréis, soñarán
Condit.	soñaría, soñarías, soñaría; soñaríamos, soñaríais, soñarían
Pres. Subj.	sueñe, sueñes, sueñe; soñemos, soñéis, sueñen
Imp. Subj.	soñara, soñaras, soñara; soñáramos, soñarais, soñaran
	soñase, soñases, soñase; soñásemos, soñaseis, soñasen
Pres. Perf.	he soñado, has soñado, ha soñado; hemos soñado, habéis soñado, han soñado
Pluperf.	había soñado, habías soñado, había soñado; habíamos soñado, habíais soñado, habían soñado
Past Ant.	hube soñado, hubiste soñado, hubo soñado; hubimos soñado, hubisteis soñado, hubieron soñado
Fut. Perf.	habré soñado, habrás soñado, habrá soñado; habremos soñado, habréis soñado, habrán soñado
Cond. Perf.	habría soñado, habrías soñado, habría soñado; habríamos soñado, habríais soñado, habrían soñado
Pres. Perf. Subj.	haya soñado, hayas soñado, haya soñado; hayamos soñado, hayáis soñado, hayan soñado
Plup. Subj.	hubiera soñado, hubieras soñado, hubiera soñado; hubiéramos soñado, hubierais soñado, hubieran soñado
	hubiese soñado, hubieses soñado, hubiese soñado; hubiésemos soñado, hubieseis soñado, hubiesen soñado
Imperative	—— sueña, sueñe; soñemos, soñad, sueñen

to blow, blow out

Pres. Ind.	soplo, soplas, sopla; soplamos, sopláis, soplan
Imp. Ind.	soplaba, soplabas, soplaba; soplábamos, soplabais, soplaban
Preterit	soplé, soplaste, sopló; soplamos, soplasteis, soplaron
Future	soplaré, soplarás, soplará; soplaremos, soplaréis, soplarán
Condit.	soplaría, soplarías, soplaría; soplaríamos, soplaríais, soplarían
Pres. Subj.	sople, soples, sople; soplemos, sopléis, soplen
Imp. Subj.	soplara, soplaras, soplara; sopláramos, soplarais, soplaran
	soplase, soplases, soplase; soplásemos, soplaseis, soplasen
Pres. Perf. Ind.	he soplado, has soplado, ha soplado; hemos soplado, habéis soplado, han soplado
Plup. Ind.	había soplado, habías soplado, había soplado; habíamos soplado, habíais soplado, habían soplado
Past Ant.	hube soplado, hubiste soplado, hubo soplado; hubimos soplado, hubisteis soplado, hubieron soplado
Fut. Perf.	habré soplado, habrás soplado, habrá soplado; habremos soplado, habréis soplado, habrán soplado
Cond. Perf.	habría soplado, habrías soplado, habría soplado; habríamos soplado, habríais soplado, habrían soplado
Pres. Perf. Subj.	haya soplado, hayas soplado, haya soplado; hayamos soplado, hayáis soplado, hayan soplado
Plup. Subj.	hubiera soplado, hubieras soplado, hubiera soplado; hubiéramos soplado, hubierais soplado, hubieran soplado
	hubiese soplado, hubieses soplado, hubiese soplado; hubiésemos soplado, hubieseis soplado, hubiesen soplado
Imperative	—— sopla, sople; soplemos, soplad, soplen

to surprise, astonish

Pres. Ind.	sorprendo, sorprendes, sorprende; sorprendemos, sorprendéis, sorprenden
Imp. Ind.	sorprendía, sorprendías, sorprendía; sorprendíamos, sorprendíais, sorprendían
Preterit	sorprendí, sorprendiste, sorprendió; sorprendimos, sorprendisteis, sorprendieron
Future	sorprenderé, sorprenderás, sorprenderá; sorprenderemos, sorprenderéis, sorprenderán
Condit.	sorprendería, sorprenderías, sorprendería; sorprenderíamos, sorprenderíais, sorprenderían
Pres. Subj.	sorprenda, sorprendas, sorprenda; sorprendamos, sorprendáis, sorprendan
Imp. Subj.	sorprendiera, sorprendieras, sorprendiera; sorprendiéramos, sorprendierais, sorprendieran sorprendiese, sorprendieses, sorprendiese; sorprendiésemos, sorprendieseis, sorprendiesen
Pres. Perf. Ind.	he sorprendido, has sorprendido, ha sorprendido; hemos sorprendido, habéis sorprendido, han sorprendido
Plup. Ind.	había sorprendido, habías sorprendido, había sorprendido; habíamos sorprendido, habíais sorprendido, habían sorprendido
Past Ant.	hube sorprendido, hubiste sorprendido, hubo sorprendido; hubimos sorprendido, hubisteis sorprendido, hubieron sorprendido
Fut. Perf.	habré sorprendido, habrás sorprendido, habrá sorprendido; habremos sorprendido, habréis sorprendido, habrán sorprendido
Cond. Perf.	habría sorprendido, habrías sorprendido, habría sorprendido; habríamos sorprendido, habríais sorprendido, habrían sorprendido
Pres. Perf. Subj.	haya sorprendido, hayas sorprendido, haya sorprendido; hayamos sorprendido, hayais sorprendido, hayan sorprendido
Plup. Subj.	hubiera sorprendido, hubieras sorprendido, hubiera sorprendido; hubiéramos sorprendido, hubierais sorprendido, hubieran sorprendido hubiese sorprendido, hubieses sorprendido, hubiese sorprendido; hubiésemos sorprendido, hubieseis sorprendido, hubiesen sorprendido
Imperative	—— sorprende, sorprenda; sorprendamos, sorprended, sorprendan

to suspect

Pres. Ind.	sospecho, sospechas, sospecha; sospechamos, sospecháis, sospechan
Imp. Ind.	sospechaba, sospechabas, sospechaba; sospechábamos, sospechabais, sospechaban
Preterit	sospeché, sospechaste, sospechó; sospechamos, sospechasteis, sospecharon
Future	sospecharé, sospecharás, sospechará; sospecharemos, sospecharéis, sospecharán
Condit.	sospecharía, sospecharías, sospecharía; sospecharíamos, sospecharíais, sospecharían
Pres. Subj.	sospeche, sospeches, sospeche; sospechemos, sospechéis, sospechen
Imp. Subj.	sospechara, sospecharas, sospechara; sospecháramos, sospecharais, sospecharan
	sospechase, sospechases, sospechase; sospechásemos, sospechaseis, sospechasen
Pres. Perf. Ind.	he sospechado, has sospechado, ha sospechado; hemos sospechado, habéis sospechado, han sospechado
Plup. Ind.	había sospechado, habías sospechado, había sospechado; habíamos sospechado, habíais sospechado, habían sospechado
Past Ant.	hube sospechado, hubiste sospechado, hubo sospechado; hubimos sospechado, hubisteis sospechado, hubieron sospechado
Fut. Perf.	habré sospechado, habrás sospechado, habrá sospechado; habremos sospechado, habréis sospechado, habrán sospechado
Cond. Perf.	habría sospechado, habrías sospechado, habría sospechado; habríamos sospechado, habríais sospechado, habrían sospechado
Pres. Perf. Subj.	haya sospechado, hayas sospechado, haya sospechado; hayamos sospechado, hayáis sospechado, hayan sospechado
Plup. Subj.	hubiera sospechado, hubieras sospechado, hubiera sospechado; hubiéramos sospechado, hubierais sospechado, hubieran sospechado
	hubiese sospechado, hubieses sospechado, hubiese sospechado; hubiésemos sospechado, hubieseis sospechado, hubiesen sospechado
Imperative	—— sospecha, sospeche; sospechemos, sospechad, sospechen

to support, maintain, uphold

Pres. Ind.	sostengo, sostienes, sostiene; sostenemos, sostenéis, sostienen
Imp. Ind.	sostenía, sostenías, sostenía; sosteníamos, sosteníais, sostenían
Preterit	sostuve, sostuviste, sostuvo; sostuvimos, sostuvisteis, sostuvieron
Future	sostendré, sostendrás, sostendrá; sostendremos, sostendréis, sostendrán
Condit.	sostendría, sostendrías, sostendría; sostendríamos, sostendríais, sostendrían
Pres. Subj.	sostenga, sostengas, sostenga; sostengamos, sostengáis, sostengan
Imp. Subj.	sostuviera, sostuvieras, sostuviera; sostuviéramos, sostuvierais, sostuvieran
	sostuviese, sostuvieses, sostuviese; sostuviésemos, sostuvieseis, sostuviesen
Pres. Perf. Ind.	he sostenido, has sostenido, ha sostenido; hemos sostenido, habéis sostenido, han sostenido
Plup. Ind.	había sostenido, habías sostenido, había sostenido; habíamos sostenido, habíais sostenido, habían sostenido
Past Ant.	hube sostenido, hubiste sostenido, hubo sostenido; hubimos sostenido, hubisteis sostenido, hubieron sostenido
Fut. Perf.	habré sostenido, habrás sostenido, habrá sostenido; habremos sostenido, habréis sostenido, habrán sostenido
Cond. Perf.	habría sostenido, habrías sostenido, habría sostenido; habríamos sostenido, habríais sostenido, habrían sostenido
Pres. Perf. Subj.	haya sostenido, hayas sostenido, haya sostenido; hayamos sostenido, hayáis sostenido, hayan sostenido
Plup. Subj.	hubiera sostenido, hubieras sostenido, hubiera sostenido; hubiéramos sostenido, hubierais sostenido, hubieran sostenido
	hubiese sostenido, hubieses sostenido, hubiese sostenido; hubiésemos sostenido, hubieseis sostenido, hubiesen sostenido
Imperative	—— sosten, sostenga; sostengamos, sostened, sostengan

to smooth, soften, ease, temper

Pres. Ind.	suavizo, suavizas, suaviza; suavizamos, suavizáis, suavizan
Imp. Ind.	suavizaba, suavizabas, suavizaba; suavizábamos, suavizabais, suavizaban
Preterit	suavicé, suavizaste, suavizó; suavizamos, suavizasteis, suavizaron
Future	suavizaré, suavizarás, suavizará; suavizaremos, suavizaréis, suavizarán
Condit.	suavizaría, suavizarías, suavizaría; suavizaríamos, suavizaríais, suavizarían
Pres. Subj.	suavice, suavices, suavice; suavicemos, suavicéis, suavicen
Imp. Subj.	suavizara, suavizaras, suavizara; suavizáramos, suavizarais, suavizaran
	suavizase, suavizases, suavizase; suavizásemos, suavizaseis, suavizasen
Pres. Perf. Ind.	he suavizado, has suavizado, ha suavizado; hemos suavizado, habéis suavizado, han suavizado
Plup. Ind.	había suavizado, habías suavizado, había suavizado; habíamos suavizado, habíais suavizado, habían suavizado
Past Ant.	hube suavizado, hubiste suavizado, hubo suavizado; hubimos suavizado, hubisteis suavizado, hubieron suavizado
Fut. Perf.	habré suavizado, habrás suavizado, habrá suavizado; habremos suavizado, habréis suavizado, habrán suavizado
Cond. Perf.	habría suavizado, habrías suavizado, habría suavizado; habríamos suavizado, habríais suavizado, habrían suavizado
Pres. Perf. Subj.	haya suavizado, hayas suavizado, haya suavizado; hayamos suavizado, hayáis suavizado, hayan suavizado
Plup. Subj.	hubiera suavizado, hubieras suavizado, hubiera suavizado; hubiéramos suavizado, hubierais suavizado, hubieran suavizado
	hubiese suavizado, hubieses suavizado, hubiese suavizado; hubiésemos suavizado, hubieseis suavizado, hubiesen suavizado
Imperative	—— suaviza, suavice; suavicemos, suavizad, suavicen

to come up, go up, climb, rise, mount

Pres. Ind.	subo, subes, sube; subimos, subís, suben
Imp. Ind.	subía, subías, subía; subíamos, subíais, subían
Preterit	subí, subiste, subió; subimos, subisteis, subieron
Future	subiré, subirás, subirá; subiremos, subiréis, subirán
Condit.	subiría, subirías, subiría; subiríamos, subiríais, subirían
Pres. Subj.	suba, subas, suba; subamos, subáis, suban
Imp. Subj.	subiera, subieras, subiera; subiéramos, subierais, subieran
	subiese, subieses, subiese; subiésemos, subieseis, subiesen
Pres. Perf. Ind.	he subido, has subido, ha subido; hemos subido, habéis subido, han subido
Plup. Ind.	había subido, habías subido, había subido; habíamos subido, habíais subido, habían subido
Past Ant.	hube subido, hubiste subido, hubo subido; hubimos subido, hubisteis subido, hubieron subido
Fut. Perf.	habré subido, habrás subido, habrá subido; habremos subido, habréis subido, habrán subido
Cond. Perf.	habría subido, habrías subido, habría subido; habríamos subido, habríais subido, habrían subido
Pres. Perf. Subj.	haya subido, hayas subido, haya subido; hayamos subido, hayáis subido, hayan subido
Plup. Subj.	hubiera subido, hubieras subido, hubiera subido; hubiéramos subido, hubierais subido, hubieran subido
	hubiese subido, hubieses subido, hubiese subido; hubiésemos subido, hubieseis subido, hubiesen subido
Imperative	—— sube, suba; subamos, subid, suban

to underline, underscore, emphasize

Pres. Ind.	subrayo, subrayas, subraya; subrayamos, subrayáis, subrayan
Imp. Ind.	subrayaba, subrayabas, subrayaba; subrayábamos, subrayabais, subrayaban
Preterit	subrayé, subrayaste, subrayó; subrayamos, subrayasteis, subrayaron
Future	subrayaré, subrayarás, subrayará; subrayaremos, subrayaréis, subrayarán
Condit.	subrayaría, subrayarías, subrayaría; subrayaríamos, subrayaríais, subrayarían
Pres. Subj.	subraye, subrayes, subraye; subrayemos, subrayéis, subrayen
Imp. Subj.	subrayara, subrayaras, subrayara; subrayáramos, subrayarais, subrayaran subrayase, subrayases, subrayase; subrayásemos, subrayaseis, subrayasen
Pres. Perf. Ind.	he subrayado, has subrayado, ha subrayado; hemos subrayado, habéis subrayado, han subrayado
Plup. Ind.	había subrayado, habías subrayado, había subrayado; habíamos subrayado, habíais subrayado, habían subrayado
Past Ant.	hube subrayado, hubiste subrayado, hubo subrayado; hubimos subrayado, hubisteis subrayado, hubieron subrayado
Fut. Perf.	habré subrayado, habrás subrayado, habrá subrayado; habremos subrayado, habréis subrayado, habrán subrayado
Cond. Perf.	habría subrayado, habrías subrayado, habría subrayado; habríamos subrayado, habríais subrayado, habrían subrayado
Pres. Perf. Subj.	haya subrayado, hayas subrayado, haya subrayado; hayamos subrayado, hayáis, subrayado, hayan subrayado
Plup. Subj.	hubiera subrayado, hubieras subrayado, hubiera subrayado; hubiéramos subrayado, hubierais subrayado, hubieran subrayado hubiese subrayado, hubieses subrayado, hubiese subrayado; hubiésemos subrayado, hubieseis subrayado, hubiesen subrayado
Imperative	—— subraya, subraye; subrayemos, subrayad, subrayen

to subscribe, agree to, sign

Pres. Ind.	subscribo, subscribes, subscribe; subscribimos, subscribís, subscriben
Imp. Ind.	subscribía, subscribías, subscribía; subscribíamos, subscribíais, subscribían
Preterit	subscribí, subscribiste, subscribió; subscribimos, subscribisteis, subscribieron
Future	subscribiré, subscribirás, subscribirá; subscribiremos, subscribiréis, subscribirán
Condit.	subscribiría, subscribirías, subscribiría; subscribiríamos, subscribiríais, subscribirían
Pres. Subj.	subscriba, subscribas, subscriba; subscribamos, subscribáis, subscriban
Imp. Subj.	subscribiera, subscribieras, subscribiera; subscribiéramos, subscribierais, subscribieran
	subscribiese, subscribieses, subscribiese; subscribiésemos, subscribieseis, subscribiesen
Pres. Perf. Ind.	he subscrito, has subscrito, ha subscrito; hemos subscrito, habéis subscrito, han subscrito
Plup. Ind.	había subscrito, habías subscrito, había subscrito; habíamos subscrito, habíais subscrito, habían subscrito
Past Ant.	hube subscrito, hubiste subscrito, hubo subscrito; hubimos subscrito, hubisteis subscrito, hubieron subscrito
Fut. Perf.	habré subscrito, habrás subscrito, habrá subscrito; habremos subscrito, habréis subscrito, habrán subscrito
Cond. Perf.	habría subscrito, habrías subscrito, habría subscrito; habríamos subscrito, habríais subscrito, habrían subscrito
Pres. Perf. Subj.	haya subscrito, hayas subscrito, haya subscrito; hayamos subscrito, hayáis subscrito, hayan subscrito
Plup. Subj.	hubiera subscrito, hubieras subscrito, hubiera subscrito; hubiéramos subscrito, hubierais subscrito, hubieran subscrito
	hubiese subscrito, hubieses subscrito, hubiese subscrito; hubiésemos subscrito, hubieseis subscrito, hubiesen subscrito
Imperative	—— subscribe, subscriba; subscribamos, subscribid, subscriban

to happen

Pres. Ind.	sucede
Imp. Ind.	sucedía
Preterit	sucedió
Future	sucederá
Condit.	sucedería
Pres. Subj.	suceda
Imp. Subj.	sucediera *OR:* sucediese
Pres. Perf. Ind.	ha sucedido
Plup. Ind.	había sucedido
Past Ant.	hubo sucedido
Fut. Perf.	habrá sucedido
Cond. Perf.	habría sucedido
Pres. Perf. Subj.	haya sucedido
Plup. Subj.	hubiera sucedido *OR:* hubiese sucedido
Imperative	que suceda

to endure, suffer, bear up, undergo

Pres. Ind.	sufro, sufres, sufre; sufrimos, sufrís, sufren
Imp. Ind.	sufría, sufrías, sufría; sufríamos, sufríais, sufrían
Preterit	sufrí, sufriste, sufrió; sufrimos, sufristeis, sufrieron
Future	sufriré, sufrirás, sufrirá; sufriremos, sufriréis, sufrirán
Condit.	sufriría, sufrirías, sufriría; sufriríamos, sufriríais, sufrirían
Pres. Subj.	sufra, sufras, sufra; suframos, sufráis, sufran
Imp. Subj.	sufriera, sufrieras, sufriera; sufriéramos, sufrierais, sufrieran
	sufriese, sufrieses, sufriese; sufriésemos, sufrieseis, sufriesen
Pres. Perf. Ind.	he sufrido, has sufrido, ha sufrido; hemos sufrido, habéis sufrido, han sufrido
Plup. Ind.	había sufrido, habías sufrido, había sufrido; habíamos sufrido, habíais sufrido, habían sufrido
Past Ant.	hube sufrido, hubiste sufrido, hubo sufrido; hubimos sufrido, hubisteis sufrido, hubieron sufrido
Fut. Perf.	habré sufrido, habrás sufrido, habrá sufrido; habremos sufrido, habréis sufrido, habrán sufrido
Cond. Perf.	habría sufrido, habrías sufrido, habría sufrido; habríamos sufrido, habríais sufrido, habrían sufrido
Pres. Perf. Subj.	haya sufrido, hayas sufrido, haya sufrido; hayamos sufrido, hayáis sufrido, hayan sufrido
Plup. Subj.	hubiera sufrido, hubieras sufrido, hubiera sufrido; hubiéramos sufrido, hubierais sufrido, hubieran sufrido
	hubiese sufrido, hubieses sufrido, hubiese sufrido; hubiésemos sufrido, hubieseis sufrido, hubiesen sufrido
Imperative	—— sufre, sufra; suframos, sufrid, sufran

to hint, insinuate, suggest

Pres. Ind.	sugiero, sugieres, sugiere; sugerimos, sugerís, sugieren
Imp. Ind.	sugería, sugerías, sugería; sugeríamos, sugeríais, sugerían
Preterit	sugerí, sugeriste, sugirió; sugerimos, sugeristeis, sugirieron
Future	sugeriré, sugerirás, sugerirá; sugeriremos, sugeriréis, sugerirán
Condit.	sugeriría, sugerirías, sugeriría; sugeriríamos, sugeriríais, sugerirían
Pres. Subj.	sugiera, sugieras, sugiera; sugiramos, sugiráis, sugieran
Imp. Subj.	sugiriera, sugirieras, sugiriera; sugiriéramos, sugirierais, sugirieran
	sugiriese, sugirieses, sugiriese; sugiriésemos, sugirieseis, sugiriesen
Pres. Perf. Ind.	he sugerido, has sugerido, ha sugerido; hemos sugerido, habéis sugerido, han sugerido
Plup. Ind.	había sugerido, habías sugerido, había sugerido; habíamos sugerido, habíais sugerido, habían sugerido
Past Ant.	hube sugerido, hubiste sugerido, hubo sugerido; hubimos sugerido, hubisteis sugerido, hubieron sugerido
Fut. Perf.	habré sugerido, habrás sugerido, habrá sugerido; habremos sugerido, habréis sugerido, habran sugerido
Cond. Perf.	habría sugerido, habrías sugerido, habría sugerido; habríamos sugerido, habríais sugerido, habrían sugerido
Pres. Perf. Subj.	haya sugerido, hayas sugerido, haya sugerido; hayamos sugerido, hayáis sugerido, hayan sugerido
Plup. Subj.	hubiera sugerido, hubieras sugerido, hubiera sugerido; hubiéramos sugerido, hubierais sugerido, hubieran sugerido
	hubiese sugerido, hubieses sugerido, hubiese sugerido; hubiésemos sugerido, hubieseis sugerido, hubiesen sugerido
Imperative	—— sugiere, sugiera; sugiramos, sugerid, sugieran

to subject, hold fast, overcome, subdue

Pres. Ind.	sujeto, sujetas, sujeta; sujetamos, sujetáis, sujetan
Imp. Ind.	sujetaba, sujetabas, sujetaba; sujetábamos, sujetabais, sujetaban
Preterit	sujeté, sujetaste, sujetó; sujetamos, sujetasteis, sujetaron
Future	sujetaré, sujetarás, sujetará; sujetaremos, sujetaréis, sujetarán
Condit.	sujetaría, sujetarías, sujetaría; sujetaríamos, sujetaríais, sujetarían
Pres. Subj.	sujete, sujetes, sujete; sujetemos, sujetéis, sujeten
Imp. Subj.	sujetara, sujetaras, sujetara; sujetáramos, sujetarais, sujetaran
	sujetase, sujetases, sujetase; sujetásemos, sujetaseis, sujetasen
Pres. Perf. Ind.	he sujetado, has sujetado, ha sujetado; hemos sujetado, habéis sujetado, han sujetado
Plup. Ind.	había sujetado, habías sujetado, había sujetado; habíamos sujetado, habíais sujetado, habían sujetado
Past Ant.	hube sujetado, hubiste sujetado, hubo sujetado; hubimos sujetado, hubisteis sujetado, hubieron sujetado
Fut. Perf.	habré sujetado, habrás sujetado, habrá sujetado; habremos sujetado, habréis sujetado, habrán sujetado
Cond. Perf.	habría sujetado, habrías sujetado, habría sujetado; habríamos sujetado, habríais sujetado, habrían sujetado
Pres. Perf. Subj.	haya sujetado, hayas sujetado, haya sujetado; hayamos sujetado, hayáis sujetado, hayan sujetado
Plup. Subj.	hubiera sujetado, hubieras sujetado, hubiera sujetado; hubiéramos sujetado, hubierais sujetado, hubieran sujetado
	hubiese sujetado, hubieses sujetado, hubiese sujetado; hubiésemos sujetado, hubieseis sujetado, hubiesen sujetado
Imperative	—— sujeta, sujete; sujetemos, sujetad, sujeten

to add, sum up

Pres. Ind.	sumo, sumas, suma; sumamos, sumáis, suman
Imp. Ind.	sumaba, sumabas, sumaba; sumábamos, sumabais, sumaban
Preterit	sumé, sumaste, sumó; sumamos, sumasteis, sumaron
Future	sumaré, sumarás, sumará; sumaremos, sumaréis, sumarán
Condit.	sumaría, sumarías, sumaría; sumaríamos, sumaríais, sumarían
Pres. Subj.	sume, sumes, sume; sumemos, suméis, sumen
Imp. Subj.	sumara, sumaras, sumara; sumáramos, sumarais, sumaran sumase, sumases, sumase; sumásemos, sumaseis, sumasen
Pres. Perf. Ind.	he sumado, has sumado, ha sumado; hemos sumado, habéis sumado, han sumado
Plup. Ind.	había sumado, habías sumado, había sumado; habíamos sumado, habíais sumado, habían sumado
Past Ant.	hube sumado, hubiste sumado, hubo sumado; hubimos sumado, hubisteis sumado, hubieron sumado
Fut. Perf.	habré sumado, habrás sumado, habrá sumado; habremos sumado, habréis sumado, habrán sumado
Cond. Perf.	habría sumado, habrías sumado, habría sumado; habríamos sumado, habríais sumado, habrían sumado
Pres. Perf. Subj.	haya sumado, hayas sumado, haya sumado; hayamos sumado, hayáis sumado, hayan sumado
Plup. Subj.	hubiera sumado, hubieras sumado, hubiera sumado; hubiéramos sumado, hubierais sumado, hubieran sumado hubiese sumado, hubieses sumado, hubiese sumado; hubiésemos sumado, hubieseis sumado, hubiesen sumado
Imperative	—— suma, sume; sumemos, sumad, sumen

to submerge, plunge, immerse, sink

Pres. Ind.	sumerjo, sumerges, sumerge; sumergimos, sumergís, sumergen
Imp. Ind.	sumergía, sumergías, sumergía; sumergíamos, sumergíais, sumergían
Preterit	sumergí, sumergiste, sumergió; sumergimos, sumergisteis, sumergieron
Future	sumergiré, sumergirás, sumergirá; sumergiremos, sumergiréis, sumergirán
Condit.	sumergiría, sumergirías, sumergiría; sumergiríamos, sumergiríais, sumergirían
Pres. Subj.	sumerja, sumerjas, sumerja; sumerjamos, sumerjáis, sumerjan
Imp. Subj.	sumergiera, sumergieras, sumergiera; sumergiéramos, sumergierais, sumergieran
	sumergiese, sumergieses, sumergiese; sumergiésemos, sumergieseis, sumergiesen
Pres. Perf. Ind.	he sumergido, has sumergido, ha sumergido; hemos sumergido, habéis sumergido, han sumergido
Plup. Ind.	había sumergido, habías sumergido, había sumergido; habíamos sumergido, habíais sumergido, habían sumergido
Past Ant.	hube sumergido, hubiste sumergido, hubo sumergido; hubimos sumergido, hubisteis sumergido, hubieron sumergido
Fut. Perf.	habré sumergido, habrás sumergido, habrá sumergido; habremos sumergido, habréis sumergido, habrán sumergido
Cond. Perf.	habría sumergido, habrías sumergido, habría sumergido; habríamos sumergido, habríais sumergido, habrían sumergido
Pres. Perf. Subj.	haya sumergido, hayas sumergido, haya sumergido; hayamos sumergido, hayáis sumergido, hayan sumergido
Plup. Subj.	hubiera sumergido, hubieras sumergido, hubiera sumergido; hubiéramos sumergido, hubierais sumergido, hubieran sumergido
	hubiese sumergido, hubieses sumergido, hubiese sumergido; hubiésemos sumergido, hubieseis sumergido, hubiesen sumergido
Imperative	—— sumerge, sumerja; sumerjamos, sumergid, sumerjan

to suppose, assume

Pres. Ind.	supongo, supones, supone; suponemos, suponéis, suponen
Imp. Ind.	suponía, suponías, suponía; suponíamos, suponíais, suponían
Preterit	supuse, supusiste, supuso; supusimos, supusisteis, supusieron
Future	supondré, supondrás, supondrá; supondremos, supondréis, supondrán
Condit.	supondría, supondrías, supondría; supondríamos, supondríais, supondrían
Pres. Subj.	suponga, supongas, suponga; supongamos, supongáis, supongan
Imp. Subj.	supusiera, supusieras, supusiera; supusiéramos, supusierais, supusieran
	supusiese, supusieses, supusiese; supusiésemos, supusieseis, supusiesen
Pres. Perf. Ind.	he supuesto, has supuesto, ha supuesto; hemos supuesto, habéis supuesto, han supuesto
Plup. Ind.	había supuesto, habías supuesto, había supuesto; habíamos supuesto, habíais supuesto, habían supuesto
Past Ant.	hube supuesto, hubiste supuesto, hubo supuesto; hubimos supuesto, hubisteis supuesto, hubieron supuesto
Fut. Perf.	habré supuesto, habrás supuesto, habrá supuesto; habremos supuesto, habréis supuesto, habrán supuesto
Cond. Perf.	habría supuesto, habrías supuesto, habría supuesto; habríamos supuesto, habríais supuesto, habrían supuesto
Pres. Perf. Subj.	haya supuesto, hayas supuesto, haya supuesto; hayamos supuesto, hayáis supuesto, hayan supuesto
Plup. Subj.	hubiera supuesto, hubieras supuesto, hubiera supuesto; hubiéramos supuesto, hubierais supuesto, hubieran supuesto
	hubiese supuesto, hubieses supuesto, hubiese supuesto; hubiésemos supuesto, hubieseis supuesto, hubiesen supuesto
Imperative	—— supon, suponga; supongamos, suponed, supongan

to suppress, abolish, cut out, cancel (in mathematics), eliminate

Pres. Ind.	suprimo, suprimes, suprime; suprimimos, suprimís, suprimen
Imp. Ind.	suprimía, suprimías, suprimía; suprimíamos, suprimíais, suprimían
Preterit	suprimí, suprimiste, suprimió; suprimimos, suprimisteis, suprimieron
Future	suprimiré, suprimirás, suprimirá; suprimiremos, suprimiréis, suprimirán
Condit.	suprimiría, suprimirías, suprimiría; suprimiríamos, suprimiríais, suprimirían
Pres. Subj.	suprima, suprimas, suprima; suprimamos, suprimáis, supriman
Imp. Subj.	suprimiera, suprimieras, suprimiera; suprimiéramos, suprimierais, suprimieran suprimiese, suprimieses, suprimiese; suprimiésemos, suprimieseis, suprimiesen
Pres. Perf. Ind.	he suprimido, has suprimido, ha suprimido; hemos suprimido, habéis suprimido, han suprimido
Plup. Ind.	había suprimido, habías suprimido, había suprimido; habíamos suprimido, habíais suprimido, habían suprimido
Past Ant.	hube suprimido, hubiste suprimido, hubo suprimido; hubimos suprimido, hubisteis suprimido, hubieron suprimido
Fut. Perf.	habré suprimido, habrás suprimido, habrá suprimido; habremos, suprimido, habréis suprimido, habrán suprimido
Cond. Perf.	habría suprimido, habrías suprimido, habría suprimido; habríamos suprimido, habríais suprimido, habrían suprimido
Pres. Perf. Subj.	haya suprimido, hayas suprimido, haya suprimido; hayamos suprimido, hayáis suprimido, hayan suprimido
Plup. Subj.	hubiera suprimido, hubieras suprimido, hubiera suprimido; hubiéramos suprimido, hubierais suprimido, hubieran suprimido hubiese suprimido, hubieses suprimido, hubiese suprimido; hubiésemos suprimido, hubieseis suprimido, hubiesen suprimido
Imperative	—— suprime, suprima; suprimamos, suprimid, supriman

to surge, appear, spout, spurt

Pres. Ind.	surjo, surges, surge; surgimos, surgís, surgen
Imp. Ind.	surgía, surgías, surgía; surgíamos, surgíais, surgían
Preterit	surgí, surgiste, surgió; surgimos, surgisteis, surgieron
Future	surgiré, surgirás, surgirá; surgiremos, surgiréis, surgirán
Condit.	surgiría, surgirías, surgiría; surgiríamos, surgiríais, surgirían
Pres. Subj.	surja, surjas, surja; surjamos, surjáis, surjan
Imp. Subj.	surgiera, surgieras, surgiera; surgiéramos, surgierais, surgieran
	surgiese, surgieses, surgiese; surgiésemos, surgieseis, surgiesen
Pres. Perf. Ind.	he surgido, has surgido, ha surgido; hemos surgido, habéis surgido, han surgido
Plup. Ind.	había surgido, habías surgido, había surgido; habíamos surgido, habíais surgido, habían surgido
Past Ant.	hube surgido, hubiste surgido, hubo surgido; hubimos surgido, hubisteis surgido, hubieron surgido
Fut. Perf.	habré surgido, habrás surgido, habrá surgido; habremos surgido, habréis surgido, habrán surgido
Cond. Perf.	habría surgido, habrías surgido, habría surgido; habríamos surgido, habríais surgido, habrían surgido
Pres. Perf. Subj.	haya surgido, hayas surgido, haya surgido; hayamos surgido, hayáis surgido, hayan surgido
Plup. Subj.	hubiera surgido, hubieras surgido, hubiera surgido; hubiéramos surgido, hubierais surgido, hubieran surgido
	hubiese surgido, hubieses surgido, hubiese surgido; hubiésemos surgido, hubieseis surgido, hubiesen surgido
Imperative	—— surge, surja; surjamos, surgid, surjan

to sigh

Pres. Ind.	suspiro, suspiras, suspira; suspiramos, suspiráis, suspiran
Imp. Ind.	suspiraba, suspirabas, suspiraba; suspirábamos, suspirabais, suspiraban
Preterit	suspiré, suspiraste, suspiró; suspiramos, suspirasteis, suspiraron
Future	suspiraré, suspirarás, suspirará; suspiraremos, suspiraréis, suspirarán
Condit.	suspiraría, suspirarías, suspiraría; suspiraríamos, suspiraríais, suspirarían
Pres. Subj.	suspire, suspires, suspire; suspiremos, suspiréis, suspiren
Imp. Subj.	suspirara, suspiraras, suspirara; suspiráramos, suspirarais, suspiraran
	suspirase, suspirases, suspirase; suspirásemos, suspiraseis, suspirasen
Pres. Perf. Ind.	he suspirado, has suspirado, ha suspirado; hemos suspirado, habéis suspirado, han suspirado
Plup. Ind.	había suspirado, habías suspirado, había suspirado; habíamos suspirado, habíais suspirado, habían suspirado
Past Ant.	hube suspirado, hubiste suspirado, hubo suspirado; hubimos suspirado, hubisteis suspirado, hubieron suspirado
Fut. Perf.	habré suspirado, habrás suspirado, habrá suspirado; habremos suspirado, habréis suspirado, habrán suspirado
Cond. Perf.	habría suspirado, habrías suspirado, habría suspirado; habríamos suspirado, habríais suspirado, habrían suspirado
Pres. Perf. Subj.	haya suspirado, hayas suspirado, haya suspirado; hayamos suspirado, hayáis suspirado, hayan suspirado
Plup. Subj.	hubiera suspirado, hubieras suspirado, hubiera suspirado; hubiéramos suspirado, hubierais suspirado, hubieran suspirado
	hubiese suspirado, hubieses suspirado, hubiese suspirado; hubiésemos suspirado, hubieseis suspirado, hubiesen suspirado
Imperative	—— suspira, suspire; suspiremos, suspirad, suspiren

to play (a musical instrument)

Pres. Ind.	taño, tañes, tañe; tañemos, tañéis, tañen
Imp. Ind.	tañía, tañías, tañía; tañíamos, tañíais, tañían
Preterit	tañí, tañiste, tañó; tañimos, tañisteis, tañeron
Future	tañeré, tañerás, tañerá; tañeremos, tañeréis, tañerán
Condit.	tañería, tañerías, tañería; tañeríamos, tañeríais, tañerían
Pres. Subj.	taña, tañas, taña; tañamos, tañáis, tañan
Imp. Subj.	tañera, tañeras, tañera; tañéramos, tañerais, tañeran
	tañese, tañeses, tañese; tañésemos, tañeseis, tañesen
Pres. Perf. Ind.	he tañido, has tañido, ha tañido; hemos tañido, habéis tañido, han tañido
Plup. Ind.	había tañido, habías tañido, había tañido; habíamos tañido, habíais tañido, habían tañido
Past Ant.	hube tañido, hubiste tañido, hubo tañido; hubimos tañido, hubisteis tañido, hubieron tañido
Fut. Perf.	habré tañido, habrás tañido, habrá tañido; habremos tañido, habréis tañido, habrán tañido
Cond. Perf.	habría tañido, habrías tañido, habría tañido; habríamos tañido, habríais tañido, habrían tañido
Pres. Perf. Subj.	haya tañido, hayas tañido, haya tañido; hayamos tañido, hayáis tañido, hayan tañido
Plup. Subj.	hubiera tañido, hubieras tañido, hubiera tañido; hubiéramos tañido, hubierais tañido, hubieran tañido
	hubiese tañido, hubieses tañido, hubiese tañido; hubiésemos tañido, hubieseis tañido, hubiesen tañido
Imperative	—— tañe, taña; tañamos, tañed, tañan

to cover, cover up, hide stop up, plug up

Pres. Ind.	tapo, tapas, tapa; tapamos, tapáis, tapan
Imp. Ind.	tapaba, tapabas, tapaba; tapábamos, tapabais, tapaban
Preterit	tapé, tapaste, tapó; tapamos, tapasteis, taparon
Future	taparé, taparás, tapará; taparemos, taparéis, taparán
Condit.	taparía, taparías, taparía; taparíamos, taparíais, taparían
Pres. Subj.	tape, tapes, tape; tapemos, tapéis, tapen
Imp. Subj.	tapara, taparas, tapara; tapáramos, taparais, taparan
	tapase, tapases, tapase; tapásemos, tapaseis, tapasen
Pres. Perf. Ind.	he tapado, has tapado, ha tapado; hemos tapado, habéis tapado, han tapado
Plup. Ind.	había tapado, habías tapado, había tapado; habíamos tapado, habíais tapado, habían tapado
Past Ant.	hube tapado, hubiste tapado, hubo tapado; hubimos tapado, hubisteis tapado, hubieron tapado
Fut. Perf.	habré tapado, habrás tapado, habrá tapado; habremos tapado, habréis tapado, habrán tapado
Cond. Perf.	habría tapado, habrías tapado, habría tapado; habríamos tapado, habríais tapado, habrían tapado
Pres. Perf. Subj.	haya tapado, hayas tapado, haya tapado; hayamos tapado, hayáis tapado, hayan tapado
Plup. Subj.	hubiera tapado, hubieras tapado, hubiera tapado; hubiéramos tapado, hubierais tapado, hubieran tapado
	hubiese tapado, hubieses tapado, hubiese tapado; hubiésemos tapado, hubieseis tapado, hubiesen tapado
Imperative	—— tapa, tape; tapemos, tapad, tapen

to telephone

Pres. Ind.	telefoneo, telefoneas, telefonea; telefoneamos, telefoneáis, telefonean
Imp. Ind.	telefoneaba, telefoneabas, telefoneaba; telefoneábamos, telefoneabais, telefoneaban
Preterit	telefoneé, telefoneaste, telefoneó; telefoneamos, telefoneasteis, telefonearon
Future	telefonearé, telefonearás, telefoneará; telefonearemos, telefonearéis, telefonearán
Condit.	telefonearía, telefonearías, telefonearía; telefonearíamos, telefonearíais, telefonearían
Pres. Subj.	telefonee, telefonees, telefonee; telefoneemos, telefoneéis, telefoneen
Imp. Subj.	telefoneara, telefonearas, telefoneara; telefoneáramos, telefonearais, telefonearan
	telefonease, telefoneases, telefonease; telefoneásemos, telefoneaseis, telefoneasen
Pres. Perf. Ind.	he telefoneado, has telefoneado, ha telefoneado; hemos telefoneado, habéis telefoneado, han telefoneado
Plup. Ind.	había telefoneado, habías telefoneado, había telefoneado; habíamos telefoneado, habíais telefoneado, habían telefoneado
Past Ant.	hube telefoneado, hubiste telefoneado, hubo telefoneado; hubimos telefoneado, hubisteis telefoneado, hubieron telefoneado
Fut. Perf.	habré telefoneado, habrás telefoneado, habrá telefoneado; habremos telefoneado, habréis telefoneado, habrán telefoneado
Cond. Perf.	habría telefoneado, habrías telefoneado, habría telefoneado; habríamos telefoneado, habríais telefoneado, habrían telefoneado
Pres. Perf. Subj.	haya telefoneado, hayas telefoneado, haya telefoneado; hayamos telefoneado, hayáis telefoneado, hayan telefoneado
Plup. Subj.	hubiera telefoneado, hubieras telefoneado, hubiera telefoneado; hubiéramos telefoneado, hubierais telefoneado, hubieran telefoneado
	hubiese telefoneado, hubieses telefoneado, hubiese telefoneado; hubiésemos telefoneado, hubieseis telefoneado, hubiesen telefoneado
Imperative	—— telefonea, telefonee; telefoneemos, telefonead, telefoneen

to telegraph, cable

Pres. Ind.	telegrafío, telegrafías, telegrafía; telegrafiamos, telegrafiáis, telegrafían
Imp. Ind.	telegrafiaba, telegrafiabas, telegrafiaba; telegrafiábamos, telegrafiabais, telegrafiaban
Preterit	telegrafié, telegrafiaste, telegrafió; telegrafiamos, telegrafiasteis, telegrafiaron
Future	telegrafiaré, telegrafiarás, telegrafiará; telegrafiaremos, telegrafiaréis, telegrafiarán
Condit.	telegrafiaría, telegrafiarías, telegrafiaría; telegrafiaríamos, telegrafiaríais, telegrafiarían
Pres. Subj.	telegrafíe, telegrafíes, telegrafíe; telegrafiemos, telegrafiéis, telegrafíen
Imp. Subj.	telegrafiara, telegrafiaras, telegrafiara; telegrafiáramos, telegrafiarais, telegrafiaran telegrafiase, telegrafiases, telegrafiase; telegrafiásemos, telegrafiaseis, telegrafiasen
Pres. Perf. Ind.	he telegrafiado, has telegrafiado, ha telegrafiado; hemos telegrafiado, habéis telegrafiado, han telegrafiado
Plup. Ind.	había telegrafiado, habías telegrafiado, había telegrafiado; habíamos telegrafiado, habíais telegrafiado, habían telegrafiado
Past Ant.	hube telegrafiado, hubiste telegrafiado, hubo telegrafiado; hubimos telegrafiado, hubisteis telegrafiado, hubieron telegrafiado
Fut. Perf.	habré telegrafiado, habrás telegrafiado, habrá telegrafiado; habremos telegrafiado, habréis telegrafiado, habrán telegrafiado
Cond. Perf.	habría telegrafiado, habrías telegrafiado, habría telegrafiado; habríamos telegrafiado, habríais telegrafiado, habrían telegrafiado
Pres. Perf. Subj.	haya telegrafiado, hayas telegrafiado, haya telegrafiado; hayamos telegrafiado, hayáis telegrafiado, hayan telegrafiado
Plup. Subj.	hubiera telegrafiado, hubieras telegrafiado, hubiera telegrafiado; hubiéramos telegrafiado, hubierais telegrafiado, hubieran telegrafiado hubiese telegrafiado, hubieses telegrafiado, hubiese telegrafiado; hubiésemos telegrafiado, hubieseis telegrafiado, hubiesen telegrafiado
Imperative	—— telegrafía, telegrafíe; telegrafiemos, telegrafiad, telegrafíen

to quake, quiver, shake, shiver, tremble

Pres. Ind.	tiemblo, tiemblas, tiembla; temblamos, tembláis, tiemblan
Imp. Ind.	temblaba, temblabas, temblaba; temblábamos, temblabais, temblaban
Preterit	temblé, temblaste, tembló; temblamos, temblasteis, temblaron
Future	temblaré, temblarás, temblará; temblaremos, temblaréis, temblarán
Condit.	temblaría, temblarías, temblaría; temblaríamos, temblaríais, temblarían
Pres. Subj.	tiemble, tiembles, tiemble; temblemos, tembléis, tiemblen
Imp. Subj.	temblara, temblaras, temblara; tembláramos, temblarais, temblaran
	temblase, temblases,temblase; temblásemos, temblaseis, temblasen
Pres. Perf. Ind.	he temblado, has temblado, ha temblado; hemos temblado, habéis temblado, han temblado
Plup. Ind.	había temblado, habías temblado, había temblado; habíamos temblado, habíais temblado, habían temblado
Past Ant.	hube temblado, hubiste temblado, hubo temblado; hubimos temblado, hubisteis temblado, hubieron temblado
Fut. Perf.	habré temblado, habrás temblado, habrá temblado; habremos temblado, habréis temblado, habrán temblado
Cond. Perf.	habría temblado, habrías temblado, habría temblado; habríamos temblado, habríais temblado, habrían temblado
Pres. Perf. Subj.	haya temblado, hayas temblado, haya temblado; hayamos temblado, hayáis temblado, hayan temblado
Plup. Subj.	hubiera temblado, hubieras temblado, hubiera temblado; hubiéramos temblado, hubierais temblado, hubieran temblado
	hubiese temblado, hubieses temblado, hubiese temblado; hubiésemos temblado, hubieseis temblado, hubiesen temblado
Imperative	—— tiembla, tiemble; temblemos, temblad, tiemblen

to fear, dread

Pres. Ind.	temo, temes, teme; tememos, teméis, temen
Imp. Ind.	temía, temías, temía; temíamos, temíais, temían
Preterit	temí, temiste, temió; temimos, temisteis, temieron
Future	temeré, temerás, temerá; temeremos, temeréis, temerán
Condit.	temería, temerías, temería; temeríamos, temeríais, temerían
Pres. Subj.	tema, temas, tema; temamos, temáis, teman
Imp. Subj.	temiera, temieras, temiera; temiéramos, temierais, temieran
	temiese, temieses, temiese; temiésemos, temieseis, temiesen
Pres. Perf. Ind.	he temido, has temido, ha temido; hemos temido, habéis temido, han temido
Plup. Ind.	había temido, habías temido, había temido; habíamos temido, habíais temido, habían temido
Past Ant.	hube temido, hubiste temido, hubo temido; hubimos temido, hubisteis temido, hubieron temido
Fut. Perf.	habré temido, habrás temido, habrá temido; habremos temido, habréis temido, habrán temido
Cond. Perf.	habría temido, habrías temido, habría temido; habríamos temido, habríais temido, habrían temido
Pres. Perf. Subj.	haya temido, hayas temido, haya temido; hayamos temido, hayáis temido, hayan temido
Plup. Subj.	hubiera temido, hubieras temido, hubiera temido; hubiéramos temido, hubierais temido, hubieran temido
	hubiese temido, hubieses temido, hubiese temido; hubiésemos temido, hubieseis temido, hubiesen temido
Imperative	—— teme, tema; temamos, temed, teman

to extend, offer, stretch, spread out, hang out (washing)

Pres. Ind.	tiendo, tiendes, tiende; tendemos, tendéis, tienden
Imp. Ind.	tendía, tendías, tendía; tendíamos, tendíais, tendían
Preterit	tendí, tendiste, tendió; tendimos, tendisteis, tendieron
Future	tenderé, tenderás, tenderá; tenderemos, tenderéis, tenderán
Condit.	tendería, tenderías, tendería; tenderíamos, tenderíais, tenderían
Pres. Subj.	tienda, tiendas, tienda; tendamos, tendáis, tiendan
Imp. Subj.	tendiera, tendieras, tendiera; tendiéramos, tendierais, tendieran
	tendiese, tendieses, tendiese; tendiésemos, tendieseis, tendiesen
Pres. Perf. Ind.	he tendido, has tendido, ha tendido; hemos tendido, habéis tendido, han tendido
Plup. Ind.	había tendido, habías tendido, había tendido; habíamos tendido, habíais tendido, habían tendido
Past Ant.	hube tendido, hubiste tendido, hubo tendido; hubimos tendido, hubisteis tendido, hubieron tendido
Fut. Perf.	habré tendido, habrás tendido, habrá tendido; habremos tendido, habréis tendido, habrán tendido
Cond. Perf.	habría tendido, habrías tendido, habría tendido; habríamos tendido, habríais tendido, habrían tendido
Pres. Perf. Subj.	haya tendido, hayas tendido, haya tendido; hayamos tendido, hayáis tendido, hayan tendido
Plup. Subj.	hubiera tendido, hubieras tendido, hubiera tendido; hubiéramos tendido, hubierais tendido, hubieran tendido
	hubiese tendido, hubieses tendido, hubiese tendido; hubiésemos tendido, hubieseis tendido, hubiesen tendido
Imperative	—— tiende, tienda; tendamos, tended, tiendan

to have, to hold

Pres. Ind.	tengo, tienes, tiene; tenemos, tenéis, tienen
Imp. Ind.	tenía, tenías, tenía; teníamos, teníais, tenían
Pret. Ind.	tuve, tuviste, tuvo; tuvimos, tuvisteis, tuvieron
Fut. Ind.	tendré, tendrás, tendrá; tendremos, tendréis, tendrán
Condit.	tendría, tendrías, tendría; tendríamos, tendríais, tendrían
Pres. Subj.	tenga, tengas, tenga; tengamos, tengáis, tengan
Imp. Subj.	tuviera, tuvieras, tuviera; tuviéramos, tuvierais, tuvieran tuviese, tuvieses, tuviese; tuviésemos, tuvieseis, tuviesen
Pres. Perf.	he tenido, has tenido, ha tenido; hemos tenido, habéis tenido, han tenido
Pluperf.	había tenido, habías tenido, había tenido; habíamos tenido, habíais tenido, habían tenido
Past Ant.	hube tenido, hubiste tenido, hubo tenido; hubimos tenido, hubisteis tenido, hubieron tenido
Fut. Perf.	habré tenido, habrás tenido, habrá tenido; habremos tenido, habréis tenido, habrán tenido
Cond. Perf.	habría tenido, habrías tenido, habría tenido; habríamos tenido, habríais tenido, habrían tenido
Pres. Perf. Subj.	haya tenido, hayas tenido, haya tenido; hayamos tenido, hayáis tenido, hayan tenido
Plup. Subj.	hubiera tenido, hubieras tenido, hubiera tenido; hubiéramos tenido, hubierais tenido, hubieran tenido hubiese tenido, hubieses tenido, hubiese tenido; hubiésemos tenido, hubieseis tenido, hubiesen tenido
Imperative	—— ten, tenga; tengamos, tened, tengan

to examine by touch, feel with the fingers, attempt, tempt, try

Pres. Ind.	tiento, tientas, tienta; tentamos, tentáis, tientan
Imp. Ind.	tentaba, tentabas, tentaba; tentábamos, tentabais, tentaban
Preterit	tenté, tentaste, tentó; tentamos, tentasteis, tentaron
Future	tentaré, tentarás, tentará; tentaremos, tentaréis, tentarán
Condit.	tentaría, tentarías, tentaría; tentaríamos, tentaríais, tentarían
Pres. Subj.	tiente, tientes, tiente; tentemos, tentéis, tienten
Imp. Subj.	tentara, tentaras, tentara; tentáramos, tentarais, tentaran
	tentase, tentases, tentase; tentásemos, tentaseis, tentasen
Pres. Perf. Ind.	he tentado, has tentado, ha tentado; hemos tentado, habéis tentado, han tentado
Plup. Ind.	había tentado, habías tentado, había tentado; habíamos tentado, habíais tentado, habían tentado
Past Ant.	hube tentado, hubiste tentado, hubo tentado; hubimos tentado, hubisteis tentado, hubieron tentado
Fut. Perf.	habré tentado, habrás tentado, habrá tentado; habremos tentado, habréis tentado, habrán tentado
Cond. Perf.	habría tentado, habrías tentado, habría tentado; habríamos tentado, habríais tentado, habrían tentado
Pres. Perf. Subj.	haya tentado, hayas tentado, haya tentado; hayamos tentado, hayáis tentado, hayan tentado
Plup. Subj.	hubiera tentado, hubieras tentado, hubiera tentado; hubiéramos tentado, hubierais tentado, hubieran tentado
	hubiese tentado, hubieses tentado, hubiese tentado; hubiésemos tentado, hubieseis tentado, hubiesen tentado
Imperative	—— tienta, tiente; tentemos, tentad, tienten

to end, terminate

Pres. Ind.	termino, terminas, termina; terminamos, termináis, terminan
Imp. Ind.	terminaba, terminabas, terminaba; terminábamos, terminabais, terminaban
Preterit	terminé, terminaste, terminó; terminamos, terminasteis, terminaron
Future	terminaré, terminarás, terminará; terminaremos, terminaréis, terminarán
Condit.	terminaría, terminarías, terminaría; terminaríamos, terminaríais, terminarían
Pres. Subj.	termine, termines, termine; terminemos, terminéis, terminen
Imp. Subj.	terminara, terminaras, terminara; termináramos, terminarais, terminaran
	terminase, terminases, terminase; terminásemos, terminaseis, terminasen
Pres. Perf. Ind.	he terminado, has terminado, ha terminado; hemos terminado, habéis terminado, han terminado
Plup. Ind.	había terminado, habías terminado, había terminado; habíamos terminado, habíais terminado, habían terminado
Past Ant.	hube terminado, hubiste terminado, hubo terminado; hubimos terminado, hubisteis terminado, hubieron terminado
Fut. Perf.	habré terminado, habrás terminado, habrá terminado; habremos terminado, habréis terminado, habrán terminado
Cond. Perf.	habría terminado, habrías terminado, habría terminado; habríamos terminado, habríais terminado, habrían terminado
Pres. Perf. Subj.	haya terminado, hayas terminado, haya terminado; hayamos terminado, hayáis terminado, hayan terminado
Plup. Subj.	hubiera terminado, hubieras terminado, hubiera terminado; hubiéramos terminado, hubierais terminado, hubieran terminado
	hubiese terminado, hubieses terminado, hubiese terminado; hubiésemos terminado, hubieseis terminado, hubiesen terminado
Imperative	—— termina, termine; terminemos, terminad, terminen

to pull, draw, pitch (a ball), shoot (a gun), throw, fling

Pres. Ind.	tiro, tiras, tira; tiramos, tiráis, tiran
Imp. Ind.	tiraba, tirabas, tiraba; tirábamos, tirabais, tiraban
Preterit	tiré, tiraste, tiró; tiramos, tirasteis, tiraron
Future	tiraré, tirarás, tirará; tiraremos, tiraréis, tirarán
Condit.	tiraría, tirarías, tiraría; tiraríamos, tiraríais, tirarían
Pres. Subj.	tire, tires, tire; tiremos, tiréis, tiren
Imp. Subj.	tirara, tiraras, tirara; tiráramos, tirarais, tiraran
	tirase, tirases, tirase; tirásemos, tiraseis, tirasen
Pres. Perf. Ind.	he tirado, has tirado, ha tirado; hemos tirado, habéis tirado, han tirado
Plup. Ind.	había tirado, habías tirado, había tirado; habíamos tirado, habíais tirado, habían tirado
Past Ant.	hube tirado, hubiste tirado, hubo tirado; hubimos tirado, hubisteis tirado, hubieron tirado
Fut. Perf.	habré tirado, habrás tirado, habrá tirado; habremos tirado, habréis tirado, habrán tirado
Cond. Perf.	habría tirado, habrías tirado, habría tirado; habríamos tirado, habríais tirado, habrían tirado
Pres. Perf. Subj.	haya tirado, hayas tirado, haya tirado; hayamos tirado, hayáis tirado, hayan tirado
Plup. Subj.	hubiera tirado, hubieras tirado, hubiera tirado; hubiéramos tirado, hubierais tirado, hubieran tirado
	hubiese tirado, hubieses tirado, hubiese tirado; hubiésemos tirado, hubieseis tirado, hubiesen tirado
Imperative	—— tira, tire; tiremos, tirad, tiren

to play (music or a musical instrument), touch

Pres. Ind.	toco, tocas, toca; tocamos, tocáis, tocan
Imp. Ind.	tocaba, tocabas, tocaba; tocábamos, tocabais, tocaban
Pret. Ind.	toqué, tocaste, tocó; tocamos, tocasteis, tocaron
Fut. Ind.	tocaré, tocarás, tocará; tocaremos, tocaréis, tocarán
Condit.	tocaría, tocarías, tocaría; tocaríamos, tocaríais, tocarían
Pres. Subj.	toque, toques, toque; toquemos, toquéis, toquen
Imp. Subj.	tocara, tocaras, tocara; tocáramos, tocarais, tocaran
	tocase, tocases, tocase; tocásemos, tocaseis, tocasen
Pres. Perf.	he tocado, has tocado, ha tocado; hemos tocado, habéis tocado, han tocado
Pluperf.	había tocado, habías tocado, había tocado; habíamos tocado, habíais tocado, habían tocado
Past Ant.	hube tocado, hubiste tocado, hubo tocado; hubimos tocado, hubisteis tocado, hubieron tocado
Fut. Perf.	habré tocado, habrás tocado, habrá tocado; habremos tocado, habréis tocado, habrán tocado
Cond. Perf.	habría tocado, habrías tocado, habría tocado; habríamos tocado, habríais tocado, habrían tocado
Pres. Perf. Subj.	haya tocado, hayas tocado, haya tocado; hayamos tocado, hayáis tocado, hayan tocado
Plup. Subj.	hubiera tocado, hubieras tocado, hubiera tocado; hubiéramos tocado, hubierais tocado, hubieran tocado
	hubiese tocado, hubieses tocado, hubiese tocado; hubiésemos tocado, hubieseis tocado, hubiesen tocado
Imperative	—— toca, toque; toquemos, tocad, toquen

to take

Pres. Ind.	tomo, tomas, toma; tomamos, tomáis, toman
Imp. Ind.	tomaba, tomabas, tomaba; tomábamos, tomabais, tomaban
Pret. Ind.	tomé, tomaste, tomó; tomamos, tomasteis, tomaron
Fut. Ind.	tomaré, tomarás, tomará; tomaremos, tomaréis, tomarán
Condit.	tomaría, tomarías, tomaría; tomaríamos, tomaríais, tomarían
Pres. Subj.	tome, tomes, tome; tomemos, toméis, tomen
Imp. Subj.	tomara, tomaras, tomara; tomáramos, tomarais, tomaran
	tomase, tomases, tomase; tomásemos, tomaseis, tomasen
Pres. Perf.	he tomado, has tomado, ha tomado; hemos tomado, habéis tomado, han tomado
Pluperf.	había tomado, habías tomado, había tomado; habíamos tomado, habíais tomado, habían tomado
Past Ant.	hube tomado, hubiste tomado, hubo tomado; hubimos tomado, hubisteis tomado, hubieron tomado
Fut. Perf.	habré tomado, habrás tomado, habrá tomado; habremos tomado, habréis tomado, habrán tomado
Cond. Perf.	habría tomado, habrías tomado, habría tomado; habríamos tomado, habríais tomado, habrían tomado
Pres. Perf. Subj.	haya tomado, hayas tomado, haya tomado; hayamos tomado, hayáis tomado, hayan tomado
Plup. Subj.	hubiera tomado, hubieras tomado, hubiera tomado; hubiéramos tomado, hubierais tomado, hubieran tomado
	hubiese tomado, hubieses tomado, hubiese tomado; hubiésemos tomado, hubieseis tomado, hubiesen tomado
Imperative	—— toma, tome; tomemos, tomad, tomen

to toast

Pres. Ind.	tuesto, tuestas, tuesta; tostamos, tostáis, tuestan
Imp. Ind.	tostaba, tostabas, tostaba; tostábamos, tostabais, tostaban
Preterit	tosté, tostaste, tostó; tostamos, tostasteis, tostaron
Future	tostaré, tostarás, tostará; tostaremos, tostaréis, tostarán
Condit.	tostaría, tostarías, tostaría; tostaríamos, tostaríais, tostarían
Pres. Subj.	tueste, tuestes, tueste; tostemos, tostéis, tuesten
Imp. Subj.	tostara, tostaras, tostara; tostáramos, tostarais, tostaran
	tostase, tostases, tostase; tostásemos, tostaseis, tostasen
Pres. Perf. Ind.	he tostado, has tostado, ha tostado; hemos tostado, habéis tostado, han tostado
Plup. Ind.	había tostado, habías tostado, había tostado; habíamos tostado, habíais tostado, habían tostado
Past Ant.	hube tostado, hubiste tostado, hubo tostado; hubimos tostado, hubisteis tostado, hubieron tostado
Fut. Perf.	habré tostado, habrás tostado, habrá tostado; habremos tostado, habréis tostado, habrán tostado
Cond. Perf.	habría tostado, habrías tostado, habría tostado; habríamos tostado, habríais tostado, habrían tostado
Pres. Perf. Subj.	haya tostado, hayas tostado, haya tostado; hayamos tostado, hayáis tostado, hayan tostado
Plup. Subj.	hubiera tostado, hubieras tostado, hubiera tostado; hubiéramos tostado, hubierais tostado, hubieran tostado
	hubiese tostado, hubieses tostado, hubiese tostado; hubiésemos tostado, hubieseis tostado, hubiesen tostado
Imperative	—— tuesta, tueste; tostemos, tostad, tuesten

to work, labor

Pres. Ind.	trabajo, trabajas, trabaja; trabajamos, trabajáis, trabajan
Imp. Ind.	trabajaba, trabajabas, trabajaba; trabajábamos, trabajabais, trabajaban
Preterit	trabajé, trabajaste, trabajó; trabajamos, trabajasteis, trabajaron
Future	trabajaré, trabajarás, trabajará; trabajaremos, trabajaréis, trabajarán
Condit.	trabajaría, trabajarías, trabajaría; trabajaríamos, trabajaríais, trabajarían
Pres. Subj.	trabaje, trabajes, trabaje; trabajemos, trabajéis, trabajen
Imp. Subj.	trabajara, trabajaras, trabajara; trabajáramos, trabajarais, trabajaran
	trabajase, trabajases, trabajase; trabajásemos, trabajaseis, trabajasen
Pres. Perf. Ind.	he trabajado, has trabajado, ha trabajado; hemos trabajado, habéis trabajado, han trabajado
Plup. Ind.	había trabajado, habías trabajado, había trabajado; habíamos trabajado, habíais trabajado, habían trabajado
Past Ant.	hube trabajado, hubiste trabajado, hubo trabajado; hubimos trabajado, hubisteis trabajado, hubieron trabajado
Fut. Perf.	habré trabajado, habrás trabajado, habrá trabajado; habremos trabajado, habréis trabajado, habrán trabajado
Cond. Perf.	habría trabajado, habrías trabajado, habría trabajado; habríamos trabajado, habríais trabajado, habrían trabajado
Pres. Perf. Subj.	haya trabajado, hayas trabajado, haya trabajado; hayamos trabajado, hayáis trabajado, hayan trabajado
Plup. Subj.	hubiera trabajado, hubieras trabajado, hubiera trabajado; hubiéramos trabajado, hubierais trabajado, hubieran trabajado
	hubiese trabajado, hubieses trabajado, hubiese trabajado; hubiésemos trabajado, hubieseis trabajado, hubiesen trabajado
Imperative	—— trabaja, trabaje; trabajemos, trabajad, trabajen

to translate

Pres. Ind.	traduzco, traduces, traduce; traducimos, traducís, traducen
Imp. Ind.	traducía, traducías, traducía; traducíamos, traducíais, traducían
Pret. Ind.	traduje, tradujiste, tradujo; tradujimos, tradujisteis, tradujeron
Fut. Ind.	traduciré, traducirás, traducirá; traduciremos, traduciréis, traducirán
Condit.	traduciría, traducirías, traduciría; traduciríamos, traduciríais, traducirían
Pres. Subj.	traduzca, traduzcas, traduzca; traduzcamos, traduzcáis, traduzcan
Imp. Subj.	tradujera, tradujeras, tradujera; tradujéramos, tradujerais, tradujeran
	tradujese, tradujeses, tradujese; tradujésemos, tradujeseis, tradujesen
Pres. Perf.	he traducido, has traducido, ha traducido; hemos traducido, habéis traducido, han traducido
Pluperf.	había traducido, habías traducido, había traducido; habíamos traducido, habíais traducido, habían traducido
Past Ant.	hube traducido, hubiste traducido, hubo traducido; hubimos traducido, hubisteis traducido, hubieron traducido
Fut. Perf.	habré traducido, habrás traducido, habrá traducido; habremos traducido, habréis traducido, habrán traducido
Cond. Perf.	habría traducido, habrías traducido, habría traducido; habríamos traducido, habríais traducido, habrían traducido
Pres. Perf. Subj.	haya traducido, hayas traducido, haya traducido; hayamos traducido, hayáis traducido, hayan traducido
Plup. Subj.	hubiera traducido, hubieras traducido, hubiera traducido; hubiéramos traducido, hubierais traducido, hubieran traducido
	hubiese traducido, hubieses traducido, hubiese traducido; hubiésemos traducido, hubieseis traducido, hubiesen traducido
Imperative	—— traduce, traduzca; traduzcamos, traducid, traduzcan

to bring

Pres. Ind.	traigo, traes, trae; traemos, traéis, traen
Imp. Ind.	traía, traías, traía; traíamos, traíais, traían
Pret. Ind.	traje, trajiste, trajo; trajimos, trajisteis, trajeron
Fut. Ind.	traeré, traerás, traerá; traeremos, traeréis, traerán
Condit.	traería, traerías, traería; traeríamos, traeríais, traerían
Pres. Subj.	traiga, traigas, traiga; traigamos, traigáis, traigan
Imp. Subj.	trajera, trajeras, trajera; trajéramos, trajerais, trajeran trajese, trajeses, trajese; trajésemos, trajeseis, trajesen
Pres. Perf.	he traído, has traído, ha traído; hemos traído, habéis traído, han traído
Pluperf.	había traído, habías traído, había traído; habíamos traído, habíais traído, habían traído
Past Ant.	hube traído, hubiste traído, hubo traído; hubimos traído, hubisteis traído, hubieron traído
Fut. Perf.	habré traído, habrás traído, habrá traído; habremos traído, habréis traído, habrán traído
Cond. Perf.	habría traído, habrías traído, habría traído; habríamos traído, habríais traído, habrían traído
Pres. Perf. Subj.	haya traído, hayas traído, haya traído; hayamos traído, hayáis traído, hayan traído
Plup. Subj.	hubiera traído, hubieras traído, hubiera traído; hubiéramos traído, hubierais traído, hubieran traído hubiese traído, hubieses traído, hubiese traído; hubiésemos traído, hubieseis traído, hubiesen traído
Imperative	—— trae, traiga; traigamos, traed, traigan

to calm, calm down, quiet down, tranquilize

Pres. Ind.	tranquilizo, tranquilizas, tranquiliza; tranquilizamos, tranquilizáis, tranquilizan
Imp. Ind.	tranquilizaba, tranquilizabas, tranquilizaba; tranquilizábamos, tranquilizabais, tranquilizaban
Preterit	tranquilicé, tranquilizaste, tranquilizó; tranquilizamos, tranquilizasteis, tranquilizaron
Future	tranquilizaré, tranquilizarás, tranquilizará; tranquilizaremos, tranquilizaréis, tranquilizarán
Condit.	tranquilizaría, tranquilizarías, tranquilizaría; tranquilizaríamos, tranquilizaríais, tranquilizarían
Pres. Subj.	tranquilice, tranquilices, tranquilice; tranquilicemos, tranquilicéis, tranquilicen
Imp. Subj.	tranquilizara, tranquilizaras, tranquilizara; tranquilizáramos, tranquilizarais, tranquilizaran tranquilizase, tranquilizases, tranquilizase; tranquilizásemos, tranquilizaseis, tranquilizasen
Pres. Perf. Ind.	he tranquilizado, has tranquilizado, ha tranquilizado; hemos tranquilizado, habéis tranquilizado, han tranquilizado
Plup. Ind.	había tranquilizado, habías tranquilizado, había tranquilizado; habíamos tranquilizado, habíais tranquilizado, habían tranquilizado
Past Ant.	hube tranquilizado, hubiste tranquilizado, hubo tranquilizado; hubimos tranquilizado, hubisteis tranquilizado, hubieron tranquilizado
Fut. Perf.	habré tranquilizado, habrás tranquilizado, habrá tranquilizado; habremos tranquilizado, habréis tranquilizado, habrán tranquilizado
Cond. Perf.	habría tranquilizado, habrías tranquilizado, habría tranquilizado; habríamos tranquilizado, habríais tranquilizado, habrían tranquilizado
Pres. Perf. Subj.	haya tranquilizado, hayas tranquilizado, haya tranquilizado; hayamos tranquilizado, hayáis tranquilizado, hayan tranquilizado
Plup. Subj.	hubiera tranquilizado, hubieras tranquilizado, hubiera tranquilizado; hubiéramos tranquilizado, hubierais tranquilizado, hubieran tranquilizado hubiese tranquilizado, hubieses tranquilizado, hubiese tranquilizado; hubiésemos tranquilizado, hubieseis tranquilizado, hubiesen tranquilizado
Imperative	—— tranquiliza, tranquilice; tranquilicemos, tranquilizad, tranquilicen

to try, treat (a subject)

Pres. Ind.	trato, tratas, trata; tratamos, tratáis, tratan
Imp. Ind.	trataba, tratabas, trataba; tratábamos, tratabais, trataban
Preterit	traté, trataste, trató; tratamos, tratasteis, trataron
Future	trataré, tratarás, tratará; trataremos, trataréis, tratarán
Condit.	trataría, tratarías, trataría; trataríamos, trataríais, tratarían
Pres. Subj.	trate, trates, trate; tratemos, tratéis, traten
Imp. Subj.	tratara, trataras, tratara; tratáramos, tratarais, trataran tratase, tratases, tratase; tratásemos, trataseis, tratasen
Pres. Perf. Ind.	he tratado, has tratado, ha tratado; hemos tratado, habéis tratado, han tratado
Plup. Ind.	había tratado, habías tratado, había tratado; habíamos tratado, habíais tratado, habían tratado
Past Ant.	hube tratado, hubiste tratado, hubo tratado; hubimos tratado, hubisteis tratado, hubieron tratado
Fut. Perf.	habré tratado, habrás tratado, habrá tratado; habremos tratado, habréis tratado, habrán tratado
Cond. Perf.	habría tratado, habrías tratado, habría tratado; habríamos tratado, habríais tratado, habrían tratado
Pres. Perf. Subj.	haya tratado, hayas tratado, haya tratado; hayamos tratado, hayáis tratado, hayan tratado
Plup. Subj.	hubiera tratado, hubieras tratado, hubiera tratado; hubiéramos tratado, hubierais tratado, hubieran tratado hubiese tratado, hubieses tratado, hubiese tratado; hubiésemos tratado, hubieseis tratado, hubiesen tratado
Imperative	—— trata, trate; tratemos, tratad, traten

to stumble, blunder

Pres. Ind.	tropiezo, tropiezas, tropieza; tropezamos, tropezáis, tropiezan
Imp. Ind.	tropezaba, tropezabas, tropezaba; tropezábamos, tropezabais, tropezaban
Pret. Ind.	tropecé, tropezaste, tropezó; tropezamos, tropezasteis, tropezaron
Fut. Ind.	tropezaré, tropezarás, tropezará; tropezaremos, tropezaréis, tropezarán
Condit.	tropezaría, tropezarías, tropezaría; tropezaríamos, tropezaríais, tropezarían
Pres. Subj.	tropiece, tropieces, tropiece; tropecemos, tropecéis, tropiecen
Imp. Subj.	tropezara, tropezaras, tropezara; tropezáramos, tropezarais, tropezaran
	tropezase, tropezases, tropezase; tropezásemos, tropezaseis, tropezasen
Pres. Perf.	he tropezado, has tropezado, ha tropezado; hemos tropezado, habéis tropezado, han tropezado
Pluperf.	había tropezado, habías tropezado, había tropezado; habíamos tropezado, habíais tropezado, habían tropezado
Past Ant.	hube tropezado, hubiste tropezado, hubo tropezado; hubimos tropezado, hubisteis tropezado, hubieron tropezado
Fut. Perf.	habré tropezado, habrás tropezado, habrá tropezado; habremos tropezado, habréis tropezado, habrán tropezado
Cond. Perf.	habría tropezado, habrías tropezado, habría tropezado; habríamos tropezado, habríais tropezado, habrían tropezado
Pres. Perf. Subj.	haya tropezado, hayas tropezado, haya tropezado; hayamos tropezado, hayáis tropezado, hayan tropezado
Plup. Subj.	hubiera tropezado, hubieras tropezado, hubiera tropezado; hubiéramos tropezado, hubierais tropezado, hubieran tropezado
	hubiese tropezado, hubieses tropezado, hubiese tropezado; hubiésemos tropezado, hubieseis tropezado, hubiesen tropezado
Imperative	—— tropieza, tropiece; tropecemos, tropezad, tropiecen

to trot

Pres. Ind.	troto, trotas, trota; trotamos, trotáis, trotan
Imp. Ind.	trotaba, trotabas, trotaba; trotábamos, trotabais, trotaban
Preterit	troté, trotaste, trotó; trotamos, trotasteis, trotaron
Future	trotaré, trotarás, trotará; trotaremos, trotaréis, trotarán
Condit.	trotaría, trotarías, trotaría; trotaríamos, trotaríais, trotarían
Pres. Subj.	trote, trotes, trote; trotemos, trotéis, troten
Imp. Subj.	trotara, trotaras, trotara; trotáramos, trotarais, trotaran
	trotase, trotases, trotase; trotásemos, trotaseis, trotasen
Pres. Perf. Ind.	he trotado, has trotado, ha trotado; hemos trotado, habéis trotado, han trotado
Plup. Ind.	había trotado, habías trotado, había trotado; habíamos trotado, habíais trotado, habían trotado
Past Ant.	hube trotado, hubiste trotado, hubo trotado; hubimos trotado, hubisteis trotado, hubieron trotado
Fut. Perf.	habré trotado, habrás trotado, habrá trotado; habremos trotado, habréis trotado, habrán trotado
Cond. Perf.	habría trotado, habrías trotado, habría trotado; habríamos trotado, habríais trotado, habrían trotado
Pres. Perf. Subj.	haya trotado, hayas trotado, haya trotado; hayamos trotado, hayáis trotado, hayan trotado
Plup. Subj.	hubiera trotado, hubieras trotado, hubiera trotado; hubiéramos trotado, hubierais trotado, hubieran trotado
	hubiese trotado, hubieses trotado, hubiese trotado; hubiésemos trotado, hubieseis trotado, hubiesen trotado
Imperative	—— trota, trote; trotemos, trotad, troten

to unite, join, bind, attach, connect

Pres. Ind.	uno, unes, une; unimos, unís, unen
Imp. Ind.	unía, unías, unía; uníamos, uníais, unían
Preterit	uní, uniste, unió; unimos, unisteis, unieron
Future	uniré, unirás, unirá; uniremos, uniréis, unirán
Condit.	uniría, unirías, uniría; uniríamos, uniríais, unirían
Pres. Subj.	una, unas, una; unamos, unáis, unan
Imp. Subj.	uniera, unieras, uniera; uniéramos, unierais, unieran
	uniese, unieses, uniese; uniésemos, unieseis, uniesen
Pres. Perf. Ind.	he unido, has unido, ha unido; hemos unido, habéis unido, han unido
Plup. Ind.	había unido, habías unido, había unido; habíamos unido, habíais unido, habían unido
Past Ant.	hube unido, hubiste unido, hubo unido; hubimos unido, hubisteis unido, hubieron unido
Fut. Perf.	habré unido, habrás unido, habrá unido; habremos unido, habréis unido, habrán unido
Cond. Perf.	habría unido, habrías unido, habría unido; habríamos unido, habríais unido, habrían unido
Pres. Perf. Subj.	haya unido, hayas unido, haya unido; hayamos unido, hayáis unido, hayan unido
Plup. Subj.	hubiera unido, hubieras unido, hubiera unido; hubiéramos unido, hubierais unido, hubieran unido
	hubiese unido, hubieses unido, hubiese unido; hubiésemos unido, hubieseis unido, hubiesen unido
Imperative	—— une, una; unamos, unid, unan

to grease, moisten, anoint, oil

Pres. Ind.	unto, untas, unta; untamos, untáis, untan
Imp. Ind.	untaba, untabas, untaba; untábamos, untabais, untaban
Preterit	unté, untaste, untó; untamos, untasteis, untaron
Future	untaré, untarás, untará; untaremos, untaréis, untarán
Condit.	untaría, untarías, untaría; untaríamos, untaríais, untarían
Pres. Subj.	unte, untes, unte; untemos, untéis, unten
Imp. Subj.	untara, untaras, untara; untáramos, untarais, untaran untase, untases, untase; untásemos, untaseis, untasen
Pres. Perf. Ind.	he untado, has untado, ha untado; hemos untado, habéis untado, han untado
Plup. Ind.	había untado, habías untado, había untado; habíamos untado, habíais untado, habían untado
Past Ant.	hube untado, hubiste untado, hubo untado; hubimos untado, hubisteis untado, hubieron untado
Fut. Perf.	habré untado, habrás untado, habrá untado; habremos untado, habréis untado, habrán untado
Cond. Perf.	habría untado, habrías untado, habría untado; habríamos untado, habríais untado, habrían untado
Pres. Perf. Subj.	haya untado, hayas untado, haya untado; hayamos untado, hayáis untado, hayan untado
Plup. Subj.	hubiera untado, hubieras untado, hubiera untado; hubiéramos untado, hubierais untado, hubieran untado hubiese untado, hubieses untado, hubiese untado; hubiésemos untado, hubieseis untado, hubiesen untado
Imperative	—— unta, unte; untemos, untad, unten

to use, employ, wear

Pres. Ind.	uso, usas, usa; usamos, usáis, usan
Imp. Ind.	usaba, usabas, usaba; usábamos, usabais, usaban
Preterit	usé, usaste, usó; usamos, usasteis, usaron
Future	usaré, usarás, usará; usaremos, usaréis, usarán
Condit.	usaría, usarías, usaría; usaríamos, usaríais, usarían
Pres. Subj.	use, uses, use; usemos, uséis, usen
Imp. Subj.	usara, usaras, usara; usáramos, usarais, usaran
	usase, usases, usase; usásemos, usaseis, usasen
Pres. Perf. Ind.	he usado, has usado, ha usado; hemos usado, habéis usado, han usado
Plup. Ind.	había usado, habías usado, había usado; habíamos usado, habíais usado, habían usado
Past Ant.	hube usado, hubiste usado, hubo usado; hubimos usado, hubisteis usado, hubieron usado
Fut. Perf.	habré usado, habrás usado, habrá usado; habremos usado, habréis usado, habrán usado
Cond. Perf.	habría usado, habrías usado, habría usado; habríamos usado, habríais usado, habrían usado
Pres. Perf. Subj.	haya usado, hayas usado, haya usado; hayamos usado, hayáis usado, hayan usado
Plup. Subj.	hubiera usado, hubieras usado, hubiera usado; hubiéramos usado, hubierais usado, hubieran usado
	hubiese usado, hubieses usado, hubiese usado; hubiésemos usado, hubieseis usado, hubiesen usado
Imperative	—— usa, use; usemos, usad, usen

to utilize

Pres. Ind.	utilizo, utilizas, utiliza; utilizamos, utilizáis, utilizan
Imp. Ind.	utilizaba, utilizabas, utilizaba; utilizábamos, utilizabais, utilizaban
Preterit	utilicé, utilizaste, utilizó; utilizamos, utilizasteis, utilizaron
Future	utilizaré, utilizarás, utilizará; utilizaremos, utilizaréis, utilizarán
Condit.	utilizaría, utilizarías, utilizaría; utilizaríamos, utilizaríais, utilizarían
Pres. Subj.	utilice, utilices, utilice; utilicemos, utilicéis, utilicen
Imp. Subj.	utilizara, utilizaras, utilizara; utilizáramos, utilizarais, utilizaran
	utilizase, utilizases, utilizase; utilizásemos, utilizaseis, utilizasen
Pres. Perf. Ind.	he utilizado, has utilizado, ha utilizado; hemos utilizado, habéis utilizado, han utilizado
Plup. Ind.	había utilizado, habías utilizado, había utilizado; habíamos utilizado, habíais utilizado, habían utilizado
Past Ant.	hube utilizado, hubiste utilizado, hubo utilizado; hubimos utilizado, hubisteis utilizado, hubieron utilizado
Fut. Perf.	habré utilizado, habrás utilizado, habrá utilizado; habremos utilizado, habréis utilizado, habrán utilizado
Cond. Perf.	habría utilizado, habrías utilizado, habría utilizado; habríamos utilizado, habríais utilizado, habrían utilizado
Pres. Perf. Subj.	haya utilizado, hayas utilizado, haya utilizado; hayamos utilizado, hayáis utilizado, hayan utilizado
Plup. Subj.	hubiera utilizado, hubieras utilizado, hubiera utilizado; hubiéramos utilizado, hubierais utilizado, hubieran utilizado
	hubiese utilizado, hubieses utilizado, hubiese utilizado; hubiésemos utilizado, hubieseis utilizado, hubiesen utilizado
Imperative	—— utiliza, utilice; utilicemos, utilizad, utilicen

to hesitate, vacillate, waver, fluctuate, stagger

Pres. Ind.	vacilo, vacilas, vacila; vacilamos, vaciláis, vacilan
Imp. Ind.	vacilaba, vacilabas, vacilaba; vacilábamos, vacilabais, vacilaban
Preterit	vacilé, vacilaste, vaciló; vacilamos, vacilasteis, vacilaron
Future	vacilaré, vacilarás, vacilará; vacilaremos, vacilaréis, vacilarán
Condit.	vacilaría, vacilarías, vacilaría; vacilaríamos, vacilaríais, vacilarían
Pres. Subj.	vacile, vaciles, vacile; vacilemos, vaciléis, vacilen
Imp. Subj.	vacilara, vacilaras, vacilara; viciláramos, vacilarais, vacilaran
	vacilase, vacilases, vacilase; vacilásemos, vacilaseis, vacilasen
Pres. Perf. Ind.	he vacilado, has vacilado, ha vacilado; hemos vacilado, habéis vacilado, han vacilado
Plup. Ind.	había vacilado, habías vacilado, había vacilado; habíamos vacilado, habíais vacilado, habían vacilado
Past Ant.	hube vacilado, hubiste vacilado, hubo vacilado; hubimos vacilado, hubisteis vacilado, hubieron vacilado
Fut. Perf.	habré vacilado, habrás vacilado, habrá vacilado; habremos vacilado, habréis vacilado, habrán vacilado
Cond. Perf.	habría vacilado, habrías vacilado, habría vacilado; habríamos vacilado, habríais vacilado, habrían vacilado
Pres. Perf. Subj.	haya vacilado, hayas vacilado, haya vacilado; hayamos vacilado, hayáis vacilado, hayan vacilado
Plup. Subj.	hubiera vacilado, hubieras vacilado, hubiera vacilado; hubiéramos vacilado, hubierais vacilado, hubieran vacilado
	hubiese vacilado, hubieses vacilado, hubiese vacilado; hubiésemos vacilado, hubieseis vacilado, hubiesen vacilado
Imperative	—— vacila, vacile; vacilemos, vacilad, vacilen

to be worth

Pres. Ind.	valgo, vales, vale; valemos, valéis, valen
Imp. Ind.	valía, valías, valía; valíamos, valíais, valían
Pret. Ind.	valí, valiste, valió; valimos, valisteis, valieron
Fut. Ind.	valdré, valdrás, valdrá; valdremos, valdréis, valdrán
Condit.	valdría, valdrías, valdría; valdríamos, valdríais, valdrían
Pres. Subj.	valga, valgas, valga; valgamos, valgáis, valgan
Imp. Subj.	valiera, valieras, valiera; valiéramos, valierais, valieran valiese, valieses, valiese; valiésemos, valieseis, valiesen
Pres. Perf.	he valido, has valido, ha valido; hemos valido, habéis valido, han valido
Pluperf.	había valido, habías valido, había valido; habíamos valido, habíais valido, habían valido
Past Ant.	hube valido, hubiste valido, hubo valido; hubimos valido, hubisteis valido, hubieron valido
Fut. Perf.	habré valido, habrás valido, habrá valido; habremos valido, habréis valido, habrán valido
Cond. Perf.	habría valido, habrías valido, habría valido; habríamos valido, habríais valido, habrían valido
Pres. Perf. Subj.	haya valido, hayas valido, haya valido; hayamos valido, hayáis valido, hayan valido
Plup. Subj.	hubiera valido, hubieras valido, hubiera valido; hubiéramos valido, hubierais valido, hubieran valido hubiese valido, hubieses valido, hubiese valido; hubiésemos valido, hubieseis valido, hubiesen valido
Imperative	—— val, valga; valgamos, valed, valgan

to stay awake, guard, watch (over)

Pres. Ind.	velo, velas, vela; velamos, veláis, velan
Imp. Ind.	velaba, velabas, velaba; velábamos, velabais, velaban
Preterit	velé, velaste, veló; velamos, velasteis, velaron
Future	velaré, velarás, velará; velaremos, velaréis, velarán
Condit.	velaría, velarías, velaría; velaríamos, velaríais, velarían
Pres. Subj.	vele, veles, vele; velemos, veléis, velen
Imp. Subj.	velara, velaras, velara; veláramos, velarais, velaran
	velase, velases, velase; velásemos, velaseis, velasen
Pres. Perf. Ind.	he velado, has velado, ha velado; hemos velado, habéis velado, han velado
Plup. Ind.	había velado, habías velado, había velado; habíamos velado, habíais velado, habían velado
Past Ant.	hube velado, hubiste velado, hubo velado; hubimos velado, hubisteis velado, hubieron velado
Fut. Perf.	habré velado, habrás velado, habrá velado; habremos velado, habréis velado, habrán velado
Cond. Perf.	habría velado, habrías velado, habría velado; habríamos velado, habríais velado, habrían velado
Pres. Perf. Subj.	haya velado, hayas velado, haya velado; hayamos velado, hayáis velado, hayan velado
Plup. Subj.	hubiera velado, hubieras velado, hubiera velado; hubiéramos velado, hubierais velado, hubieran velado
	hubiese velado, hubieses velado, hubiese velado; hubiésemos velado, hubieseis velado, hubiesen velado
Imperative	—— vela, vele; velemos, velad, velen

to conquer, overcome

Pres. Ind.	venzo, vences, vence; vencemos, vencéis, vencen
Imp. Ind.	vencía, vencías, vencía; vencíamos, vencíais, vencían
Pret. Ind.	vencí, venciste, venció; vencimos, vencisteis, vencieron
Fut. Ind.	venceré, vencerás, vencerá; venceremos, venceréis, vencerán
Condit.	vencería, vencerías, vencería; venceríamos, venceríais, vencerían
Pres. Subj.	venza, venzas, venza; venzamos, venzáis, venzan
Imp. Subj.	venciera, vencieras, venciera; venciéramos, vencierais, vencieran
	venciese, vencieses, venciese; venciésemos, vencieseis, venciesen
Pres. Perf.	he vencido, has vencido, ha vencido; hemos vencido, habéis vencido, han vencido
Pluperf.	había vencido, habías vencido, había vencido; habíamos vencido, habíais vencido, habían vencido
Past Ant.	hube vencido, hubiste vencido, hubo vencido; hubimos vencido, hubisteis vencido, hubieron vencido
Fut. Perf.	habré vencido, habrás vencido, habrá vencido; habremos vencido, habréis vencido, habrán vencido
Cond. Perf.	habría vencido, habrías vencido, habría vencido; habríamos vencido, habríais vencido, habrían vencido
Pres. Perf. Subj.	haya vencido, hayas vencido, haya vencido; hayamos vencido, hayáis vencido, hayan vencido
Plup. Subj.	hubiera vencido, hubieras vencido, hubiera vencido; hubiéramos vencido, hubierais vencido, hubieran vencido
	hubiese vencido, hubieses vencido, hubiese vencido; hubiésemos vencido, hubieseis vencido, hubiesen vencido
Imperative	—— vence, venza; venzamos, venced, venzan

to sell

Pres. Ind.	vendo, vendes, vende; vendemos, vendéis, venden
Imp. Ind.	vendía, vendías, vendía; vendíamos, vendíais, vendían
Pret. Ind.	vendí, vendiste, vendió; vendimos, vendisteis, vendieron
Fut. Ind.	venderé, venderás, venderá; venderemos, venderéis, venderán
Condit.	vendería, venderías, vendería; venderíamos, venderíais, venderían
Pres. Subj.	venda, vendas, venda; vendamos, vendáis, vendan
Imp. Subj.	vendiera, vendieras, vendiera; vendiéramos, vendierais, vendieran vendiese, vendieses, vendiese; vendiésemos, vendieseis, vendiesen
Pres. Perf.	he vendido, has vendido, ha vendido; hemos vendido, habéis vendido, han vendido
Pluperf.	había vendido, habías vendido, había vendido; habíamos vendido, habíais vendido, habían vendido
Past Ant.	hube vendido, hubiste vendido, hubo vendido; hubimos vendido, hubisteis vendido, hubieron vendido
Fut. Perf.	habré vendido, habrás vendido, habrá vendido; habremos vendido, habréis vendido, habrán vendido
Cond. Perf.	habría vendido, habrías vendido, habría vendido; habríamos vendido, habríais vendido, habrían vendido
Pres. Perf. Subj.	haya vendido, hayas vendido, haya vendido; hayamos vendido, hayáis vendido, hayan vendido
Plup. Subj.	hubiera vendido, hubieras vendido, hubiera vendido; hubiéramos vendido, hubierais vendido, hubieran vendido hubiese vendido, hubieses vendido, hubiese vendido; hubiésemos vendido, hubieseis vendido, hubiesen vendido
Imperative	—— vende, venda; vendamos, vended, vendan

to come

Pres. Ind.	vengo, vienes, viene; venimos, venís, vienen
Imp. Ind.	venía, venías, venía; veníamos, veníais, venían
Pret. Ind.	vine, viniste, vino; vinimos, vinisteis, vinieron
Fut. Ind.	vendré, vendrás, vendrá; vendremos, vendréis, vendrán
Condit.	vendría, vendrías, vendría; vendríamos, vendríais, vendrían
Pres. Subj.	venga, vengas, venga; vengamos, vengáis, vengan
Imp. Subj.	viniera, vinieras, viniera; viniéramos, vinierais, vinieran
	viniese, vinieses, viniese; viniésemos, vinieseis, viniesen
Pres. Perf.	he venido, has venido, ha venido; hemos venido, habéis venido, han venido
Pluperf.	había venido, habías venido, había venido; habíamos venido, habíais venido, habían venido
Past Ant.	hube venido, hubiste venido, hubo venido; hubimos venido, hubisteis venido, hubieron venido
Fut. Perf.	habré venido, habrás venido, habrá venido; habremos venido, habréis venido, habrán venido
Cond. Perf.	habría venido, habrías venido, habría venido; habríamos venido, habríais venido, habrían venido
Pres. Perf. Subj.	haya venido, hayas venido, haya venido; hayamos venido, hayáis venido, hayan venido
Plup. Subj.	hubiera venido, hubieras venido, hubiera venido; hubiéramos venido, hubierais venido, hubieran venido
	hubiese venido, hubieses venido, hubiese venido; hubiésemos venido, hubieseis venido, hubiesen venido
Imperative	—— ven, venga; vengamos, venid, vengan

to see

Pres. Ind.	veo, ves, ve; vemos, veis, ven
Imp. Ind.	veía, veías, veía; veíamos, veíais, veían
Pret. Ind.	vi, viste, vio; vimos, visteis, vieron
Fut. Ind.	veré, verás, verá; veremos, veréis, verán
Condit.	vería, verías, vería; veríamos, veríais, verían
Pres. Subj.	vea, veas, vea; veamos, veáis, vean
Imp. Subj.	viera, vieras, viera; viéramos, vierais, vieran viese, vieses, viese; viésemos, vieseis, viesen
Pres. Perf.	he visto, has visto, ha visto; hemos visto, habéis visto, han visto
Pluperf.	había visto, habías visto, había visto; habíamos visto, habíais visto, habían visto
Past Ant.	hube visto, hubiste visto, hubo visto; hubimos visto, hubisteis visto, hubieron visto
Fut. Perf.	habré visto, habrás visto, habrá visto; habremos visto, habréis visto, habrán visto
Cond. Perf.	habría visto, habrías visto, habría visto; habríamos visto, habríais visto, habrían visto
Pres. Perf. Subj.	haya visto, hayas visto, haya visto; hayamos visto, hayáis visto, hayan visto
Plup. Subj.	hubiera visto, hubieras visto, hubiera visto; hubiéramos visto, hubierais visto, hubieran visto hubiese visto, hubieses visto, hubiese visto; hubiésemos visto, hubieseis visto, hubiesen visto
Imperative	—— ve, vea; veamos, ved, vean

to turn, go around

Pres. Ind.	verso, versas, versa; versamos, versáis, versan
Imp. Ind.	versaba, versabas, versaba; versábamos, versabais, versaban
Preterit	versé, versaste, versó; versamos, versasteis, versaron
Future	versaré, versarás, versará; versaremos, versaréis, versarán
Condit.	versaría, versarías, versaría; versaríamos, versaríais, versarían
Pres. Subj.	verse, verses, verse; versemos, verséis, versen
Imp. Subj.	versara, versaras, versara; versáramos, versarais, versaran
	versase, versases, versase; versásemos, versaseis, versasen
Pres. Perf. Ind.	he versado, has versado, ha versado; hemos versado, habéis versado, han versado
Plup. Ind.	había versado, habías versado, había versado; habíamos versado, habíais versado, habían versado
Past Ant.	hube versado, hubiste versado, hubo versado; hubimos versado, hubisteis versado, hubieron versado
Fut. Perf.	habré versado, habrás versado, habrá versado; habremos versado, habréis versado, habrán versado
Cond. Perf.	habría versado, habrías versado, habría versado; habríamos versado, habríais versado, habrían versado
Pres. Perf. Subj.	haya versado, hayas versado, haya versado; hayamos versado, hayáis versado, hayan versado
Plup. Subj.	hubiera versado, hubieras versado, hubiera versado; hubiéramos versado, hubierais versado, hubieran versado
	hubiese versado, hubieses versado, hubiese versado; hubiésemos versado, hubieseis versado, hubiesen versado
Imperative	—— versa, verse; versemos, versad, versen

to clothe, dress

Pres. Ind.	visto, vistes, viste; vestimos, vestís, visten
Imp. Ind.	vestía, vestías, vestía; vestíamos, vestíais, vestían
Preterit	vestí, vestiste, vistió; vestimos, vestisteis, vistieron
Future	vestiré, vestirás, vestirá; vestiremos, vestiréis, vestirán
Condit.	vestiría, vestirías, vestiría; vestiríamos, vestiríais, vestirían
Pres. Subj.	vista, vistas, vista; vistamos, vistáis, vistan
Imp. Subj.	vistiera, vistieras, vistiera; vistiéramos, vistierais, vistieran
	vistiese, vistieses, vistiese; vistiésemos, vistieseis, vistiesen
Pres. Perf. Ind.	he vestido, has vestido, ha vestido; hemos vestido, habéis vestido, han vestido
Plup. Ind.	había vestido, habías vestido, había vestido; habíamos vestido, habíais vestido, habían vestido
Past Ant.	hube vestido, hubiste vestido, hubo vestido; hubimos vestido, hubisteis vestido, hubieron vestido
Fut. Perf.	habré vestido, habrás vestido, habrá vestido; habremos vestido, habréis vestido, habrán vestido
Cond. Perf.	habría vestido, habrías vestido, habría vestido; habríamos vestido, habríais vestido, habrían vestido
Pres. Perf. Subj.	haya vestido, hayas vestido, haya vestido; hayamos vestido, hayáis vestido, hayan vestido
Plup. Subj.	hubiera vestido, hubieras vestido, hubiera vestido; hubiéramos vestido, hubierais vestido, hubieran vestido
	hubiese vestido, hubieses vestido, hubiese vestido; hubiésemos vestido, hubieseis vestido, hubiesen vestido
Imperative	—— viste, vista; vistamos, vestid, vistan

to dress,
get dressed

Pres. Ind.	me visto, te vistes, se viste; nos vestimos, os vestís, se visten
Imp. Ind.	me vestía, te vestías, se vestía; nos vestíamos, os vestíais, se vestían
Pret. Ind.	me vestí, te vestiste, se vistió; nos vestimos, os vestisteis, se vistieron
Fut. Ind.	me vestiré, te vestirás, se vestirá; nos vestiremos, os vestiréis, se vestirán
Condit.	me vestiría, te vestirías, se vestiría; nos vestiríamos, os vestiríais, se vestirían
Pres. Subj.	me vista, te vistas, se vista; nos vistamos, os vistáis, se vistan
Imp. Subj.	me vistiera, te vistieras, se vistiera; nos vistiéramos, os vistierais, se vistieran me vistiese, te vistieses, se vistiese; nos vistiésemos, os vistieseis, se vistiesen
Pres. Perf.	me he vestido, te has vestido, se ha vestido; nos hemos vestido, os habéis vestido, se han vestido
Pluperf.	me había vestido, te habías vestido, se había vestido; nos habíamos vestido, os habíais vestido, se habían vestido
Past Ant.	me hube vestido, te hubiste vestido, se hubo vestido; nos hubimos vestido, os hubisteis vestido, se hubieron vestido
Fut. Perf.	me habré vestido, te habrás vestido, se habrá vestido; nos habremos vestido, os habréis vestido, se habrán vestido
Cond. Perf.	me habría vestido, te habrías vestido, se habría vestido; nos habríamos vestido, os habríais vestido, se habrían vestido
Pres. Perf. Subj.	me haya vestido, te hayas vestido, se haya vestido; nos hayamos vestido, os hayáis vestido, se hayan vestido
Plup. Subj.	me hubiera vestido, te hubieras vestido, se hubiera vestido; nos hubiéramos vestido, os hubierais vestido, se hubieran vestido me hubiese vestido, te hubieses vestido, se hubiese vestido; nos hubiésemos vestido, os hubieseis vestido, se hubiesen vestido
Imperative	—— vístete, vístase; vistámonos, vestíos, vístanse

to travel

Pres. Ind.	viajo, viajas, viaja; viajamos, viajáis, viajan
Imp. Ind.	viajaba, viajabas, viajaba; viajábamos, viajabais, viajaban
Pret. Ind.	viajé, viajaste, viajó; viajamos, viajasteis, viajaron
Fut. Ind.	viajaré, viajarás, viajará; viajaremos, viajaréis, viajarán
Condit.	viajaría, viajarías, viajaría; viajaríamos, viajaríais, viajarían
Pres. Subj.	viaje, viajes, viaje; viajemos, viajéis, viajen
Imp. Subj.	viajara, viajaras, viajara; viajáramos, viajarais, viajaran
	viajase, viajases, viajase; viajásemos, viajaseis, viajasen
Pres. Perf.	he viajado, has viajado, ha viajado; hemos viajado, habéis viajado, han viajado
Pluperf.	había viajado, habías viajado, había viajado; habíamos viajado, habíais viajado, habían viajado
Past Ant.	hube viajado, hubiste viajado, hubo viajado; hubimos viajado, hubisteis viajado, hubieron viajado
Fut. Perf.	habré viajado, habrás viajado, habrá viajado; habremos viajado, habréis viajado, habrán viajado
Cond. Perf.	habría viajado, habrías viajado, habría viajado; habríamos viajado, habríais viajado, habrían viajado
Pres. Perf. Subj.	haya viajado, hayas viajado, haya viajado; hayamos viajado, hayáis viajado, hayan viajado
Plup. Subj.	hubiera viajado, hubieras viajado, hubiera viajado; hubiéramos viajado, hubierais viajado, hubieran viajado
	hubiese viajado, hubieses viajado, hubiese viajado; hubiésemos viajado, hubieseis viajado, hubiesen viajado
Imperative	—— viaja, viaje; viajemos, viajad, viajen

to vibrate

Pres. Ind.	vibro, vibras, vibra; vibramos, vibráis, vibran
Imp. Ind.	vibraba, vibrabas, vibraba; vibrábamos, vibrabais, vibraban
Preterit	vibré, vibraste, vibró; vibramos, vibrasteis, vibraron
Future	vibraré, vibrarás, vibrará; vibraremos, vibraréis, vibrarán
Condit.	vibraría, vibrarías, vibraría; vibraríamos, vibraríais, vibrarían
Pres. Subj.	vibre, vibres, vibre; vibremos, vibréis, vibren
Imp. Subj.	vibrara, vibraras, vibrara; vibráramos, vibrarais, vibraran
	vibrase, vibrases, vibrase; vibrásemos, vibraseis, vibrasen
Pres. Perf. Ind.	he vibrado, has vibrado, ha vibrado; hemos vibrado, habéis vibrado, han vibrado
Plup. Ind.	había vibrado, habías vibrado, había vibrado; habíamos vibrado, habíais vibrado, habían vibrado
Past Ant.	hube vibrado, hubiste vibrado, hubo vibrado; hubimos vibrado, hubisteis vibrado, hubieron vibrado
Fut. Perf.	habré vibrado, habrás vibrado, habrá vibrado; habremos vibrado, habréis vibrado, habrán vibrado
Cond. Perf.	habría vibrado, habrías vibrado, habría vibrado; habríamos vibrado, habríais vibrado, habrían vibrado
Pres. Perf. Subj.	haya vibrado, hayas vibrado, haya vibrado; hayamos vibrado, hayáis vibrado, hayan vibrado
Plup. Subj.	hubiera vibrado, hubieras vibrado, hubiera vibrado; hubiéramos vibrado, hubierais vibrado, hubieran vibrado
	hubiese vibrado, hubieses vibrado, hubiese vibrado; hubiésemos vibrado, hubieseis vibrado, hubiesen vibrado
Imperative	—— vibra, vibre; vibremos, vibrad, vibren

to watch (over), keep guard, look out (for)

Pres. Ind.	vigilo, vigilas, vigila; vigilamos, vigiláis, vigilan
Imp. Ind.	vigilaba, vigilabas, vigilaba; vigilábamos, vigilabais, vigilaban
Preterit	vigilé, vigilaste, vigiló; vigilamos, vigilasteis, vigilaron
Future	vigilaré, vigilarás, vigilará; vigilaremos, vigilaréis, vigilarán
Condit.	vigilaría, vigilarías, vigilaría; vigilaríamos, vigilaríais, vigilarían
Pres. Subj.	vigile, vigiles, vigile; vigilemos, vigiléis, vigilen
Imp. Subj.	vigilara, vigilaras, vigilara; vigiláramos, vigilarais, vigilaran
	vigilase, vigilases, vigilase; vigilásemos, vigilaseis, vigilasen
Pres. Perf. Ind.	he vigilado, has vigilado, ha vigilado; hemos vigilado, habéis vigilado, han vigilado
Plup. Ind.	había vigilado, habías vigilado, había vigilado; habíamos vigilado, habíais vigilado, habían vigilado
Past Ant.	hube vigilado, hubiste vigilado, hubo vigilado; hubimos vigilado, hubisteis vigilado, hubieron vigilado
Fut. Perf.	habré vigilado, habrás vigilado, habrá vigilado; habremos vigilado, habréis vigilado, habrán vigilado
Cond. Perf.	habría vigilado, habrías vigilado, habría vigilado; habríamos vigilado, habríais vigilado, habrían vigilado
Pres. Perf. Subj.	haya vigilado, hayas vigilado, haya vigilado; hayamos vigilado, hayáis vigilado, hayan vigilado
Plup. Subj.	hubiera vigilado, hubieras vigilado, hubiera vigilado; hubiéramos vigilado, hubierais vigilado, hubieran vigilado
	hubiese vigilado, hubieses vigilado, hubiese vigilado; hubiésemos vigilado, hubieseis vigilado, hubiesen vigilado
Imperative	—— vigila, vigile; vigilemos, vigilad, vigilen

to visit

Pres. Ind.	visito, visitas, visita; visitamos, visitáis, visitan
Imp. Ind.	visitaba, visitabas, visitaba; visitábamos, visitabais, visitaban
Pret. Ind.	visité, visitaste, visitó; visitamos, visitasteis, visitaron
Fut. Ind.	visitaré, visitarás, visitará; visitaremos, visitaréis, visitarán
Condit.	visitaría, visitarías, visitaría; visitaríamos, visitaríais, visitarían
Pres. Subj.	visite, visites, visite; visitemos, visitéis, visiten
Imp. Subj.	visitara, visitaras, visitara; visitáramos, visitarais, visitaran visitase, visitases, visitase; visitásemos, visitaseis, visitasen
Pres. Perf.	he visitado, has visitado, ha visitado; hemos visitado, habéis visitado, han visitado
Pluperf.	había visitado, habías visitado, había visitado; habíamos visitado, habíais visitado, habían visitado
Past Ant.	hube visitado, hubiste visitado, hubo visitado; hubimos visitado, hubisteis visitado, hubieron visitado
Fut. Perf.	habré visitado, habrás visitado, habrá visitado; habremos visitado, habréis visitado, habrán visitado
Cond. Perf.	habría visitado, habrías visitado, habría visitado; habríamos visitado, habríais visitado, habrían visitado
Pres. Perf. Subj.	haya visitado, hayas visitado, haya visitado; hayamos visitado, hayáis visitado, hayan visitado
Plup. Subj.	hubiera visitado, hubieras visitado, hubiera visitado; hubiéramos visitado, hubierais visitado, hubieran visitado hubiese visitado, hubieses visitado, hubiese visitado; hubiésemos visitado, hubieseis visitado, hubiesen visitado
Imperative	—— visita, visite; visitemos, visitad, visiten

to live

Pres. Ind.	vivo, vives, vive; vivimos, vivís, viven
Imp. Ind.	vivía, vivías, vivía; vivíamos, vivíais, vivían
Pret. Ind.	viví, viviste, vivió; vivimos, vivisteis, vivieron
Fut. Ind.	viviré, vivirás, vivirá; viviremos, viviréis, vivirán
Condit.	viviría, vivirías, viviría; viviríamos, viviríais, vivirían
Pres. Subj.	viva, vivas, viva; vivamos, viváis, vivan
Imp. Subj.	viviera, vivieras, viviera; viviéramos, vivierais, vivieran
	viviese, vivieses, viviese; viviésemos, vivieseis, viviesen
Pres. Perf.	he vivido, has vivido, ha vivido; hemos vivido, habéis vivido, han vivido
Pluperf.	había vivido, habías vivido, había vivido; habíamos vivido, habíais vivido, habían vivido
Past Ant.	hube vivido, hubiste vivido, hubo vivido; hubimos vivido, hubisteis vivido, hubieron vivido
Fut. Perf.	habré vivido, habrás vivido, habrá vivido; habremos vivido, habréis vivido, habrán vivido
Cond. Perf.	habría vivido, habrías vivido, habría vivido; habríamos vivido, habríais vivido, habrían vivido
Pres. Perf. Subj.	haya vivido, hayas vivido, haya vivido; hayamos vivido, hayáis vivido, hayan vivido
Plup. Subj.	hubiera vivido, hubieras vivido, hubiera vivido; hubiéramos vivido, hubierais vivido, hubieran vivido
	hubiese vivido, hubieses vivido, hubiese vivido; hubiésemos vivido, hubieseis vivido, hubiesen vivido
Imperative	—— vive, viva; vivamos, vivid, vivan

to fly

Pres. Ind.	vuelo, vuelas, vuela; volamos, voláis, vuelan
Imp. Ind.	volaba, volabas, volaba; volábamos, volabais, volaban
Preterit	volé, volaste, voló; volamos, volasteis, volaron
Future	volaré, volarás, volará; volaremos, volaréis, volarán
Condit.	volaría, volarías, volaría; volaríamos, volaríais, volarían
Pres. Subj.	vuele, vueles, vuele; volemos, voléis, vuelen
Imp. Subj.	volara, volaras, volara; voláramos, volarais, volaran
	volase, volases, volase; volásemos, volaseis, volasen
Pres. Perf. Ind.	he volado, has volado, ha volado; hemos volado, habéis volado, han volado
Plup. Ind.	había volado, habías volado, había volado; habíamos volado, habíais volado, habían volado
Past Ant.	hube volado, hubiste volado, hubo volado; hubimos volado, hubisteis volado, hubieron volado
Fut. Perf.	habré volado, habrás volado, habrá volado; habremos volado, habréis volado, habrán volado
Cond. Perf.	habría volado, habrías volado, habría volado; habríamos volado, habríais volado, habrían volado
Pres. Perf. Subj.	haya volado, hayas volado, haya volado; hayamos volado, hayáis volado, hayan volado
Plup. Subj.	hubiera volado, hubieras volado, hubiera volado; hubiéramos volado, hubierais volado, hubieran volado
	hubiese volado, hubieses volado, hubiese volado; hubiésemos volado, hubieseis volado, hubiesen volado
Imperative	—— vuela, vuele; volemos, volad, vuelen

to fly away

Pres. Ind.	me vuelo, te vuelas, se vuela; nos volamos, os voláis, se vuelan
Imp. Ind.	me volaba, te volabas, se volaba; nos volábamos, os volabais, se volaban
Pret. Ind.	me volé, te volaste, se voló; nos volamos, os volasteis, se volaron
Fut. Ind.	me volaré, te volarás, se volará; nos volaremos, os volaréis, se volarán
Condit.	me volaría, te volarías, se volaría; nos volaríamos, os volaríais, se volarían
Pres. Subj.	me vuele, te vueles, se vuele; nos volemos, os voléis, se vuelen
Imp. Subj.	me volara, te volaras, se volara; nos voláramos, os volarais, se volaran
	me volase, te volases, se volase; nos volásemos, os volaseis, se volasen
Pres. Perf.	me he volado, te has volado, se ha volado; nos hemos volado, os habéis volado, se han volado
Pluperf.	me había volado, te habías volado, se había volado; nos habíamos volado, os habíais volado, se habían volado
Past Ant.	me hube volado, te hubiste volado, se hubo volado; nos hubimos volado, os hubisteis volado, se hubieron volado
Fut. Perf.	me habré volado, te habrás volado, se habrá volado; nos habremos volado, os habréis volado, se habrán volado
Cond. Perf.	me habría volado, te habrías volado, se habría volado; nos habríamos volado, os habríais volado, se habrían volado
Pres. Perf. Subj.	me haya volado, te hayas volado, se haya volado; nos hayamos volado, os hayáis volado, se hayan volado
Plup. Subj.	me hubiera volado, te hubieras volado, se hubiera volado; nos hubiéramos volado, os hubierais volado, se hubieran volado
	me hubiese volado, te hubieses volado, se hubiese volado; nos hubiésemos volado, os hubieseis volado, se hubiesen volado
Imperative	—— vuélate, vuélese; volémonos, volaos, vuélense

to overturn, revolve, turn, turn around

Pres. Ind.	volteo, volteas, voltea; volteamos, volteáis, voltean
Imp. Ind.	volteaba, volteabas, volteaba; volteábamos, volteabais, volteaban
Preterit	volteé, volteaste, volteó; volteamos, volteasteis, voltearon
Future	voltearé, voltearás, volteará; voltearemos, voltearéis, voltearán
Condit.	voltearía, voltearías, voltearía; voltearíamos, voltearíais, voltearían
Pres. Subj.	voltee, voltees, voltee; volteemos, volteéis, volteen
Imp. Subj.	volteara, voltearas, volteara; volteáramos, voltearais, voltearan
	voltease, volteases, voltease; volteásemos, volteaseis, volteasen
Pres. Perf. Ind.	he volteado, has volteado, ha volteado; hemos volteado, habéis volteado, han volteado
Plup. Ind.	había volteado, habías volteado, había volteado; habíamos volteado, habíais volteado, habían volteado
Past Ant.	hube volteado, hubiste volteado, hubo volteado; hubimos volteado, hubisteis volteado, hubieron volteado
Fut. Perf.	habré volteado, habrás volteado, habrá volteado; habremos volteado, habréis volteado, habrán volteado
Cond. Perf.	habría volteado, habrías volteado, habría volteado; habríamos volteado, habríais volteado, habrían volteado
Pres. Perf. Subj.	haya volteado, hayas volteado, haya volteado; hayamos volteado, hayáis volteado, hayan volteado
Plup. Subj.	hubiera volteado, hubieras volteado, hubiera volteado; hubiéramos volteado, hubierais volteado, hubieran volteado
	hubiese volteado, hubieses volteado, hubiese volteado; hubiésemos volteado, hubieseis volteado, hubiesen volteado
Imperative	—— voltea, voltee; volteemos, voltead, volteen

to return, go back

Pres. Ind.	vuelvo, vuelves, vuelve; volvemos, volvéis, vuelven
Imp. Ind.	volvía, volvías, volvía; volvíamos, volvíais, volvían
Pret. Ind.	volví, volviste, volvió; volvimos, volvisteis, volvieron
Fut. Ind.	volveré, volverás, volverá; volveremos, volveréis, volverán
Condit.	volvería, volverías, volvería; volveríamos, volveríais, volverían
Pres. Subj.	vuelva, vuelvas, vuelva; volvamos, volváis, vuelvan
Imp. Subj.	volviera, volvieras, volviera; volviéramos, volvierais, volvieran volviese, volvieses, volviese; volviésemos, volvieseis, volviesen
Pres. Perf.	he vuelto, has vuelto, ha vuelto; hemos vuelto, habéis vuelto, han vuelto
Pluperf.	había vuelto, habías vuelto, había vuelto; habíamos vuelto, habíais vuelto, habían vuelto
Past Ant.	hube vuelto, hubiste vuelto, hubo vuelto; hubimos vuelto, hubisteis vuelto, hubieron vuelto
Fut. Perf.	habré vuelto, habrás vuelto, habrá vuelto; habremos vuelto, habréis vuelto, habrán vuelto
Cond. Perf.	habría vuelto, habrías vuelto, habría vuelto; habríamos vuelto, habríais vuelto, habrían vuelto
Pres. Perf. Subj.	haya vuelto, hayas vuelto, haya vuelto; hayamos vuelto, hayáis vuelto, hayan vuelto
Plup. Subj.	hubiera vuelto, hubieras vuelto, hubiera vuelto; hubiéramos vuelto, hubierais vuelto, hubieran vuelto hubiese vuelto, hubieses vuelto, hubiese vuelto; hubiésemos vuelto, hubieseis vuelto, hubiesen vuelto
Imperative	—— vuelve, vuelva; volvamos, volved, vuelvan

to vote, vow

Pres. Ind.	voto, votas, vota; votamos, votáis, votan
Imp. Ind.	votaba, votabas, votaba; votábamos, votabais, votaban
Preterit	voté, votaste, votó; votamos, votasteis, votaron
Future	votaré, votarás, votará; votaremos, votaréis, votarán
Condit.	votaría, votarías, votaría; votaríamos, votaríais, votarían
Pres. Subj.	vote, votes, vote; votemos, votéis, voten
Imp. Subj.	votara, votaras, votara; votáramos, votarais, votaran
	votase, votases, votase; votásemos, votaseis, votasen
Pres. Perf. Ind.	he votado, has votado, ha votado; hemos votado, habéis votado, han votado
Plup. Ind.	había votado, habías votado, había votado; habíamos votado, habíais votado, habían votado
Past Ant.	hube votado, hubiste votado, hubo votado; hubimos votado, hubisteis votado, hubieron votado
Fut. Perf.	habré votado, habrás votado, habrá votado; habremos votado, habréis votado, habrán votado
Cond. Perf.	habría votado, habrías votado, habría votado; habríamos votado, habríais votado, habrían votado
Pres. Perf. Subj.	haya votado, hayas votado, haya votado; hayamos votado, hayáis votado, hayan votado
Plup. Subj.	hubiera votado, hubieras votado, hubiera votado; hubiéramos votado, hubierais votado, hubieran votado
	hubiese votado, hubieses votado, hubiese votado; hubiésemos votado, hubieseis votado, hubiesen votado
Imperative	—— vota, vote; votemos, votad, voten

to lie down, be lying down, lie (in a grave)

Pres. Ind.	yazco, yaces, yace; yacemos, yacéis, yacen
Imp. Ind.	yacía, yacías, yacía; yacíamos, yacíais, yacían
Preterit	yací, yaciste, yació; yacimos, yacisteis, yacieron
Future	yaceré, yacerás, yacerá; yaceremos, yaceréis, yacerán
Condit.	yacería, yacerías, yacería; yaceríamos, yaceríais, yacerían
Pres. Subj.	yazca, yazcas, yazca; yazcamos, yazcáis, yazcan
Imp. Subj.	yaciera, yacieras, yaciera; yaciéramos, yacierais, yacieran
	yaciese, yacieses, yaciese; yaciésemos, yacieseis, yaciesen
Pres. Perf. Ind.	he yacido, has yacido, ha yacido; hemos yacido, habéis yacido, han yacido
Plup. Ind.	había yacido, habías yacido, había yacido; habíamos yacido, habíais yacido, habían yacido
Past Ant.	hube yacido, hubiste yacido, hubo yacido; hubimos yacido, hubisteis yacido, hubieron yacido
Fut. Perf.	habré yacido, habrás yacido, habrá yacido; habremos yacido, habréis yacido, habrán yacido
Cond. Perf.	habría yacido, habrías yacido, habría yacido; habríamos yacido, habríais yacido, habrían yacido
Pres. Perf. Subj.	haya yacido, hayas yacido, haya yacido; hayamos yacido, hayáis yacido, hayan yacido
Plup. Subj.	hubiera yacido, hubieras yacido, hubiera yacido; hubiéramos yacido, hubierais yacido, hubieran yacido
	hubiese yacido, hubieses yacido, hubiese yacido; hubiésemos yacido, hubieseis yacido, hubiesen yacido
Imperative	—— yace (*or* yaz), yazca; yazcamos, yaced, yazcan

to buzz, hum, flutter around

Pres. Ind.	zumbo, zumbas, zumba; zumbamos, zumbáis, zumban
Imp. Ind.	zumbaba, zumbabas, zumbaba; zumbábamos, zumbabais, zumbaban
Preterit	zumbé, zumbaste, zumbó; zumbamos, zumbasteis, zumbaron
Future	zumbaré, zumbarás, zumbará; zumbaremos, zumbaréis, zumbarán
Condit.	zumbaría, zumbarías, zumbaría; zumbaríamos, zumbaríais, zumbarían
Pres. Subj.	zumbe, zumbes, zumbe; zumbemos, zumbéis, zumben
Imp. Subj.	zumbara, zumbaras, zumbara; zumbáramos, zumbarais, zumbaran
	zumbase, zumbases, zumbase; zumbásemos, zumbaseis, zumbasen
Pres. Perf. Ind.	he zumbado, has zumbado, ha zumbado; hemos zumbado, habéis zumbado, han zumbado
Plup. Ind.	había zumbado, habías zumbado, había zumbado; habíamos zumbado, habíais zumbado, habían zumbado
Past Ant.	hube zumbado, hubiste zumbado, hubo zumbado; hubimos zumbado, hubisteis zumbado, hubieron zumbado
Fut. Perf.	habré zumbado, habrás zumbado, habrá zumbado; habremos zumbado, habréis zumbado, habrán zumbado
Cond. Perf.	habría zumbado, habrías zumbado, habría zumbado; habríamos zumbado, habríais zumbado, habrían zumbado
Pres. Perf. Subj.	haya zumbado, hayas zumbado, haya zumbado; hayamos zumbado, hayáis zumbado, hayan zumbado
Plup. Subj.	hubiera zumbado, hubieras zumbado, hubiera zumbado; hubiéramos zumbado, hubierais zumbado, hubieran zumbado
	hubiese zumbado, hubieses zumbado, hubiese zumbado; hubiésemos zumbado, hubieseis zumbado, hubiesen zumbado
Imperative	—— zumba, zumbe; zumbemos, zumbad, zumben

to darn, mend

Pres. Ind.	zurzo, zurces, zurce; zurcimos, zurcís, zurcen
Imp. Ind.	zurcía, zurcías, zurcía; zurcíamos, zurcíais, zurcían
Preterit	zurcí, zurciste, zurció; zurcimos, zurcisteis, zurcieron
Future	zurciré, zurcirás, zurcirá; zurciremos, zurciréis, zurcirán
Condit.	zurciría, zurcirías, zurciría; zurciríamos, zurciríais, zurcirían
Pres. Subj.	zurza, zurzas, zurza; zurzamos, zuráis, zurzan
Imp. Subj.	zurciera, zurcieras, zurciera; zurciéramos, zurcierais, zurcieran
	zurciese, zurcieses, zurciese; zurciésemos, zurcieseis, zurciesen
Pres. Perf. Ind.	he zurcido, has zurcido, ha zurcido; hemos zurcido, habéis zurcido, han zurcido
Plup. Ind.	había zurcido, habías zurcido, había zurcido; habíamos zurcido, habíais zurcido, habían zurcido
Past Ant.	hube zurcido, hubiste zurcido, hubo zurcido; hubimos zurcido, hubisteis zurcido, hubieron zurcido
Fut. Perf.	habré zurcido, habrás zurcido, habrá zurcido; habremos zurcido, habréis zurcido, habrán zurcido
Cond. Perf.	habría zurcido, habrías zurcido, habría zurcido; habríamos zurcido, habríais zurcido, habrían zurcido
Pres. Perf. Subj.	haya zurcido, hayas zurcido, haya zurcido; hayamos zurcido, hayáis zurcido, hayan zurcido
Plup. Subj.	hubiera zurcido, hubieras zurcido, hubiera zurcido; hubiéramos zurcido, hubierais zurcido, hubieran zurcido
	hubiese zurcido, hubieses zurcido, hubiese zurcido; hubiésemos zurcido, hubieseis zurcido, hubiesen zurcido
Imperative	—— zurce, zurza; zurzamos, zurcid, zurzan

English — Spanish Verb Index

This index lists English verbs whose equivalents in Spanish are conjugated fully in this dictionary. If you do not know the Spanish equivalent of the English verb you have in mind, look it up in this index. When you locate the Spanish verb you need, look it up in the preceding pages where it is listed alphabetically. There you will find all the verb forms of all the tenses you need to know. Remember that this dictionary contains 501 Spanish verbs conjugated in all the tenses. So, if the Spanish verb you need is not conjugated fully in this dictionary, try the *List of over 850 Spanish Verbs Conjugated Like Model Verbs Among the 501*, which is given at the end of this book. It might be listed there.

A

abandon **abandonar**
able, to be **poder**
abolish **abolir, suprimir**
absolve **absolver**
abstain **abstenerse**
accelerate **acelerar**
accept **aceptar**
acclaim **aclamar**
accompany **acompañar**
accuse **acusar**
ache **doler**
acknowledge **reconocer**
acquainted with, to be **conocer**
acquire **adquirir**
acquit **absolver**
act (a part) **desempeñar**
add **agregar, añadir, sumar**
adjust **arreglar**
admit **admitir, permitir**
adopt **adoptar**
adore **adorar**
advance **adelantar, avanzar**
advantage, to take **aprovecharse**
advise **aconsejar, advertir**
affirm **asegurar**
aggravate **agravar**
agitate **agitar**
agree **convenir**
agree to **subscribir**
agree upon **acordar**
aid **ayudar, socorrer**
allow **dejar, permitir**
allure **atraer**
amaze **asombrar**
angry, to become **enfadarse**
announce **anunciar**
annoy **aburrir, enojar**
annul **anular**
anoint **untar**
answer **contestar, responder**
appear **aparecer, surgir**
appear (seem) **parecer**
appertain **pertenecer**
applaud **aclamar, aplaudir**

appreciate **apreciar**
approach **acercarse**
arrange **arreglar, ordenar, organizar**
arrive **llegar**
articulate **articular**
ask **preguntar, rogar**
ask for **pedir, rogar**
assail **asaltar**
assault **asaltar**
assemble **reunirse**
assert **asegurar**
assist **ayudar, socorrer**
assume **suponer**
assure **asegurar**
astonish **asombrar, sorprender**
attach **unir**
attack **atacar**
attain **conseguir, lograr**
attempt **tentar**
attend **acudir, asistir**
attest **certificar**
attract **atraer**
avail oneself **aprovecharse**
awaken **despertar**

B

bake **cocer**
baptize **bautizar**
bath, to take a **bañarse**
bathe **bañarse**
battle **batallar**
be **estar, ser**
be able **poder**
be accustomed **acostumbrar, soler**
be acquainted with **conocer**
be bored **aburrirse**
be born **nacer**
be called **llamarse**
be concerned **preocuparse**
be contained in **caber**
be enough **bastar**
be frightened **asustarse**
be (get) high (tipsy) **alumbrarse**
be glad **alegrarse**
be grateful for **reconocer**
be guilty **delinquir**
be ignorant of **ignorar**
be important **importar**
be in the habit of **acostumbrar, soler**
be lacking **faltar**
be lying down **yacer**
be mistaken **equivocarse**
be named **llamarse**
be pleasing **agradar**
be pleasing to **gustar**
be prepared **prepararse**
be present frequently **acudir**
be scared **asustarse**
be silent **callarse**
be sorry for **lastimarse**
be sufficient **bastar**
be thankful for **agradecer**
be wanting **faltar**
be worth **valer**
bear up (endure) **sufrir**
beat **pegar**
become **ponerse**
become angry **calentarse, enfadarse, enojarse**
become excited **calentarse**
become ill **enfermarse**
become lively (from liquor) **alumbrarse**
become sick **enfermarse**
become tired **cansarse**
become weary **cansarse**
beg **implorar, rogar**
begin **comenzar, empezar, iniciar, principiar**
believe **creer**
belong **pertenecer**
bind **atar, unir**
bite **morder**
bless **bendecir**

blow **soplar**
blow out **soplar**
blunder **tropezar**
boil **bullir, cocer**
bore **aburrir**
born, to be **nacer**
bow **inclinar**
break **romper**
breakfast, to (have) **desayunarse**
breed **criar**
bring **traer**
bring near **acercar**
bring up (breed, rear) **criar**
brush **cepillar**
burden **cargar**
build **construir**
burn **abrasar, quemar**
buy **comprar**
buzz **zumbar**

C

cable **telegrafiar**
call **llamar**
call together **convocar**
called, to be **llamarse**
calm **tranquilizar**
calm down **tranquilizar**
can **poder**
cancel (in mathematics) **suprimir**
carry (away) **llevar**
carry out **ejecutar, realizar**
cast **echar**
catch **coger**
cause **producir**
cause grief **doler**
cause regret **doler**
celebrate **celebrar, festejar**
certify **certificar**
change **cambiar**
change one's clothes **mudarse**
change one's place of residence **mudarse**
characterize **caracterizar**
charm **atraer**
chat **charlar**
choke **sofocar**
choose **escoger**
christen **bautizar**
clamp **abrazar**
clarify **aclarar**
clean **limpiar**
clean oneself **limpiarse**
climb **subir**
clinch **fijar**
close **cerrar**
clothe **vestir**
clothe oneself **vestirse**
clutch **agarrar**
collect **agregar, colegir**
color (one's hair, *etc.*) **pintarse**
comb one's hair **peinarse**
come **venir**
come across or upon **encontrarse**
come down **bajar**
come (in) **entrar**
come to an agreement **arreglarse**
come to the rescue **acudir**
come up **subir**
come upon **agarrar**
command **ordenar**
commence **comenzar**
commend **recomendar**
compare **medir**
complain **lastimarse, quejarse**
complete **acabar, completar**
compose **componer**
compromise **arreglarse**
conduct **conducir**
confess **confesar**
confide **fiar**
confine **encerrar**
confirm **confirmar**
conform **arreglarse**
congratulate **felicitar**
connect **juntar, unir**

conquer **vencer**
consecrate **bendecir**
consider **considerar**
constitute **constituir**
construct **construir**
contain **contener**
contained, to be **caber**
continue **continuar, seguir**
contradict **contradecir**
contribute **contribuir**
convene **convocar**
convert **convertir**
convince **convencer**
convoke **convocar**
cook **cocer**
copy **copiar**
correct **corregir**
cost **costar**
counsel **aconsejar**
count **contar**
cover **cubrir, tapar**
cover up **tapar**
creak (as doors, hinges, *etc.*) **gruñir**
crease **chafar**
cross **atravesar, cruzar**
cross out **borrar**
crumple **chafar**
cry out **gritar**
cry (weep) **llorar**
curse **maldecir**
custom, to have the **soler**
cut **acuchillar**
cut open **acuchillar**
cut out (eliminate) **suprimir**

D

dance **bailar**
dare **atreverse, osar**
darn **zurcir**
decide **decidir**
dedicate **dedicar**
defend **defender**
delineate **describir**
deliver **entregar**
demand **exigir**
demonstrate **demostrar**
denounce **denunciar**
deny **negar**
depart **partir**
depend on **atenerse**
descend **bajar**
describe **describir**
deserve **merecer**
desire **desear**
destroy **destruir**
detain **detener**
devote **dedicar**
devote oneself **dedicarse**
die **morir**
direct **dirigir**
discharge **desempeñar**
discover **descubrir**
dismiss **despedir**
dispense **dispensar**
display **presentar**
distinguish **distinguir**
distribute **dispensar**
divide **partir**
divine **adivinar**
do **hacer**
do (something) right **acertar**
doubt **dudar**
draw near **acercarse**
draw (pull) **tirar**
dread **temer**
dream **soñar**
dress **vestir**
dress oneself **vestirse**
drink **beber**
drive (a car) **conducir**
dry **secar**
dry oneself **secarse**
dwell **habitar**

E

earn **ganar**
ease **suavizar**
eat **comer**
eat breakfast **desayunarse**
eat lunch **almorzar**
eat supper **cenar**
echo **sonar**
economize **ahorrar**
elect **elegir**
eliminate **suprimir**
embrace **abrazar**
emphasize **subrayar**
employ **emplear, usar**
enclose **encerrar, incluir**
encounter **encontrar**
end **acabar, terminar**
endure **sufrir**
enjoy **gozar**
enjoy oneself **divertirse**
enlarge **agrandar**
enliven **despertar**
enroll **inscribirse**
enter **entrar**
entertain **festejar**
entreat **implorar**
enunciate **enunciar**
erase **borrar, raer**
erect **erguir**
err **errar**
escape **huir**
escort **acompañar**
establish **establecer**
esteem **estimar**
estimate **estimar**
examine **considerar**
examine by touch **tentar**
excite **mover**
excuse **dispensar**
execute **ejecutar**
exempt **dispensar**
exercise **ejercer**
exert **ejercer**
exhaust **agotar**
expect **aguardar, esperar**
explain **aclarar, explicar**
express **expresar**
extend **tender**

F

fall **caer**
fall asleep **dormirse**
fall ill **enfermarse**
fall sick **enfermarse**
fasten **fijar**
fatigue **cansar**
fear **temer**
feast **festejar**
feel **sentir(se)**
feel sorry **sentir**
feel (touch) **tentar**
feign **fingir, simular**
felicitate **felicitar**
fight **batallar, luchar**
fill **llenar**
find **encontrar(se)**
find out **averiguar**
finish **acabar**
fire (burn) **abrasar, quemar**
fit (into) **caber**
fix (fasten) **fijar**
fix (in the mind) **imprimir**
flatten **chafar**
flee **huir**
fling **arrojar, echar, lanzar, tirar**
flow **correr**
fluctuate **vacillar**
fly **volar**
fly away **volarse**
follow **seguir**
forecast **predecir**
foretell **adivinar, predecir**
forget **olvidarse**

form **formar**
forsake **abandonar**
forward (remit) **remitir**
freeze **helar**
fret **apurarse**
frighten **asombrar, asustar**
fry **freir**
fulfill **cumplir, realizar**
fun of, to make **burlarse**
function (machine) **marchar**

G

gain **ganar**
gape **bostezar**
gather **agregar, recoger**
gather (unite, meet) **reunir**(se)
get **adquirir, conseguir, lograr, obtener, recibir, sacar**
get angry **calentarse, enojarse**
get cross **enojarse**
get dressed **vestirse**
get excited **calentarse**
get ill **enfermarse**
get married **casarse**
get ready **prepararse**
get sick **enfermarse**
get tipsy **alumbrarse**
get tired **cansarse**
get together **reunirse**
get undressed **desvestirse**
get up **levantarse**
get weary **cansarse**
give **dar**
give as a gift **regalar**
give as a present **regalar**
give back (an object) **devolver**
give (hand over) **entregar**
give notice **advertir**
give up **abandonar**
give warning **advertir**
glitter **brillar**
go **ir**
go ahead **adelantar**
go around **versar**
go away **irse, marcharse**
go back **regresar, volver**
go down **bajar**
go in **entrar**
go out **salir**
go through **atravesar**
go to bed **acostarse**
go up **subir**
go with **acompañar**
good-by, to say **despedirse**
good time, to have a **divertirse**
govern **gobernar**
grab **coger**
grant **admitir, permitir**
grasp **agarrar, asir, coger**
gratify **placer**
grease **untar**
greet **saludar**
grieve **apurarse, gemir**
groan **gemir**
group **agrupar**
grow **crecer**
grow larger **agrandar**
grow tired **aburrirse**
grow weary **aburrirse**
growl **gruñir**
grumble **gruñir, quejarse**
grunt **gruñir**
guard **velar**
guess **adivinar**

H

habit, to be in the **soler**
hand over **entregar**
hang out (washing) **tender**
hang up **colgar**
happen **pasar, suceder**
harm **herir**

hasten **apresurarse**
have (as an auxiliary verb) **haber**
have (hold) **tener**
have a good time **divertirse**
have breakfast **desayunarse**
have lunch **almorzar**
have supper **cenar**
have the custom of **soler**
have to **deber**
hear **oír**
heat **calentar**
heave **alzar**
help **ayudar, socorrer**
hesitate **vacilar**
hesitate (in speech) **balbucear**
hide (cover up) **tapar**
hinder **impedir**
hint **sugerir**
hit **pegar**
hit the mark **acertar**
hit upon **acertar**
hold **contener, tener**
hold fast (overcome) **sujetar**
hop **saltar**
hope **esperar**
hug **abrazar**
hum **zumbar**
humor **placer**
hurl **arrojar, echar, lanzar**
hurry **apresurarse**
hurt **doler, herir**
hurt oneself **lastimarse**

I

illuminate **alumbrar**
immerse **sumergir**
impede **impedir**
implore **implorar**
impress **impresionar**
impress (imprint) **imprimir**
imprint **imprimir**
incite **encender**
incline **inclinar**
include **incluir**
increase **agrandar**
indicate **indicar, señalar**
induce **inducir**
inflame **encender**
influence **inducir, influir**
inhabit **habitar**
inherit **heredar**
initiate **iniciar**
inquire **averiguar, preguntar**
inscribe **inscribir**
insinuate **sugerir**
insist **insistir**
insure **asegurar**
introduce **introducir, presentar**
intrust **fiar**
investigate **averiguar**
irritate **enojar**

J

jerk **sacudir**
join **juntar, reunir, unir**
jolt **sacudir**
judge **medir**
jump **saltar**

K

keep (a promise) **cumplir**
keep guard **vigilar**
keep on (advance) **adelantar**
keep quiet **callarse**
keep still **callarse**
keep up (maintain) **mantener**
kill **matar**
kindle **encender**
knife **acuchillar**
knock down **abatir, derribar**

know **conocer, saber**
know how **saber**
know (not to) **ignorar**

L

labor **trabajar**
lack **faltar**
lacking, to be **faltar**
laugh **reír(se)**
launch **lanzar**
lead **conducir, guiar**
leap **saltar**
learn **aprender**
leave **dejar, marcharse, partir, salir**
leave (go out) **salir**
lend **prestar**
let **dejar**
let go **dejar, soltar**
let loose **soltar**
lie down **acostarse, yacer**
lie in a grave **yacer**
lie (tell a lie) **mentir**
lift **alzar**
light **alumbrar**
light (a flame) **encender**
like (be pleasing to) **gustar**
listen (to) **escuchar**
live **vivir**
live in (reside) **habitar**
load **cargar**
lock up **encerrar**
look **mirar**
look alike **parecerse**
look at **mirar**
look for **buscar**
look out (for) **vigilar**
loosen **soltar**
lose **perder**
love **amar**
lunch **almorzar**

M

maintain **mantener, sostener**
make **hacer**
make a present of **regalar**
make an impression **impresionar**
make angry **enojar**
make clear **aclarar**
make fun of **burlarse**
make up (constitute) **constituir**
make up one's face **maquillarse, pintarse**
make void (annul) **anular**
make worse **agravar**
march **marchar**
mark **marcar, notar**
marry **casarse**
matter **importar**
measure **medir**
meet **encontrar(se), reunir(se)**
mend **zurcir**
mention **mencionar**
merit **merecer**
miss **errar, faltar**
mistaken, to be **equivocarse**
moan **gemir**
moisten **untar**
mount **subir**
move **mover**
move along **caminar**
move (change residence) **mudarse**
mumble **chistar**
must **deber**
mutter **chistar**

N

name **llamar**
named, to be **llamarse**
navigate **navegar**
need **faltar, necesitar**
not to know **ignorar**

note **marcar, notar**
notice **notar**

O

obey **obedecer**
observe **marcar, notar, observar**
obtain **adquirir, agarrar, conseguir, lograr, obtener, recibir**
occupy **ocupar**
occur **ocurrir**
offend **delinquir**
offer **ofrecer, tender**
oil **untar**
open **abrir**
oppose **oponer**
order **ordenar**
organize **organizar**
ought **deber**
overcome **sujetar, vencer**
overtake **alcanzar**
overthrow **abatir, derribar**
overturn **voltear**
owe **deber**
own **poseer**

P

pain **doler**
paint **pintar**
parade **pasearse**
pass (by) **pasar**
pay **pagar**
pay attention **fijarse**
perceive **percibir**
perform **ejecutar**
perform (a duty) **desempeñar**
permit **admitir, dejar, permitir**
persist **insistir**
persuade **inducir, mover**
pertain **pertenecer**
pick **recoger**
pick up **alzar, recoger**
pitch **echar**
pitch (a ball) **tirar**
place **colocar, poner**
place near **acercar**
play (a game) **jugar**
play (a musical instrument) **tañer**
play (music or a musical instrument) **tocar**
play (a part) **desempeñar**
please **agradar, placer**
plug up **tapar**
plunge **sumergir**
point out **enseñar, indicar, mostrar, señalar**
poke fun at **burlarse**
polish **pulir**
possess **poseer**
possession, to take **apoderarse**
power, to take **apoderarse**
practice **practicar**
prattle **charlar**
preach **predicar**
predict **predecir**
prefer **preferir**
prepare **preparar**
prepare oneself **prepararse**
present **presentar**
pretend **fingir, simular**
prevent **impedir**
print **imprimir**
proclaim **anunciar, proclamar**
procure **lograr**
produce **producir**
progress **adelantar**
promulgate **proclamar**
pronounce **pronunciar**
protect **proteger**
prove **demostrar, probar**
provide for **mantener**
publish **publicar**

pull **tirar**
purchase **comprar**
pursue **seguir**
put **colocar, poner**
put cosmetics on **maquillarse**
put in order **ordenar**
put make up on **maquillarse**
put on **ponerse**
put on (shoes) **calzar**

Q

quake **temblar**
quarrel **reñir**
question **preguntar**
quiet down **tranquilizar**
quiet, to keep **callarse**
quiver **temblar**

R

race **correr**
rain **llover**
raise (breed) **criar**
raise (prices) **alzar**
reach **alcanzar**
reach one's birthday **cumplir**
read **leer**
realize (fulfill) **realizar**
rear (bring up, breed) **criar**
recall **recordar**
receive **recibir**
recognize **reconocer**
recommend **recomendar**
record (inscribe) **inscribir**
refer **referir**
refund **devolver**
register **inscribirse**
register (a letter) **certificar**
regret **lastimarse, sentir**
regulate **arreglar**
rejoice **alegrarse**
relate **contar, referir**
rely on **atenerse**
remain **quedarse**
remark **notar**
remember **acordarse, recordar**
remit **remitir**
remove (oneself) **quitarse**
repeal **abolir, revocar**
repeat **repetir**
reply **contestar, responder**
request **pedir, rogar**
require **exigir**
resemble each other **parecerse**
reside **habitar**
resolve **resolver**
resound **sonar**
respect **estimar**
respond **responder**
respond (to a call) **acudir**
rest **descansar**
result **resultar**
return (an object) **devolver**
return (go back) **regresar, volver**
revoke **revocar**
revolve **revolver, voltear**
ridicule **burlarse**
ring **sonar**
rinse **aclarar**
rise (get up) **levantarse**
rise (go up) **subir**
roam **errar**
rob **robar**
rub off **raer**
rule **gobernar**
run **correr**
run away **huir**
run (machine) **marchar**
run through **atravesar**
rush **apresurarse**

S

sail **navegar**
salute **saludar**

satisfy **satisfacer**
save (money) **ahorrar**
say **decir**
say good-by to **despedirse**
scan (verses) **medir**
scare **asustar**
scatter **esparcir**
scent **oler**
scold **reñir**
scramble (eggs) **revolver**
scrape **raer**
scream **gritar**
see **ver**
seek **buscar**
seem **parecer**
seize **agarrar, asir, coger**
select **escoger**
sell **vender**
send **enviar**
serve **servir**
set (of sun) **ponerse**
set on fire **incendiar**
set up (organize) **organizar**
set up straight **erguir**
settle **arreglar, arreglarse**
settle in **fijarse**
shake **sacudir**
shake (tremble) **temblar**
shake up **agitar**
sham **simular**
shape **formar**
shatter **romper**
shave oneself **afeitarse**
shine **brillar**
shiver **temblar**
shoe **calzar**
shoot (a gun) **tirar**
shout **aclamar, gritar**
show **enseñar, mostrar, presentar, señalar**
show up **aparecer**
shriek **gritar**
sigh **suspirar**
sign **subscribir**
signal **señalar**
simulate **simular**
sing **cantar**
sink **sumergir**
sit down **sentarse**
sit erect **erguirse**
sketch **describir**
slap **pegar**
slash **acuchillar**
sleep **dormir**
slip away **huir**
smell **oler**
smile **sonreir**
smooth **suavizar**
smother **sofocar**
snow **nevar**
soak in **embeber**
soak up **embeber**
sob **sollozar**
soften **suavizar**
solve (a problem) **resolver**
sound **sonar**
sparkle **brillar**
speak **hablar**
spend (time) **pasar**
split **partir**
spout **surgir**
spread out **tender**
spread (scatter) **esparcir**
spring **saltar**
spurt **surgir**
stagger **vacillar**
stammer **balbucear**
stand erect **erguirse**
start **comenzar, empezar, iniciar**
stay **quedarse**
stay awake **velar**
steal **robar**
stifle **sofocar**
still, to keep **callarse**
stir **agitar**
stop **detenerse, pararse**

stop (someone or something) **detener, parar**
stop up **tapar**
straighten up (oneself) **erguirse**
stretch **tender**
stretch (oneself) **desperezarse**
strive **luchar**
struggle **batallar, luchar**
study **estudiar**
stumble **tropezar**
subdue **someter, sujetar**
subject **someter, sujetar**
submerge **sumergir**
submit **someter**
subscribe **subscribir**
succeed **lograr**
succeed (in) **acertar**
succor **socorrer**
suck **chupar**
suck in **embeber**
suffer **sufrir**
suffice **bastar**
suffocate **sofocar**
suggest **sugerir**
sum up **sumar**
summon **convocar**
support **mantener, sostener**
suppose **suponer**
suppress **suprimir**
surge **surgir**
surprise **sorprender**
surrender **someter**
suspect **sospechar**
swear **jurar**
swim **nadar**

T

take **coger, tomar**
take a bath **bañarse**
take a walk **pasearse**
take advantage **aprovecharse**
take an oath **jurar**
take away **llevar**
take leave of **despedirse**
take notice (of) **advertir, fijarse**
take off (clothing) **quitarse**
take out of pawn **desempeñar**
take out (something) **sacar**
take possession **apoderarse**
take power **apoderarse**
talk **hablar**
teach **enseñar**
tear (break) **romper**
tear down **derribar**
telegraph **telegrafiar**
telephone **telefonear**
tell **contar, decir**
tell a lie **mentir**
temper **suavizar**
tempt **tentar**
terminate **terminar**
test **probar**
thank **agradecer**
think **pensar**
think over **considerar**
throw **arrojar, echar, lanzar, tirar**
throw down **abatir, derribar**
tie **atar**
tilt **inclinar**
tint (one's hair, *etc.*) **pintarse**
tire **cansar**
toast **tostar**
touch **tocar**
tranquilize **tranquilizar**
translate **traducir**
transmit **remitir**
travel **viajar**
treat (a subject) **tratar**
tremble **temblar**
trot **trotar**
try **probar, tentar, tratar**
try on **probar**(se)
turn **versar, voltear**

turn around **voltear**
turn around (revolve) **revolver**
turn over **revolver**
turn upside down **revolver**

U

undergo **sufrir**
underline **subrayar**
underscore **subrayar**
understand **comprender, entender**
undress **desvestirse**
unfasten **soltar**
unite **juntar, reunir, unir**
untie **soltar**
uphold **sostener**
urge **exigir**
use **usar**
use up **agotar**
utilize **utilizar**

V

vacillate **vacilar**
value **estimar**
venture **osar**
verify **confirmar**
vex **aburrir, enojar**
vibrate **vibrar**
visit **visitar**
vote **votar**
vow **votar**

W

wait for **aguardar, esperar**
wake up **despertarse**
walk **andar, caminar, marchar**
walk, to take a **pasearse**
wander **errar**
want **desear, querer**
wanting, to be **faltar**
warm up **calentar**
warn **advertir**
wash oneself **lavarse**
watch **mirar**
watch over **velar, vigilar**
wave **agitar**
waver **vacilar**
wear **llevar, usar**
wear (shoes) **calzar**
weary **cansar**
weep **llorar**
weigh **medir**
whine **llorar**
win **ganar**
wipe dry **secar**
wipe out **raer**
wish **desear, querer**
withdraw **quitarse**
work **trabajar**
worry **apurarse, preocuparse**
worship **adorar**
worth, to be **valer**
wound **herir**
wrap up **envolver**
wrestle **luchar**
write **escribir**

Y

yawn **bostezar**

Index of Spanish Verb Forms Identified by Infinitive

The purpose of this index is to help you identify those verb forms which cannot be readily identified. Verb forms whose *first three letters* are the same as the infinitive have not been included because they can easily be identified by referring to the alphabetical listing of the 501 verbs in this book.

era, *etc.* **ser**
eres **ser**
es **ser**

F

fíe, *etc.* **fiar**
fío, *etc.* **fijar**
friendo **freir**
friera, *etc.* **freir**
frío, *etc.* **freir**
frito **freir**
fue, *etc.* **ir, ser**
fuera, *etc.* **ir, ser**
fuese, *etc.* **ir, ser**
fui, *etc.* **ir, ser**

G

gima, *etc.* **gemir**
gimiendo **gemir**
gimiera, *etc.* **gemir**
gimiese, *etc.* **gemir**
gimo, *etc.* **gemir**
goce, *etc.* **gozar**
gocé **gozar**

H

ha **haber**
haga, *etc.* **hacer**
hago, *etc.* **hacer**
han **haber**
habré, *etc.* **hacer**
haría, *etc.* **hacer**
has **haber**
haya, *etc.* **haber**
haz **hacer**
he **haber**
hecho **hacer**
hemos **haber**
hice, *etc.* **hacer**
hiciera, *etc.* **hacer**
hiciese, *etc.* **hacer**
hiela **helar**
hiele **helar**
hiera, *etc.* **herir**
hiero, *etc.* **herir**
hiramos **herir**
hiriendo **herir**
hiriera, *etc.* **herir**
hiriese, *etc.* **herir**
hizo **hacer**
hube, *etc.* **haber**
hubiera, *etc.* **haber**
hubiese, *etc.* **haber**
huela, *etc.* **oler**
huelo, *etc.* **oler**
huya, *etc.* **huir**
huyendo **huir**
huyera, *etc.* **huir**
huyese, *etc.* **huir**
huyo, *etc.* **huir**

I

iba, *etc.* **ir**
id **ir**
ido **ir**
idos **irse**
irgo, *etc.* **erguir**
irguiendo **erguir**
irguiera, *etc.* **erguir**
irguiese, *etc.* **erguir**

J

juego, *etc.* **jugar**
juegue, *etc.* **jugar**

L

lea, *etc.* **leer**
leído **leer**

leo, *etc.* **leer**
leyendo **leer**
leyera, *etc.* **leer**
leyese, *etc.* **leer**

LL

llueva **llover**
llueve **llover**

M

mida, *etc.* **medir**
midiendo **medir**
midiera, *etc.* **medir**
midiese, *etc.* **medir**
mido, *etc.* **medir**
mienta, *etc.* **mentir**
miento, *etc.* **mentir**
mintiendo **mentir**
mintiera, *etc.* **mentir**
mintiese, *etc.* **mentir**
muerda, *etc.* **morder**
muerdo, *etc.* **morder**
muero, *etc.* **morir**
muerto **morir**
muestre, *etc.* **mostrar**
muestro, *etc.* **mostrar**
mueva, *etc.* **mover**
muevo, *etc.* **mover**
muramos **morir**
muriendo **morir**
muriera, *etc.* **morir**
muriese, *etc.* **morir**

N

nazca, *etc.* **nacer**
nazco **nacer**
niego, *etc.* **negar**
niegue, *etc.* **negar**
nieva **nevar**
nieve **nevar**

O

oíd **oír**
oiga, *etc.* **oír**
oigo, *etc.* **oír**
oliendo **oler**
oliera, *etc.* **oler**
oliese, *etc.* **oler**
oye, *etc.* **oír**
oyendo **oír**
oyera, *etc.* **oír**
oyese, *etc.* **oír**

P

pida, *etc.* **pedir**
pidamos **pedir**
pidiendo **pedir**
pidiera, *etc.* **pedir**
pidiese, *etc.* **pedir**
pido, *etc.* **pedir**
pienso, *etc.* **pensar**
pierda, *etc.* **perder**
pierdo, *etc.* **perder**
plegue **placer**
plugo **placer**
pluguiera **placer**
pluguieron **placer**
pluguiese **placer**
ponga, *etc.* **poner**
pongámonos **ponerse**
ponte **ponerse**
pruebe, *etc.* **probar**
pruebo, *etc.* **probar**
pude, *etc.* **poder**
pudiendo **poder**
pudiera, *etc.* **poder**

pudiese, *etc.* **poder**
puedo, *etc.* **poder**
puesto **poner**
puse, *etc.* **poner**
pusiera, *etc.* **poner**
pusiese, *etc.* **poner**

Q

quepo, *etc.* **caber**
quiero, *etc.* **querer**
quise, *etc.* **querer**
quisiera, *etc.* **querer**
quisiese, *etc.* **querer**

R

raí, *etc.* **raer**
raía, *etc.* **raer**
raiga, *etc.* **raer**
raigo, *etc.* **raer**
rayendo **raer**
rayera, *etc.* **raer**
rayese, *etc.* **raer**
ría, *etc.* **reir**
riamos **reir**
riendo **reir**
riera, *etc.* **reir**
riese, *etc.* **reir**
riña, *etc.* **reñir**
riñendo **reñir**
riñera, *etc.* **reñir**
riñese, *etc.* **reñir**
riño, *etc.* **reñir**
río, *etc.* **reir**
roto **romper**
ruego, *etc.* **rogar**
ruegue, *etc.* **rogar**

S

saque, *etc.* **sacar**
sé **saber, ser**
sea, *etc.* **ser**
sed **ser**
sepa, *etc.* **saber**
seque, *etc.* **secar**
sido **ser**
siendo **ser**
siento, *etc.* **sentar, sentir**
sigo, *etc.* **seguir**
siguiendo **seguir**
siguiera, *etc.* **seguir**
siguiese, *etc.* **seguir**
sintiendo **sentir**
sintiera, *etc.* **sentir**
sintiese, *etc.* **sentir**
sintió **sentir**
sirviendo **servir**
sirvo, *etc.* **servir**
sois **ser**
somos **ser**
son **ser**
suela, *etc.* **soler**
suelo, *etc.* **soler**
suelto, *etc.* **soltar**
sueno, *etc.* **sonar**
sueño, *etc.* **soñar**
supe, *etc.* **saber**
supiera, *etc.* **saber**
supiese, *etc.* **saber**

T

tiemblo, *etc.* **temblar**
tiendo, *etc.* **tender**
tienes, *etc.* **tener**
tiento, *etc.* **tentar**
toque, *etc.* **tocar**
tuesto, *etc.* **tostar**
tuve, *etc.* **tener**

U

uno, *etc.* **unir**

V

va **ir**
vais **ir**
vámonos **irse**
vamos **ir**
van **ir**
vas **ir**
vaya, *etc.* **ir**
ve **ir, ver**
vea, *etc.* **ver**
ved **ver**
veo, *etc.* **ver**
ves **ver**
vete **irse**
vi **ver**
viendo **ver**
viera, *etc.* **ver**
viese, *etc.* **ver**
vimos, *etc.* **ver**
vio **ver**
viste **ver**
visto **ver, vestir**
voy **ir**
vuelo, *etc.* **volar**
vuelto **volver**
vuelvo, *etc.* **volver**

Y

yaz **yacer**
yazco, *etc.* **yacer**
yendo **ir**
yergo, *etc.* **erguir**
yerro, *etc.* **errar**

List of over 850 Spanish Verbs Conjugated Like Model Verbs Among the 501

The number after each verb is the page number where a model verb is shown fully conjugated.

A

abadanar 1
abajar 88
abalagar 338
abalanzar 285
abalar 257
abaldesar 257
abalear 89
abalizar 93
abalsamar 54
abanar 54
abancalar 257
abanderar 33
abanicar 101
abaratar 79
abarcar 101
abarraganar 247
abasar 4
abastecer 135
abdicar 101
abjurar 284
abnegar 322
abominar 109
abonar 1
aborrecer 135
abrigar 338
abrogar 408
absorber 94
abstraer 470
abusar 477
acamar 54
acaparar 339
acentuar 143
acoger 122
acompasar 344
acopiar 150
acorrer 152
acostar 23
acrecer 154
activar 257
actuar 143
acumular 257
adaptar 32
adicionar 309
administrar 217
adscribir 227
adular 257
advenir 484
afamar 54
afargar 338
afeitar 36
afianzar 285
aficionar 309
afirmar 54
afligir 235
afluir 262
afrontar 257

B

C

CH

D

F

G

H

I

J

L

LL

M

N

O

P

Q

R

S

T

U

V

Y

Z